SOIGNEZ VOTRE CORPS

SOIGNEZ VOTRE CORPS

▶ **Le guide essentiel
pour vieillir en beauté**

Sélection
Reader's Digest

Sélection du Reader's Digest (Canada) Ltée, Montréal

SOIGNEZ VOTRE CORPS

Note aux lecteurs
Les renseignements contenus dans ce livre ne doivent pas remplacer ni servir à modifier un traitement médical sans que vous en ayez discuté avec votre médecin. Pour tout problème de santé, consultez votre médecin.

Cet ouvrage a été réalisé sous la direction de l'équipe éditoriale de Sélection du Reader's Digest

VICE-PRÉSIDENTE
Deirdre Gilbert

DIRECTEUR ARTISTIQUE
John McGuffie

RÉDACTION
Agnès Saint-Laurent

GRAPHISME
Cécile Germain

ASSISTANTE ADMINISTRATIVE
Elizabeth Eastman

COORDINATION
Susan Wong

FABRICATION
Holger Lorenzen

Réalisation de l'adaptation en langue française

PLANIFICATION ET GESTION
Suzanne Bélanger

TRADUCTION
Odette Burgo
Ruth Major-Lapierre

LECTURE-CORRECTION
Liliane Michaud
Anne-Marie Théorêt

INFOGRAPHIE
Christian Campana

Pharmacien-conseil pour l'édition canadienne
Gerald Rotenberg

Si vous avez des commentaires au sujet de SOIGNEZ VOTRE CORPS, adressez-les au Service des livres, musique et vidéos, aux soins du Service à la clientèle, Sélection du Reader's Digest, 1100, boul. René-Lévesque Ouest, Montréal, Qué. H3B 5H5.

Pour obtenir notre catalogue ou des renseignements sur d'autres produits de Sélection du Reader's Digest (24 heures sur 24), composez le 1 800 465-0780.

Vous pouvez aussi nous rendre visite sur notre site Internet : www.selectionrd.ca.

SOIGNEZ VOTRE CORPS est l'adaptation française de LOOKING AFTER YOUR BODY.
Copyright © 2001 The Reader's Digest Association, Inc.
Copyright © 2001 Reader's Digest Association (Canada) Ltd.

Imprimé au Canada
04 05 06 / 5 4 3 2

Données de catalogage avant publication (Canada)

Vedette principale au titre :
    Soignez votre corps : le guide essentiel pour vieillir en beauté
    Traduction de : Looking after your body.
    Comprend un index.

    ISBN 0-88850-743-7

    1. Longévité. 2. Vieillissement – Prévention. 3. Santé. 4. Personnes âgées – Maladies. 5. Habitudes sanitaires. I. Wait, Marianne, 1967-. II. Sélection du Reader's Digest (Canada) (Firme).

    RA776.75.L6714   2002   613   C2001-940741-6

Collaborateurs

RÉDACTEURS ET ÉDITEURS
Marylou Ambrose, Bryan Aubrey, Robert A. Barnett, Jeanine Barone, Linda Benson, Diana Benzaia, Sheryl Birsky, Jan Bresnick, Sheila Buff, Hilary Macht Felgran, Michael Fillon, Joan Friedrich, Ph.D., CCN, CDN, Blythe Hamer, Harriet Harvey, Francine Hornberger, Janis Jibrin, Valerie Latona, Jane Leder, Lynn Madsen, Michele Meyer, Kristin Robie, M.D., Deborah S. Romaine, E. Manning Rubin, Cindy Spitzer, Nancy Stedman, Jane Summer, Kathleen Thompson, Bibi Wein, Lyn Yonack

DÉVELOPPEMENT DES RECETTES
Susan McQuillan, M.S., R.D.

Direction artistique

Lemonides Design

DIRECTRICE ARTISTIQUE
Diane Lemonides

ASSISTANTE
Sharon Wienckoski

RECHERCHE ICONOGRAPHIQUE
Carousel Research, Inc.
Laurie Platt Winfrey, Van Bucher, Matthew Connors

ILLUSTRATIONS
Calef Brown, John Edwards, Joel Harris, Sharon Harris, Becky Heavner

PHOTOGRAPHIES
Beth Bischoff, Rich Dunoff, Susan Goldman, Mark Thomas

Conseils et consultants

CONSEILLER MÉDICAL PRINCIPAL
Richard W. Besdine, M.D., F.A.C.P.
Directeur, Centre de gérontologie et de recherche en soins de santé, département de gériatrie, et professeur de gériatrie, Brown University School of Medicine

CONSULTANTS
Elizabeth Barrett-Connor, M.D.
Professeure et chef de la division d'épidémiologie, département de médecine familiale et de médecine préventive, University of California – San Diego School of Medicine

Johanna T. Dwyer, D.Sc., R.D.
Professeure de médecine et de santé communautaire (nutrition), Schools of Medicine and Nutrition Science and Policy ; directrice, Frances Stern Nutrition Center, New England Medical Center Hospital

Salvatore Fichera, M.S.
Spécialiste de l'American Council on Exercise Certified Strength and Conditioning

Sanford I. Finkel, M.D.
Directeur médical, Leonard Schanfield Research Institute and Geriatric Institute, Council for Jewish Elderly

Joyce Frye, D.O., F.A.C.O.G.
Instructrice, Obstétrique et gynécologie, Jefferson Medical College

Charlyn Marcusen, Ph.D., C.C.R.C.

Tedd Mitchell, M.D.
Directeur médical du programme de santé, Cooper Clinic – Cooper Aerobics Institute

Marion Nestle, Ph.D.
Professeure, département de la nutrition et des études sur l'alimentation, New York University

Harry Preuss, M.D., F.A.C.N., C.N.S.
Professeure de physiologie, médecine et pathologie, Georgetown University Medical Center

Curt Woolford, M.A., R.Y.T.
Instructeur certifié de yoga Kripalu

Table des matières

INTRODUCTION
Ralentir
le temps

8

Partie I

VOTRE STRATÉGIE SANTÉ

28

CHAPITRE 1
Manger pour
bien vieillir

30

CHAPITRE 2
Surveiller
votre poids

66

CHAPITRE 3
Le rôle des
suppléments

86

CHAPITRE 4
En forme
pour la vie

108

CHAPITRE 5
Des examens
médicaux
essentiels

144

CHAPITRE 6
Éviter les
pièges pour
votre santé

164

CHAPITRE 7
Évacuer le
stress

186

CHAPITRE 8
Bien dans
votre peau

204

CHAPITRE 9

Votre santé
sexuelle

220

CHAPITRE 10

Entretenir
votre mémoire

240

CHAPITRE 11

Dormir
suffisamment

258

CHAPITRE 12

En beauté
dans sa peau

270

Partie II
MAUX
ET MALADIES 290

Accidents cérébrovasculaires	292
Allergies	296
Arthrite	300
Calculs biliaires	304
Calculs rénaux	306
Cancer	308
Cancer colorectal	310
Cancer ovarien	312
Cancer du poumon	314
Cancer de la prostate	316
Cancer du sein	318
Cancers cutanés	320
Cataractes	322
Constipation	324
Dégénérescence maculaire	326
Dépression	328
Désordres thyroïdiens	332
Diabète	334
Diarrhée	338
Diverticulite	340
Emphysème	342
Fatigue	344
Fibromyalgie	346
Glaucome	348
Goutte	350
Hépatite	352
Hypertension	356
Incontinence	360
Infections des voies urinaires	362
Insuffisance cardiaque	364
Mal de dos	366
Maladie d'Alzheimer	370
Maladie de Parkinson	374
Maladies du coeur	376
Maladies des gencives	380
Ostéoporose	382
Perte auditive	386
Reflux gastro-œsophagien	388
Syndrome du côlon irritable	392
Ulcères	394
Varices	396
Zona	398
Guide des ressources	400
Crédits	404
Index	405

INTRODUCTION

Ralentir le temps

10 Nouveau point de vue

18 Mystères du vieillissement

20 Votre espérance de vie

22 Lorsque l'on vieillit

26 Risques pour la santé

Nouveau point de vue

On ne vieillit plus comme avant. Ne vous imaginez pas devenir fragile ou malade : effacez cette image. Il nous appartient de vivre plus longtemps et de rester en meilleure santé.

Si seulement nos grands-parents avaient su ce que nous savons désormais sur la santé et le vieillissement, ils auraient pu vivre et rester actifs plus longtemps. Ils n'ont pas pu profiter des avantages de la recherche qui a transformé l'idée même de vieillir, ce qui n'est pas votre cas.

Vous n'avez pas à devenir malade en vieillissant. Trop beau pour être vrai ? Eh non ! En procédant dès maintenant par petites étapes, vous pourrez mener une vie plus active jusqu'à l'âge de 80 ans ou 90 ans.

Songez à ce que nous dit la recherche. En 1958, des chercheurs américains entreprenaient d'étudier la santé de plus d'un millier de personnes. Les résultats ont étonné. Malgré les idées que nous nous faisons du vieillissement, les changements physiologiques provoqués par celui-ci – plutôt que par la maladie – *sont minimes.* Le vieillissement n'est donc pas une maladie. Aussi longtemps que vous ne devenez pas victime d'un traumatisme majeur ou d'une maladie grave, vous pouvez conserver votre vitalité.

Vous croyez que l'hérédité a scellé votre sort ? Vous vous trompez. En 1984, des scientifiques de différentes disciplines ont entrepris une recherche à travers tous les États américains en vue d'étudier les divers aspects de notre vieillissement et de trouver des moyens de rester jeunes plus longtemps. Notre manière de vivre agit plus sur notre santé que l'hérédité : telle est leur découverte la plus percutante.

L'étude portant sur les jumeaux élevés séparément l'a démontré : le vieillissement physique n'est imputable à l'hérédité que pour 30 % environ. Le reste dépend de facteurs comme l'alimentation, les risques encourus pour la santé, l'activité physique, la fréquence des bilans de santé.

Pour bien vieillir

Vous vous demandez pourquoi certaines personnes vieillissent mieux que d'autres ? Les chercheurs étudient les secrets de leur succès. Celles qui vieillissent bien semblent :
- rester actives physiquement et mentalement ;
- adopter des mesures préventives pour éviter les maladies les plus graves ;
- conserver une attitude positive et maintenir leurs contacts sociaux.

Elles peuvent même être en meilleure santé en vieillissant. Dans une autre étude, les scientifiques ont suivi l'évolution de 4 000 personnes de 70 à 79 ans. On leur faisait périodiquement subir des tests mentaux et physiques. On évaluait autant leur capacité d'utiliser leurs membres que leur équilibre et leur démarche. Au cours des huit années de l'étude, plus de la moitié ont maintenu leur niveau de fonctionnement, et près de 25 % l'ont amélioré. Les plus susceptibles de s'améliorer étaient en forme physiquement et mentalement et faisaient de l'exercice, au moins de façon modérée. Les résultats de l'étude ont renforcé l'idée que notre manière de vieillir nous appartient.

Guide du propriétaire

Pensez-y : si vous deviez comparer votre corps à une automobile, à quoi ressemblerait celle-ci ? Une énergique sportive ? Une robuste sedan qui commence à peine à montrer son âge ? Une guimbarde avide d'essence qui s'en va tout droit à la ferraille ? Vous le réalisez, peu importe ce qui vous vient à l'esprit, les soins que vous donnez à votre corps *comptent*.

Le meilleur moyen de conserver votre voiture en bon état consiste à l'entretenir. Le même principe s'applique à votre corps. Pensez à ce livre comme à un guide du propriétaire – un outil pour garder votre corps en parfait état de marche pour les années à venir. La première partie, *Votre stratégie santé*, va droit aux questions essentielles touchant à l'état actuel de votre corps, les petites choses que vous pouvez faire pour vous sentir mieux,

paraître mieux et vivre plus long-temps. Par exemple, dans le premier chapitre, *Manger pour bien vieillir*, vous découvrirez que manger quelques noix chaque jour peut réduire de presque 40 % le risque d'attaque cardiaque. Vous évaluerez l'effet de votre alimentation sur votre vieillissement et apprendrez à choisir les aliments… selon leur couleur.

D'autres chapitres vous feront découvrir :

- qu'une multivitamine quotidienne peut vous aider à vivre plus long-temps (chapitre 3) ;
- des petits exercices qui peuvent faire du bien à votre dos (chapitre 4) ;
- des tests simples qui peuvent vous sauver la vie (chapitre 5) ;

Avez-vous besoin d'un «travail de carrosserie»? Un peu d'attention et d'entretien peut vous donner une apparence plus jeune et vous permettre de rouler en douceur plus longtemps.

Si votre médecin n'a plus l'excuse de déclarer que « cela fait partie du vieillissement normal », ne le déclarez pas non plus. Le vieillissement n'est pas une maladie.

- un programme efficace de six semaines pour arrêter de fumer (chapitre 6);
- des déstressants qui peuvent renforcer votre système immunitaire (chapitre 7);
- l'importance du lien émotionnel pour rester en santé à tout âge (chapitre 8);
- des moyens naturels pour améliorer votre vie sexuelle (chapitre 9);
- des trucs pour exercer votre cerveau et maintenir votre acuité mentale (chapitre 10);
- des secrets pour mieux dormir (chapitre 11);
- des traitements antirides efficaces (chapitre 12).

La deuxième partie, *Maux et maladies de A à Z,* est votre guide de diagnostic. Vous y apprendrez à connaître les problèmes communément associés à l'âge et les signaux à surveiller. Les stratégies de prévention vous aident à éviter les états qui menacent le plus votre santé. Saviez-vous qu'en buvant deux ou trois verres de lait par jour vous aidez à abaisser votre pression sanguine? que le soya peut vous prémunir contre l'hypertrophie de la prostate? que la thérapie par l'aspirine peut vous préserver du cancer du côlon? Si vous pouvez éviter ou contrer les maux décrits dans cette partie, vous pouvez fort bien rester en bonne santé toute votre vie.

Redéfinissez votre âge

Changez votre perception de l'âge:

Ne vous attendez pas à être handicapé. Les gens qui font de l'exercice, contrôlent leur poids et évitent le tabagisme, on le sait, vivent plus longtemps. Ils ont aussi moins de maladies et les ont vues se développer plus tard; ainsi, ont-ils passé moins d'années malades.

Ne vous attendez pas à être fragile. Peu importe votre âge, l'exercice peut vous fortifier. Dans une étude, on a vu des gens de 60 à 70 ans commencer un programme d'exercices et améliorer leur capacité d'oxygénation de 38 %. À la 13e semaine d'un programme d'entraînement, des hommes de 60 à 72 ans ont vu leur force musculaire plus que doubler. En outre, une étude réalisée récemment à Harvard a démontré que l'activité vigoureuse diminuait le risque de mourir prématurément.

Ne vous attendez pas à ce que votre cerveau vous fasse défaut. Pas besoin de paniquer parce que vous avez tendance à égarer vos clés d'auto ou à oublier des noms; votre esprit tient probablement mieux le coup que vous ne le croyez. Pourquoi? On a découvert que les

Surpasser les olympiens

Saviez-vous qu'au cours des récents Jeux olympiques senior, plusieurs gagnants ont surpassé certains médaillés d'or des Olympiques? Par exemple, Keefe Lodwig, 53 ans, a nagé le 100 mètres style libre en 57,93 secondes, abaissant le record de 58,6 secondes réalisé par Johnny Weissmuller en 1928. D'autres gagnants ont réussi leur meilleur temps, comme Bob Bailey qui a nagé le 90 mètres style libre en 52,62 secondes à l'âge de 53 ans. Son record précédent, réalisé alors qu'il était étudiant, était de 52,7 secondes.

En quelques mots

fonctions cérébrales ne déclinent pas beaucoup avec l'âge ; elles fléchissent plutôt avec la maladie. La performance dans des domaines comme la signification verbale, l'orientation spatiale, le raisonnement logique, les habiletés numériques, et la facilité d'expression ne commencent à décliner légèrement qu'autour de 74 ans.

Ne vous attendez pas à ce que votre vie sexuelle stagne.
Selon Santé Canada, en moyenne, près de 70 % des gens de 70 ans en bonne santé continuent d'avoir régulièrement des relations sexuelles. Plus de 25 % des hommes et des femmes en bonne santé de 80 ans et plus ont encore une vie sexuelle active – jusqu'à quatre relations par mois – et rapportent éprouver plus de satisfaction que les jeunes à l'égard de leur vie sexuelle. Dans *Passionate Marriage,* David Schnarch est même d'avis que la vie amoureuse des 60 ans et plus est meilleure que celle des jeunes adultes. « C'est une période où les gens ont une sexualité

épanouie, et cela a tout à voir avec la maturité. »

Vous avez le contrôle

Vous pouvez rester actif et productif : pensez-y quand vous vous imaginez vieux. Vous ne courrez peut-être pas le marathon, mais encore une fois, vous le pourriez bien. Vous ne seriez pas la première personne à étonner le monde par des prouesses physiques autrefois considérées comme l'apanage de la jeunesse. Évidemment, cela ne se produira pas accidentellement. De nos jours, il paraît de plus en plus évident qu'il faut « que ça travaille ou que ça déraille ». Tout comme le fait de bien manger ou de subir les tests de dépistage dont vous avez besoin, l'activité, qu'elle soit physique, mentale, sociale ou spirituelle, peut ralentir et même renverser le processus de vieillissement. La recherche montre qu'il n'est jamais trop tard pour passer à l'action. Commencez une étape à la fois. Dès maintenant.

Quand vous pensez à l'avenir, considérez que tout est possible. Karine, une femme dans la cinquantaine, raconte : « Mes parents ont toujours dit : "Quand nous prendrons notre retraite" un peu comme on déclare "quand je serai grand". Ils ont songé à vivre sur une péniche ou à partir enseigner à l'étranger. Quand l'heure de la retraite a sonné, ils ont élaboré les plans d'une maison et ont fait eux-mêmes la plupart des travaux. Passé 70 ans, ils ont ajouté une pièce et un garage, ne demandant l'aide des voisins que pour le toit. Ils m'ont ainsi donné le sentiment que l'existence est faite d'une suite de projets. Quand j'en aurai fini avec un, je passerai tout simplement au suivant. »

INTRODUCTION

15 façons de ralentir l'horloge

Quelques petits changements apportés à votre routine quotidienne peuvent ralentir les avancées du temps. Concentrez-vous sur ces 15 façons de rester en meilleure santé.

1 **Mangez votre médicament.** Manger du poisson une fois par semaine peut réduire le risque de décès par arrêt cardiaque. Pour bien manger, en plus de couper le gras, il faut aussi connaître la différence entre les bons et les mauvais gras, être attentif aux variétés et aux proportions des aliments consommés, créer une habitude de bons choix alimentaires (le plus difficile pour la plupart des gens). Même si le fait de consommer cinq portions ou plus de fruits et de légumes chaque jour peut réduire le risque de cancer de 20 %, moins de 40 % des gens âgés le font. Des mauvaises habitudes nutritionnelles ne peuvent être changées du jour au lendemain, mais vous pourrez y arriver si vous améliorez graduellement votre régime alimentaire.

2 **Bougez.** Sachez que l'inactivité physique représente le facteur de risque le plus répandu pour les Canadiens de tous âges. Les deux tiers des Canadiens mènent des vies dangereusement inactives. Même des exercices légers (20 minutes par jour) peuvent faire beaucoup de bien, surtout si vous faites fidèlement les exercices nécessaires pour retrouver endurance, force, équilibre et flexibilité.

3 **Complétez votre régime alimentaire.** L'un des meilleurs moyens de ralentir l'horloge, vous le savez peut-être, consiste à prendre suffisamment d'anti-oxydants contenus dans les vitamines C et E et dans le bêta-carotène. Vous tenez à rester jeune ? Vous devriez aussi connaître d'autres suppléments comme la vitamine B_{12} (puisque les déficits de ce nutriment, fréquents chez les personnes de plus de 60 ans, peuvent entraîner la démence et les pertes de mémoire) et le calcium, qui ne prémunit pas seulement contre l'ostéoporose, mais aide aussi à prévenir les types les plus fréquents d'attaque.

4 **Surveillez votre poids.** L'obésité peut conduire à des problèmes de santé graves et raccourcir votre vie. Même 4 à 8 kilos de trop peuvent vous faire courir des risques inutiles, surtout s'ils se sont fixés autour de votre abdomen. Votre métabolisme ralentit avec l'âge : vous ne brûlez plus les calories comme avant. Il vous faut donc diminuer vos portions ou augmenter l'exercice, ou faire les deux.

5 **Soyez bon pour vos os.** Sachez que 70 % des fractures de la hanche sont liées à l'ostéoporose. Madame, n'attendez pas la ménopause pour faire face au risque d'ostéoporose. Vous commencez à perdre de la densité osseuse au moins dix ans avant la ménopause. Prenez suffisamment de calcium et de vitamine D chaque jour, arrêtez de fumer et faites de l'exercice. À l'approche de la ménopause, discutez d'hormonothérapie avec votre médecin. Quant à vous, monsieur, ne vous croyez pas à l'abri de l'ostéoporose : à 70 ou 80 ans, le risque peut être aussi important.

6 **Voyez votre médecin.** Votre médecin peut devenir votre meilleur allié dans la prévention des problèmes de santé. Faites prendre votre pression artérielle une fois l'an, vous pourrez prévenir des problèmes cardiovasculaires ou rénaux graves.

Vous pouvez aussi éviter la pneumonie – l'une des maladies les plus mortelles chez les Canadiens âgés – avec le vaccin pneumococcique. Les injections annuelles contre la grippe aident à enrayer aussi les complications qui peuvent l'accompagner. Vous ne regretterez jamais d'avoir pu faire détecter tôt le cancer ou le diabète, quand on peut encore les traiter. Apprenez quels tests subir et à quel moment (page 149, affichez la liste sur votre réfrigérateur).

7 **Limitez votre consommation d'alcool.** Il est vrai qu'un verre ou deux par jour peut réduire votre risque de maladie cardiaque, mais ne commencez pas à boire pour jouir de ces bénéfices. De l'exercice et un régime alimentaire sain peuvent vous aider à obtenir les mêmes résultats. Sachez aussi que plus vous vieillissez, plus l'alcool vous affecte. À 40 ou 50 ans, prendre un verre de sherry et le faire suivre d'un verre de vin au repas peut aller ; il en va autrement à 70 ans, alors que le métabolisme est plus lent et l'équilibre plus précaire. L'abus d'alcool augmente aussi le risque de cancer du sein chez la femme.

8 **Dites non au tabac et à la fumée.** Les maladies du cœur, le cancer et les attaques entraînent de nos jours un décès sur deux ; le tabagisme en est sûrement la cause. Peu importe le nombre de vos échecs passés, il vous faut arrêter de fumer et la prochaine fois pourrait bien être la bonne si vous avez de l'aide. Voyez comment procéder à la page 168. D'ailleurs, les chances de réussir sont meilleures après 65 ans. Pour ce qui est de la fumée secondaire, sachez que de rester dans des pièces enfumées peut raccourcir votre vie. Respirer de la fumée secondaire pendant une heure équivaudrait à fumer plusieurs cigarettes.

9 **Soyez vigilant avec vos médicaments.** Avec l'âge, vous devrez peut-être prendre différents médicaments. Le problème de la « polypharmacie », comme on l'appelle, est le risque accru d'interactions entre les médicaments mêmes, les médicaments et les aliments, ou l'alcool, ou les herbes. Saviez-vous que le Tylénol pris avec l'alcool peut nuire au foie ? qu'un cas d'impuissance sur quatre peut être dû aux effets secondaires des médicaments ? qu'avec l'âge l'effet des médicaments est plus prononcé et que vous devriez peut-être réduire les doses ? Soyez prudent.

10 **Évitez le stress.** L'âge vous fera connaître de nouveaux types de stress. Peut-être aurez-vous plus de responsabilités au travail ou devrez-vous vous occuper de vos parents âgés. La retraite ne correspondra peut-être pas à vos attentes, ou vous sentirez-vous seul après la mort de votre partenaire. Le stress chronique accroît le risque de maladie cardiaque, de cancer, de mauvaise digestion et même de perte de mémoire. Aidez-vous à vivre plus longtemps en apprenant à gérer votre stress. Voyez, en page 21, comment les centenaires s'y prennent. Plusieurs techniques peuvent vous aider.

11 **Évitez les accidents et les chutes.** Tout d'abord, conduisez prudemment et portez votre ceinture de sécurité. Les hommes âgés de 55 à 64 ans courent deux fois plus de risques de mourir dans un accident d'automobile que les femmes du même âge. Au volant, les risques augmentent avec les problèmes de vision ou d'audition et le ralentissement des réflexes. Autour de la maison, dégagez les endroits où vous passez pour éviter les chutes et faites des exercices pour améliorer votre équilibre.

13 **Gardez vos dents blanches.** Autrefois quand les gens vieillissaient, ils portaient des dentiers. Si vous souhaitez conserver vos dents, visitez le dentiste régulièrement et faites nettoyer vos dents au moins une ou deux fois l'an. La soie dentaire et le brossage quotidien occupent une part importante de la prévention : une infection des gencives peut se propager et infecter votre cœur, ce qui pourrait raccourcir votre vie de quelques années.

12 **Pensez jeune.** Pour conserver votre énergie, restez en vie et cassez vos anciennes habitudes. Trouvez-vous une passion et ne la lâchez pas : faites du bénévolat, essayez de nouvelles recettes, commencez un potager, adoptez un animal. Mettez vos facultés intellectuelles au défi : apprenez de nouvelles choses, ce qui peut stimuler de nouvelles connexions dans votre cerveau. Jouez au bridge, faites des mots croisés difficiles, joignez-vous à un club de lecture, apprenez la poterie ou la musique.

Petit train va loin

Pas besoin de devenir fanatique de la santé ou de réviser votre mode de vie pour vivre plus longtemps et rester en santé. Apportez des petits changements comme ceux énumérés ci-dessous et vous aurez une meilleure santé en peu de temps.

Changement	Temps requis	Bénéfice principal
Ajoutez des fraises à votre gaufre quotidienne	Quelques minutes	■ La vitamine C aide à prévenir les cataractes et à ralentir la progression des problèmes articulaires dérivés de l'ostéoporose.
Choisissez des céréales qui contiennent 5 grammes de fibres par portion	Aucun	■ Cela diminue les risques de diabète de type 2 et de maladie cardiaque, et peut aider à perdre du poids.
Prenez une multivitamine contenant 400 microgrammes d'acide folique	Quelques secondes	■ Cela peut réduire le risque de cancer du côlon d'autant que 75 %.
Faites des mots croisés	20 minutes	■ Quand vous mettez votre cerveau au défi, vous l'obligez à élaborer de nouvelles dendrites, des fibres fines comme des cheveux qui assurent la connexion des neurones. Plus il y en a, plus votre esprit devient agile.
Marchez d'un bon pas pendant 30 minutes six fois par mois	Trois heures par mois	■ La marche rapide aide à prévenir l'ostéoporose et peut réduire de 50 % le risque de mort prématurée.
Dormez suffisamment	De 7½ à 8 heures	■ Le sommeil renforce votre système immunitaire et peut réduire votre risque de mort prématurée d'autant que 30 %.
Mangez du poisson au moins une fois par semaine	Environ 30 minutes	■ Cela peut réduire votre risque d'attaque cardiaque de 40 % ; cela peut aussi réduire le risque de certains cancers et diminuer les symptômes d'arthrite rhumatoïde.
Passez une mammographie annuelle	Environ 1 heure	■ Cela réduit le risque de mourir du cancer du sein d'autant que 30 %.

14
Dormez suffisamment. Le sommeil réparateur peut vous échapper avec le temps. Il est pourtant essentiel au bon vieillissement. On a lié le sommeil au bon fonctionnement du système immunitaire et à la santé cardiovasculaire. En connaissant vos habitudes de sommeil et la manière de préserver ses atouts précieux, vous pouvez ajouter à votre vie, en qualité et en années. Voyez au chapitre 11 des conseils plus spécifiques. Apprenez aussi à restaurer votre esprit et votre corps en pratiquant régulièrement la détente.

15
Conservez vos liens sociaux. Les plus récentes découvertes médicales démontrent l'importance de garder des liens avec la famille et les amis, jeunes ou vieux. Le réseau social contribue à allonger la vie, à réduire le besoin de consulter un médecin et de séjourner à l'hôpital. Si vous êtes bien entouré, vous avez plus de chances de surmonter la maladie, le stress et les problèmes émotifs – sans compter que vous jouirez davantage de la vie. Plus vous aurez de contacts, quotidiens ou hebdomadaires, mieux vous vous porterez.

Mystères du vieillissement

L'espoir parle d'éternité, mais l'espérance de vie humaine a des limites internes. Voici pourquoi nous ne sommes pas éternels… pour le moment.

Qu'est-ce qui fait vieillir le corps ? Nos cellules se détériorent-elles par simple usure ? Sont-elles plutôt programmées pour mourir après un certain temps ? Voici deux théories.

Radicaux libres

Le Dr Harman, selon sa théorie, conçoit les radicaux libres comme des molécules d'oxygène instables qui présentent un seul électron au lieu de la paire habituelle et qui s'efforcent de s'accrocher à d'autres molécules. Dans un processus appelé oxydation, elles endommagent les protéines, les lipides et l'ADN contenus dans les cellules du corps. Pensez à une pomme coupée et laissée sur le comptoir. Que lui arrive-t-il ? Elle brunit. C'est exactement ce que fait l'oxydation dans l'organisme.

D'où viennent les radicaux libres ? Ils sont imputables à toutes sortes de substances polluantes comme le smog, la fumée du tabac et même la friture. Ils sont aussi un sous-produit des processus métaboliques naturels du corps. C'est là le paradoxe de l'oxygène : il nous donne la vie et l'énergie, mais il produit également les radicaux libres qui attaquent quotidiennement nos cellules. Avec le temps, nos cellules endommagées perdent leur capacité de résister à l'infection et à la maladie et finissent par mourir. Heureusement, les antioxydants (vitamines, minéraux, enzymes et autres composés provenant des aliments ou produits par notre organisme) peuvent aider à neutraliser les radicaux libres. Nous serions donc bien avisés de

Les radicaux libres et vos cellules

Avant et après les dommages causés par les radicaux libres : à gauche, une cellule saine présente des fibres protéiques homogènes et une membrane cellulaire flexible. À droite, les radicaux libres ont endommagé l'ADN dans le nucléus, brisé les fibres protéiques et distordu les lipides, rendant la membrane cellulaire sujette à la destruction.

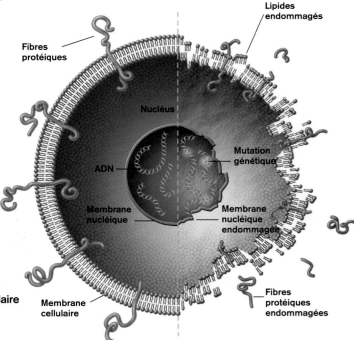

Fibres protéiques

Lipides endommagés

Nucléus

Mutation génétique

ADN

Membrane nucléique

Membrane nucléique endommagée

Membrane cellulaire

Fibres protéiques endommagées

consommer plus de fruits et de légumes riches en antioxydants.

L'horloge biologique

L'autre théorie, celle du Dr Hayflick, veut que les cellules soient munies d'une horloge interne. Il a découvert que les cellules humaines ne peuvent se diviser indéfiniment (la « limite de Hayflick ») : normalement, de 50 à 60 fois avant de mourir.

Pourquoi les cellules ne se divisent-elles pas à l'infini ? Nos chromosomes ont des extrémités de segments minuscules appelées télomères, qui empêchent notre ADN de s'effilocher (imaginez l'embout de plastique aux extrémités d'un lacet) et lui permettent de se diviser. Chaque fois que la cellule se divise, le télomère raccourcit. Quand il est réduit à néant, la cellule ne peut plus se diviser. Vous pourriez alors dire que la cellule devient un « vieux débris ». Quand ces vieux débris s'accumulent, ils affectent les autres cellules, entraînant la détérioration des tissus et des organes.

Une enzyme appelée télomérase, capable de rajeunir les télomères, peut repousser la limite de Hayflick. Le sperme et les ovules produisent habituellement cette enzyme, mais elle est « éteinte » dans les autres cellules de l'organisme. Les cellules cancéreuses ont le même effet. Le défi qui attend les scientifiques consiste à trouver le moyen d'exploiter la capacité de la télomérase sans entraîner de croissance cancéreuse. Cette connaissance nous aiderait à trouver comment remplacer les tissus cutanés endommagés ou brûlés, guérir les maladies comme la dégénérescence maculaire, et même prolonger la vie.

En attendant, évitez ce qui fait rétrécir plus vite les télomères : tabac,

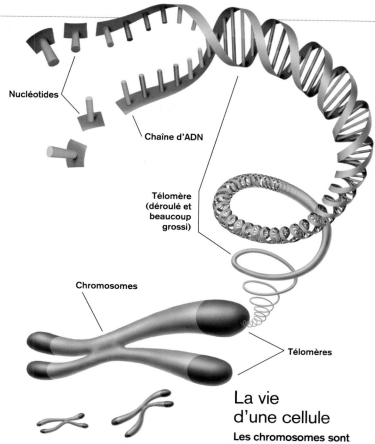

Nucléotides

Chaîne d'ADN

Télomère (déroulé et beaucoup grossi)

Chromosomes

Télomères

La vie d'une cellule

Les chromosomes sont faits de chaînes d'ADN qui se dupliquent pour créer les informations génétiques d'une nouvelle cellule. Chaque fois qu'une chaîne d'ADN se divise, son extrémité, ou télomère, se raccourcit. Quand le télomère devient trop court, la cellule ne peut plus se diviser.

soleil, exposition aux radiations, stress, blessures et infections. Ralentissez aussi le rythme des divisions cellulaires en prenant beaucoup d'antioxydants (dans les brocolis, les tomates, le thé vert…) et, peut-être, des suppléments de vitamines C et E.

Vivre plus longtemps en mangeant moins ?

Évitez les desserts si vous voulez combattre les dommages causés par les radicaux libres et la division cellulaire lente. Les souris qui ont reçu 40 % de moins de calories mais bénéficié de tous les nutriments dont elles avaient besoin, selon le Dr Walford, ont vécu environ 44 % plus longtemps que celles dont le régime alimentaire comportait plus de calories. Quant aux singes rhésus, non seulement ont-ils vécu plus longtemps, mais ils ont présenté moins de diabète et d'arthrite spinale. Le Dr Walford pratique ce qu'il prêche : il a coupé son propre apport calorique de 30 %, le réduisant à 1700 calories par jour.

INTRODUCTION

Votre espérance de vie

Avez-vous déjà pensé vivre un siècle ? N'écartez pas l'idée : c'est plus probable aujourd'hui que jamais.

Si vous vous occupez de votre santé, combien d'années pensez-vous vivre ? Ceux qui ont vécu longtemps ont tendance à repousser les limites de l'espérance de vie, qui est actuellement de 79 ans au Canada (81,5 pour les femmes et 75,7 pour les hommes). En 1920, elle était de 59 ans.

Jeanne Calment, la plus vieille personne au monde, a sûrement repoussé cette limite. Elle a vécu 122 ans – ce qui constitue maintenant la plus longue durée de vie.

Pour la plupart des espèces, l'espérance de vie représente environ six fois l'âge de la maturité.

L'idée de vivre plus de 100 ans est à peine bizarre. À l'heure actuelle, le Canada compte 3 130 centenaires. Aux États-Unis, on en dénombre 70 000, et ce chiffre pourrait atteindre le million en 2050. Au cours des 50 prochaines années, les scientifiques comptent faire des découvertes qui leur permettront de s'emparer de la clé qui étire la durée de la vie humaine. D'ici là, comment vivre

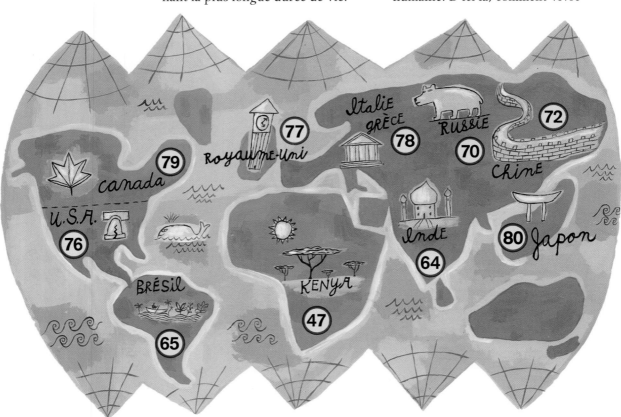

Espérance de vie autour du monde. Le régime alimentaire, le mode et le style de vie, les soins de santé influencent l'espérance de vie. Les secrets des régimes alimentaires asiatiques et méditerranéens pour contrer le vieillissement peuvent expliquer l'avance du Japon, de la Grèce et de l'Italie sur nous.

plus longtemps et rester suffisamment en santé pour jouir de ces années supplémentaires ?

Et les centenaires ?

Bien des personnes âgées sont plus animées que d'autres, beaucoup plus jeunes. Une étude portant sur les habitudes des centenaires démontre les faits suivants :

- peu d'entre eux souffraient d'obésité ;
- la plupart ont vécu au deuxième ou au troisième étage, ce qui les forçait à faire de l'exercice et à développer leur endurance ;
- ils n'étaient pas portés à fumer ou à abuser de l'alcool ;
- 25 % d'entre eux ne souffraient d'aucun trouble cognitif ;
- environ 15 % d'entre eux étaient encore autonomes, et 35 % vivaient avec des amis ou des membres de leur famille ;
- ils avaient une attitude calme, optimiste et positive.

Des scientifiques ont découvert que la capacité de s'adapter aux défis de l'existence importait beaucoup pour la longévité. Dans les études de l'université de Georgie, les centenaires présentaient tous des qualités comme l'optimisme, la compassion, le sens de l'humour, la foi, l'indifférence face à la mort et la satisfaction à l'égard de la vie. Presque tous jouissaient aussi de relations amicales et familiales étroites.

Les chercheurs de la clinique Mayo ont aussi comparé le taux de mortalité des gens qui avaient passé un test de personnalité 30 ans plus tôt et découvert que les pessimistes courent 19 % plus de risques de mourir prématurément que les optimistes.

Pourquoi les femmes vivent-elles plus longtemps que les hommes ?

On trouve neuf femmes centenaires pour un homme. Pour expliquer ce phénomène, les chercheurs ont analysé les différences comportementales, biologiques, sociales et psychologiques entre les sexes.

Hommes

■ **Les hommes courent plus de risques.** Ils sont plus susceptibles de mourir à la suite de comportements imprudents ou malsains quand ils sont jeunes (de 15 à 24 ans) ou d'âge moyen (de 55 à 64 ans). Les hormones sexuelles peuvent également jouer un rôle. La testostérone – fréquemment liée à l'agressivité – est produite en plus grande quantité entre 15 et 24 ans. À l'âge moyen, la testostérone augmenterait le «mauvais» cholestérol, ce qui rendrait les hommes plus susceptibles aux maladies cardiaques et aux attaques.

■ **L'horloge biologique des hommes avance plus vite.** Le métabolisme masculin peut rendre l'horloge plus rapide, plus vulnérable aux ruptures et la faire arrêter plus tôt.

Femmes

■ Les femmes jouissent d'une protection incorporée. Jusqu'à la ménopause, leur cœur profite de la protection de l'œstrogène, qui agit comme antioxydant et neutralise les radicaux libres qui endommagent les cellules et accélèrent le vieillissement. Le cycle menstruel peut aussi aider les femmes à se départir de l'excès de fer contenu dans leur organisme, lequel contribue à la formation de radicaux libres.

■ **Les femmes vivent plus longtemps avec leurs maladies qu'elles n'en meurent.** Elles ont tendance à souffrir davantage de maladies chroniques comme l'arthrite, l'ostéoporose, les troubles immunitaires, tandis que les hommes souffrent d'affections plus fatales comme les infarctus et les accidents cérébrovasculaires (ACV).

■ **Les femmes reçoivent plus d'aide.** Les chercheurs de l'université Stanford ont récemment découvert un gène sur le chromosome X très important pour la réparation de l'ADN. Avec un unique chromosome X, l'homme n'a que cette seule capacité de réparation, tandis que le deuxième chromosome X de la femme peut compenser lorsque l'âge a endommagé les gènes du premier.

INTRODUCTION

Lorsque l'on vieillit

Comme la mort et les impôts, le vieillissement est inévitable. Mais la plupart des changements physiques qui l'accompagnent importent moins que vous ne le croyez.

Au fur et à mesure que vous vieillirez, vous expérimenterez des changements parfaitement normaux. Voici un bref aperçu de ce qui vous attend.

Des yeux pas si clairs. Si vous tenez votre journal à bout de bras et que vos yeux se fatiguent vite, vous souffrez probablement de presbytie. Désormais, les cristallins sont moins flexibles et ne peuvent passer aussi rapidement de la vision de loin à la vision rapprochée. Après 40 ans, il est possible également que vous courriez plus de risques de glaucome, une accumulation de pression sur le devant de l'œil susceptible d'endommager le nerf optique et de causer des taches aveugles ou la perte de la vision périphérique. Vous pouvez en outre souffrir de cataractes, qui embrouillent le cristallin et limitent votre vision. Dans ces deux cas, le dépistage précoce importe.

Qu'avez-vous dit? Les pertes auditives peuvent en réalité commencer dans la vingtaine. Les sons dans les hautes fréquences peuvent s'estomper d'abord, puis, autour de 65 ans, les basses fréquences peuvent diminuer avant que vous ne notiez une perte d'audition. On ne devient pas tous durs d'oreille, mais plus du tiers des 65 ans et plus éprouvent des problèmes significatifs. Les changements dans l'oreille interne peuvent aussi affecter votre équilibre; alors redoublez d'attention.

Peau fine. Votre peau s'amincit et vous perdez graduellement le coussin de graisse sous la peau propre à la jeunesse, tout comme les substances protéiques du collagène et de l'élastine et les huiles naturelles de la peau. Lorsqu'elle s'amincit et devient plus transparente, vous pouvez y remarquer des minuscules veines. Vous pouvez aussi voir apparaître des taches hyperpigmentées ou hépatiques, mais elles ne sont pas dangereuses. Ce qui l'est, par contre, c'est le soleil, qui aggravera vos rides et l'état général de votre peau, même si vous ne développez pas de cancer.

Minimisez ces problèmes en buvant beaucoup d'eau, en portant un écran solaire, en adoptant un régime alimentaire équilibré, riche en fruits et légumes, et en lavant doucement votre peau.

Sensation. Vous pourrez remarquer que votre sens du toucher n'est plus aussi affiné qu'autrefois. Les déficiences alimentaires, les problèmes de circulation et les effets normaux du vieillissement sur le système nerveux peuvent tous être en cause dans ce déclin. Il est possible que vous ne puissiez plus sentir la douleur ou les températures extrêmes aussi vite que lorsque vous étiez plus jeune, ce qui vous rend plus vulnérable aux crises cardiaques, aux engelures et aux brûlures. En ce cas, faites bien attention aux températures extrêmes, et abaissez la température de votre chauffe-eau.

Éviter les hauts et les bas du vieillissement

En bref, voici ce qui se passe au fur et à mesure que nous vieillissons. Rappelez-vous que nombre de ces changements peuvent être évités en adoptant une approche proactive de la santé.

Certains types de mémoire à la baisse

Perte graduelle de la vision et de l'audition

Perte graduelle: goût, toucher et odorat

Métabolisme plus lent pour les médicaments et l'alcool

Amincissement de la peau

Digestion moins efficace

Immunité moins forte

Force et densité osseuse à la baisse

Pression sanguine à la hausse

Plaque dans les artères

Plus de graisse surtout dans la région de l'abdomen

Taux sanguin de sucre et d'insuline en hausse

Recharger votre cerveau

À la naissance, votre cerveau possède environ 100 milliards de neurones. Chaque neurone possède des branches ou dendrites, qui s'étalent vers les autres neurones, déplaçant avec elles les messages et les pensées. Votre cerveau commence à perdre des neurones bien avant l'âge moyen, mais cela représente un infime pourcentage de la somme de vos cellules. Or il est possible de stimuler les neurones restants pour qu'ils produisent de nouvelles dendrites.

Plus vous pensez, on l'a prouvé, plus votre cerveau établit de nouvelles connexions. Il vous suffit de rester actif mentalement : apprendre une nouvelle langue, vous acharner sur des mots croisés, ou vous livrer à une nouvelle activité. Le fait de jouer d'un instrument de musique constitue un bon défi puisqu'il faut coordonner les activités de différentes régions du cerveau ; il faut faire plusieurs choses à la fois : lire, écouter et jouer. Il n'est pas étonnant que nombre de centenaires aient des talents musicaux.

De l'ail ou des oignons ?
Le nombre de vos papilles gustatives va s'amenuisant et les terminaisons nerveuses de votre nez se font moins sensibles. Le sens du goût est relié au sens de l'odorat, puisque le cerveau interprète les signaux des deux pour déterminer les saveurs. Si l'un ou l'autre sens est affecté, votre appétit peut s'émousser et vous empêcher de prendre tous les nutriments dont vous avez besoin. Vous risquez aussi de trop saler vos aliments.

Obstruction. Il est possible que les valves et les parois cardiaques ainsi que vos artères épaississent et se raidissent quelque peu, que votre rythme cardiaque ralentisse et même que votre cœur s'hypertrophie. Le risque le plus fréquent : que des dépôts graisseux s'accumulent dans vos artères coronaires, ce qui, graduellement, durcit vos artères et les rend plus étroites, obligeant votre cœur à travailler davantage pour pomper le sang. Cette maladie, appelée artériosclérose, donne lieu à de l'angine. Des morceaux de plaque peuvent se détacher et bloquer une artère, donnant lieu à un infarctus ou à un ACV. Des niveaux de cholestérol élevés, une pression sanguine trop importante et le tabagisme peuvent aggraver cet état.

Sachez qu'à moins de souffrir de maladie cardiaque, votre cœur peut vous servir presque aussi bien qu'à 20 ans.

Donnez-moi de l'oxygène !
La paroi thoracique et le diaphragme devenant moins élastiques, il est possible que vous ne puissiez prendre autant

d'oxygène que du temps de votre jeunesse. Il se peut aussi que vous ne vous en aperceviez même pas, sauf lorsque vous faites de l'exercice ou que vous voyagez en haute altitude.

 La digestion. Le processus se fait un peu plus lent à mesure que vous vieillissez, mais il reste autrement inchangé. Les enzymes digestives diminueront quelque peu, ce qui signifie que certains nutriments, comme les vitamines B_{12} et C contenues dans les aliments, ne seront plus tout à fait absorbés. Votre foie mettra plus de temps à métaboliser les médicaments et l'alcool ; vous en sentirez donc plus vite les effets.

 Exode des cerveaux ? Passé 30 ans, le cerveau commence à perdre des neurones. À 80 ans, votre cerveau pèse environ 7 % de moins que lors de vos 25 ans. On ne peut pourtant attribuer que peu de pertes cognitives au vieillissement. Tout d'abord, au fur et à mesure que le cerveau vieillit, la vitesse avec laquelle il traite l'information ralentit. Ensuite, certains types de mémoire déclinent – comme la capacité de se remémorer un nom ou un mot. Rien de tout cela ne devrait affecter votre pensée, le fonctionnement de votre cerveau, ou votre capacité de rester autonome.

 Il y a un os ! Jusqu'à 30 ans environ, nous fabriquons plus d'os que nous n'en perdons. Après 40 ans, nous pouvons perdre environ 1 % de masse osseuse chaque année. Les femmes peuvent perdre autant que 20 % de densité osseuse dans les cinq

La bonne nouvelle : à moins de maladie cardiovasculaire, votre cœur peut vous servir aussi efficacement à 80 ans qu'à 20 ans !

à sept ans suivant le début de la ménopause, ce qui accroît énormément le risque de fracture. Même si votre masse osseuse décroît, vous pouvez contrer une bonne partie de cette perte par du calcium, des exercices et, pour les femmes, de l'hormonothérapie.

 L'activité sexuelle ? Les changements que vous connaîtrez avec l'âge se produisent graduellement et n'ont pas à affecter votre vie sexuelle. Les hommes âgés actifs sexuellement continuent de produire des hormones sexuelles et du sperme presque au même niveau qu'autrefois. Ils peuvent éprouver des problèmes de prostate, qui s'hypertrophie et exerce une pression sur l'urètre. Chez les femmes, le niveau d'hormones chute brutalement, ce qui entraîne la ménopause, dont les implications sont significatives pour la santé.

Êtes-vous immunisé ? Le thymus, une glande qui régit la production de lymphocytes T – la ligne de défense de votre organisme contre l'infection et la maladie –, rétrécit avec l'âge. Le résultat ? Vous combattez moins efficacement la maladie. Heureusement, la médecine moderne a éliminé ou réduit l'impact de nombre de maladies infectieuses. En outre, des mesures simples, comme prendre certaines vitamines et certaines plantes médicinales, dormir suffisamment, peuvent *accroître* votre immunité.

AUTO ÉVALUATION

Les risques pour la santé

Entourez la lettre appropriée et consultez la page de droite pour connaître vos résultats.

◄ **1.** Quelle est votre pression sanguine ?

  A 120 – 139/80 ou moins
  B 140 – 159/85
  C 160 – 170/90
  D 180/90 ou plus

◄ **2.** Quel est votre taux de cholestérol ?

  A 4,2 à 5,2 mmol/L
  B 5,3 à 5,7 mmol/L
  C 5,8 à 6,2 mmol/L
  D 6,3 mmol/L ou plus

◄ **3.** Quel est votre taux de bon cholestérol (HDL) ?

  A 1,2 mmol/L ou plus
  C 0,9 à 1,1 mmol/L
  D Moins de 0,9 mmol/L

◄ **4.** Avez-vous souffert des maladies suivantes ?

  B Gingivite ou desmodontite
  C Diabète
  C Maladie du cœur
  C Ostéoporose
  D Diabète mal contrôlé
  D Maladie du cœur et crise cardiaque
  D Cancer
  D Accident cérébrovasculaire (ACV)

◄ **5.** Dans votre famille, quelqu'un souffre-t-il de diabète, de maladie cardiaque ou vasculaire, d'hypertension, de cancer ou d'ostéoporose ?

  A Aucune de ces maladies
  B Une de ces maladies
  C Deux ou trois de ces maladies
  D Quatre de ces maladies ou plus

◄ **6.** Depuis l'âge de 18 ans, avez-vous pris :

  A 7 kilos ou moins
  B 8 à 11 kilos
  C 12 à 18 kilos
  D Plus de 18 kilos

◄ **7.** Fumez-vous ?

  A Non, ou ex-fumeur depuis 5 ans ou plus
  C Exposé à la fumée secondaire une heure ou plus par jour
  D Oui

◄ **8.** Consommez-vous de l'alcool ?

  A Non, ou jusqu'à 1 verre (femme) ou 2 verres (homme) par jour

  D Oui, plus de 2 verres par jour

◄ **9.** Consommez-vous de la drogue ?

  B Marijuana, occasionnellement
  C Marijuana, souvent
  D Cocaïne ou autres drogues dures

◄ **10.** Conduisez-vous ?

  A À la limite permise ou en deçà
  B Jusqu'à 35 km au-dessus de la limite
  C Sans port de ceinture de sécurité
  C En utilisant un téléphone cellulaire au volant
  D Plus de 35 km au-dessus de la limite
  D Après avoir consommé de l'alcool

◄ **11.** Faites-vous souvent de l'exercice ?

  A 5 fois 30 min par semaine ou plus
  B 3 ou 4 fois par semaine
  C 1 à 2 fois par semaine
  D Jamais

◄ **12.** Combien de ces groupes alimentaires incluez-vous dans votre menu quotidien ?

  ● Grains entiers (céréales, pain, pâtes, riz)
  ● Fruits
  ● Viandes/volaille/poisson/haricots et pois/noix
  ● Légumes
  ● Produits laitiers

  A 4 ou plus par jour
  B 3 groupes par jour
  C 2 groupes par jour
  D Moins de 2 groupes par jour

◄ **13.** À quelle fréquence prenez-vous un déjeuner santé ?

  A 5 jours ou plus par semaine
  C 3 ou 4 jours par semaine
  D 2 jours ou moins par semaine

◄ **14.** Combien de fruits et de légumes consommez-vous ?

  A 5 portions ou plus par jour
  C 3 ou 4 portions par jour
  D 2 portions ou moins par jour

◄ **15.** Mangez-vous de la viande rouge ?

  A 1 fois par semaine ou moins
  B 2 à 5 fois par semaine
  C 6 ou 7 fois par semaine
  D Plus de 7 fois par semaine

◄ **16.** À quelle fréquence mangez-vous du poisson ?

  A 2 fois par semaine ou plus
  B 1 fois par semaine
  D 1 fois par 2 semaines ou moins

◄ **17.** Prenez-vous régulièrement des suppléments de vitamines et de minéraux?

Multivitamine
A 1 par jour
B Aucune

Vitamine C
A 160 mg ou plus par jour
D Moins de 160 mg par jour

Vitamine D
A 600 à 800 UI par jour
B 400 UI par jour
D Aucune

Calcium
A 1000 mg par jour
B 500 à 600 mg par jour
C 250 mg par jour
D Aucun

◄ **18.** Avez-vous une vie émotive et sociale saine?
A Vous fréquentez des amis ou des groupes sociaux 3 fois par mois ou plus.
A Vous avez un bon sens de l'humour.
B Vous fréquentez des amis ou des groupes sociaux 1 ou 2 fois par mois.
C Vous avez tendance à prendre les choses au sérieux et à vous inquiéter beaucoup.
D Vous êtes souvent déprimé.
D Vous fréquentez des amis ou des groupes sociaux moins d'une fois par mois.

◄ **19.** Quel est votre niveau de stress?
A Vous n'êtes pas particulièrement stressé.
C Vous avez des soucis d'argent ou d'autres stress chroniques semblables.
D Vous avez connu un événement stressant majeur au cours de la dernière année (perte d'emploi, mort dans la famille, divorce, déménagement, maladie majeure).

◄ **20.** Quel est votre état civil?
A Marié ou conjoint de fait
C Célibataire, divorcé ou veuf

Comment interpréter vos résultats?

Calculer votre score en comptant les lettres A, B, C ou D.

Surtout des A: Félicitations! Vous courez moins de risques pour la santé que la plupart des gens, alors vous avez une longueur d'avance pour vivre plus longtemps et en santé. Découvrez d'autres manières de garder votre avance sur le processus de vieillissement tout au long de cet ouvrage.

Surtout des B: Courage! Vous faites mieux que nombre de personnes, mais vous pourriez joindre le peloton si vous ne vous montrez pas proactif pour ce qui concerne votre santé.

Surtout des C: Vous vieillissez sans doute comme la plupart des gens, ce qui signifie que vous pourriez facilement éprouver des problèmes si vous ne prenez pas des mesures pour être en meilleure santé. Cependant, ne vous en faites pas: nous vous aiderons; vous verrez comme c'est facile.

Surtout des D: Vous aurez bien du chemin à parcourir pour rejoindre la plupart d'entre nous. Vous courez beaucoup de risques pour la santé, alors réagissez. Suivez attentivement les conseils donnés dans ce livre.

Améliorez vos résultats!

Accordez-vous un A supplémentaire pour chacune des habitudes énumérées ci-dessous. Vos résultats s'améliorent-ils? Cela montre ce qui se passe quand vous commencez à prendre ne serait-ce que la plus petite mesure vers la bonne santé.

Est-ce que vous
● prenez une aspirine chaque jour?
● utilisez la soie dentaire et la brosse à dents chaque jour?
● mangez plusieurs produits à base de tomates par semaine?
● vous faites donner un vaccin contre la grippe chaque année?
● avez une vie sexuelle satisfaisante?
● prenez de 7 à 8 heures de sommeil réparateur chaque nuit?
● pratiquez le yoga ou la méditation?
● possédez un animal de compagnie?

Avez-vous
● reçu votre vaccin pneumococcique (si vous avez plus de 65 ans)?

PARTIE I

VOTRE STRATÉGIE SANTÉ

CHAPITRE 1

Manger pour bien vieillir

32   Pour une saine alimentation

40   Bons et mauvais gras

42   Vos aliments énergétiques

46   Pouvoir végétal

50   Neuf aliments vedettes

58   Aliments nutriceutiques

60   Un repas, des amis, de la joie

62   Mieux manger en 8 semaines

Pour une saine alimentation

Celui qui a dit « manger est la meilleure des revanches » avait raison à plus d'un titre. Un régime sain peut aider à ralentir le vieillissement et éviter les maladies chroniques héréditaires.

Bien manger est un des grands plaisirs de la vie. C'est aussi la voie d'une importante amélioration ou détérioration de votre santé. Avec le temps, la nourriture que vous absorbez affecte votre poids, votre cholestérol, votre tension, votre niveau d'insuline, vos fonctions cérébrales, votre humeur et votre système immunitaire. Ce que vous mettez dans votre assiette, jour après jour, a une influence déterminante, tout comme vos gènes, sur votre longévité, votre santé et vos risques de crise cardiaque, de diabète et de cancer.

Des chercheurs estiment que la nutrition est la source, directe ou indirecte, d'un tiers à la moitié des problèmes qu'éprouvent les personnes âgées. À vos fourchettes ! Suivez quelques règles simples : mangez du poisson au moins une fois par semaine, ajoutez une portion ou deux de légumes à votre régime quotidien, changez vos céréales du petit-déjeuner ; vous donnerez à votre corps ce dont il a besoin pour rester en bonne santé.

Un remède comestible

À la lumière des recherches actuelles, votre régime alimentaire doit être :
- riche en grains entiers, en fruits et en légumes ;
- pauvre en gras saturés, présents dans les viandes grasses et dans les produits laitiers entiers ;
- équilibré quant à la quantité nécessaire de calories.

Le Guide alimentaire canadien illustre par un graphique l'équilibre à respecter entre les aliments. Votre régime doit être composé essentiellement de produits céréaliers, de fruits et légumes, de produits laitiers écrémés, de viandes maigres et de leurs substituts choisis parmi les quatre groupes alimentaires, et n'inclure que rarement du sucre et du gras.

Qu'y a-t-il de si merveilleux dans ce régime ? Il est conçu pour diminuer les risques de maladies graves, de la crise cardiaque au diabète. Selon des recherches menées dans le monde entier, les peuples qui présentent les taux les plus bas de maladies chroniques ont des habitudes alimentaires similaires, c'est-à-dire un régime alimentaire à « base végétarienne ».

Ces régimes varient en fonction des régions : le régime méditerranéen,

---

Une pyramide pour les 70 ans et plus

Les recommandations du Guide alimentaire canadien pour manger sainement tiennent compte, entre autres, de l'âge, du sexe, de la taille, du poids et de l'activité du sujet. Des chercheurs proposent une pyramide modifiée pour les personnes de plus de 70 ans dont les besoins nutritionnels ont changé. En voici les particularités :

- **L'eau :** Au premier niveau de la pyramide, huit verres d'eau. Pourquoi ? L'eau est nécessaire à la bonne santé de chacun. Cependant, avec l'âge, la soif n'est plus un indice fiable des besoins de notre corps en liquide ; il faut donc penser à boire.
- **Les suppléments :** Au sommet de la pyramide, un drapeau rouge signale les suppléments de calcium, de vitamine D et de vitamine B_{12}. Tout le monde n'a peut-être pas besoin de ces suppléments, mais en vieillissant nous perdons la capacité de fixer la vitamine B_{12}, nous consommons moins de calcium et nous avons besoin de plus de vitamine D.

à base d'huile d'olive, est un régime plus riche que le régime asiatique, qui contient peu de gras. L'un et l'autre incluent beaucoup de grains entiers, de fruits, de légumes et très peu de gras saturés. Faire l'essai de ces traditions culinaires ne vous apportera peut-être pas la jeunesse éternelle, mais fera certainement pencher la balance du côté d'une vie plus longue et en meilleure santé.

Le régime méditerranéen

Depuis des siècles, les Méditerranéens ont un régime alimentaire savoureux qui a la particularité de les protéger contre des maladies chroniques modernes comme la crise cardiaque, le diabète de type II, l'infarctus, le cancer du côlon et autres cancers. En Espagne, une étude récente a montré que les hommes et les femmes entre 65 et 80 ans qui suivent un régime

Les quantités d'aliments varient selon les personnes

La quantité de nourriture qui vous est nécessaire dans chacun des quatre groupes et dans les autres aliments dépend de votre âge, de votre taille, de vos activités physiques, de votre sexe. Elle changera si vous êtes enceinte ou allaitante. C'est pourquoi le Guide alimentaire canadien donne une fourchette indicative. Un jeune enfant choisira le plus petit nombre de portions, tandis qu'un adolescent ira vers le plus grand nombre. La plupart des gens prendront un nombre de portions médian.

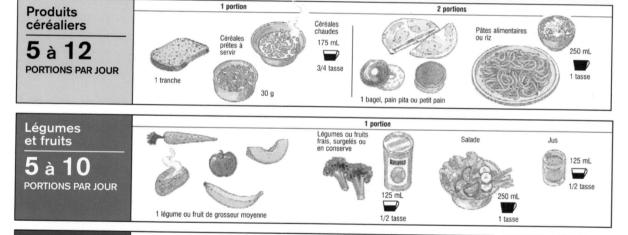

Produits céréaliers
5 à 12 PORTIONS PAR JOUR

1 portion — 1 tranche — Céréales prêtes à servir — 30 g — Céréales chaudes 175 mL — 3/4 tasse

2 portions — 1 bagel, pain pita ou petit pain — Pâtes alimentaires ou riz — 250 mL — 1 tasse

Légumes et fruits
5 à 10 PORTIONS PAR JOUR

1 portion — 1 légume ou fruit de grosseur moyenne — Légumes ou fruits frais, surgelés ou en conserve 125 mL 1/2 tasse — Salade 250 mL 1 tasse — Jus 125 mL 1/2 tasse

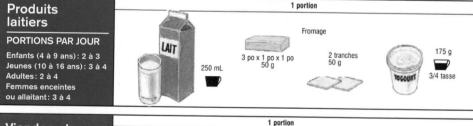

Produits laitiers
PORTIONS PAR JOUR
Enfants (4 à 9 ans) : 2 à 3
Jeunes (10 à 16 ans) : 3 à 4
Adultes : 2 à 4
Femmes enceintes ou allaitant : 3 à 4

1 portion — LAIT 250 mL — Fromage 3 po x 1 po x 1 po 50 g — 2 tranches 50 g — 175 g YOGOURT 3/4 tasse

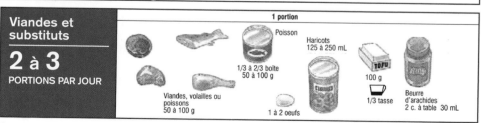

Viandes et substituts
2 à 3 PORTIONS PAR JOUR

1 portion — Viandes, volailles ou poissons 50 à 100 g — Poisson 1/3 à 2/3 boîte 50 à 100 g — 1 à 2 oeufs — Haricots 125 à 250 mL — TOFU 100 g 1/3 tasse — Beurre d'arachides 2 c. à table 30 mL

Autres aliments

D'autres aliments et boissons qui ne font pas partie des quatre groupes peuvent aussi apporter saveur et plaisir. Certains de ces aliments ont une teneur plus élevée en gras et en énergie. Consommez-les avec modération.

En quelques mots

« Sur le plan de la recherche scientifique, le régime asiatique et le régime méditerranéen sont en compétition serrée », déclare le Dr Sacks de l'école de santé publique de Harvard. « Bien sûr, savoir lequel est le meilleur pour la santé est intéressant, mais cela ne doit pas nous faire oublier que, de toute façon, l'un et l'autre sont infiniment meilleurs que notre régime alimentaire actuel. »

alimentaire de type méditerranéen ont 31 % moins de risques de décéder dans les neuf années qui viennent.

Les régimes alimentaires de la Grèce, de l'Italie et de la France méridionales, de l'Espagne, du Portugal et même de la Turquie et d'Israël sont riches en pain, céréales, fèves, poisson, légumes, fruits et huile d'olive, mais contiennent très peu de viande rouge, de sucre ou d'aliments transformés. Les corps gras sont présents dans les régimes méditerranéens, souvent autant que dans le régime traditionnel nord-américain, mais ce sont essentiellement des gras monoinsaturés sous forme d'huile d'olive, de noix et de poisson, c'est-à-dire des « bons gras » sans danger pour le cœur, contrairement aux gras saturés de la viande rouge.

Des recherches récentes ont montré que ce régime alimentaire est particulièrement adapté aux personnes menacées de cardiopathie ou de diabète de type II, pour qui le « bon

gras » est non seulement bon pour le palais, mais aussi pour la santé.

Si l'on ne fait pas d'abus et que l'on surveille le nombre de calories, le régime méditerranéen, basé sur les céréales, les légumes, les fèves et les fruits, et dans lequel la première source de gras est l'huile d'olive, est bénéfique pour tous. Surtout si vous adoptez par la même occasion une autre tradition méditerranéenne : beaucoup d'activités physiques !

Le régime asiatique

À titre d'exemple, la fréquence des maladies cardiaques aux États-Unis est 17 fois supérieure chez les hommes et presque six fois supérieure chez les femmes que dans la Chine rurale. Les chercheurs attribuent ces résultats au régime alimentaire traditionnel asiatique et à un mode de vie plus actif.

Les régimes alimentaires traditionnels de la Chine, du Japon et de presque tout le reste de l'Asie sont à base végétarienne : riz ou pâtes accompagnés d'une grande diversité de fruits, de légumes verts ou autres, où les protéines, pauvres en cholestérol, se présentent souvent sous forme de soya ou de poisson. Ils comprennent très peu de viande rouge ou de produits laitiers, donc peu de gras saturés. (L'apport en calcium est assuré par des légumes riches en cet élément et des aliments à base de soya enrichi en calcium.)

Le régime asiatique est beaucoup moins gras que le régime méditerranéen. Il est particulièrement recommandé si vous voulez perdre du poids, car les gras contiennent beaucoup de calories. De plus, quiconque a goûté à la cuisine asiatique sait combien elle est savoureuse.

De l'eau et encore de l'eau !

Buvez-vous assez d'eau ? Chacun de nous doit s'efforcer d'absorber au moins huit verres de liquide par jour, de préférence de l'eau. Boire beaucoup d'eau réduit en effet les risques de calculs rénaux, même si vous en avez déjà eu. Cela réduit également le risque de cancer de la vessie. De plus, l'eau aide à contrôler la température corporelle. L'eau est également présente dans la plupart des fruits et des légumes qui en contiennent de 80 à 95 %. Mangez-en ! Consommez aussi des boissons aux fruits, mais évitez les boissons gazeuses trop sucrées. Le café et le thé sont des apports d'eau non négligeables, mais ils ont aussi une action diurétique qui annule leurs avantages. Choisissez-les plutôt décaféinés.

Des besoins nutritifs modifiés

Nos corps changent avec l'âge, nos besoins alimentaires aussi. Nous vous présentons dans le tableau ci-dessous quelques éléments nutritifs dont nous avons un plus grand besoin. Certains autres, par contre, deviennent moins nécessaires. Ainsi, nous devrions limiter le sel à 2500 ou 3000 mg par jour, car nos reins n'éliminent plus aussi facilement les excédents. Nous avons aussi moins besoin de vitamine A, car le corps absorbe et emmagasine cette vitamine plus aisément : un supplément de 5000 UI suffit. Notre besoin en calories diminue également parce que nous menons une vie plus sédentaire et que notre métabolisme ralentit.

Éléments nutritifs	Pourquoi	Dans quels aliments
Calcium : femmes ménopausées et hommes de plus de 65 ans, 1200 à 1500 mg par jour.	■ Notre perte osseuse s'accélère et notre consommation de calcium dans la nourriture a tendance à diminuer.	■ Produits laitiers, jus de fruits, céréales et tofu enrichis de calcium, légumes feuilles, sardines.
Vitamine D : 51 à 79 ans, 400 UI par jour ; + de 80 ans, 600 UI par jour.	■ Il est plus difficile de produire de la vitamine D, et une intolérance au lactose peut en diminuer les sources.	■ Lait et céréales enrichis de vitamine D, foie, œufs. 
Vitamine E : 15 mg ou 22 UI par jour.	■ La vitamine E et d'autres antioxydants peuvent ralentir l'effet des radicaux libres sur les cellules.	■ Graines de tournesol, amandes, arachides, huiles végétales, germe de blé, céréales enrichies, avocats, mangues.
Vitamine C : hommes, 90 mg par jour ; femmes, 75 mg par jour. Ajoutez 35 mg si vous fumez.	■ Voir vitamine E ci-dessus. La vitamine C entretient le bon état des tissus conjonctifs.	■ Agrumes et leurs jus, pommes de terre, tomates, brocolis et légumes feuillus vert foncé.
Vitamine B_{12} : 2,4 mcg par jour.	■ L'estomac produit moins d'acide, qui aide l'assimilation de la vitamine B_{12} (humeur, mémoire, immunité, taux d'homocystéine, acide aminé).	■ Bœuf, porc, poisson, lait, fromage, œufs. La forme synthétisée de la vitamine B_{12} (dans les aliments enrichis et suppléments) est mieux assimilée que son équivalent naturel.
Acide folique : 400 mg par jour.	■ Aide à rééquilibrer les taux d'homocystéine, facteurs de risque cardiaque.	■ Foie, fèves, brocolis, légumes feuillus vert foncé, choux-fleurs, oranges, jus d'orange. Mieux assimilé dans sa forme synthétique.
Vitamine B_6 : 19-50 ans, 1,3 mg par jour ; + de 51 ans, femmes, 1,1 à 2 mg ; hommes, 1,8 à 2 mg.	■ Voir acide folique ci-dessus.	■ Céréales enrichies, foie, bananes, porc, poulet, saumon, thon, maquereau, pommes de terre au four, pois chiches.
Caroténoïdes tels que bêta-carotène, lutéine, zéaxanthine, lycopène (sans RNI).	■ Aident à ralentir le vieillissement et renforcent les fonctions immunitaires.	■ Tomates cuites ou en conserve, légumes feuillus vert foncé.

AUTO ÉVALUATION

Évaluez votre régime actuel

Faites le point sur vos bonnes et mauvaises habitudes alimentaires, pour rester en meilleure santé.

◄ **1.** Combien mangez-vous de portions d'aliments riches en calcium chaque jour ? Une portion = 250 ml de lait ou de jus, ou $^1/_2$ tasse de légumes verts cuits, ou $^3/_4$ tasse de yogourt, ou 56 g (2 oz) de fromage, ou 85 g (3 oz) de sardines, ou $^1/_2$ tasse de tofu.
   A 3 à 4 portions
   B 1 à 2 portions
   C 0 à 1 portion

◄ **2.** Pour faire un sandwich, utilisez-vous :
   A Du pain complet
   B Du pain au levain ou de seigle
   C Du pain rond à hamburger ou kaiser

◄ **3.** Quelle viande consommez-vous le plus ?
   A Aucune, ou poulet sans peau, ou poitrine de dinde
   B Du filet de bœuf ou de porc
   C Du bifteck haché

◄ **4.** Combien de portions de légumes mangez-vous quotidiennement ?

Une portion = $^1/_2$ tasse de légumes cuits ou 1 tasse de légumes crus.
   A 4 portions ou plus
   B Environ 2 portions
   C 0 à 1 portion

◄ **5.** Combien de portions de fruits mangez-vous quotidiennement ? Une portion = 1 fruit frais, $^1/_2$ tasse de fruits en boîte ou 180 ml de jus frais.
   A 4 portions ou plus
   B Environ 2 portions
   C 0 à 1 portion

◄ **6.** Quelle est votre consommation quotidienne d'alcool ? Une portion = 350 ml de bière ou 150 ml de vin ou une portion d'alcool.
   A Hommes, 0 à 2 portions ;
      Femmes, 0 à 1 portion
   C Hommes, 3 portions ou plus ;
      Femmes, 2 portions ou plus

◄ **7.** Mangez-vous des haricots ou des soupes comme plat principal :
   A 3 à 4 fois par semaine
   B 1 à 2 fois par semaine
   C Rarement ou jamais

Vos résultats :

◄ **De 7 à 10 « A » :** félicitations ! Votre régime est nutritif et prolongera votre vie.

◄ **De 5 à 7 « A » et une majorité de « B » pour le reste des questions :** pas mal ! Quelques ajouts ici et là et quelques soustractions à votre menu vous mettront à niveau.

◄ **De 0 à 5 « A » et « B » ou « C » pour le reste des questions :** votre régime a besoin d'une petite révision, mais le fait que vous ayez répondu à ces questions prouve que vous avez déjà envie d'améliorer vos habitudes alimentaires. Continuez votre lecture, elle vous aidera à atteindre cet objectif.

La clé des questions…

1. Chacun de ces aliments contient entre 300 et 400 mg de calcium par portion. Vous avez besoin de 3 à 4 portions par jour : 1200 mg de calcium pour les 51 ans et plus, et pour les 50 ans et moins, 1000 mg.

2. Seuls les pains de céréales complètes sont riches en fibres. La plupart des pains de seigle et les pains de seigle noir sont, comme le pain blanc, pauvres en fibres.

3. Même la viande rouge maigre contient trois fois plus de gras saturés que la volaille maigre.

4-5. Le Guide alimentaire canadien recommande 5 à 10 portions de fruits et de légumes par jour, ce qui est en accord avec les autres recherches menées au Canada.

6. Une absorption modérée d'alcool, en particulier de vin rouge, peut avoir des effets bénéfiques sur le cœur, surtout chez les gens âgés. Un verre de 150 ml de vin fournit environ 15 ml d'alcool pur, ce qui augmente les niveaux de cholestérol HDL, « bon cholestérol », et réduit les risques de blocage des artères qui entraîne les crises cardiaques. Les femmes qui présentent un risque élevé de cancer du sein doivent se limiter à trois verres par semaine.

8. Mangez-vous du poisson au dîner ou au souper :

   A 2 fois ou plus par semaine

   B 2 ou 3 fois par mois

   C Rarement ou jamais

9. Quelle phrase correspond à vos habitudes ?

   A Je mange des fruits au dessert, rarement des pâtisseries ou sucreries.

   B Je mange modérément plusieurs fois par semaine pâtisseries et sucreries.

   C Je mange souvent des pâtisseries et autres sucreries.

10. Buvez-vous généralement pendant et entre vos repas ?

   A Eau, lait écrémé ou jus de fruits

   B Thé, café ou boisson diététique

   C Boisson gazeuse ou aux fruits, sucrée

---

7. Les légumineuses et autres légumes sont pauvres en gras, sans cholestérol, riches en éléments nutritifs et sont de très bonnes sources de fibres et d'éléments phytochimiques. Servez-les en entrée principale au moins deux fois par semaine pour remplacer les protéines animales.

8. Les gens qui mangent du poisson au moins une fois par semaine diminuent de beaucoup les risques de maladies cardiaques.

9. Diminuez votre consommation de sucre. Le sucre prend la place des aliments plus nutritifs et ajoute des calories qui se déposent directement à la taille. De plus, la plupart des desserts sucrés et des en-cas contiennent beaucoup de gras.

10. L'eau est vitale, c'est un élément nutritif essentiel.

Commandez les plats cuits à la vapeur et des légumes en évitant les entrées frites, et faites du riz votre plat principal. Mieux encore : pratiquez cet art culinaire à la maison.

Tendances diététiques

Le Guide alimentaire canadien est révisé tous les cinq ans en fonction des progrès de la recherche scientifique. Entre-temps, il est recommandé de suivre les conseils des diététiciens :

● **Surveillez votre poids.** Avec l'âge, nous avons besoin de moins de calories et le poids peut s'installer sournoisement, augmentant nos risques de crise cardiaque, de diabète et autres. Voir les conseils du chapitre 2.

● **Ayez une activité physique chaque jour.** Les calories absorbées en mangeant doivent être éliminées par une activité physique.

● **Mangez des céréales complètes quotidiennement.** Les personnes qui mangent au moins trois portions de céréales complètes par jour risquent moins de succomber à une crise cardiaque ou de souffrir de diabète.

● **Mangez des fruits et légumes variés chaque jour.** Manger des fruits et des légumes aide à réduire la consommation de calories. Les recherches montrent que la consommation de plats préparés, à haute teneur en gras, tend à entraîner une surconsommation.

● **Veillez à la conservation des aliments.** Afin d'éviter les empoisonnements alimentaires, jetez les restes et conservez les aliments frais et cuisinés dans des endroits appropriés.

Astuce santé

Consommer 5 à 10 portions de fruits et de légumes par jour vous semble un défi de taille ? Vous pouvez commencer par doubler ou tripler votre consommation actuelle. Une «portion» de brocoli équivaut à ½ tasse, en conserve, frais ou congelé. Si vous en consommez 1½ tasse, vous avez déjà absorbé trois «portions». Les fruits et les légumes se boivent aussi : ½ tasse de jus de fruits ou de légumes frais équivaut à une «portion».

VOTRE STRATÉGIE SANTÉ

● **Choisissez un régime pauvre en gras saturés et en cholestérol et modérément riche en gras.** Les régimes draconiens ne sont plus au goût du jour. L'important : diminuer l'absorption de gras saturés.

● **Choisissez des boissons et des aliments qui ne contiennent pas trop de sucre.** Les boissons gazeuses sucrées n'apportent que des calories et aucun élément nutritif.

Pâtes au brocoli et aux tomates séchées

Le brocoli est riche en antioxydants. C'est une bonne source de fibres. Coupez les têtes de brocolis en petits bouquets, épluchez les tiges et coupez-les en morceaux.

Pour 4 portions

½	tasse de tomates séchées
2	tasses de brocoli, en morceaux de 2-3 cm (1 po)
225	g (8 oz) de pâtes fusilli
1	c. à soupe d'huile d'olive
4	gousses d'ail coupées finement

1	à 1½ c. à thé de flocons de piment rouge fort
2	c. à soupe de pâte de tomates
¾	c. à thé de sel
¼	c. à thé de poivre noir
⅓	tasse de raisins dorés (facultatif)
⅓	tasse de parmesan râpé

1. Trempez les tomates séchées dans une grande casserole d'eau bouillante jusqu'à ce qu'elles soient tendres (5 min). Égouttez-les à la cuillère à trous. Coupez-les lorsqu'elles ont refroidi.

2. Plongez le brocoli dans l'eau bouillante et laissez cuire 4 min, jusqu'à ce qu'il soit encore un peu croquant. Égouttez.

3. Faites cuire les pâtes dans la même eau selon les instructions de l'emballage. Réservez 1½ tasse de l'eau de cuisson ; égouttez les pâtes et mettez-les dans un saladier.

4. Entre-temps, faites chauffer l'huile doucement dans une grande poêle. Ajoutez l'ail et les flocons de piment et faites revenir 3 min. Ajoutez les tomates, le brocoli, la pâte de tomates, le sel, le poivre ainsi que l'eau de cuisson réservée. Laissez cuire en remuant pendant 4 min ou jusqu'à ce que le brocoli soit tendre. Ajoutez aux pâtes chaudes, avec les raisins et le parmesan râpé ; mélangez bien.

Par portion : 339 calories, 16 g de protéines, 56 g d'hydrates de carbone, 9 g de fibres, 6 g de gras, 2 g de gras saturés, 5 mg de cholestérol, 580 mg de sodium

Tofu doux-amer aux légumes

La protéine de soya peut faire baisser les taux de cholestérol. Accompagnez ce plat de riz brun ou de pâtes et d'une salade de concombres.

Pour 4 portions

2	c. à soupe de sauce soya
2	c. à soupe de jus de limette frais
¼	tasse d'eau chaude
2	c. à thé de sucre
4	échalotes hachées finement
½	chou chinois, grossièrement haché
1	courgette moyenne, coupée en demi-lunes
1	poivron doux rouge, nettoyé, épépiné et coupé en dés
1	grosse boîte d'ananas en dés égouttés
340	g (12 oz) de tofu ferme, en cubes de 2-3 cm (1 po)
1	c. à soupe de gingembre frais, haché finement
¼	c. à thé de sel
⅛	c. à thé de poivre de Cayenne

1. Mélangez la sauce soya, le jus de limette, l'eau chaude et le sucre dans un grand poêlon. Faites bouillir. Ajoutez les échalotes, le chou, la courgette et le poivron rouge. Laissez mijoter à couvert, pendant 4 min ou jusqu'à ce que les légumes soient presque tendres.

2. Ajoutez l'ananas, le tofu, le gingembre, le sel et le poivre de Cayenne. Couvrez et laissez mijoter, en remuant doucement de temps en temps, environ 3 min. Servez chaud ou à température ambiante.

Par portion : 164 calories, 11 g de protéines, 23 g de glucides, 5 g de fibres, 4 g de gras, 1 g de gras saturés, 0 mg de cholestérol, 681 mg de sodium

---

● **Choisissez et préparez des aliments moins salés.** Diminuer le sel et consommer davantage fruits, légumes et produits laitiers écrémés aident à contrôler la tension ; à perdre du poids également.

● **Si vous consommez des boissons alcoolisées, faites-le avec modération.** « Modération » signifie 1 verre par jour pour une femme et 2 pour un homme. L'alcool augmente le cholestérol HDL qui aide le corps à éliminer le « mauvais » cholestérol. L'alcool fluidifie le sang et évite la formation de caillots responsables des crises cardiaques. Le vin rouge a aussi un effet bénéfique supplémentaire : ses pigments rouges sont riches en antioxydants qui évitent l'oxydation du LDL et l'encombrement des artères.

VOTRE STRATÉGIE SANTÉ6

Bons et mauvais gras

Contrairement à la croyance populaire, tous les gras ne sont pas mauvais pour vous. En fait, certains sont même les alliés de votre cœur.

Devriez-vous suivre un régime pauvre, moyennement riche, ou même riche en gras? L'étude de la nutrition semble prouver qu'il vaut mieux choisir les bons gras et surveiller les calories.

Les « mauvais » gras

Il faut éviter les gras saturés que l'on trouve dans la viande rouge, le beurre, la crème, les produits laitiers entiers, le saindoux et les huiles tropicales (palmier, cœur de palmier et noix de coco). Les gras saturés augmentent le cholestérol LDL responsable de l'encombrement des artères et du risque de crise cardiaque. Ils sont également associés au cancer des poumons, du côlon et de la prostate.

Un autre vilain gras se trouve dans nombre d'aliments préparés. On l'appelle le gras trans, une huile végétale artificiellement solidifiée, aussi connue sous le nom d'huile hydrogénée. Elle est tout aussi mauvaise pour votre cœur que le gras saturé. On trouve les gras trans dans : margarine, matières grasses végétales, prêts-à-manger, biscuits, gâteaux, croustilles, etc.

Les « bons » gras

Contrairement aux gras saturés et aux gras trans qui augmentent les risques cardiaques, les gras insaturés les diminuent en réduisant le niveau de cholestérol LDL « mauvais ». Le meilleur, le gras mono-insaturé, est présent en grande quantité dans l'huile d'olive et de colza, les noix, les graines et les avocats. Les gras hautement polyinsaturés, que l'on trouve dans le maïs, l'huile de maïs et de carthame, font également diminuer le cholestérol, mais une consommation excessive augmente le risque de cancer; aussi n'en abusez pas. Un autre « bon » gras est celui que l'on trouve dans le poisson gras des océans. On l'appelle gras oméga-3; il réduit les risques de maladies cardiaques et peut-être aussi de certains cancers.

- gras saturé
- gras polyinsaturé
- gras monoinsaturé

Choisir son huile. Cuisinez à l'huile d'olive ou de colza, riches en gras monoinsaturés, bons pour le cœur; les huiles de maïs, de tournesol ou de carthame contiennent plus de gras polyinsaturés, moins stables et susceptibles de produire des radicaux libres néfastes.

Gâteau express au chocolat et aux framboises

Pourquoi un dessert devrait-il être un péché pour avoir bon goût? Cette recette appétissante ne contient que deux grammes de gras par portion.

Pour 9 portions

1½	tasse de farine
½	tasse de poudre de cacao non sucré
1	c. à thé de poudre à pâte
½	c. à thé de bicarbonate de soude
½	c. à thé de sel
1¼	tasse de sucre
½	tasse de compote de pommes non sucrée
1	œuf ou 2 blancs d'œufs
1	tasse de lait écrémé ou d'eau
2	c. à thé d'extrait de vanille
¼	tasse de confiture de framboises sans pépins
	Du sucre glace
1	tasse de framboises fraîches

1. Préchauffez le four à 180 °C (350 °F). Vaporisez de l'enduit anti-collant dans un moule carré et saupoudrez de poudre de cacao.

2. Dans un bol, mélangez la farine, le cacao, la poudre à pâte, le bicarbonate de soude et le sel.

3. Dans un grand bol, mélangez le sucre, la compote de pommes et l'œuf, jusqu'à ce que la pâte fasse un ruban. Ajoutez le lait et la vanille. Mélangez bien. Ajoutez l'appareil précédent et mélangez bien. Versez la pâte dans le moule.

4. Cuisez au four 40-45 min ou jusqu'à ce qu'une lame enfoncée au centre ressorte propre. Laissez refroidir dans le moule sur une grille pendant 10 min. Démoulez le gâteau et laissez refroidir complètement.

5. Au moment de servir, faites fondre la confiture à basse température. Étalez-la sur le gâteau refroidi. Décorez avec des framboises et saupoudrez de sucre glace.

Par portion : 256 calories, 5 g de protéines, 58 g d'hydrates de carbone, 4 g de fibres, 2 g de gras, 1 g de gras saturés, 24 mg de cholestérol, 268 mg de sodium

Quelques astuces contre le gras

En cuisinant:
- Retirez la peau des volailles.
- Évitez de cuire avec du gras. Rôtir, cuire au four ou griller de préférence.
- Utilisez des ustensiles à revêtement anti-collant pour ne pas employer d'huile.
- Dégraissez les bouillons et les sauces.
- Utilisez de la purée de pommes de terre pour donner du corps à vos potages.

Cuisson au four:
- Remplacez un œuf entier par deux blancs.
- Réduisez d'un tiers l'huile des recettes ou remplacez-la par du yogourt ou de la compote de pommes.
- Remplacez les fromages gras par des fromages allégés ou de la ricotta.
- Remplacez la crème par du lait écrémé en poudre.

Vos aliments énergétiques

Les hydrates de carbone n'ont pas toujours eu bonne presse. Ils sont pourtant à la base d'un régime sain.

Les hydrates de carbone sont le carburant que le corps transforme en énergie sous forme de glucose ou sucre dans le sang. Si vous ne consommez pas assez d'hydrates de carbone, votre corps transformera, par un procédé complexe et épuisant, une partie des protéines et du gras que vous absorbez en sucre, c'est-à-dire en hydrates de carbone. Pour votre santé, mieux vaut fournir directement à votre corps les hydrates de carbone dont il a besoin. Sans exagérer, bien sûr, car trop de calories provenant des hydrates de carbone entraînent également un risque d'embonpoint. Choisissez cependant des aliments de qualité : pains complets, riz brun et céréales avec leur germe et leur enveloppe fibreuse.

Les légumes féculents, comme les pommes de terre, le maïs, les fèves, sont riches en éléments nutritifs et en fibres, et pauvres en sucre. Trois portions d'aliments à base de grains complets par jour diminueront vos risques de maladie cardiaque et de diabète. Des chercheurs ont découvert qu'une femme entre 55 et 69 ans qui consomme des céréales complètes trois fois par jour diminue ses risques de crise cardiaque de 30 % pour les dix années à venir.

Personne ne sait exactement comment les céréales complètes protègent notre santé, mais tout le monde sait qu'elles sont meilleures que les céréales raffinées, qui ont perdu leurs fibres et leurs vitamines E, B_6, folate et autres vitamines essentielles, surtout lorsque nous avançons en âge. Un régime pauvre en hydrates de carbone complexes et riche en céréales raffinées (pain blanc, riz blanc, pâtes et sucre) augmente vos risques de diabète.

Quelques astuces pour ajouter des hydrates de carbone de céréales complètes à votre régime :

- Lisez les étiquettes avec soin. Assurez-vous que le principal ingrédient est de la farine complète, du blé complet ou des céréales complètes.
- Essayez de remplacer un tiers de la farine blanche que vous utilisez dans les recettes par de la farine complète.
- Pensez au germe de blé. C'est croquant, avec un petit goût de noisette et un tas d'avantages nutritifs. Ajoutez-en une cuillerée à soupe dans les céréales du petit-déjeuner, les pains, les crêpes, les muffins ou le yogourt.

Trois portions d'aliments à base de grains complets par jour diminueront vos risques de maladie cardiaque et de diabète.

Taboulé aux fruits

Riche en fibres (10 g/portion), en vitamine C (grâce aux abricots) et en vitamine E (les amandes).

Pour 4 portions

1	**tasse de boulghour (blé concassé)**
½	**c. à thé de sel**
2 ½	**tasses d'eau bouillante**
1	**pomme, coupée en petits dés**
1	**c. à soupe de jus de citron**
½	**tasse d'amandes effilées, légèrement grillées**
½	**tasse d'abricots séchés, coupés en fines lamelles**
2	**échalotes, hachées finement**
1	**c. à soupe de persil frais haché**
1	**c. à soupe de menthe fraîche hachée**
1	**c. à soupe d'huile de colza ou d'olive**

1. Dans un bol moyen, mélangez le boulghour et le sel. Recouvrez d'eau bouillante et laissez reposer 1 heure.

2. Entre-temps, dans un bol, mélangez la pomme et le jus de citron. Ajoutez les amandes, les abricots et les échalotes. Mélangez le persil et la menthe et ajoutez-les aux autres ingrédients en même temps que l'huile.

3. Égouttez le boulghour. Mélangez avec précaution aux fruits. Réfrigérez au moins une heure. Servez frais.

Par portion : 283 calories, 8 g de protéines, 45 g d'hydrates de carbone, 10 g de fibres, 10 g de gras, 1 g de gras saturés, 0 mg de cholestérol, 302 mg de sodium

---

- Remplacez le riz blanc par du brun de temps en temps. Vous apprécierez son petit goût de noisette.
- Une pomme de terre au four, accompagnée d'un peu de fromage léger, de yogourt ou de crème sure – ou même d'une cuillerée à thé de beurre ou de margarine – est une bonne source d'éléments nutritifs et de fibres. La patate douce est bourrée de bêta-carotène.
- Haricots, lentilles et pois sont riches en protéines et en fibres et remplacent bien la viande. Rincez bien les haricots en boîte pour éviter les flatuosités et éliminer le sel ; les lentilles n'ont pas besoin de tremper.
- Inutile de décongeler les petits pois (excellente source de fibres). Jetez-les dans les soupes qui mijotent et laissez cuire quelques minutes avant de servir.

Où sont les fibres ?

On trouve les fibres dans tous les aliments à base de végétaux complets : céréales, légumes, fruits, fèves, noix et graines. Les aliments d'origine animale n'en contiennent pas.

AUTO ÉVALUATION

Consommez-vous suffisamment de fibres ?

◀ **1.** Quels fruits consommez-vous le plus ?
  - **A** Pommes, oranges, bananes ou fruits rouges
  - **B** Raisins ou melons
  - **C** Jus d'orange ou autre jus de fruits

◀ **2.** Que mangez-vous le plus au petit-déjeuner ?
  - **A** Des céréales complètes ou des flocons d'avoine au lait
  - **B** Un bagel avec du fromage à la crème
  - **C** Un beignet ou un muffin

◀ **3.** Quels types de légumes mangez-vous le plus ?
  - **A** Pois, carottes, brocolis, légumes feuilles
  - **B** Laitues et tomates
  - **C** Frites

◀ **4.** Mangez-vous au moins ½ tasse de haricots noirs, secs ou de pois chiches ?
  - **A** Une fois par jour
  - **B** Deux à trois fois par semaine
  - **C** Une à deux fois par mois

◀ **5.** Quel type de pain consommez-vous le plus ?
  - **A** 100 % complet ou aux sept céréales
  - **B** Du pain de seigle
  - **C** Du pain blanc, italien ou français

Vos résultats :

◀ Si vous avez répondu A à 4 ou 5 questions : bravo ! Vous réduisez beaucoup les risques de crise cardiaque, de diabète et d'embarras gastrique.

◀ Si vous avez répondu A à 3 questions et B à la plupart des autres : c'est bien, mais vous pouvez faire mieux pour préserver votre santé.

◀ Si vous avez répondu A à 1 ou 2 questions et B ou C au reste : il est temps d'amorcer le virage. Commencez à prendre des céréales complètes et faites vos sandwichs avec du pain complet au lieu de pain blanc.

La clé des questions…

1. Une tasse de baies contient beaucoup de fibres : framboises = 8 g ; bleuets = 4 g ; pomme, banane et orange = environ 3 g chacune ; raisin et melon d'eau = 1 g par tasse chacun ; jus de fruits (même avec la pulpe) = presque pas.

2. Les céréales complètes, chaudes ou froides, sont les meilleurs aliments pour commencer la journée, avec 3 à 10 g de fibres par portion. Un bagel en contient 2 à 3 g, alors qu'un beignet en contient moins de 1 g (et beaucoup de sucre et de gras).

3. Pois, brocolis, légumes feuilles, plus que laitues et tomates, sont parmi les plus riches en fibres avec 3 à 4 g par portion. Mais tous les légumes contiennent vitamines, minéraux et agents phytochimiques. Les frites, quant à elles, ne contiennent que du gras et des calories.

4. Les fèves sont très riches en fibres, environ 7 g par portion d'une demi-tasse.

5. Préférez les pains étiquetés « 100 % complet » ou « au grain complet », tous deux riches en fibres. La couleur n'est pas un indice fiable, car certains pains foncés contiennent des colorants. Lisez soigneusement les étiquettes.

Il existe deux types de fibres : les solubles (fèves, lentilles, pommes, poires, avoine) favorisent la stabilisation des niveaux de sucre et de cholestérol dans le sang. Les fibres insolubles (surtout céréales, grains, germinations et légumes) améliorent le transit intestinal. On a longtemps cru qu'un régime riche en fibres diminuait les risques de cancer du côlon. Des études récentes n'ont pas confirmé cette propriété, mais elles ont révélé d'autres avantages : les fibres évitent la constipation, préviennent les crises de diverticulite (inflammation douloureuse des parois du côlon) et réduisent les niveaux de cholestérol, de sucre, les risques de crise cardiaque et de diabète. Quelques conseils :

● Augmentez les fibres progressivement jusqu'à 25 à 35 g par jour.

Buvez beaucoup d'eau, sinon les fibres risquent de ralentir vos fonctions intestinales.

- Inutile de prendre des suppléments de fibres, si vous augmentez votre consommation de fruits et légumes à haute teneur en fibres.
- Si vous avez besoin d'un apport régulier, choisissez le psyllium. Une cuillerée à soupe (10 g) par jour diminue le cholestérol de 5 % en régularisant vos fonctions.

Une histoire si douce

Les Canadiens adorent le sucre, ce simple hydrate de carbone ; 15 % des calories que nous consommons proviennent de sucres ajoutés. Pourtant, la plupart des experts recommandent une limite de 6 à 10 %.

Le sucre est-il mauvais ? Il n'a rien de toxique, mais il ajoute des calories sans vitamines ni sels minéraux. On soupçonne les sucreries de faire augmenter le niveau des triglycérides, gras qui augmentent les risques cardiaques. Le sucre n'est pas en lui-même cause de diabète, mais un régime riche en sucre raffiné semble créer un terrain favorable au diabète adulte. Et, évidemment, le sucre, surtout associé à des aliments collants, favorise les caries dentaires. Pis encore, les aliments sucrés ajoutent des calories, ce qui rend plus difficile le contrôle de l'embonpoint ; ils prennent la place d'aliments nutritifs.

Le sucre est partout. On le trouve dans beaucoup d'aliments préparés, même dans le ketchup, les soupes et les vinaigrettes. Éviter d'en manger exige de la vigilance. Ces astuces devraient vous aider :

- Évitez les boissons gazeuses non diététiques (responsables du tiers des sucres ajoutés à notre diète),

les boissons aux fruits sucrées, le thé glacé et la limonade.

- Repérez vos ennemis cachés sur la liste des ingrédients des emballages : sucre, édulcorant de maïs, sirop de maïs, fructose, concentré de jus de fruits, glucose (dextrose), sirop de maïs à haute teneur en fructose, miel, sucre inverti, lactose, maltose, mélasse, sucre brut, saccharose et sirop. Si un ou plusieurs de ces ingrédients apparaissent sur une étiquette, cet aliment contient beaucoup de sucres ajoutés.
- Coupez vos jus de fruits avec de l'eau. Sachez que le fruit frais contient des fibres en plus des sucres naturels.
- Attention aux aliments « allégés » qui contiennent malgré tout du sucre et des calories.
- Diminuez le sucre dans votre café ou votre thé.

Priorité aux protéines ?

Les besoins en protéines varient avec l'âge, le poids et l'état de santé. Dans un régime équilibré idéal, les protéines ne devraient représenter que 10 à 12 % des calories quotidiennes. Choisissez les sources les plus nutritives : haricots, lentilles, pois, soya, poisson, fruits de mer, volaille maigre et les morceaux les plus maigres de bœuf ou de porc. Vos fibres viendront des protéines végétales contenues dans les légumes et le soya. Vos acides gras oméga-3, pour le cœur, sont dans le poisson et les fruits de mer. Les viandes maigres vous fourniront des protéines de bonne qualité sans les gras saturés encolleurs d'artères. Les produits laitiers allégés et le blanc d'œuf sont aussi d'excellentes sources de protéines.

Pouvoir végétal

« Mange tes légumes ! » Maman avait bien raison : c'est l'une des meilleures défenses contre les cancers et autres maladies.

Même un Martien qui ne passerait qu'une journée sur terre s'entendrait sûrement dire qu'il faut manger plus de fruits et de légumes. Les raisons sont nombreuses et augmentent avec l'âge. Les légumes sont nutritifs : riches en vitamine C, bêta-carotène, folate, magnésium et fibres ; pauvres en gras, en sel et en calories. Ils sont aussi une bonne source d'agents phytochimiques qui renforcent votre résistance aux maladies. Voici quelques-uns de leurs pouvoirs :

● **Poids santé :** la consommation de légumes est la reine des stratégies amaigrissantes. Les fruits et les légumes contiennent peu de calories et beaucoup de fibres et d'eau ; ce sont deux coupe-faim. Des chercheurs ont découvert que plus on varie ses légumes, plus on reste mince.

● **Cœur :** les fruits et les légumes sont riches en fibres, potasse, acide folique et antioxydants : les boucliers du cœur. Partout dans le monde, les études ont montré que les maladies cardiaques sont de 15 à 40 % moins fréquentes chez les populations qui mangent le plus de fruits et de légumes.

● **Tension :** un régime efficace pour faire baisser la tension : mangez 8 à 10 portions de légumes chaque jour accompagnées d'au moins trois portions de produits laitiers écrémés. L'effet est aussi efficace qu'un médicament. De plus, ce régime aide à mincir, ce qui fait aussi baisser la tension.

● **Protection contre le cancer :** le fait de manger quotidiennement cinq portions ou plus de fruits ou de légumes diminue de moitié les risques de cancer. Certains types de légumes sont plus efficaces que d'autres. Une étude de population indique une relation entre des taux de risques inférieurs et la consommation d'oignon, d'ail, de carottes, de légumes verts, de tomates (surtout lorsqu'elles sont cuites) et de crucifères (tous les légumes de la famille des choux), dont le brocoli, le chou frisé, le chou vert, les choux de

Les antioxydants vedettes

Les fruits et les légumes très colorés sont riches en antioxydants, facteurs d'immunité contre les maladies chroniques. Ils pourraient même ralentir le vieillissement. Ils sont des molécules de charge positive qui se combinent aux radicaux libres de charge négative, les rendant ainsi inoffensifs. Une recherche en nutrition humaine et en vieillissement a récemment mesuré le potentiel des fruits et des légumes frais. Le tableau suivant indique la capacité d'absorption des radicaux d'oxygène ou CARO pour des portions de 100 g. Plus les valeurs sont élevées, plus cet aliment possède une capacité élevée à neutraliser les radicaux libres.

Fruits		Légumes	
Bleuets	2400	Chou frisé	1770
Fraises	1540	Épinards	1260
Framboises	1220	Choux de Bruxelles	980
Pommes	949	Bouquets de brocolis	890
Oranges	750	Betteraves	840
Raisins rouges	739	Poivrons rouges	710
Cerises	670	Maïs jaune	400

Muffins cerises-bleuets au yogourt

Délicieux muffins riches en antioxydants et en germe de blé pour les fibres et la vitamine E.

Pour une douzaine de muffins

- 1½ **tasse de farine**
- ½ **tasse de germe de blé grillé**
- 1 **c. à soupe de poudre à pâte**
- ¾ **c. à thé de sel**
- ½ **c. à thé de bicarbonate de soude**
- 1 **tasse de yogourt nature allégé**
- 1 **œuf ou 2 blancs d'œufs**
- 3 **c. à soupe d'huile de colza ou d'olive**
- ½ **tasse de sucre**
- 1 **tasse de cerises fraîches ou conge-**
  lées, égouttées, coupées en morceaux
- ½ **tasse de bleuets frais ou congelés**

1. Chauffez le four à 200 °C (400 °F). Vaporisez de l'enduit anti-collant sur les moules à muffins ou chemisez-les avec du papier sulfurisé.

2. Dans un grand bol, mélangez ensemble les ingrédients secs. Réservez.

3. Mélangez dans un petit bol le yogourt, l'œuf, l'huile et le sucre. Ajoutez aux ingrédients secs. Mélangez délicatement les cerises et les bleuets. Versez une quantité égale de pâte dans chaque moule à muffins.

4. Cuisez 20 min environ. Laissez refroidir dans les moules 5 min avant de démouler. Servez chaud.

Par portion (un muffin) : 168 calories, 5 g de protéines, 27 g d'hydrates de carbone, 1 g de fibres, 5 g de gras, 1 g de gras saturés, 19 mg de cholestérol, 313 mg de sodium

---

Bruxelles, le pak-choï et le chou-fleur. Une étude démontre que les hommes qui mangent au moins 3 portions de crucifères dans la semaine diminuent leurs risques de cancer de la prostate de 41 %.

- **Longévité.** Les frugivores ont la vie dure. Une étude suédoise récente montre que les hommes entre 54 et 80 ans qui mangent beaucoup de fruits vivent plus longtemps.

À vos assiettes!

C'est facile d'ajouter des fruits et des légumes à votre régime. Faites le plein en frais ou en congelés (les congelés pour leur grande diversité) lors de votre prochaine visite au supermarché, puis appliquez ces consignes :

Pour manger plus de fruits :

- Présentez vos fruits dans un joli compotier sur une étagère ou sur le réfrigérateur ; on en mange plus quand on les voit.

ATTENTION

Il arrive que les fruits et les légumes frais soient porteurs de bactéries. Lavez toujours soigneusement les fruits et les légumes, en particulier les feuilles et les baies à consommer crues. Assurez-vous que le jus de fruits est pasteurisé.

Fiche nutrition

L'abricot, le cantaloup, le pamplemousse, le melon miel, le kiwi, la mangue, l'orange, l'ananas, les prunes, les framboises, les clémentines et le melon d'eau sont des fruits riches en vitamine C.

- Agrémentez céréales et yogourt de pommes ou de bananes en morceaux, de quelques baies ou de canneberges séchées.
- Faites la vie dure aux friandises et préparez vos collations avec des fruits secs (raisins, abricots, cerises, pruneaux). N'en abusez pas : les fruits secs sont riches en calories.
- Faites-vous des boissons frappées au mélangeur : c'est rapide et délicieux.
- Renouez avec la coutume du melon en apéritif. C'est une belle entrée.
- Mettez les fruits au dessert : croustades ou pommes au four.

Pour manger plus de légumes :
- En hiver, enrichissez votre soupe de quelques légumes congelés.
- En été, ajoutez des petits pois frais à la salade pour la couleur et le croquant. Il suffit de les blanchir puis de les refroidir sous l'eau courante.
- Qui veut de la salsa ? Pour la fête des papilles, c'est un accompagnement nutritif pour le poulet grillé ou le poisson.

Salade de crabe au maïs et à l'avocat

L'avocat, avec son gras monoinsaturé et ses protéines, constitue un véritable bouclier du cœur. Le cresson, quant à lui, est un bon allié pour combattre le cancer.

Pour 4 portions

1	boîte (432 g) d'épis de maïs égouttés
2	c. à soupe de salsa
1	échalote finement hachée
1	bouquet de cresson, sans les tiges
1	avocat, coupé en lamelles
1	c. à soupe de jus de citron frais
2	tasses de chair de crabe cuite
2	c. à soupe de coriandre finement hachée
40	croustilles tortillas

1. Mélangez le maïs, la salsa et l'échalote dans un petit bol ; réservez. Disposez le cresson sur 4 assiettes à salade décorées avec les lamelles d'avocat assaisonnées de jus de citron.

2. Disposez le mélange de maïs et le crabe dans les assiettes. Parsemez de coriandre. Présentez les croustilles à part.

Par portion : 298 calories, 17 g de protéines, 39 g d'hydrates de carbone, 6 g de fibres, 10 g de gras, 1 g de gras saturés, 57 mg de cholestérol, 493 mg de sodium

AUTO ÉVALUATION

De quelle couleur est votre alimentation ?

◀ **1.** Regardez votre petit-déjeuner ; de quelle couleur est le tableau qu'il compose ?
  A Rouge, jaune, ou orange, et brun
  B Doré et blanc

◀ **2.** Devant un buffet de salades, comment disposeriez-vous vos légumes si vous étiez un artiste et votre assiette, votre palette ?
  A Du vert autour, des touches de rouge, d'orange, le tout arrosé de vert
  B Diverses nuances de vert
  C Du vert autour et des taches blanches au milieu

◀ **3.** Mangez-vous souvent des collations aux couleurs fluorescentes, celles qui tachent les doigts et la bouche ?
  A Rarement
  B Une fois par semaine
  C Une fois par jour

◀ **4.** Jetez un œil dans le bac à légumes de votre réfrigérateur. Comptez les couleurs :
  A 4 ou plus
  B 3
  C 1 ou 2

◀ **5.** Scrutez bien votre assiette au prochain repas ; combien y trouvez-vous de couleurs ?
  A 4 ou plus
  B 3
  C 1 ou 2

Vos résultats :

◀ Surtout des « A » : excellent ! Votre régime regorge d'éléments protecteurs.

◀ Surtout des « B » : pas mal. Vous ne variez sans doute pas suffisamment vos fruits ou légumes. Innovez ! Essayez un fruit ou un légume nouveau chaque semaine.

◀ Surtout des « C » : peut faire mieux. Ne vous découragez pas ; beaucoup de gens sont dans cette catégorie. Faites un tour au rayon des légumes !

La clé des questions…

1. Le petit-déjeuner traditionnel, pain grillé, muffin, crêpes, gaufre, est surtout composé de féculents blancs ou jaunes. Les fruits donnent des couleurs joyeuses à vos repas ; ajoutez fraises, bleuets ou kiwis à vos céréales et à votre yogourt, pour changer de la banane et faire le plein de fibres et d'éléments nutritifs.

2. Un buffet de salades est une véritable mine d'or nutritive, si on ne tombe pas dans les pièges. Rien de mal à ne choisir que de la verdure « B », mais vous vous privez de biens des parfums, textures et éléments nutritifs.

Si vous avez un penchant pour le clair recouvert de mayonnaise « C », macaronis, pommes de terre, œufs, votre assiette est pleine de calories et de gras. Vous avez l'embarras du choix, profitez-en et mettez au moins 5 légumes différents dans votre assiette.

3. Les collations aux couleurs fluorescentes, croustilles au fromage, boissons aux fruits, bonbons, sont des produits manufacturés qui contiennent beaucoup de sucre et de gras. Remplacez-les par des fruits de couleur foncée, des bleuets frais par exemple.

4. Les belles couleurs des légumes et des fruits sont une merveille de la nature. Pourtant, bien qu'ils comptent parmi les éléments les plus nutritifs, le menu canadien traditionnel leur fait peu de place. Efforcez-vous d'en manger au moins 4 variétés au cours de la semaine.

5. Un souper traditionnel de poulet, purée, maïs et pain devient vite monotone : plus vous aurez de couleurs au menu, plus vous aurez de variétés d'éléments nutritifs. Composez votre prochain souper d'au moins 4 couleurs.

● Pas le temps de laver la salade ? Les supermarchés proposent diverses salades toute prêtes à manger. Les études ont montré que celles-ci sont probablement plus propres que si vous les aviez lavées vous-même.

● Accompagnez vos pâtes de légumes. Une portion de pâtes pour une portion de légumes.

Neuf aliments vedettes

Attaquez la maladie à la fourchette ! Ces neuf aliments ont tous des propriétés pour améliorer votre santé ; ne les oubliez pas.

Manger pour bien vieillir ne signifie pas seulement absorber des éléments nutritifs et peu caloriques. Certains aliments contiennent des facteurs qui pourraient ralentir l'effet du temps. Les chercheurs s'y réfèrent sous le terme d'agents phytochimiques, un terme technique pour la composition des végétaux. C'est grâce à eux que les fruits et légumes vous font tant de bien.

1 **Le soya.** Si vous n'avez pas encore découvert le soya, faites connaissance. Comme toutes les fèves, le soya est riche en minéraux (dont le fer) et en oligo-éléments. La plupart des aliments au soya, tofu ou lait de soya compris, sont enrichis en calcium, vital tant pour les hommes que pour les femmes d'un certain âge. Le soya est aussi une excellente source de protéines, si vous diminuez les rations de viande.

Le soya se distingue surtout par les œstrogènes végétaux appelés isoflavones qui ont des propriétés immunitaires uniques ; ainsi, on les soupçonne de prévenir l'ostéoporose en fortifiant les os, et certaines études suggèrent qu'elles contrôlent aussi les bouffées de chaleur. Des recherches sont en cours pour évaluer leurs possibilités contre le cancer.

Le soya diminue efficacement le cholestérol. Aux États-Unis, la FDA a donné son aval à ces résultats : 25 g de protéine de soya peuvent abaisser votre taux de cholestérol de 5 à 10 %. Vous pouvez absorber cette quantité avec 300 g de tofu, un litre de lait de soya, 115 g de petits haricots de soya, ou 4 cuillères à soupe combles de protéine de soya en poudre.

Pour un début :

- Arrosez vos céréales préférées de lait de soya. Vous pouvez remplacer le lait de vache par le soya dans toutes les recettes de flans et de desserts au four.
- Utilisez du fromage de tofu ferme pour la cuisine et du tofu en crème pour les sauces et trempettes.
- Goûtez au sandwich au fromage fondu de soya.
- Le soya est très riche en isoflavones ; parsemez salades, céréales, soupes et sautés de ces fèves que vous trouverez, émondées et blanchies, en sachets.
- Beaucoup d'escalopes de légumes sont au soya. Changez de marque, les goûts varient.
- Les boulettes de soya à la bolognaise ne contiennent peut-être pas beaucoup d'isoflavones (vérifiez l'étiquette), mais elles remplacent avec bonheur la viande. Choisissez celles qui ont le moins de sel et de gras.
- Le tempeh (prononcer tèmmpé) à base de soya fermenté, tendre et ferme, est parfait à la poêle, ou à l'étouffée dans de la sauce soya. Le tempeh fumé, dans la soupe aux pois cassés, remplace bien le porc.
- Le miso, une pâte de soya fermentée, peut servir de court-bouillon ou enrichir un bouillon de poulet pour un fond de soupe. Le miso contient parfois beaucoup de sel ; vérifiez l'étiquette.

ATTENTION

Le tofu vendu en vrac dans des bassines d'eau est souvent contaminé par des bactéries. Choisissez plutôt du tofu sous emballage.

Les remèdes phytosanitaires

La recherche scientifique a isolé des éléments chimiques puissants dans les cellules végétales, qui semblent préserver une bonne santé. On peut profiter de leurs avantages simplement en mangeant une grande variété de fruits frais, de légumes, de céréales complètes, de haricots, de soya, d'aliments à base de soya, ainsi que des produits de la mer et un œuf ou deux à l'occasion.

Aliments	Agents phytosanitaires	Propriétés
Aliments à base de soya, haricot, thé	Isoflavone	■ Hormone végétale similaire à l'œstrogène. Peut aider à réduire les risques de crise cardiaque, d'ostéoporose et certains cancers.
Graine de lin, germe de blé, soya	Lignane	■ Similaire à l'isoflavone ci-dessus.
Thé vert, Oolong et noir	Catéchine et théaflavine	■ Antioxydants puissants. Peuvent aider à la prévention de l'oxydation du cholestérol LDL, «mauvais» cholestérol, et ainsi aux risques de crise cardiaque.
Baie, raisin noir, pomme, noix	Acide ellagique	■ Antioxydant puissant.
Agrume	Tangerétine et nobilétine	■ Antioxydants. Semblent avoir un pouvoir fluidifiant et aider à éviter les problèmes cardiaques.
Agrume	Limonène	■ Entrave l'activité des protéines de croissance cellulaire, avec effet anti-carcinogène possible.
Bleuet, fraise, framboise, mûre, cerise, raisin noir	Anthocyanine	■ Antioxydant. Peut freiner la synthèse du cholestérol.
Oignon jaune, brocoli, chou, baie, thé, pomme	Quercétine	■ Antioxydant puissant. Peut endiguer les problèmes cardiaques et le cancer.
Brocoli, chou, choux de Bruxelles, chou frisé	Isothiocyanate (sulforaphane et indoles)	■ Un des plus puissants éléments anti-carcinogènes découverts à ce jour dans les aliments.
Ail et oignon	Allicine et autres sulfites d'allicine	■ Fluidifient le sang. Peuvent renforcer la protection contre les crises cardiaques.
Légumes, soya, graines, céréales complètes	Inhibiteurs de protéases	■ Peuvent avoir un effet réparateur sur l'ADN et les cellules folles. Alliés possibles contre le cancer.
Tomate, poivron rouge, pamplemousse rose, goyave, melon d'eau	Lycopène	■ Antioxydant dont on étudie les propriétés contre le cancer, en particulier de la prostate.
Chou frisé, brocoli, choux de Bruxelles, épinard, verdure, pêche, maïs, jaune d'œuf	Zéaxanthine et lutéine	■ Alliées possibles contre la dégénérescence maculaire.
Aliments de soya, noix, graines, germe de blé	Stérol	■ Abaisse les taux de cholestérol.
Noix, aliments de soya, légumes	Saponine	■ Aide à faire baisser les taux de cholestérol.

Les bons gras du poisson : des acides

gras oméga-3, surtout dans les poissons à chair huileuse.
En voici un aperçu :

GRANDE QUANTITÉ	MOYENNE	FAIBLE
Maquereau	Bar	Morue
Saumon	Tassergal	Carrelet
Sardines	Flétan	Haddock
Esturgeon	Bar rayé	Vivaneau
Truite (brune ou arc-en-ciel)	Espadon	Sole
Thon (albacore ou rouge)	Thon jaune	Truite (de ruisseau ou de mer)

2 **Le poisson.** Vous savez probablement déjà que le poisson à chair huileuse est bon pour le cœur. Les acides gras oméga-3 présents dans les poissons huileux protègent contre les risques cardiaques en faisant baisser les taux de triglycérides (facteur de risque pour le diabète aussi) et en fluidifiant le sang, ce qui évite la formation de caillots qui bouchent les artères. Rien qu'un repas de poisson par semaine peut

Maquereau aux tomates, à l'ail et aux herbes

Vous pouvez remplacer le maquereau par n'importe quel poisson huileux : espadon, thon, requin, thon rouge, flétan, poisson-chat ou truite.

Pour quatre portions

550	g (1¼ lb) de filets de maquereaux
¼	c. à thé de sel
3	tomates bien mûres, épépinées, en morceaux
2	c. à thé d'ail finement haché
1	c. à soupe de jus de citron frais
1	c. à soupe de romarin frais haché ou 1 c. à thé séché
1	c. à soupe de thym frais haché ou 1 c. à thé séché

1. Faites chauffer le four à 220 °C (425 °F). Placez le poisson dans un plat en verre ou en céramique et assaisonnez-le avec du sel. Couvrez-le de tomates et d'ail. Arrosez avec du jus de citron ; parsemez de romarin et de thym.

2. Cuisez au four 8-12 min, selon l'épaisseur des filets, ou jusqu'à ce que la chair soit opaque au centre et se détache facilement.

Par portion : 252 calories, 30 g de protéines, 6 g d'hydrates de carbone, 1 g de fibres, 12 g de gras, 3 g de gras saturés, 68 mg de cholestérol, 267 mg de sodium

Frappé tropical de soya

Une délicieuse façon de consommer le soya. Le fruit apporte une bonne dose de vitamine C et de bêta-carotène.

Pour une portion de 375 ml (12 oz)

- ¼ **tasse d'ananas en cubes**
- ¼ **tasse de mangues en cubes**
- 2 **fraises, équeutées**
- 1 **tasse de lait de soya allégé**
  Le jus d'une demi-limette

1. Mélangez l'ananas, la mangue, les fraises, le lait de soya et la limette au mélangeur électrique. Fouettez jusqu'à l'obtention d'une crème, en raclant les parois si nécessaire. Versez dans un grand verre.

Par portion : 193 calories, 5 g de protéines, 42 g d'hydrates de carbone, 3 g de fibres, 3 g de gras, 0 g de gras saturés, 0 mg de cholestérol, 98 mg de sodium

abaisser de 40 % la fréquence des maladies cardiaques selon une étude et peut diminuer les risques d'infarctus. Il semble également aider au rétablissement des personnes qui ont déjà eu une attaque cardiaque en leur en évitant une deuxième.

Les régimes à base des produits de la mer sont associés à une réduction des risques de cancer, surtout de l'œsophage, de l'estomac et du côlon. Des recherches récentes semblent indiquer que ces régimes aident à combattre la dépression en augmentant la production de sérotonine, élément chimique clé dans les fonctions cérébrales de l'humeur. Une étude a récemment démontré que les gens qui mangent du poisson moins d'une fois par semaine ont 31 % de risques de plus que les autres de souffrir de dépression. Astuces sur le poisson :

- Consommez au moins un repas à base de produits de la mer par semaine.
- N'ayez pas peur des poissons gras. Ils le sont moins que la plus maigre des viandes et apportent moins de calories.
- Le bon choix : le loup, la truite, le hareng, les thons, le maquereau, le saumon et l'espadon.
- Les fruits de mer ont leur place dans un régime pour diminuer le cholestérol, même les crevettes qui contiennent beaucoup de cholestérol mais peu de gras saturés et quelques acides gras oméga-3.
- La morue et la plie, poissons maigres, sont d'excellentes sources de protéines sans presque aucun gras saturé.
- Mangez le poisson cuit au four, grillé, à la vapeur ou au courtbouillon plutôt que frit.

Astuce santé

Choisissez le thon conditionné à l'eau pour tirer le meilleur parti des acides gras oméga-3. Ces bons gras se diluent dans l'huile de conditionnement et risquent de finir à l'égout. Il existe plusieurs espèces de thons conditionnés à l'eau.

3 **L'ail.** Aimez-vous cuisiner à l'ail ? L'ail est bon pour la santé ! C'est une excellente façon d'ajouter du goût aux plats sans augmenter les gras, les calories ou le sel. Il a bien d'autres avantages pour votre santé !

Plusieurs études ont prouvé qu'une gousse d'ail par jour réduit le cholestérol, et il semblerait que l'ail réduise aussi les risques de formation de caillots dans le sang. Les personnes qui mangent beaucoup d'ail (et d'oignons) semblent être moins exposées au cancer de l'estomac et au cancer du sein. Mangez l'ail cru

ou, pour optimiser ses bienfaits dans les plats cuits, hachez-le et laissez-le reposer dans le plat afin que l'allicine, l'élément sulfurique bénéfique, ait le temps de se synthétiser. C'est à lui que l'ail doit ses propriétés.

4 **Le brocoli et ses cousins, les choux.** Tous les légumes verts sont bons pour la santé, mais le brocoli et ses cousins, les choux, contiennent quantité de vitamines et de fibres. Ils contiennent aussi des agents phytochimiques, les isothiocyanates, qui semblent protéger

Quiche aux brocolis sans croûte

Vous pouvez couper cette quiche en canapés et les servir à l'apéritif. Vous pouvez remplacer les brocolis par du chou frisé ou d'autres légumes verts cuits.

Pour quatre portions

4	œufs
1	tasse de fromage ricotta allégé
1	c. à thé de moutarde
½	c. à thé de sel
⅛	de c. à thé de poivre
2	tasses de brocolis cuits, coupés en dés
1	tasse de gruyère allégé râpé

1. Préchauffez le four à 180 °C (350 °F). Vaporisez légèrement un moule carré avec de l'enduit anti-collant. Dans un grand saladier, mélangez les œufs, le fromage ricotta, la moutarde, le sel et le poivre.

2. Étalez le brocoli et le gruyère râpé au fond du plat. Versez le mélange dessus.

3. Cuisez au four 40-50 min, ou jusqu'à ce qu'une lame enfoncée au centre de la quiche ressorte propre. Laissez refroidir la quiche 10 min avant de la découper et de la servir.

Par portion : 204 calories, 27 g de protéines, 10 g d'hydrates de carbone, 3 g de fibres, 7 g de gras, 4 g de gras saturés, 23 mg de cholestérol, 986 mg de sodium

Salade d'épinards aux poires et aux noix

Riche en acide folique, en bêta-carotène et en vitamine C, l'épinard, comme la poire, contient beaucoup de fibres. Le yogourt apporte un supplément de calcium ; l'ail et les noix protègent votre cœur.

Pour 4 portions

³/₄	**tasse de yogourt nature allégé**
1	**gousse d'ail écrasée**
1	**c. à soupe d'huile d'olive**
¹/₄	**c. à thé de moutarde de Dijon**
450	**g (1 lb) d'épinards, rincés, en morceaux**
1	**poire mûre, pelée, en tranches fines**
¹/₄	**tasse de noix concassées**

1. Fouettez le yogourt, l'ail, l'huile et la moutarde pendant 1 min où jusqu'à ce que le mélange soit lisse. Dans un grand bol, mélangez les épinards, les morceaux de poire et les noix. Versez la sauce sur la salade et mélangez bien.

Par portion : 153 calories, 7 g de protéines, 15 g d'hydrates de carbone, 4 g de fibres, 9 g de gras, 1 g de gras saturés, 1 mg de cholestérol, 131 mg de sodium

---

contre plusieurs types de cancers. Les crucifères forment une grande famille : roquette, chou, chou de Bruxelles, chou-fleur, chou frisé, chou-navet, feuille de moutarde, radis, rutabaga, bette, navet et cresson.

Le brocoli contient un isothiocyanate appelé sulforaphane, l'un des plus efficaces du genre ; alors prenez-en. Le sulforaphane résiste à la chaleur. Vous pouvez manger vos brocolis croquants ou bien cuits ; ne les faites pas bouillir pendant des heures cependant. Absorbez encore plus de sulforaphanes : ajoutez des germinations de brocolis (passez-les à la vapeur pour tuer les microbes) à vos salades et dans vos casse-croûte ; elles contiennent 20 à 50 fois plus de sulforaphanes que les brocolis, et on les trouve maintenant partout.

Le cresson contient un isothiocyanate particulier, sensible à la chaleur. Le cresson cuit reste très nutritif, mais mangez-en cru ou à peine cuit à la vapeur.

5 Les tomates. Il se pourrait que ce qui fait rougir la tomate préserve votre santé. C'est un pigment végétal appelé lycopène, un puissant antioxydant. Des études semblent suggérer qu'il peut réduire les cancers de la prostate : l'une d'elles conclut que les hommes qui mangent 10 portions de produits à base de tomates par semaine ont 35 % moins de risques. Il semblerait que le lycopène ait aussi une incidence bénéfique contre les cancers des poumons, du pancréas et de l'appareil digestif. Des études semblent indiquer que les

Fiche nutrition

Une tasse de brocolis cuits contient plus de vitamine C (100 mg) qu'une orange moyenne (80 mg).

Les hommes qui mangent 10 portions hebdomadaires de produits à base de tomates ont, en moyenne, 35 % moins de risques d'être atteints du cancer de la prostate.

Pour avoir bon pied bon œil à l'âge mûr, mangez des tomates. Le lycopène qu'elles contiennent peut jouer un rôle contre le cancer en renforçant le système immunitaire.

Fiche nutrition

Si votre beurre d'arachides ne se défait pas à température ambiante, c'est que ses huiles hydrogénées contiennent des gras trans qui élèvent le taux de cholestérol; choisissez des beurres «naturels».

populations qui consomment plus de tomates sont moins sujettes aux problèmes cardiaques. La tactique de la tomate :

- Les tomates fraîches sont délicieuses et riches en vitamine C, mais la cuisson libère les lycopènes pour que nos corps les assimilent plus facilement.
- Les sauces aux tomates vendues dans le commerce contiennent du lycopène sous une forme très assimilable. Faites-en des provisions !
- Pour égayer une sauce tomate en boîte, ajoutez-lui un oignon revenu dans un peu d'huile d'olive et une tomate fraîche coupée en cubes, un peu d'ail frais et d'origan séché pour finir. Versez sur des pâtes fraîches.
- Pour une pizza super-diététique, faites-la vous-même, ou demandez plus de sauce tomate et de légumes et moins de fromage.

6 **L'épinard.** Les épinards ne donnent pas de la force, mais des recherches montrent qu'ils pourraient améliorer votre vue. Ils protègent de la dégénérescence maculaire, la première cause de cécité chez les gens âgés de plus de 65 ans. Lors d'une étude, les personnes qui mangeaient des épinards (et autres légumes verts comme le chou frisé, le chou vert et les fanes de moutarde

et de navet) quatre fois par semaine voyaient leur risque de dégénérescence maculaire baisser de 46 % par rapport à celles qui en consommaient moins d'une fois par mois. Les chercheurs pensent que la lutéine et la zéaxanthine, deux éléments de la famille des caroténoïdes, auraient des propriétés qui aident la macula, petit point au centre de la rétine, à filtrer les rayons ultraviolets dangereux. Ils sont en plus une bonne source de fibres, d'acide folique, de vitamines A, C et E.

- Lavez toujours soigneusement les épinards.
- Essayez les épinards dans un peu d'huile d'olive chaude mais non fumante. Laissez cuire jusqu'à ce que l'eau des épinards se soit évaporée. Environ 2 min.
- Pensez à la salade d'épinards.

7 **Le thé.** Le thé contient des antioxydants appelés catéchines qui peuvent diminuer vos risques de crise cardiaque et de cancer. Le thé vert est le plus riche en catéchines (27 % de son poids sec), le thé Oolong arrive deuxième (23 %). Même le thé noir (4 %) contient encore suffisamment de ces éléments pour agir sur votre santé. Profitez bien de l'heure du thé.

Ne vous souciez pas trop de la caféine contenue dans le thé. Une tasse de thé noir n'en contient que 35 mg, moins que le plus léger des cafés.

Le thé vert n'en contient que 25 mg. Plus vous laissez infuser le thé, plus il contient de caféine. Quelques idées pour l'heure du thé :

- Prenez un thé vert de bonne qualité. Il est doux et rafraîchissant sans sucre ni lait.
- Un bon thé noir ou vert se prépare en versant de l'eau bouillante sur les feuilles : laissez infuser le thé noir 4-5 min et le thé vert, 3-4 min.

8 Les bleuets. Toutes les baies, bleuets, fraises, framboises, sont riches en vitamine C, fibres et antioxydants, qui protègent contre les maladies cardiaques et le cancer. Les bleuets ont un petit plus : il se pourrait que, tout comme les canneberges, ils protègent des infections urinaires en empêchant la bactérie qui en est responsable d'adhérer aux parois des cellules. Une étude sur les animaux a même révélé que les baies pourraient endiguer le processus de vieillissement des cellules cognitives et que le bleuet améliore l'équilibre.

- Lavez en douceur les baies à l'eau froide pour les débarrasser des bactéries.
- Pour adoucir vos céréales ou votre yogourt, ajoutez quelques bleuets.
- Faites provision de bleuets congelés. Ils sont congelés séparément et ne se présentent plus en blocs solides. Ajoutez-en une demi-tasse à votre crème glacée allégée ou à votre pâte à muffins.

9 Les noix. Riches en gras et calories, les noix ne sont cependant pas à négliger. Des études ont montré que des femmes et des hommes qui consommaient des noix plusieurs fois par semaine présentaient moins de risques de maladies cardiaques que les personnes qui n'en mangeaient que rarement. Une poignée de noix 4 à 5 fois par semaine pourrait diminuer les risques cardiaques de 40 %. Elles contiennent des gras insaturés qui, avec les acides gras oméga-3 (les amandes et les noix de Grenoble en contiennent le plus), sont bénéfiques pour le cœur. Les noix contiennent aussi beaucoup de vitamine E et de magnésium, de phytoéléments aux propriétés salutaires, comme les saponines, contre le cancer.

Ajoutez-en à votre salade (voir la recette page 55). Vous pouvez faire griller vos noix, pour le parfum. C'est facile : faites-les revenir à température moyenne dans une poêle sèche (2-3 min). Secouez la poêle pour éviter que les noix collent. Ajoutez les noix grillées à votre salade favorite ou dans vos pains et desserts.

Une cuillère à soupe ou deux de noix suffisent. Une demi-tasse de noix peut atteindre 400 calories. Ne les ajoutez pas à votre régime alimentaire, utilisez-les en remplacement d'autres aliments très gras comme le lard ou le fromage.

Le champion toute catégorie : le bleuet. De tous les fruits et légumes étudiés, le bleuet est le roi des antioxydants.

Aliments nutriceutiques

Les supermar-
chés proposent
de plus en plus
d'aliments
enrichis de
divers
suppléments
adaptés à des
états de santé
spécifiques, les
aliments nutri-
ceutiques.
Attention : dans
**certains cas, la
dépense
est inutile.**

Hippocrate, le père de la médecine grecque, déclarait voici
2000 ans : « Votre nourriture
doit être votre remède. » Il n'aurait
sans doute pas imaginé que nous
ajouterions effectivement des
remèdes à nos aliments ; pourtant,
c'est ce qui se passe actuellement en
Amérique du Nord.

On trouve du jus d'orange bon
pour les os, ou des œufs enrichis en
gras de poissons bénéfiques au cœur,
on y trouve aussi de l'attrape qui
n'ajoute rien à votre santé mais vide
votre porte-monnaie.

Déprimé ? Goûtez aux croustilles
au millepertuis. Ou peut-être souhaitez-vous améliorer vos performances
cérébrales avec un jus de fruits au
ginkgo. Incroyable ? Ça ne l'est plus.
On trouve ce genre de produits
partout aux États-Unis. Au Canada
cependant, on les trouve dans les
rayons des magasins diététiques.

Remède ou stratégie ?

Une bonne idée ? Non. Les suppléments phytosanitaires doivent être
utilisés avec une posologie adaptée
pendant une période de temps limitée.

Le peu de millepertuis contenu
dans des croustilles ne vous fera probablement pas de mal, mais il ne vous

**Les nutri-
ceutiques ne
sont pas une
panacée.
Suivez plutôt
la règle
diététique de
base : diversité,
équilibre et
modération.**

fera pas de bien non plus, et les croustilles ajoutent des calories à votre régime.

Au Canada, on appelle aliment nutriceutique un aliment qui fournit des éléments nutritifs et a, de plus, une action bénéfique sur la santé. Par exemple, les aliments à base de son d'avoine procurent des hydrates de carbone et des vitamines, et, grâce au bêta-glucane, ils abaissent le cholestérol.

Certains nutriceutiques peuvent améliorer un régime antivieillissement. Suivez ce conseil :

- Il doit s'agir d'un aliment bon pour la santé que vous incluriez dans un régime équilibré de toute façon. Exemple : le jus d'orange enrichi en calcium. Le jus d'orange, nutritif en lui-même, apporte en plus le supplément de calcium dont vous avez besoin.
- Les vertus de l'ingrédient ajouté doivent avoir été démontrées scientifiquement. C'est le cas du calcium. C'est aussi celui des acides gras oméga-3 pour le cholestérol. Les propriétés du psyllium et de la protéine de soya contre les maladies cardiaques semblent avérées, tout comme les margarines qui contiennent des stanols ou des stérols abaissent le cholestérol.

Les bons choix

1 Les alliés du cœur. Si vous souffrez de cholestérol, votre diète peut le faire baisser, et quelques nutriceutiques vous feront gagner encore 5 ou 10 %.

- Aux États-Unis, la FDA a approuvé deux margarines, Benecol et Take Control (pas encore au Canada), susceptibles d'abaisser les taux de cholestérol. Elles contiennent des éléments phytochimiques (stérol et stanol) qui inhibent l'absorption du cholestérol.
- Les céréales enrichies en psyllium, riches en fibres solubles, abaissent le cholestérol, tout comme le son d'avoine. Certaines céréales (alliées du cœur) contiennent maintenant du psyllium.
- Les aliments enrichis en soya peuvent être efficaces. Aux États-Unis, la FDA soutient l'affirmation que 25 g de protéines de soya par jour peuvent faire baisser le cholestérol. Attendez-vous à voir arriver des aliments enrichis en soya au Canada.

2 Les aliments enrichis en vitamines. On nourrit désormais certaines poules avec des graines de lin, ce qui produit des œufs riches en vitamines.

3 Pour les os. Les produits laitiers étaient autrefois la principale source de calcium de notre régime alimentaire. Aujourd'hui, on en trouve aussi dans le jus d'orange. En général, c'est une bonne chose. La plupart des Canadiens ne prennent pas assez de calcium, efficace contre l'ostéoporose et la tension. Offrez-vous du jus enrichi en calcium. Mais souvenez-vous que pour être vraiment efficace le calcium a besoin de vitamine D : buvez du lait enrichi en vitamine D, prenez le soleil sans écran 15 minutes par jour, ou prenez un supplément de vitamine D. Usez du calcium sans abus : 2500 mg par jour est une limite sans danger.

4 Œufs améliorés. Certains œufs contiennent maintenant des acides gras oméga-3, les bons gras du poisson.

En bref

Les aliments fortifiés ou enrichis ne font pas partie des nutriceutiques. Ainsi, les repas de substitution et les aliments pour les sportifs ou les personnes âgées ne sont pas classés parmi les aliments de cette catégorie au Canada.

Un repas, des amis, de la joie

Bien manger ne signifie pas seulement se protéger des maladies. Le plaisir de partager un repas en famille ou avec des amis est un bienfait qui surpasse celui de la fourchette.

Manger pour bien vieillir ? Ce n'est pas une simple affaire d'apport nutritif. C'est un lien entre les membres d'une même famille et avec ses amis. De fait, le terme compagnon vient du latin (avec : « com » et pain : « pane »). Rompre le pain avec d'autres est l'occasion d'une conversation, d'une expérience sociale ; un plaisir simple, un moment de détente. Le rythme de la vie moderne ne permet pas toujours de prendre ses repas en compagnie. Les repas solitaires sont aussi le lot des personnes isolées. La solitude est un facteur de risque pour la nutrition. Des études ont montré que les personnes âgées qui vivent seules ont tendance à sauter des repas ou à mal se nourrir. Une étude conduite au Tennessee auprès de 61 personnes de 60 ans et plus a prouvé que celles qui étaient les plus solitaires risquaient de manquer de calories et de calcium.

Le mariage semble favoriser une bonne nutrition. Une étude indique que ceux qui vivent en couple mangent mieux que ceux qui cuisinent pour un. Un veuvage récent est une période particulièrement critique. Des études ont montré que les personnes âgées et veuves se nourrissent moins bien, parfois pendant les deux années qui suivent le décès de l'être cher.

Quelle que soit votre situation sociale, profitez du repas. Invitez quelqu'un à dîner. Essayez de former un club avec des amis et organisez des soirées. Vous entretiendrez vos amitiés et votre forme en même temps.

Surveiller ce que l'on mange ne veut pas dire être obsédé par les aliments et la santé. Inutile de se priver pour bien manger. Le plaisir est aussi une part importante du bien-manger, surtout s'il conduit à choisir une grande variété d'aliments.

Des recherches récentes révèlent que plus votre régime

Quel qu'il soit, un repas qui rassemble amis ou parents est bon pour la santé.

Fajitas au porc rôti et aux légumes

Des invités de dernière minute ? Voici un repas vite fait, bien fait.

Pour 4 fajitas
Recette de la marinade à la fin

- 1 **filet de porc (350 g / 12 oz)**
- 1 **gousse d'ail coupée en deux**
- 2 **poivrons rouges épépinés coupés en lamelles**
- 2 **petits oignons rouges coupés en lamelles**
- 1 **grosse courgette coupée en tranches**
- 4 **tortillas sans gras, de 20 cm (8 po)**
   Salsa fraîche, crème sure, yogourt allégé et coriandre hachée pour la garniture (facultatif)

1. Préchauffez le four à 230 °C (450 °F). Mettez la moitié de la marinade dans un sac de plastique. Ajoutez le porc frotté avec l'ail. Fermez le sac et laissez reposer à température ambiante.

2. Dans un grand bol, mélangez les poivrons, les oignons, la courgette et la marinade. Tapissez un moule avec du papier d'aluminium vaporisé d'enduit anti-collant. Répartissez les légumes. Faites rôtir 35-40 min en remuant de temps en temps.

3. Sortez le porc de la marinade et placez-le dans un petit plat à rôtir. Faites rôtir 20-25 min ou jusqu'à ce que le thermomètre culinaire indique 70 °C (160 °F).

4. Sortez le porc du four et laissez-le refroidir 5 min avant de le découper en tranches. Répartissez les tranches de porc et les légumes dans les tortillas chaudes, roulez et servez avec la garniture.

Marinade : Mélangez ½ tasse de jus de citron, 2 c. à soupe de vinaigre de vin rouge, 1 c. à soupe d'huile d'olive, 2 c. à soupe de cumin moulu, 1 c. à thé de sel, ¼ de c. à thé de poivre noir concassé et des gousses d'ail hachées.

Remarque : Enroulez les tortillas dans du papier d'aluminium et faites-les chauffer en même temps que les légumes et la viande pendant les 5 dernières minutes de cuisson.

Par portion : 278 calories, 22 g de protéines, 34 g d'hydrates de carbone, 3 g de fibres, 6 g de gras, 1 g de gras saturés, 50 mg de cholestérol, 634 mg de sodium

est varié, surtout s'il comprend un grand assortiment de fruits et de légumes, plus vous avez des chances de rester en bonne santé. Par contre, qui varie peu ses aliments court plus de risques de maladies cardiaques.

De nos jours, les supermarchés offrent une grande variété d'aliments ; n'hésitez pas à faire des expériences nouvelles. Suivez les conseils des Japonais : leur gouvernement leur recommande de consommer 30 aliments différents par jour pour absorber une grande variété d'éléments nutritifs et ne pas abuser d'un aliment en particulier.

Mieux manger en 8 semaines

Les habitudes alimentaires ne sont rien de plus que des habitudes. Il ne faut pas en changer brutalement, mais un changement progressif, sur huit semaines, peut conduire à une amélioration bienfaisante et durable.

Dimanche	Lundi	Mardi

1

Votre tâche cette semaine : achetez une bouteille d'huile d'olive extra-vierge. Commencer à l'utiliser à la place du beurre ou de la margarine. Préparez votre propre vinaigrette : 4 c. à soupe d'huile d'olive, 2 c. à soupe de vinaigre, sel, poivre et herbes aromatiques.

2

Choisissez un fruit ou un légume que vous ne consommez pas habituellement pour cette semaine. La mangue est délicieuse en salade et constitue une excellente source de bêta-carotène. Le chou frisé est un super antioxydant que vous pouvez ajouter aux soupes à la dernière minute pour en garder tous les bénéfices.

3

La plupart des Canadiens consomment beaucoup trop de sel. Il ne tombe pas de la salière, mais il vient des aliments préparés comme les soupes en boîte. Lisez les étiquettes ; votre désir de sel diminuera si vous diminuez les quantités petit à petit.

4

Votre prochaine étape : supprimez les gras trans de votre régime. Méfiez-vous : les fabricants les ajoutent aux biscuits, aux croustilles et à bien d'autres aliments préparés. Surveillez la mention « huile partiellement hydrogénée ». Utilisez de l'huile d'olive ou de colza pour remplacer le saindoux ou la margarine.

Il se pourrait que l'ail abaisse la tension et protège de certains cancers. Mettez-en dans la vinaigrette. Ajoutez-en à votre purée de pommes de terre.

Mercredi	Jeudi	Vendredi	Samedi

Un souper de haricots
riches en fibres peut remplacer
la viande. Essayez la recette de
la page 77. Rincez bien les
haricots en boîte pour éviter
les flatuosités et atténuer le sel.

Si vous en êtes encore au lait entier,
essayez le lait à 2 % pendant 1 mois. Une
fois habitué au goût, vous passerez au lait
à 1% pendant un autre mois jusqu'à ce
que vous soyez prêt pour le lait écrémé.
Si vous en avez oublié le goût, essayez-le à
nouveau. Les fabricants y ajoutent maintenant des épaississants.

**Cherchez les produits
nouveaux** lorsque vous allez
à l'épicerie pour les ajouter à
vos salades ou à vos ragoûts.
Choisissez des noix,
amandes, pacanes, noisettes
et noix de cajou. Une excellente source de vitamine E
pour les globules rouges et
les fibres musculaires.

Du poisson le vendredi?
En plus d'aider votre cœur, le
poisson est un repas vite fait :
grillé ou à la poêle avec un filet
de vin ou d'eau, il est prêt en
moins de 10 min. Si vos
enfants ne veulent pas de poisson, faites-leur autre chose.

VOTRE STRATÉGIE SANTÉ

Mieux manger en 8 semaines

	Dimanche	Lundi	Mardi

5

Essayez le soya.
Si sa texture vous rebutait, essayez les nouvelles variétés : ferme ou extra-ferme. Congelez le tofu, écrasez-le et ajoutez-le au chili. Goûtez aux haricots de soya verts congelés. Ajoutez du miso (pâte de soya) à vos soupes. Prenez un burger de soya.

6

Buvez-vous du café ?
Essayez de remplacer une tasse de café par une tasse de thé. Les antioxydants du thé ont beaucoup d'avantages et pourraient protéger des maladies cardiaques et du cancer, ce qui n'est pas le cas du café. Le thé vert est meilleur pour la santé, mais le thé noir a aussi des vertus. Essayez divers thés, en vrac ou en sachet.

7

Modifiez vos grignotages.
Ayez toujours des mini-carottes dans le réfrigérateur. En croquer une poignée vous apportera la vitamine A nécessaire quotidiennement. Essayez le yogourt à la vanille ou au citron saupoudré de germe de blé. Régalez-vous d'amandes grillées à 180 °C (350 °F) au four pendant 3-5 min avec un peu de sel.

8

Organisez un souper dominical pour rassembler la famille ou les amis. Peu importe le menu, faites des essais : par exemple des lasagnes aux légumes rôtis (aubergines, courgettes, poivrons). Prenez du plaisir à ces réunions.

Faites le plein de légumes congelés. Faciles à ajouter à la dernière minute dans un repas, vous prendrez ainsi vos 4 ou 5 portions de légumes par jour. La congélation est le meilleur moyen de préserver les éléments nutritifs des produits frais. C'est mieux que des légumes défraîchis en rayon.

Donnez un coup de jeunesse à votre petit-déjeuner. Préparez-vous des céréales chaudes : avoine ou votre céréale préférée. Choisissez-en une qui contient 3 g ou plus de fibres par portion et moins de 3 g de gras. Ajoutez-y des baies ou des canneberges séchées. Évitez le granola, à moins d'acheter une variété à faible teneur en gras, ou de le faire vous-même : mélangez 2 tasses de flocons d'avoine à une tasse de fruits secs et de graines ; ajoutez un peu de sucre. Grillez 3-5 min à four chaud.

Ajoutez des crucifères contre le cancer à l'un de vos repas cette semaine. Vous avez le choix entre le brocoli, le chou, les choux de Bruxelles, le chou frisé, les bettes, les pousses de moutarde ou de cresson (en salade ou en sandwich). Ajoutez une touche de folie aux brocolis avec des graines de sésame grillées (1-2 min dans une poêle) et des flocons de poivrons séchés.

Un fruit est un bon dessert en toute simplicité. Prenez de la salade de fruits, des croquants ou croustade aux fruits en dessert. Les pommes au four sont délicieuses en automne (Cortland ou Granny Smith). Évidez les pommes et creusez chacune au sommet sur 1 cm (½ po). Placez ½ c. à thé de sucre ou de miel, 1 c. à thé de cannelle, de raisins ou de groseilles dans chaque pomme. Faites cuire au four dans un plat avec un peu d'eau au fond à 180 °C (350 °F) environ 45 min.

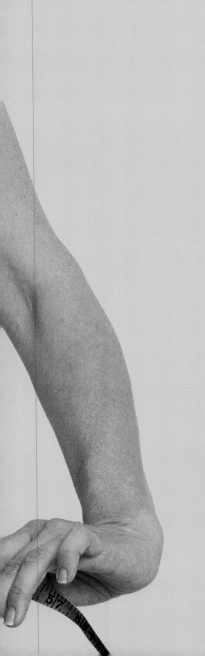

CHAPITRE 2

SURVEILLER VOTRE POIDS

68 Guerre des bourrelets

70 Pour perdre du poids

74 Alimentation « gagnante »

82 20 trucs pour perdre du poids

VOTRE STRATÉGIE SANTÉ

Guerre des bourrelets

Vous livrez l'impopulaire bataille contre les bourrelets de l'âge mûr ? Si votre ceinture ne boucle plus, votre santé est en danger.

Oh ! cette taille épaissie ! Cette culotte de cheval ! Les kilos superflus commencent à s'accumuler au milieu de la trentaine, quand nous devenons moins actifs. À mesure que nous perdons du muscle, notre fournaise personnelle s'essouffle et brûle moins de calories. À partir de 50 ans, nous devrions réduire notre consommation quotidienne de 100 calories tous les 10 ans. Pour la plupart, nous maintenons notre régime alimentaire. Jour après jour, quelques grammes de gras s'incrustent. La plupart des Nord-Américains gagnent ainsi environ 3 kg tous les 10 ans.

Nous avons beau détester nos cheveux gris et nos rides, la graisse superflue, l'affaissement musculaire et la prise de poids sont encore plus haïssables parce qu'ils menacent notre santé. En plus de nous déprimer, ils accroissent tous les risques d'affections comme l'hypertension, les maladies cardiaques, les accidents ischémiques, le diabète de type 2, le cancer du sein, de l'utérus ou du côlon, et les calculs biliaires. L'excès de poids peut même augmenter les douleurs lombaires et arthritiques.

À propos d'embonpoint

Ni la boucle de votre ceinture, ni le reflet de votre miroir, ni votre pèse-personne ne peuvent vous affirmer qu'il y a lieu de vous inquiéter. Parce que le plus important, ce n'est pas votre poids, c'est la quantité de tissus adipeux. Comme les muscles pèsent davantage que le gras, la balance peut bien indiquer que vous pesez trop, vous pouvez tout de

ATTENTION

Un gain de 2 kg peut accroître votre risque de diabète de type 2 de 10 %.

Faites-vous de l'hypertension ? En perdant seulement 4,5 kg, vous pouvez faire descendre la pression diastolique suffisamment pour réduire le dosage de votre médication, et même vous en passer.

Passé 50 ans,
nous devons réduire nos
portions de 100 calories
par jour.

même être en bonne santé si vous
avez une constitution musclée.

Il n'existe pas de manière facile de
mesurer le pourcentage de tissus
adipeux. Le meilleur moyen d'évaluer
votre corpulence est encore l'indice
de masse corporelle (IMC), une
formule mathématique fondée sur la
taille et le poids (tableau à la droite de
cette page).

Des pommes et des poires

L'endroit où logent les tissus adipeux
compte autant que leur poids. S'ils se
concentrent autour de l'abdomen
pour donner une silhouette en forme
de pomme, la santé est plus menacée.
Ces silhouettes risquent davantage
le cholestérol, l'hypertension, les
maladies cardiovasculaires, le diabète
de type 2, le cancer du sein et de
l'endomètre. Les gens à la silhouette
en forme de poire, dont les tissus
adipeux se sont fixés aux fesses, aux
hanches et aux cuisses, semblent
moins vulnérables à ce genre de
problèmes.

Les silhouettes masculines prennent souvent la forme d'une pomme
et les silhouettes féminines, celle
d'une poire, mais les deux
silhouettes se trouvent chez l'un et
l'autre sexe. Pour découvrir quel
fruit vous décrit le mieux, calculez
votre ratio taille-hanches (RTH).
Divisez la mesure de votre taille au
point le plus étroit par celle de vos
hanches au point le plus large. Si le
RTH est supérieur à 0,8 (hommes) ou
à 0,9 (femmes), vous êtes une pomme.

Comment se
répartissent vos
tissus adipeux?
Si votre corps a
plus la forme
d'une pomme que
d'une poire, vous
risquez davantage
de souffrir de
problèmes
cardiaques
et autres
affections graves.

Êtes-vous mince?

La formule poids (en kilos)/taille (en m²) sert à calculer votre IMC. Localisez ci-dessous le point où votre poids et votre taille se croisent. Tirez une ligne jusqu'au nombre le plus proche de ce point pour trouver votre IMC. Si vous pesez 69 kg et mesurez 173 cm, votre IMC se situe autour de 23.

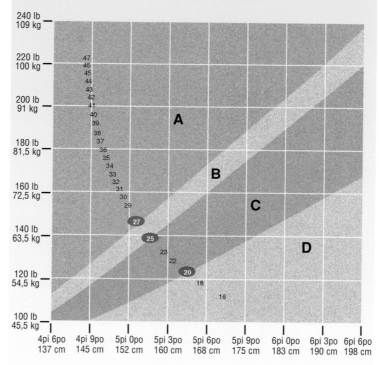

Zone	IMC	Effets sur la santé
A	>27	Risque accru de développer des problèmes de santé
B	25-27	Pour certains, l'IMC peut conduire à des problèmes de santé
C	20-25	Bon poids pour la plupart des gens
D	<20	Pour certains, l'IMC peut être associé à des problèmes de santé

Pour perdre du poids

Pas besoin
de régime
draconien ;
changez plutôt
tout doucement
votre manière de
penser à la
nourriture
et à l'exercice.

Pour maigrir, il suffit de prendre moins de calories que vous n'en brûlez. Simple, n'est-ce pas ? Alors, à quoi bon ces bouquins, ces comprimés et ces programmes qui vantent de nouvelles manières de perdre du poids ?

À la vérité, il n'y a pas de remède miracle. Pour empêcher les kilos de reprendre leur assaut, vous devez changer à jamais votre conception de l'alimentation et ajouter activités physiques et exercices à votre routine quotidienne. N'allez surtout pas chambarder votre vie d'un coup sec : vous auriez moins de chances de réussir.

Une double approche

Compter les calories ne règle rien, mais c'est un début. Pour savoir à peu près combien de calories vous devez consommer pour maintenir votre poids actuel (1 kg = 2,2 lb), multipliez-le par 10, si vous êtes sédentaire, par 15 si vous êtes actif, ou par 20 si vous vous démenez toute la journée. Pour perdre 0,45 kg par semaine, enlevez du total obtenu 3500 calories par semaine ou 500 calories par jour.

Il ne suffit pas de manger moins, mais de manger moins et de brûler plus de calories. Au lieu de couper 500 calories par jour, il est plus sage de couper 250 calories et de brûler les 250 autres en faisant de l'exercice. Pourquoi est-ce si important ? La plupart des gens qui se mettent au régime sans faire d'exercice finissent par reprendre le poids perdu. Quand on compare les gens au régime avec ceux qui font de l'exercice et ceux qui, au régime, font de l'exercice, on s'aperçoit que ceux qui font de l'exercice sans régime perdent plus de poids sans le reprendre.

ATTENTION

Consultez votre médecin si vous prenez du poids sans raison. Ce pourrait être lié à un trouble sous-jacent, comme une thyroïde trop lente. Les symptômes incluent : peau sèche ; sensation de fatigue ou de froid ; constipation ; engourdissements et picotements dans les doigts et les orteils ; une température inférieure à 36,4 °C prise le matin, avant de sortir du lit, trois jours de suite. Des troubles cardiaques, rénaux ou endocriniens peuvent aussi causer un gain de poids.

Votre métabolisme est-il rapide ?

De 60 à 65 % des calories que vous ingérez font battre votre cœur, maintiennent votre température corporelle et assurent le bon fonctionnement de votre organisme. Pour découvrir l'apport calorique dont votre corps a besoin, calculez votre taux de métabolisme basal (TMB).

Étape 1	Étape 2	Étape 3
■ Convertissez votre poids en kilos en le divisant par 2,2.	■ Multipliez le résultat obtenu par 0,9 (pour les femmes surtout).	■ Multipliez le résultat par 24.

Voilà combien de calories vous devez consommer chaque jour, sans activité physique ni exercice. Si vous les ajoutez, vous aurez besoin de 30 à 50 % de plus de calories. Quand vous êtes inactif et que vous consommez plus de calories que celles dont a besoin votre TMB, vous prenez du poids. Renforcer votre masse musculaire par l'entraînement peut augmenter votre TMB et vous permettre de brûler des calories plus vite, même au repos.

Santé Canada recommande 60 minutes d'activité physique par jour. On peut fractionner cette activité en segments de 10 à 15 minutes et obtenir quand même des résultats. Si vous faites des exercices aérobiques ou du jogging pendant 20 à 30 minutes, quatre fois la semaine, cela suffit. Par contre, si vous préférez des activités légères comme la marche ou le jardinage, visez plutôt 60 minutes par jour.

Importants, les muscles ?

L'exercice aide à préserver les muscles. Meilleure est votre musculature, plus votre organisme utilise de calories, même au repos. Si vous éliminez 8 % de votre poids au cours d'un régime de plusieurs mois sans faire d'exercice, 40 % du poids perdu proviendra du tissu musculaire. Seulement 23 % du poids perdu en proviendra si vous coupez les calories et faites de l'exercice. Comme le gras est moins dense que le muscle, votre silhouette perdra plus de centimètres et votre métabolisme en sera aussi amélioré ; vous pourrez ainsi vous offrir une tricherie occasionnelle.

On a découvert que les adultes d'âge mûr s'exerçant avec des poids trois fois par semaine pendant six mois faisaient si bien travailler leurs muscles que leur métabolisme basal avait augmenté de 80 à 150 calories par jour – l'équivalent d'une séance d'exercices de 20 à 40 minutes.

Pas besoin d'haltérophilie pour atteindre votre objectif. Mettez votre résistance musculaire à l'épreuve en étirant des bandes élastiques, en jouant dans une piscine, ou en gravissant une colline. Pour des bénéfices accrus, deux fois la semaine, faites de 8 à 12 exercices répétitifs

pour chacun des groupes musculaires majeurs, et efforcez-vous de lever des poids. Aux pages 128 à 133 vous trouverez un programme d'entraînement à la maison.

Les secrets du succès

Savoir comment perdre les kilos, c'est une chose, mais les perdre, c'en est une autre. Pour perdre du poids, vous devez modifier vos habitudes, à commencer par celles qui vous ont fait prendre du poids. Même s'il n'est

L'exercice n'a pas à devenir une corvée. Faites-en une partie agréable de votre style de vie ; vous aurez moins de mal à continuer.

En bref

Un demi-kilo de muscle brûle 45 calories par jour ; un demi-kilo de tissu adipeux, moins de deux.

En bref

Si vous avez pris 4,5 kg sans faire d'exercice au cours des 10 dernières années, le problème peut être plus grave que vous ne le pensez. Vous avez peut-être aussi perdu 2,25 kg de muscle, ce qui veut dire que vous avez, en réalité, pris 6,8 kg de gras. Comme le muscle brûle beaucoup plus de calories que ne le fait le tissu adipeux, la perte musculaire entraînera probablement une augmentation supplémentaire de poids au cours des années à venir.

MÉDICAMENT

Si votre IMC est de 27 ou plus, que vous souffrez d'hypertension ou de diabète, que votre taux de cholestérol est élevé, il est possible que votre médecin vous prescrive un médicament pour vous aider à amorcer votre régime. Pour ce faire, il existe deux médicaments : la sibutramine, qui influe sur deux substances du cerveau qui régissent l'appétit – elle vous donne rapidement une impression de satiété ; l'orlistat agit sur une enzyme de la digestion qui détruit les gras alimentaires – ainsi, 30 % du gras que vous mangez n'est jamais assimilé.

jamais facile de casser ses habitudes, le psychologue James Prochaska, de l'université du Rhode Island, a déterminé les six étapes nécessaires pour réussir à changer les habitudes bien enracinées.

1. Prévisualisation. À ce stade, vous n'êtes pas encore convaincu qu'il vous faut changer. Soupesez vos kilos superflus et voyez s'il est temps ou non de vous mettre en forme.

2. Visualisation. Vous avez décidé qu'il vous faut perdre quelques centimètres, mais vous n'êtes pas prêt à passer à l'action. Imaginez à quel point vous vous sentiriez mieux si vous aviez perdu du poids. Pour vous stimuler, ajoutez encore les avantages dont bénéficieraient votre santé, votre vitalité, votre apparence.

3. Préparation. Pour changer vos habitudes face à l'alimentation et à l'exercice, dressez un plan. Choisissez une date pour entreprendre le changement. Pour le premier mois et chacun des trois mois suivants, fixez-vous des objectifs quotidiens et hebdomadaires réalistes. Qu'ils soient simples et précis (par exemple, acheter une balance de cuisine, passer du lait 2 % au lait 1 %). Inscrivez tous les détails, y compris la manière

d'affronter les obstacles. Ajoutez ensuite votre but pour le semestre et celui pour l'année. Annoncez vos intentions et demandez le soutien de vos proches.

4. Action. Élaborez vos menus hebdomadaires et faites la liste de vos achats. Préparez un sac de sport. Installez votre équipement d'exercices à la maison. Trouvez un ami qui partagera vos buts. Pour ne pas vous sentir privé, prévoyez des récompenses agréables, comme votre chocolat favori, de la mousse de bain. Récompensez-vous régulièrement de votre fidélité à votre programme. Soyez patient : les nouveaux comportements peuvent mettre six mois à s'enraciner.

5. Entretien. Voici venu le moment où vous transformez vos changements en habitudes. En pensée, voyez-vous comme quelqu'un qui fait de l'exercice et qui soigne son alimentation si vous voulez que vos nouvelles habitudes deviennent permanentes.

6. Conclusion. Cette étape met fin au passé. Vous avez acquis l'assurance que votre avance est solide. Vous êtes en meilleure santé ; vous ne voyez plus les choses comme avant, et on ne vous voit plus comme avant non plus.

Prenez l'avantage

Vous avez plus de chances de perdre du poids sans en reprendre que vous ne le croyez. Plus de 90 % des gens reprennent le poids perdu, confirment les études cliniques et universitaires depuis 1959. Généralement, les sujets des études cliniques présentent des problèmes de poids beaucoup plus sérieux que la moyenne des gens. Ceux qui, de leur propre chef, ont réussi à perdre du poids n'apparaissent pas dans ces statistiques.

Les choses changent, cependant : à l'université de Pittsburgh, on a étudié des milliers de personnes qui ont perdu au moins 13,6 kg sans les reprendre pendant plus d'un an. Vous pouvez donc y arriver aussi !

Les régimes populaires

De nos jours, impossible de se retourner sans tomber sur un guide qui nous promet «la solution» aux problèmes de poids. Avant de vous mettre à espérer, demandez-vous si vous pouvez suivre ce régime de manière permanente. Sinon, il est possible que vous repreniez le poids perdu. Le meilleur régime, qui doit être équilibré et varié, reste celui que vous pouvez suivre tous les jours de votre vie.

Régimes	Avantages	Inconvénients	Commentaires
Pauvres en matières grasses, riches en fibres *Réfléchissez, mangez et maigrissez*	■ Les plus approuvés par les experts.	■ Les régimes qui préconisent un contenu très faible en matières grasses (moins de 10 %) peuvent entraîner des déficits en bons gras et être trop restrictifs.	■ Certaines personnes ont réussi à suivre ce type de régime. Volumetrics, version moins extrémiste, tient davantage compte des plus récentes découvertes scientifiques.
Riches en protéines, pauvres en hydrates de carbone *Le régime qui fait des miracles en 5 jours* *Chasseurs de sucre* *La révolution diététique du Dr Atkins – le juste milieu dans votre assiette*	■ Vous perdrez rapidement du poids.	■ Rigides et restrictifs. La plupart des gens se lassent de manger des hamburgers sans pain et peu de fruits ou de légumes. ■ Déséquilibrés. Les régimes à teneur élevée en protéines contiennent souvent peu de légumes et de grains entiers, sources importantes de vitamines essentielles, de minéraux et de glucose (essentiels pour le cerveau et le système nerveux). ■ Potentiellement dangereux. Quand, pour se nourrir, l'organisme est forcé de brûler des graisses plutôt que des glucides, il produit des cétones, composés brûleurs de graisses, qui épuisent les reins et s'insinuent dans le calcium osseux. Les cétones peuvent avoir des conséquences graves allant jusqu'au décès. Certains régimes mettent l'accent sur les aliments riches en cholestérol et en gras saturés (qui bloquent les artères) et rognent sur le calcium et les nutriments susceptibles de combattre les maladies.	■ Même si certaines personnes réussissent bien à suivre ces régimes, il faut y prendre garde. La perte de poids initiale est imputable à la perte d'eau qui survient lorsque l'on réduit radicalement les hydrates de carbone – en raison non pas de la réduction des hydrates de carbone, mais de la diminution de calories. Il reste tout de même qu'il faut augmenter l'apport de protéines quand on limite les calories; on en a la preuve.
Fondés sur le groupe sanguin *4 groupes sanguins, 4 régimes*	■ Aucun.	■ Déséquilibrés. Selon votre groupe sanguin, on vous conseille de fuir certains groupes alimentaires et de compenser les déficits par des suppléments. Si vous êtes du groupe O, on vous conseille ainsi de manger des protéines animales (sauf les produits laitiers) et d'éviter les céréales.	■ Cette approche n'a rien de scientifique. On n'a encore trouvé aucun rapport entre le groupe sanguin et la digestion.

VOTRE STRATÉGIE SANTÉ

Alimentation « gagnante »

Il ne s'agit pas seulement de manger moins ; il faut manger différemment. Votre nouvelle alimentation : plus de fibres, moins de gras et des portions plus petites.

Manger moins ne signifie pas seulement compter ses calories et réduire son apport calorique. Même si certaines personnes réussissent à le faire, il existe bien d'autres moyens d'élaborer votre régime sans devenir fou de frustration. Si vous mettiez les trucs suivants en pratique à chacun de vos repas, vous vous trouveriez à couper automatiquement des calories – sans faire des sacrifices inhumains.

1 Ajoutez des fibres

Peu importe les matières grasses consommées, les gens ayant suivi un régime à teneur élevée en fibres pendant 10 ans sont ceux qui ont pris le moins de poids, a-t-on découvert. En ralentissant l'absorption des nutriments dans le système sanguin, après un repas, les fibres aident à limiter la production d'insuline. Les niveaux élevés d'insuline associés aux régimes à teneur réduite en fibres semblent favoriser le gain pondéral en stimulant l'accumulation des gras et en développant l'appétit.

Santé Canada recommande la consommation quotidienne de 25 à 35 g de fibres. En moyenne, les Canadiens consomment de 13 à 15 g par jour. En Afrique, où l'obésité est rare, on a découvert que les habitants mangent environ 80 g de fibres par jour. Les adultes minces, a-t-on remarqué en Angleterre, absorbent chaque jour environ 19 g de fibres, comparativement aux obèses, qui n'en prennent que 13.

Les fibres permettraient de sentir plus longtemps le signal de satiété. On a donné à un groupe de sujets obèses 350 calories de flocons d'avoine et à un autre, des flocons de maïs. Trois heures plus tard, on leur a permis de boire à volonté d'un liquide nutritionnel. Ceux qui avaient pris des flocons d'avoine, contenant plus de fibres, ont bu 40 % moins que ceux qui avaient pris des flocons de maïs.

Privilégiez les aliments à teneur élevée en fibres : dans vos repas, mettez en vedette les fruits frais, les légumes frais ou cuits, les grains entiers et les haricots. Le plus souvent possible, reléguez la volaille et la viande à un rôle de soutien.

2 Trompez vos yeux – et votre estomac

Les gens, croient certains scientifiques, ont tendance à consommer chaque jour le même poids de nourriture, peu importent les

7 trucs pour manger plus de fibres

Au lieu de manger	Fibres (en g)	Mangez plutôt	Fibres (en g)
Corn Flakes Total	0	Fibre Un	13
féculents	0	son d'avoine	6
bagel	0	muffin d'avoine allégé	4
cantaloup moyen	1	orange moyenne	7
soupe de tomates consistante	1	soupe de haricots noirs consistante	10
pain pita blanc	0,3	pain pita de blé entier	4,4
tranche de pain blanc	0	tranche de pain de blé entier	2

Soupe chinoise au poulet

Vous pouvez faire une délicieuse version végétarienne de cette soupe en remplaçant le poulet par du tofu et le bouillon de poulet par du bouillon de légumes.

Donne 4 portions

225	**g (½ lb) de poitrine de poulet désossée, coupée en bouchées**
2	**c. à thé de sauce soya**
½	**c. à thé d'huile de sésame**
4	**tasses de bouillon de poulet sans gras, à teneur réduite en sodium**
2	**grosses gousses d'ail, émincées fin**
¼	**c. à thé de cinq-épices moulu**
1	**petite carotte, tranchée fin**
2	**tasses de feuilles d'épinards en lanières (tiges retirées)**
2	**échalotes tranchées fin**

1. Dans un petit bol, mélangez le poulet, la sauce soya et l'huile de sésame. Réservez pendant 5 min.

2. Dans une grande casserole, sur feu moyen, amenez à ébullition le bouillon, l'ail, le cinq-épices.

3. Ajoutez le poulet avec le soya, l'huile et la carotte. Réduisez le feu et laissez mijoter pendant 5 min. Ajoutez les épinards et les échalotes. Laissez mijoter 1 min de plus. Servez chaud.

Par portion : 90 calories, 13 g de protéines, 4 g d'hydrates de carbone, 1 g de fibres, 2 g de matières grasses, 0 g de gras saturés, 31 mg de cholestérol, 766 mg de sodium

matières grasses et les calories. Ainsi, il vaudrait mieux manger de gros aliments nutritifs contenant peu de calories – des aliments généreux en fibres, en eau ou en air.

Au lieu d'une poignée de raisins secs riches en calories, pourquoi ne pas vous régaler de raisins frais gorgés d'eau ? Au lieu d'avaler une tranche épaisse de viande, pourquoi ne pas choisir une platée de fèves et de légumes ? Si vous faites une salade de pâtes, ajoutez-y beaucoup de légumes. Pour remplacer les frites, battez ensemble des courges d'hiver et du lait écrémé. Faites un chili plus généreux en haricots et en légumes qu'en bœuf haché. Prenez une collation de maïs soufflé léger, sans beurre, assaisonné de sel d'ail, au lieu de manger des croustilles ou des noix.

3 Diminuez vos portions

Nous vivons à l'ère du gigantisme : les hamburgers ont trois étages ; au cinéma, le maïs soufflé est servi dans des « chaudières ». Les formats géants font vendre plus, et les marchands le savent bien. Nous mangeons d'ailleurs davantage quand on nous présente des portions plus grandes. Les formats économiques

Astuce santé

En notant ce que vous mangez, vous avez de meilleures chances de réussir à perdre du poids. Tenez un journal ; il vous aidera à prendre conscience des quantités que vous consommez et à repérer les situations qui vous portent à l'exagération.

Les Nord-Américains mésestiment constamment de 25 à 50 % des calories qu'ils consomment.

ménagent peut-être votre portefeuille, mais ils n'épargnent pas votre taille.

Pour combattre les effets pervers du marketing, demeurez critique. Les études montrent que nous sous-estimons de 25 à 50 % des calories que nous consommons.

Même les étudiants en diététique peuvent se tromper. Marion Nesle et

sa collègue Lisa Young de l'université de New York ont dirigé une étude lors de laquelle on avait demandé à des étudiants en diététique d'apporter un bagel, une pomme de terre au four, un muffin ou un biscuit de format moyen. Les étudiants ont ensuite comparé ces aliments aux portions recommandées par le ministère américain de l'agriculture (USDA). Une pomme de terre moyenne pesait 198 g, alors que la portion recommandée par le ministère en pesait 110. Un bagel moyen de 110 g équivalait à deux portions. Un muffin typique pesait près de 170 g ou trois portions !

Si vous examinez les étiquettes pour savoir ce que vous mangez, tenez compte des portions contenues dans l'emballage. Ce qui ressemble à une portion en vaut souvent deux sur l'étiquette ; dans ce cas, si vous mangez tout, n'oubliez pas de doubler les calories indiquées.

Quand on pense aux portions géantes, les restaurants sont sans doute bien fautifs. La portion de spaghetti sauce tomate y équivaut en moyenne à 3 $^1/_2$ tasses et contient 849 calories. Comme le Guide alimentaire canadien fonde ses avis sur des portions de $^1/_2$ tasse, celle du restaurant correspond à 7 portions – ce qui suffit amplement pour les quotas quotidiens de ce groupe alimentaire (pain, riz, céréales et pâtes) entier. Avant de manger, demandez que l'on mette la moitié du repas dans un contenant pour emporter !

Collations intelligentes

Les Nord-Américains adorent grignoter. En moyenne, nous mangeons trois collations par jour, souvent riches en calories et en matières grasses. Ou bien nous lésinons ensuite sur les repas et en perdons les bénéfices ou bien nous mangeons des repas réguliers et absorbons trop de calories.

Vous pouvez prendre un goûter intelligent : mangez des collations nutritives et considérez-les comme des éléments de votre alimentation quotidienne. Vous calmerez vos fringales tout en comblant vos besoins nutritionnels. Au lieu des crous-tilles, essayez un fruit ou songez à l'une de ces idées.

Collation		Calories
1	tasse de jus de tomate	40
5	craquelins sans matières grasses	60
1	barre aux fruits glacée (sans sucre ajouté)	25
3	tasses de maïs soufflé nature	55
13	minibretzels	100
6	croustilles de tortilla cuites	110
4	c. à soupe de salsa	20
$^1/_2$	tasse de pouding au chocolat allégé	100
$^1/_2$	tasse de compote de pommes	80
1	tasse de yogourt nature avec $^1/_2$ tasse de fraises	170
8	carottes miniatures	30

Évitez ces collations — elles semblent légères, mais elles contiennent énormément de calories.

1	petit croissant	230
3	tasses de maïs soufflé au beurre	210
30	g (1 oz) de croustilles	150
30	g (1 oz) de bâtonnets au fromage	155

4 Cuisinez intelligemment

Il ne suffit pas de surveiller ce que l'on mange et en quelle quantité, il faut aussi considérer la manière de préparer les aliments. Voici les méthodes minceur – et celles qu'il faut éviter.

Salade aux fèves blanches et noires

Trompez vos yeux et votre estomac avec ce plat à teneur élevée en fibres et en eau.

Donne 4 portions (environ 6 tasses)

1	gousse d'ail coupée en deux
425	g (15 oz) de fèves noires, égouttées et rincées
425	g (15 oz) de fèves blanches, égouttées et rincées
235	g (8½ oz) de maïs entier sans sel, égoutté et rincé
1	petit piment Jalapeno, cœur enlevé, épépiné et haché fin
2	tasses de tomates mûres, cœur enlevé, épépinées et coupées en dés
1	concombre pelé, épépiné et coupé en dés
¼	tasse d'échalotes hachées fin
1½	c. à thé de cumin moulu
1	c. à thé de sel
¼	c. à thé de poivre noir
3-4	c. à soupe de jus de limette
¼	tasse de coriandre fraîche, hachée
4	tasses de laitue romaine en lanières, bien tassées

1. Frottez l'intérieur d'un grand bol avec l'ail coupé. Mettez-y ensemble les fèves, le maïs, le piment, les tomates, le concombre, les échalotes, le cumin, le sel et le poivre. Ajoutez le jus de limette.

2. Juste avant de servir, ajoutez la coriandre. Pour chacune des portions, placez 1 tasse de laitue romaine dans une assiette et versez 1½ tasse de salade.

Par portion : 189 calories, 10 g de protéines, 37 g d'hydrates de carbone, 10 g de fibres, 2 g de matières grasses, 0 g de gras saturés, 0 mg de cholestérol, 217 mg de sodium

Astuce santé

Avant de manger, demandez-vous : «Est-ce que j'ai faim?» Si la réponse est non, trouvez une autre activité. Les calories consommées lorsque vous n'avez pas faim sont absorbées différemment : elles risquent plus d'être emmagasinées comme graisses qu'utilisées comme sources d'énergie.

Meilleures méthodes

Cuire au four. Avec très peu de gras, augmentez la saveur en versant du vin, du jus de fruits ou du thé sur le poisson, les courges ou les pommes de terre avant la cuisson.

Cuire au gril. Remplacez le gras par de la sauce soya, du jus de fruits, de l'eau ou même un coulis de fruits pour arroser la viande ou le poisson.

Griller. Laissez le gras s'égoutter. Évitez les marinades à l'huile. Mettez les aliments assaisonnés dans du papier aluminium pour qu'ils cuisent à leur propre vapeur et ne s'assèchent pas.

Cuire au four à micro-ondes. Cette méthode rapide préserve les saveurs et les nutriments essentiels contenus dans les légumes et les fruits.

VOTRE STRATÉGIE SANTÉ

Pocher. Pochez le poisson, le gibier, les œufs ou les desserts fruités dans le bouillon, le vin ou le jus de fruits et assaisonnez d'herbes pour relever la saveur. C'est la méthode la plus savoureuse et la plus efficace.

Cuire à l'autocuiseur. Idéal pour haricots, céréales, soupes, ragoûts et légumes secs. Refroidissez les soupes après la cuisson et enlevez le gras.

Rôtir. Relève la saveur grillée ou caramélisée des légumes et des céréales. Utilisez une grille pour laisser le gras s'égoutter des viandes ou du poisson.

Cuire à la vapeur. Utilisez une marguerite pour empêcher les nutriments de se dissoudre dans l'eau.

Braiser. Cette méthode de cuisson lente permet à la viande de rendre son gras. Réfrigérez le plat après la cuisson et retirez le gras.

Bonnes méthodes

Faire bouillir. En faisant bouillir, vous perdez des calories et des nutriments solubles, surtout avec des aliments hachés. Essayez plutôt de faire bouillir les pommes de terre dans leur peau. Utilisez des légumes prêts à cuire dans leur sac sans sauce ni beurre.

Courges au cidre farcies aux pommes

Grâce à sa teneur élevée en eau, la courge donne une sensation de satiété – sans les calories – avec beaucoup de nutriments. Si vous optez pour les courges musquées ou d'hiver, rajustez le temps de cuisson.

Donne 4 portions

2	petites courges poivrées, coupées en deux sur la longueur et épépinées
½	tasse de cidre ou de jus de pomme
½	c. à thé de sel
1	pomme pelée, cœur enlevé, hachée
1	c. à soupe de cassonade
¼	c. à thé de cannelle
⅛	c. à thé de muscade

1. Préchauffez le four à 180 °C (350 °F).

2. Placez les moitiés de courges poivrées côté chair dans un plat pour le four de 33 cm x 22 cm (13 x 9 po). Ajoutez le cidre.

3. Cuisez au four préchauffé pendant 30 min. Retirez le plat, mais laissez le four chauffer. Tournez doucement les courges, côté coupé sur le dessus, et saupoudrez de sel.

4. Mélangez la pomme, la cassonade, la cannelle et la muscade dans un petit bol. Répartissez le mélange uniformément dans les moitiés de courges. Arrosez avec le cidre du fond du plat. Ajoutez deux cuillerées d'eau au fond.

5. Cuisez la courge, côté coupé toujours sur le dessus, encore 30 min ou jusqu'à tendreté.

Par portion : 123 calories, 2 g de protéines, 32 g d'hydrates de carbone, 7 g de fibres, 0 g de matières grasses, 0 g de gras saturés, 0 mg de cholestérol, 298 mg de sodium

Saumon en papillote au citron et à l'aneth

Vous pouvez préparer les papillotes plus tôt et les réfrigérer jusqu'à ce que vous soyez prêt à les mettre à cuire. Un filet de 2,5 cm (1 po) met environ 10 min à cuire. Les filets moins épais mettent moins de temps, et les plus épais, quelques minutes de plus. Ajoutez 2 ou 3 min de cuisson si le plat sort du réfrigérateur.

Donne 4 portions

4	filets de saumon de 170 g (6 oz)
½	c. à thé de sel
⅛	c. à thé de poivre
¼	tasse d'échalotes finement hachées
¼	tasse d'aneth frais haché (ou 2 c. à soupe d'aneth séché)
8	fines tranches de citron
¼	tasse d'eau, de court-bouillon ou de bouillon de poulet

1. Placez une feuille de cuisson sur la grille du milieu du four et chauffez à 200 °C (400 °F).

2. Préparez 8 feuilles de papier d'aluminium de 30 x 30 cm (12 x 12 po). En mettant en double le papier d'aluminium, placez un filet de saumon au centre de chacun des carrés. Saupoudrez de sel et de poivre. Mélangez les échalotes et l'aneth dans un petit bol. Répartissez également sur les filets. Placez les tranches de citron sur chacun des filets. Versez sur chaque filet 1 c. à soupe d'eau, de court-bouillon ou de bouillon de poulet.

3. Scellez les papillotes en ramenant les côtés opposés sur le poisson. Repliez les bords deux fois.

Placez-les sur la feuille de papier de cuisson préchauffée.

4. Cuisez 10-15 min, selon l'épaisseur des filets. Avant de servir, ouvrez un peu la papillote en son centre pour vous assurer que le poisson est parfaitement cuit.

5. Pour servir, placez chaque papillote sur une assiette de service et laissez vos convives ouvrir la leur. Ou bien transférez le contenu dans les assiettes de service et servez immédiatement.

Par portion : 192 calories, 32 g de protéines, 2 g d'hydrates de carbone, 1 g de fibres, 6 g de matières grasses, 1 g de gras saturés, 83 mg de cholestérol, 399 mg de sodium

---

Faire sauter. Scellez la saveur des légumes, du tofu, des viandes avec cette méthode rapide. Minimisez le gras en utilisant un peu d'eau ou de bouillon au lieu de l'huile.

Pires méthodes
Faire frire. Évitez ce désastre gras. Si vous devez le faire, égouttez bien les aliments sur du papier essuie-tout.
Frire à la poêle. Coupez le gras avec

une poêle antiadhésive. Vaporisez de l'enduit anti-collant, ou passez un essuie-tout huilé sur la poêle pour en recouvrir légèrement le fond.
Cuire au barbecue. Évitez de surcuire. Quand vous laissez le gras des viandes ou leur marinade s'égoutter sur les charbons, la fumée qui en résulte contient des carcinogènes. Ôtez le gras de viande et éloignez les aliments de la flamme nue.

En bref

En 10 ans, 50 calories excédentaires par jour produiront un excès de poids de 22,5 kg. Par ailleurs, en coupant 100 calories par jour (soit 1 c. à soupe de mayonnaise), vous perdrez 3 kg par an.

VOTRE STRATÉGIE SANTÉ

Au lieu du beurre, de l'huile ou d'autres gras, recherchez les saveurs relevées comme celles des champignons shiitake et du romarin frais.

Ajoutez de la saveur à vos repas

Plus un plat est savoureux, moins il a besoin de gras pour goûter. Voici six manières de plaire à votre palais.

1 Pour élaborer vos menus, tenez compte des fruits et légumes frais de saison, bien mûrs ; leur saveur parlera d'elle-même.

2 Choisissez des recettes qui mettent en valeur vos herbes et épices préférées, fraîches ou séchées.

Poulet sauté au brocoli et aux tomates

Vous pouvez substituer au poulet des tranches fines de bœuf ou de porc et, aux tomates, des poivrons rouges ou jaunes. Si vous utilisez des poivrons doux, ajoutez-les à la poêle en même temps que le brocoli. Servez ce plat avec du riz sauvage ou des nouilles de sarrasin.

Donne 4 portions

2	c. à thé d'huile végétale
1/4	c. à thé de sel
450	g (1 lb) de poitrine de poulet coupée en cubes de 2,5 cm (1 po)
1	c. à soupe de sauce soya
2	c. à thé d'ail finement haché
1	c. à thé de gingembre frais finement haché (ou 1/4 c. à thé de gingembre moulu)
3	tasses de bouquets de brocoli
1	tasse de bouillon de poulet à teneur réduite en sodium
1	c. à soupe de fécule de maïs
4	tomates italiennes coupées en quatre

1. Chauffez l'huile et le sel dans une poêle anti-adhésive ou dans un wok. Quand l'huile est très chaude, déposez la poitrine de poulet et faites sauter pendant 3 min. Ajoutez la sauce soya, l'ail, le gingembre et mélangez bien.

2. Ajoutez le brocoli et, lentement, 1/2 tasse du bouillon de poulet. Couvrez et laissez cuire 2-3 min ou jusqu'à ce que le brocoli soit tendre.

3. Entre-temps, délayez la fécule dans le reste de bouillon. Mélangez les tomates et la mixture de fécule dans la poêle. Faites mijoter pendant 2 min ou jusqu'à épaississement. Servez chaud.

Par portion : 190 calories, 26 g de protéines, 9 g d'hydrates de carbone, 2 g de fibres, 6 g de matières grasses, 1 g de gras saturés, 64 mg de cholestérol, 504 mg de sodium

Parfait aux fruits à la crème au gingembre

Plus de volume que de calories, ce dessert lacté gélatineux est agréable à préparer avec des tisanes fruitées au citron ou à l'orange, ou avec des thés au jasmin, au cassis, ou Earl Grey.

Donne 4 portions

- **2 tasses de lait écrémé**
- **1 enveloppe de gélatine sans saveur**
- **2 sachets de tisane au gingembre**
- **3 c. à soupe de sucre**
- **¹⁄₈ c. à thé de sel**
- **4 tasses de fruits mélangés : cubes de cantaloup, fraises tranchées, bleuets**

1. Dans un grand chaudron, amenez 1 tasse de lait à ébullition. Pendant ce temps, dans un petit bol, placez le reste du lait sur lequel vous verserez la gélatine. Mettez de côté 5 min ou jusqu'à ce que la gélatine s'assouplisse.

2. Ajoutez les sachets de tisane, le sucre, le sel et le mélange de gélatine au lait bouillant, en brassant chaque fois. Retirez du feu et brassez 1 min jusqu'à dissolution du sucre et de la gélatine. Mettez de côté 3 min pour permettre à la tisane de prendre goût.

3. Laissez le mélange refroidir à la température ambiante et réfrigérez pendant 60 min ou 1 h 30, le temps que la gélatine commence à prendre. Déposez ¹⁄₄ de tasse de la crème de tisane dans 4 grandes coupes à dessert. Couvrez avec les fruits et le reste de la crème. Réfrigérez 2 heures de plus, jusqu'à ce que la crème soit prise et bien froide.

Par portion : 144 calories, 7 g de protéines, 30 g d'hydrates de carbone, 3 g de fibres, 1 g de matières grasses, 0 g de gras saturés, 2 mg de cholestérol, 146 mg de sodium

3 Ajoutez de l'ail ou de l'oignon haché à vos plats pour leur donner plus de saveur et d'avantages pour votre santé. Faites griller l'ail ou l'oignon pour en tirer le goût sucré et leur retirer le mordant.

4 Ajoutez un peu de vin ou de vinaigre aux sauces pour donner de la saveur. Faites mijoter doucement les sauces jusqu'à les réduire en concentré et intensifier leur goût.

5 Utilisez des champignons séchés réhydratés pour ajouter de la texture et un goût distinctif aux plats. Le liquide de réhydratation ajoute beaucoup au bouillon de soupe.

6 Mélangez du miso (pâte de soya) aux soupes, ragoûts et vinaigrettes, ou utilisez-le dans des sauces pour les nouilles ou les légumes sautés. Vous trouverez le miso dans la section réfrigérée de l'épicerie.

Astuce santé

Loin des yeux, loin de la bouche. À la cafétéria d'un hôpital, lorsque l'on a laissé le couvercle sur le contenant de crème glacée, 3 % seulement des sujets obèses et 5 % des autres sujets ont choisi de manger de la crème glacée. Quand on a retiré le couvercle, les chiffres ont grimpé à 17 et à 16 %. L'inverse du même principe est aussi vrai : gardez un bol de fruits frais sur le comptoir pour les collations.

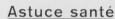

20 trucs pour perdre du poids

Pas facile de perdre du poids ! Mais il existe plusieurs petites ruses pour vous aider à y arriver. En voici 20.

1 **Buvez de l'eau.** Les gens confondent souvent faim et soif. La prochaine fois que vous aurez envie de grignoter, prenez d'abord de l'eau. Certains experts suggèrent de boire de l'eau ou du thé glacé avant le repas ; boire aiderait à donner l'impression de satiété.

2 **Fixez des buts réalistes.** Il est possible de perdre 0,5 ou 1 kg par semaine. Les meilleurs régimes préconisent de perdre 4,5 kg, puis de maintenir ce poids pendant 6 mois avant de tenter d'en perdre davantage.

3 **Pensez à des entorses.** Si vous vous permettez de manger ce que vous voulez 2 repas sur 21, vous ne risquez pas de compromettre votre perte de poids. Et vous vous sentirez moins privé !

4 **Comptez jusqu'à 10.** Les études l'ont montré : les fringales ne durent que 10 minutes ; avant de céder à la tentation, comptez mentalement 10 minutes. Utilisez ce temps pour entreprendre une tâche et sortez de la cuisine.

5 **Mangez plus souvent.** Ceux qui ont maintenu leur poids pendant des années mangent en moyenne cinq fois par jour. Des petits repas légers diminuent votre appétit, stimulent votre énergie, améliorent votre humeur et accélèrent votre métabolisme – puisque la digestion elle-même brûle des calories.

6 **Fixez-vous des buts hebdomadaires.** N'essayez pas de mettre votre régime en pratique d'un seul coup. Si vous faites des changements trop radicaux, vous connaîtrez la frustration et abandonnerez. Chaque semaine, faites un seul changement, comme de manger un fruit par jour.

7 **Commencez par 10 %.** Ceux qui entreprennent de ne perdre à la fois que 10 % de leur poids ont plus de chances de réussir. Quand vous perdez ces quelques kilos, votre santé en tire les plus grands bénéfices, puisque les graisses abdominales – les premières à partir – sont justement les plus menaçantes.

Au restaurant, commandez une entrée légère au lieu du plat principal, ou bien partagez une entrée et ajoutez une salade (avec vinaigrette à part).

Quel est votre talon d'Achille?

La plupart des gens ont un talon d'Achille lorsqu'il est question de régimes. Quel est le vôtre? Voici comment faire face aux plus communs.

Problème	Solution
Vous êtes incapable de résister à la fringale. 	■ Ne vous en faites pas: il n'est pas interdit de céder. Les collations peuvent vous aider à contrôler votre appétit. N'ajoutez pas de collations à trois gros repas par jour. Divisez plutôt vos repas en plus petites portions et mangez-les comme collations. Mettez de côté une demi-banane au petit-déjeuner et mangez-la à midi. Quand la fringale vous prend, allez vers un des éléments que l'on vous suggère à la page 76.
Vous aimez votre «junk».	■ Penser à la nourriture en termes de «bonne» ou «mauvaise» crée des problèmes. Quand vous vous privez, vous ne faites que déclencher le besoin de manger autre chose à l'excès. Tout aliment est bon en soi. Une petite portion occasionnelle peut récompenser vos habitudes alimentaires plus saines.
Vous n'avez pas le temps de cuisiner.	■ Profitez des légumes précuits, congelés ou en conserve. Ajoutez des légumes congelés ou des fèves en conserve à votre soupe en boîte préférée pour en faire un repas instantané satisfaisant. Achetez des emballages de salade déjà préparée. Cuisinez pendant le week-end ou doublez la recette de votre souper du dimanche. Congelez les aliments en portions rapides à dégeler et à réchauffer. N'oubliez pas le four à micro-ondes: il ne requiert que quelques minutes.
Vous mangez quand vous êtes stressé. 	■ L'ennui, la fatigue, la dépression et le stress déclenchent souvent les excès alimentaires. Cherchez d'autres manières d'assouvir vos besoins. Si vous êtes fatigué, faites une marche ou une sieste. Si votre journée s'avère difficile, appelez un ami ou écrivez dans votre journal. Si vous êtes déprimé, louez une comédie. De temps à autre, prenez votre collation favorite – gardée pour cette occasion. Les Diététistes du Canada peuvent vous aider à trouver un diététiste qui connaît l'aspect émotionnel de la nourriture. Consultez le Guide des ressources aux pages 400 à 403.
Votre famille ne veut pas renoncer à ses frites.	■ Faites savoir aux membres de votre famille à quel point il vous importe de suivre un régime équilibré, et demandez leur appui. Assurez-vous qu'il y a au moins un aliment sain à chaque repas, et servez-vous-en une portion généreuse. Jouez des tours à votre famille: mettez du lait condensé écrémé au lieu de crème dans les sauces et épaississez vos potages avec des pommes de terre en purée. Enfin, mettez au four des fines tranches de pommes de terre huilées au lieu de faire cuire des frites.

Fiche nutrition

Les pires méthodes
- L'omission de groupes alimentaires complets
- L'adoption de régimes à teneur élevée en matières grasses
- Tout régime qui manque d'équilibre et de variété

8 Viva la salsa! Ce condiment épicé peut fort bien remplacer la mayonnaise. Mélangez-la avec du yogourt nature à teneur réduite en matières grasses dans une salade au thon. Servez-la avec le poulet ou le poisson.

9 Enlevez le tiers. Quand vous mangez au restaurant, éloignez la tentation en mettant de côté le tiers de votre assiettée. Apportez-le chez vous et faites-vous-en un lunch le lendemain. Coupez ainsi 500 calories par jour.

10 Allez-y mollo avec l'alcool. Souvenez-vous que l'alcool est source de calories. Une bière de 340 ml contient environ 150 calories; un verre de vin de 100 ml, environ 85. Une margarita cache bien ses couleurs. Les pires consommations restent les cocktails crémeux; elles équivalent à boire un dessert riche en calories! Si vous essayez de perdre du poids, tenez-vous-en à l'eau!

11 Écrivez-vous des petits mots. Pour vous aider à rester sur la bonne voie, écrivez-vous des petits mots que vous placerez sur la porte du frigo et sur le comptoir. Posez-vous des questions: «Es-tu certain d'en vouloir assez pour porter ces calories-là?»

12 Restez loin des boissons gazeuses. Elles sont une importante source de calories vides. Nous en buvons deux fois plus que du lait, et six fois plus que de l'eau minérale avec du jus de fruits. Les liquides n'apaisent pas autant la faim que les solides. Lors d'une étude, on a donné à un groupe de sujets 450 calories de «jelly beans» et à un

Faites l'essai de ce substitut à la boisson gazeuse: mélangez une partie de jus de canneberge pour trois parties d'eau minérale gazéifiée; couronnez le tout d'un peu de jus de limette.

second, 450 calories de boissons gazeuses; on s'est aperçu que les buveurs avaient pris un poids considérable alors que les mangeurs avaient compensé pour les calories prises en coupant sur autre chose.

13 Pas de repas sur le pouce! En mangeant à toute vitesse ou devant la télé, vous risquez plus de grignoter que si vous preniez le temps de mettre la table, de vous asseoir et de savourer chaque bouchée. Quand vous placez sur la table un bol de votre plus belle vaisselle rempli de croustilles, vous risquez moins de vider le sac.

14 Un peu plus de protéines! Les protéines, a-t-on découvert, prolongent la sensation de satiété mieux que les hydrates de carbone ou les matières grasses. Les gens qui mangent un petit-déjeuner ou un dîner riche en protéines, a-t-on remarqué, ont moins faim au repas suivant. Les protéines brûlent un peu plus de calories lors de la digestion. N'exagérez pas. Tenez-vous-en à des aliments pauvres en matières grasses comme le yogourt ou le fromage cottage, ou encore de la poitrine de dinde tranchée fin.

15 Apprenez à mesurer. Il est bien facile de mésestimer les portions. Sortez vos tasses et vos cuillères à mesurer, surtout pour les vinaigrettes, les produits laitiers et la mayonnaise.

16 Substituez! Cherchez des alternatives nutritives à teneur réduite en calories aux gâteries sucrées, riches en gras. Faites éclater votre maïs à l'air plutôt que dans le beurre. Trempez vos fraises dans une sauce au chocolat sans gras pour remplacer vos collations chocolatées.

17 Planifiez vos fêtes. Quand vous assistez à une fête, apportez un plat. Lorsque vous vous présentez armé de légumes frais tranchés et d'une trempette pauvre en gras, par exemple, vous vous assurez de manger sans vous sentir coupable.

18 Soyez positif. Quand on manque d'estime de soi, a-t-on remarqué, on est porté à trop manger. Habituez-vous à penser à vos forces au lieu de vous concentrer sur vos points faibles. Pour vous sentir en beauté, changez votre coiffure, achetez des vêtements qui vous mettent en valeur à votre poids actuel.

19 Donnez-vous une chance. Personne n'a dit que vous deviez atteindre votre but sans jamais dévier de votre route. Allez-y par étapes. Quand vous trichez, recommencez ; si vous mangez trop un soir, remettez-vous à l'œuvre le matin venu, tout simplement.

20 Détendez-vous ! Certaines personnes s'empiffrent sous l'effet du stress. Les femmes qui sécrètent le plus de cortisol (une hormone que l'on libère pendant les périodes de stress) sont celles qui mangent le plus de matières grasses après les périodes de tension. La combinaison de cortisol et d'insuline pousse l'organisme à emmagasiner des graisses en prévision d'un manque éventuel. Si vous êtes stressé, faites du yoga, de la méditation ou des exercices respiratoires.

7 repas légers prêts en 20 minutes

- **Pommes de terre farcies.** Passez une grosse pomme de terre au four à micro-ondes, puis farcissez-la de légumes cuits à la vapeur mélangés à de la crème sure à teneur réduite en calories.
- **Salade niçoise.** Garnissez un lit de laitue de tranches de tomates et de pommes de terre cuites tranchées. Couronnez de haricots verts blanchis, de thon en conserve, de moitiés d'œufs durs et d'anchois, assaisonnez d'une vinaigrette légère.
- **Pita au poulet.** Coupez et garnissez un pain pita au blé entier de poitrine de poulet tranché, grillé ou bouilli, de laitue et de tomates. Assaisonnez de salsa et de mayonnaise légère.
- **Pâtes aux légumes.** À la poêle, faites sauter poivrons, courgettes, tomates et oignons hachés jusqu'à tendreté. Ajoutez de la sauce tomate et une poignée de feuilles de basilic en lanières. Nappez-en vos pâtes et décorez de parmesan râpé.
- **Tortilla méditerranéenne au poulet.** Préparez un mélange de poitrine de poulet cuite et hachée, de pousses de luzerne ou d'épinards, de tomates, de poivrons hachés, de tomates séchées et de mozzarella. Déposez sur une grande tortilla. Assaisonnez de vinaigre balsamique et roulez la tortilla.
- **Quesadilla épicée à la dinde.** Sur une tortilla placez des lanières de dinde fumée tranchée, des tomates en dés, de la coriandre fraîche, du cheddar à teneur réduite en matières grasses. Assaisonnez de votre sauce piquante préférée, et couvrez d'une autre tortilla. Chauffez au four jusqu'à ce que le fromage soit fondu. Coupez ensuite en bouchées et servez avec de la crème sure à teneur réduite en calories et un peu de votre sauce piquante.
- **Sandwich aux légumes grillés et au fromage de chèvre.** Badigeonnez d'huile d'olive des tranches d'aubergine, de poivrons et de champignons et placez sous le gril jusqu'à cuisson parfaite. Arrosez d'un filet de vinaigre balsamique et déposez sur une tranche de pain grillée garnie de fromage de chèvre.

CHAPITRE 3

LE RÔLE DES SUPPLÉMENTS

88 Vitamines et minéraux

96 D'autres suppléments

100 Plantes médicinales

Vitamines et minéraux

Pouvez-vous vraiment vivre plus longtemps grâce aux suppléments ? Toute la vérité sur leurs propriétés et leurs limites.

En théorie, un régime équilibré est censé satisfaire tous vos besoins nutritionnels. Aucun supplément ne saurait remplacer un régime alimentaire sain. Cependant, ils peuvent vous aider. Les Québécois ne consomment en moyenne que quatre portions de fruits et légumes par jour. Les habitants de la Nouvelle-Écosse encore moins. Une étude indique qu'ils ne consomment que

140 g de légumes et 164 g de fruits par jour. Même si vous consommez les 5 à 10 portions quotidiennes de fruits et de légumes recommandées, des suppléments vous seront utiles, soit parce que vous faites partie des 20 % de Nord-Américains qui suivent un régime, soit parce que vous êtes soumis au stress, soit parce que vous êtes fumeur et que votre corps consomme plus d'antioxydants que la norme. Les chercheurs découvrent que des carences, même légères, en vitamines et minéraux vous exposent à divers maux : un argument de poids en faveur de vos multivitamines quotidiennes, quel que soit votre régime alimentaire. Des études préliminaires révèlent qu'un comprimé de vitamines et minéraux peut, par exemple :

- renforcer les défenses immunitaires ;
- aider à contrer la dépression ;
- faire baisser la tension ;
- diminuer les risques cardiaques.

Si vous faites partie des catégories ci-après, vous avez probablement besoin de multivitamines et de suppléments.

Les suppléments ne sont pas la fontaine de Jouvence, mais ils peuvent améliorer votre santé et votre espérance de vie.

Consommez-vous assez de fruits et de légumes? Sans remplacer les éléments nutritifs des produits frais, un supplément peut éviter une carence en vitamines et en minéraux. Prenez une multivitamine et augmentez votre consommation de fruits et de légumes jusqu'à ce que vous atteigniez cinq portions quotidiennes au moins.

Évitez-vous les produits laitiers? À moins que vous ne consommiez beaucoup de choux verts, de choux frisés, de sardines ou de saumon avec les arêtes, ou du jus d'orange enrichi en calcium, il est probable que vous n'absorbez pas les 1000 à 1500 mg de calcium recommandés. Prenez un comprimé de calcium de 500 à 600 mg deux fois par jour (voir page 94).

Êtes-vous végétarien? Selon que vous suiviez un régime strictement végétarien ou non, il se peut que vous ayez besoin de suppléments. Si vous ne mangez aucun produit animal, vous risquez de manquer de vitamine B_{12} et de zinc; les multivitamines vous couvriront. Si vous ne mangez pas de laitage, suivez les conseils ci-dessus.

Fumez-vous? Quand vous fumez, votre corps a besoin de plus de vitamine C pour combattre les effets cancérigènes du tabac. Des chercheurs recommandent des doses de vitamine C plus élevées pour les fumeurs. Prenez un supplément de vitamine C de 250 à 500 mg par jour si vous ne mangez pas beaucoup d'aliments riches en cette vitamine.

Êtes-vous un fumeur passif? Des études indiquent que l'inhalation passive de fumée peut diminuer vos réserves de vitamine C; moins, cependant, que si vous êtes vous-même fumeur. Un «tiens» vaut mieux que deux «tu l'auras»: suivez la même règle que pour les fumeurs.

Si vous envisagez une grossesse, songez à prendre 400 UI d'acide folique par jour. Cette vitamine B aide à éviter les problèmes de réseau neural dont souffrent entre 2 et 4 bébés sur 1000 au Canada. Les suppléments d'acide folique sont mieux assimilés par le corps que les vitamines (folates) des aliments.

Plus de 60 ans? Après 60 ans, les besoins en éléments nutritifs tels que les vitamines D et B_6 augmentent. Plusieurs ont du mal à assimiler la vitamine B_{12} des aliments; si c'est votre cas, votre médecin vous prescrira des suppléments. La B_{12} est importante pour renforcer le système immunitaire. Une carence en vitamine B_{12} peut affecter votre humeur, votre concentration et votre mémoire.

À partir de 70 ans, les besoins en vitamine D grimpent à 600 UI par jour. Les multivitamines n'en contiennent pas tant. Les chercheurs conseillent des suppléments en calcium et vitamine D pour les personnes de plus de 70 ans dont l'alimentation est carencée. De plus, une personne de plus de 70 ans a besoin d'un supplément en B_{12} ou d'aliments enrichis en cette vitamine.

Prenez-vous régulièrement des médicaments? Les médicaments ci-après ont un effet sur l'assimilation de certains éléments nutritifs. Demandez à votre médecin si vous avez besoin d'un supplément en plus des multivitamines.

En bref

Une étude de l'université de l'Orégon semble indiquer que la vitamine C aide à faire baisser le cholestérol. La mesure systolique de la tension de neuf sujets à tension élevée ou souffrant d'hypertension 1, auxquels on a administré 500 mg de vitamine C, a baissé de 9%; la mesure diastolique aussi, légèrement.

Astuce santé

Si vous prenez des vitamines liposolubles (A, D, E ou K), prenez-les avec le plus gras de vos repas, généralement le souper, pour favoriser leur assimilation.

En bref

Si vous êtes un fumeur, vous avez dû entendre dire qu'un supplément en bêta-carotène pouvait augmenter les risques de cancer. Ne vous inquiétez pas ! Les doses en bêta-carotène présentes dans vos multivitamines sont très inférieures aux doses (20 à 30 mg) des sujets étudiés.

Si vous avez plus de 60 ans, il se peut que vous ayez besoin d'un supplément de vitamine B$_{12}$. Demandez une analyse de sang à votre médecin. La B$_{12}$ améliore l'humeur, la mémoire, et renforce le système immunitaire.

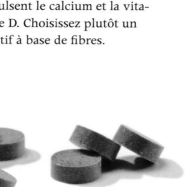

- **Les antihypertensifs** qui contiennent de l'hydrazaline peuvent abaisser les taux de vitamine B$_6$.
- **Les anticonvulsifs** qui contiennent de la phénytoïne, comme la dilantine, peuvent inhiber folate et vitamine D.
- **Les antiacides** qui contiennent de l'hydroxyde d'aluminium peuvent abaisser les taux de phosphate, de vitamine D et de folate. Leur absorption régulière risque de faire diminuer la production d'acides digestifs et d'entraver l'assimilation de la vitamine B$_{12}$, surtout après 60 ans.
- **Les remèdes contre le cholestérol** qui contiennent de la cholestyramine entravent l'action des vitamines A, E, D, K, B$_{12}$ et folate en se combinant aux graisses.
- **Les diurétiques** qui contiennent thiazine ou furosémide épuisent les réserves de potassium, de zinc, et de magnésium.
- **Les glucocorticoïdes** entravent l'assimilation et stimulent l'élimination du calcium par les urines.
- **Les laxatifs** à base d'huiles minérales entraînent les vitamines liposolubles : calcium et phosphore. Les laxatifs stimulants, comme bisacodyl et phénolphtaléine, expulsent le calcium et la vitamine D. Choisissez plutôt un laxatif à base de fibres.

Buvez-vous beaucoup d'alcool ? L'alcool inhibe presque tous les éléments nutritifs, en particulier la vitamine B. Des multivitamines sont indispensables. Malheureusement, l'alcool altère le métabolisme associé à certaines vitamines : la vitamine A diminue dans certaines fibres musculaires et augmente dans d'autres, ce qui peut être toxique pour certains organes. Mieux vaut se faire aider pour cesser de boire. Les vitamines ne répareront pas les dommages, elles ne feront que les ralentir.

Êtes-vous anémique ? Parfois, un manque de fer, de vitamine B$_{12}$ ou d'acide folique peut être cause d'anémie. Une analyse de sang permettra à votre médecin de vous prescrire un supplément si nécessaire.

Choix des suppléments

Faire le choix d'un supplément est parfois difficile. La diversité des produits, des ingrédients et des prix est un véritable casse-tête. Au Canada, les vitamines, les minéraux et certaines herbes médicinales sont classés parmi les drogues. Le gouvernement a établi des normes de sécurité, d'efficacité, de dosage, de pureté et de qualité. Aux États-Unis, les règles sont plus floues et ne sont contrôlées par aucune agence fédérale. Les étiquettes sont parfois trompeuses.

L'étiquette d'un produit doit vous fournir tous les renseignements dont vous avez besoin avant de faire votre choix. Ce n'est pas toujours le cas au Canada, mais il y a une amélioration. Selon Santé Canada, les étiquettes doivent être rédigées de manière simple, en termes véridiques et intelligibles. Quelques renseignements précieux :

- Au Canada, toutes les étiquettes des vitamines et des minéraux doivent indiquer la date d'expiration, les quantités d'ingrédients actifs et le numéro d'identification du médicament (DIN). Le DIN signifie que le produit a reçu l'agrément de Santé Canada pour la vente après une série de tests d'évaluation de son innocuité et de son efficacité. Aux États-Unis, choisissez les produits portant la mention « USP ». C'est la mention de la pharmacopée U.S., organisme responsable de déterminer les normes relatives aux médicaments et aux suppléments. Dans le cas des suppléments, le fabricant est libre de respecter ou non les normes. Bien que la mention USP ne garantisse pas un médicament de meilleure qualité, c'est la seule assurance dont vous disposez (puisqu'il n'y a pas de vérification indépendante). N'oubliez pas que pour certains suppléments il n'existe aucune norme USP. D'autre part, l'absence de mention USP ne signifie pas nécessairement que le produit n'est pas conforme.
- Ne vous laissez pas abuser par des termes qui ne signifient rien. Les mentions « cliniquement prouvé », « efficacité garantie », « haute concentration », « assimilation maximale », « naturel », « pur », « ingrédients de qualité », « essentiel » ne sont pas des termes agréés par les experts ou par des règlements.
- Pour tous les médicaments, la loi exige une date d'expiration. C'est la garantie du fabricant que son produit reste « frais » jusqu'à cette date.
- Le prix n'est pas toujours une bonne indication. Certains médicaments peu coûteux sont parfois aussi bons que les versions plus chères. La plupart des marques génériques sont de bonne qualité.
- Gardez vos suppléments dans un endroit frais et sec et à l'abri de la lumière. Ni dans la salle de bain, ni dans le réfrigérateur, à moins que ce ne soit indiqué sur l'étiquette. Ne laissez pas les suppléments à portée des enfants.

Choix des multivitamines

Voici une liste des 10 ingrédients que vous devez rechercher en veillant à ce qu'ils soient dosés selon l'apport nutritionnel de référence. Ce sont ceux dont nous manquons le plus souvent. Pas de dépenses inutiles pour 20 ingrédients, les éléments nutritifs qui ne sont pas mentionnés sont généralement présents dans toutes les multivitamines ou dans l'alimentation quotidienne.

Le fer. Commencez par lui : le fer est indispensable contre l'anémie. S'il manque, tout va de travers. Les femmes en période de préménopause en ont le plus besoin, car elles perdent beaucoup de fer lors des menstruations. Dans les autres cas, un supplément est inutile à moins d'anémie liée à une carence en fer. On

En quelques mots

« Il existe de bonnes raisons de prendre des suppléments », déclare le Dr Jeffrey, professeur en nutrition à l'université de Boston. « Je ne dis pas "prenez une pilule, vous n'aurez pas besoin de manger". Les aliments apportent d'autres substances, telles que fibres et agents phythochimiques. Vous avez besoin de tout cela. Les suppléments alimentaires ne sont que ce qu'ils prétendent être : des suppléments, pas des substituts. »

Il faut savoir...

- **L'apport journalier recommandé** est la référence scientifique des éléments nutritifs au Canada et aux États-Unis. Cette référence comprend quatre indices : le besoin moyen estimatif (BME), l'apport quotidien recommandé (AQR), l'apport adéquat (AA) et l'apport maximal tolérable (AMT). L'apport journalier recommandé est une référence qui va remplacer l'actuel ANR, apport nutritionnel recommandé, que le Canada utilise depuis 1977.

ATTENTION

Pas de suppléments de vitamine E en association avec un fluidifiant, aspirine ou coumafène (coumadine, warfarine). La vitamine amplifie dangereusement l'effet de ces médicaments.

soupçonne un lien possible entre un surdosage de fer et l'augmentation des risques cardiaques et des cancers du côlon. Si les céréales de votre petit-déjeuner sont enrichies en fer, il est peut-être inutile de prendre un supplément. **Posologie recommandée :** pas plus de 18 mg si vous êtes en préménopause ; pas plus de 8 mg si vous êtes ménopausée ou si vous êtes un homme.

Vitamine A et bêta-carotène.

La vitamine A est constituée d'éléments accolés appelés les rétinoïdes, aux « activités » vitaminiques variables. Le bêta-carotène, pigment végétal, est un des plus actifs. C'est aussi un antioxydant qui combat les molécules d'oxygène instables, ces radicaux libres associés aux maladies chroniques. Le corps humain convertit le bêta-carotène en vitamine A en fonction de ses besoins. Son innocuité le fait employer par les fabricants à la place d'une portion de la vitamine A des suppléments. La vitamine A peut être toxique à 50 000 UI par jour. **Posologie recommandée :** 900 mcg (ou 3000 UI) pour les hommes, 700 mcg (ou 2333 UI) pour les femmes.

Acide folique.

Des études à grande échelle indiquent que les personnes de plus de 50 ans n'assimilent généralement que la moitié de leurs besoins en acide folique. Cette vitamine B semble protéger le cœur en réduisant le taux d'homocystéine, cet acide aminé qui contribue à l'encombrement des artères. Le cancer du côlon et le cancer de l'utérus sont liés à une carence en cette vitamine, tout comme la dépression. L'acide folique semble améliorer l'action du Prozac et autres antidépresseurs. **Posologie recommandée :** 400 mcg (0,4 mg).

Vitamine B$_6$.

Cette vitamine aide aussi à faire baisser les taux d'homocystéine, et sa carence peut entraîner la dépression. **Posologie recommandée :** 1,5 mg pour les femmes ; 1,5 à 1,7 mg pour les hommes.

Vitamine D.

Elle provient de deux sources : le soleil, qui permet à nos corps de la fabriquer, et le lait ou les céréales enrichis que nous consommons. L'écran total, un hiver sombre, une peau âgée entravent la capacité de notre corps à synthétiser la vitamine D du soleil, et les aliments en contiennent peu. L'action de la vitamine D est essentielle à la fixation du calcium par les os et semble contrôler la tension et les graisses dans le sang. N'en abusez pas : une surdose peut être toxique. **Posologie recommandée :** de 51 à 70 ans, 400 UI ; plus de 70 ans, 600 UI.

Des multivitamines pour tous !

Devriez-vous choisir des multivitamines pour hommes, femmes, ou « seniors » ? La différence des vitamines pour hommes et femmes ne repose sur aucune base scientifique. Les vitamines pour femmes sont souvent plus chères et sont particulièrement douteuses. Elles contiennent parfois trop de fer, surtout si vous êtes ménopausée, et de calcium, mais des éléments importants en sont absents. Les suppléments pour « seniors », par contre, sont un bon choix pour les femmes ménopausées et les hommes de plus de 55 ans. Ces suppléments offrent moins de fer et plus de vitamine B.

Ne vous fiez pas à tout ce que l'on vous dit

La marque X coûte 10 dollars; la marque Y coûte 20 dollars. Pourquoi? Sans doute parce que la marque Y vous arnaque. Cher ne signifie pas toujours meilleur, les surdosages non plus, que ce soit en substances nutritives, herbes médicinales ou substances douteuses. Voici une analyse d'un produit offert sur le marché et quelques commentaires.

Les multivitamines doivent se présenter sous forme de comprimés uniques. Les «doses divisées» vous coûtent plus cher.

La spiruline, le pollen et autres ingrédients superflus, souvent douteux ou à doses si infimes qu'elles sont inopérantes, prennent la place d'éléments nutritifs réellement importants. Pas étonnant qu'il faille 3 comprimés.

3 comprimés contiennent

VITAMINES

Vitamine A (bêta-carotène, palmitate)	10 000 UI
Vitamine D (calciférol)	100 IU
Vitamine E (naturelle)	100 IU
Vitamine C (magnésium ascorbate)	1000 mg
Acide pantothénique	60 mg
Pyridoxine (vitamine B_6)	40 mg
Riboflavine (vitamine B_2)	34 mg
Thiamine (vitamine B_1)	30 mg
Acide folique	400 mcg
Cyanocobalamine (B_{12})	200 mcg

MINÉRAUX

Magnésium (oxyde, ascorbate, chélate d'acide aminé)	300 mg
Calcium (carbonate, chélate d'acide aminé, gluconate)	150 mg
Potassium (chloride)	40 mg
Fer (chélate d'acide aminé)	18 mg
Zinc (chélate d'acide aminé)	15 mg
Manganèse (chélate d'acide aminé)	2,5 mg
Cuivre (acide aminé)	200 mcg
Iode (algue)	150 mcg
Sélénium (l-sélénométhionine)	50 mcg

AUTRES SUPPLÉMENTS

Bioflavonoïdes (agrumes)	100 mg
Choline bitartrate	40 mg
PABA (acide para-aminobenzoïque)	30 mg
Lécithine	30 mg
L-Glutamine	24 mg
Complexe hespéridine	10 mg
ADN	1 mg

ALIMENTS VERTS

Spiruline	1000 mg
Pollen d'abeille	150 mg
Herbe de blé	100 mg
Algue	24 mg
Chlorophylle	7,5 mg
Concentré de luzerne	6 mg
MÉLANGE D'HERBES	243 mg

Les bonnes multivitamines doivent fournir près de 100 % des doses recommandées d'éléments nutritifs. Les fabricants ont tendance à bourrer leurs produits de vitamine B, peu coûteuse, pour les rendre plus impressionnants. D'un point de vue diététique, ces surdosages ne sont pas justifiés.

Les apports nutritionnels de référence (ANR). Les experts du Canada et des États-Unis définissent les nouvelles recommandations en indiquant les apports maximaux pour les vitamines et les minéraux. Ils ont pris conscience des dangers du surdosage. Choisissez une marque dont les dosages sont inférieurs au seuil de sécurité.

Avertissements complémentaires

■ «Fer de constitution unique…»: les minéraux sont liés à une autre substance, pour favoriser leur assimilation, mais aucune recherche scientifique ne soutient cette affirmation. Si le produit est plus cher, laissez tomber.

■ «Sans maïs, levure, soya ou laitage…»: on trouve rarement ces substances dans les suppléments, ou en quantités si infimes qu'elles ne vous feront pas de mal, à moins que vous n'y soyez allergique. L'amidon est une bonne substance, qui aide le comprimé à fondre dans votre estomac.

■ «Dissolution progressive»: les comprimés se dissolvent progressivement dans l'estomac (2 à 10 heures, selon le produit) grâce à des micro-capsules. Aucune étude ne prouve qu'une assimilation progressive soit mieux utilisée par le corps que les comprimés classiques.

Le chrome. Une petite quantité de ce minéral est suffisante, mais des études gouvernementales indiquent que nous n'en absorbons pas assez. Le chrome est vital au fonctionnement de l'insuline, hormone qui contrôle le sucre dans le sang. **Posologie recommandée :** 25 mcg pour les femmes, 35 mcg pour les hommes.

Le magnésium. Une autre carence généralisée, d'après les sondages officiels, est celle du magnésium qui participe pourtant à environ 325 activités métaboliques dont la contraction musculaire et les battements du cœur. Il est important d'en prendre. On lui reconnaît aussi des propriétés contre le diabète, l'ostéoporose, l'artériosclérose (durcissement des artères), l'hypertension et la migraine. **Posologie recommandée :** 310 à 320 mg pour les femmes, 420 mg pour les hommes.

Le zinc. Ce minéral a des propriétés cicatrisantes et renforce les défenses de l'organisme, même contre le rhume le plus commun. Des études indiquent que nous n'en prenons pas assez. Les multivitamines compensent. Ne prenez pas plus de 45 mg, le surdosage inhibe l'immunité. **Posologie recommandée :** 11 mg pour les hommes, 8 mg pour les femmes.

Le cuivre. Ce minéral agit sur les os, le cœur, le glucose, le métabolisme du fer. **Posologie recommandée :** 900 mcg.

Le sélénium. Minéral antioxydant, on l'utilise contre le sida, les maladies cardiaques et l'arthrite. On lui attribue une action bénéfique contre les cancers du poumon, du côlon et de la prostate. **Posologie recommandée :** 55 mcg.

Les joyeux drilles

Les multivitamines compensent les carences de votre régime. Mais vous faut-il d'autres suppléments ? Probablement, s'il s'agit des trois suppléments ci-après :

Vitamine C. Depuis 2000, on recommande 90 mg pour les hommes et 75 mg pour les femmes, plus 35 mg pour les fumeurs. Aux États-Unis, l'institut national de recherche sur la santé estime que c'est peut-être encore trop peu et qu'il faudrait 200 mg pour que les fibres cellulaires soient entièrement saturées. La vitamine C joue un rôle dans la santé des gencives et des os et peut-être aussi dans la prévention de maladies chroniques comme le cancer et les maladies cardiaques. Si vous consommez beaucoup d'agrumes et autres aliments riches en vitamine C (melon, choux, poivrons, brocolis), peut-être

---

Choisir un supplément de calcium

Le carbonate de calcium et le citrate de calcium sont les deux types majeurs. Ce dernier est mieux assimilé à jeun (les deux peuvent être pris pendant les repas) et convient mieux aux personnes de plus de 65 ans qui ont une carence en acide digestif. Pour ceux que le carbonate de calcium incommode (gaz, constipation), le citrate de calcium est préférable. Pour les autres, le carbonate de calcium, moins coûteux, convient très bien. Évitez les suppléments à base de poudre d'os, de dolomites et de nacre, car ces substances contiennent du plomb à haute dose. Si vous avez du mal à avaler les comprimés de calcium, essayez-les sous forme de bonbons, ou mâchez des Tums extra forts, au carbonate de calcium.

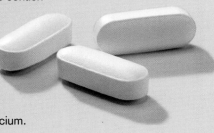

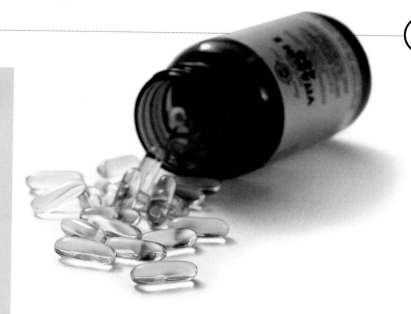

La vitamine E et le cœur

Ne comptez pas sur la vitamine E si vous avez des maladies cardiaques. On pensait autrefois qu'elle avait une action bénéfique sur le cœur, mais une étude a prouvé que ce n'est pas le cas. Il se peut cependant qu'elle soit bénéfique à des gens bien portants ou à l'approche de problèmes cardiaques. Cependant, un changement de mode de vie, de l'exercice, un contrôle de l'embonpoint, la consommation de plus de fruits et légumes et l'arrêt de la cigarette sont des mesures beaucoup plus efficaces.

n'avez-vous pas besoin de suppléments ; sinon, un apport de 250 à 500 mg suffit.

Vitamine E. Les nouvelles recommandations sont de 15 mg par jour (22 UI) pour les hommes et les femmes. La limite supérieure est de 1000 mg (1500 UI). La plupart des multivitamines contiennent 30 UI de cet antioxydant important, ce qui n'est pas suffisant selon beaucoup d'experts pour protéger de manière efficace contre les maladies chroniques. Les régimes allégés en graisses contenant peu de vitamine E, celle-ci est donc difficile à trouver dans les aliments. Sa limite d'innocuité est de 1500 UI ; aussi, n'hésitez pas à prendre de 200 à 400 UI quotidiennement, dose recommandée par les experts. Notez que certaines marques contiennent de la vitamine E naturelle, d'autres, sa forme synthétisée. La forme naturelle est mieux assimilée par le corps, mais les fabricants compensent la forme

synthétisée en augmentant la dose de vitamine E. La forme synthétisée est souvent moins chère.

Calcium. Pas facile d'absorber les 1000 à 1200 mg (1500 mg si vous êtes ménopausée ou si vous êtes un homme de plus de 65 ans) recommandés à partir de vos aliments ! Le calcium joue un rôle dans la prévention de l'ostéoporose et peut-être de la tension. Des études indiquent qu'il pourrait aussi jouer un rôle dans la prévention des gingivites, première cause de problèmes dentaires dans ce pays et un risque pour le cœur.

Les laitages sont la première source de calcium ; un verre de 250 ml en contient environ 300 mg. Vérifiez l'étiquette de vos multivitamines (en général 200 mg), et ajoutez des aliments qui en contiennent à votre régime. Si nécessaire, prenez un supplément de 500 à 1000 mg par jour en deux fois, un le matin, un le soir, en même temps que les repas. Le calcium ne peut être absorbé sans vitamine D ; aussi, assurez-vous que votre régime alimentaire en contient beaucoup (le lait enrichi) ou prenez un supplément de calcium qui contient aussi de la vitamine D.

Une recherche conseille une dose de 100 à 400 UI de vitamine E. Cela pourrait avoir une action sur les problèmes de cataractes et certains cancers et, pour les personnes âgées de plus de 60 ans, renforcer les défenses immunitaires.

D'autres suppléments

On trouve sur le marché de plus en plus de suppléments qui ne sont ni des vitamines ni des minéraux. En voici une brève description.

Substance	Action	Commentaire	Posologie
Les acides aminés et les éléments similaires Petites molécules organiques qui aident à fabriquer les protéines complexes.			
Arginine, carnitine, taurine	◾ Contre les maladies cardiaques et les congestions ; peut soulager l'angine de poitrine.	◾ Ne prendre que sous surveillance médicale. Vente interdite au Canada ; importation : 3 mois.	◾ Doses nécessaires élevées : 15 g par jour environ.
Sulfate de chondroïtine	◾ Contre l'arthrite et les gonflements ; protège les articulations.	◾ Généralement associé avec le sulfate de glucosamine.	◾ 400 mg 2 à 3 fois par jour. Effets : peut prendre 6 semaines.
Sulfate de glucosamine	◾ Contre l'arthrite, peut protéger les articulations. Le sulfate de glucosamine semble efficace associé avec le sulfate de chondroïtine.	◾ Peut agir sur les niveaux de glucose dans le sang. Parlez-en à votre médecin. Peut être utilisé à long terme.	◾ 500 mg 2 à 3 fois par jour. Effets : peut prendre 6 semaines.
Lysine	◾ Peut aider la prévention d'ulcères cutanés de l'herpès, de l'aphte et du zona.	◾ Ne prenez pas de lysine si vous avez du diabète.	◾ 5000 mg par jour jusqu'à disparition de l'ulcère.
SAM-e (S-adénosyl-méthionine)	◾ Utilisé dans le traitement de l'arthrite, de la dépression, des maladies du foie et du cœur et des cartilages endommagés.	◾ Synthétisé par le corps à partir de l'acide aminé méthionine. Vente interdite au Canada ; importation : 3 mois.	◾ 400 mg 3 fois par jour.
Caroténoïdes Antioxydants auxquels les aliments végétaux doivent leurs couleurs rouge, orange ou jaune.			
Lutéine	◾ Protection de la vue. Sa carence est une cause possible de dégénérescence maculaire.	◾ Présente dans les aliments jaunes comme les jaunes d'œufs.	◾ En général, comprimé de 6 mg, jusqu'à 5 par jour.
Lycopène	◾ Peut réduire le risque de cancer de la prostate.	◾ Dans les tomates. 28 g de sauce tomate donne environ 5 mg de lycopène.	◾ En général, 5 à 15 mg. 7 mg par jour peuvent avoir une action favorable sur la prostate.

Substance	Action	Commentaire	Posologie

Enzymes

Protéines qui peuvent accélérer ou modifier certaines activités métaboliques.

Coenzyme Q10 (ubiquinone) 	■ Peut aider à contrer le vieillissement, et avoir une action positive sur les maladies cardiaques. Suggérée parfois avec les médicaments contre le cholestérol, abaissant les niveaux de coenzyme Q10.	■ Présente dans le corps et beaucoup d'aliments. Ne doit pas être substituée aux médicaments habituels. Consultez votre médecin. Coûte cher.	■ 50 à 100 mg 2 fois par jour. Les gélules à base d'huile sont mieux assimilées.

Les acides gras essentiels

**Les bons gras dont vous avez besoin pour rester en vie.
Votre corps ne peut pas les fabriquer, votre régime alimentaire doit vous les fournir.**

Acide gras oméga-3 (acide alpha-linolénique)	■ Peut aider à contrer les problèmes d'arthrite et cardiaques et la maladie de Crohn.	■ Dans les poissons des mers froides : tassergal, hareng, saumon et morue. Graine de lin et huile de noix.	■ 1 à 2 comprimés par jour sont généralement suffisants. Consultez votre médecin.
Acide gras oméga-6 (acide linoléique et acide gammalinolénique «GLA»)	■ Peut aider à contrer les symptômes prémenstruels et ceux de la ménopause. L'acide gras oméga-6 est un traitement médical approuvé contre les fibroses de la poitrine. En Europe, il est utilisé dans le traitement de la neuropathie diabétique.	■ Dans les graines et les noix. 	■ 3 à 10 g par jour en plusieurs fois. Il peut s'écouler plusieurs semaines avant d'en ressentir les effets.

Les flavonoïdes

**Grande famille d'antioxydants qui donnent aux fruits et aux légumes leurs parfums et leurs couleurs.
La caroténoïde est un flavonoïde.**

Anthocyanine	■ Peut atténuer les effets des radicaux libres sur les petits vaisseaux sanguins de l'œil ; aide à prévenir hémorragies et ulcères diabétiques.	■ Dans les bleuets, les prunes et le raisin noir.	■ 1 à 2 comprimés de 40 mg par jour de myrtille standardisée à 25 % d'anthocyanine.
Catéchine	■ Peut jouer un rôle dans la fluidification du sang.	■ Dans le thé. 	■ 240 à 320 mg par jour. 2 comprimés d'extrait de thé contenant au moins 30 % de catéchine.

Substance	Action	Commentaire	Posologie
Extrait de pépins de raisin	■ Peut aider à réduire les maladies cardiaques ; peut améliorer les fonctions vasculaires des diabétiques et la circulation sanguine (les varices, les hémorroïdes, les hématomes).	■ Les suppléments à base de pépins de raisin contiennent le même ingrédient actif que l'extrait d'écorce de pin (proanthocynidine), mais coûtent moins cher.	■ 50 mg par jour sont généralement efficaces et sans danger.
Quercétine	■ Aide à diminuer douleurs, enflures et réactions allergiques ; renforce l'immunité, protège de l'artériosclérose.	■ Abondante dans l'oignon, l'échalote, le poireau, l'ail et la pomme.	■ 500 à 1000 mg par jour.
Resveratrol	■ Aide à diminuer cholestérol, caillots et croissance des tumeurs.	■ Dans le vin rouge et le jus de raisin noir.	■ 500 mg par jour d'un supplément à base de raisin ou de vin.

Les isoflavones

Groupe d'éléments phytogéniques similaires à l'œstrogène.

Substance	Action	Commentaire	Posologie
Ipriflavone	■ Aide à contrer l'ostéoporose (si l'ipriflavone est prise en association avec le calcium).	■ Peut améliorer la densité osseuse.	■ 200 mg 3 fois par jour, en association avec 1000 mg de calcium.
Protéine de soya	■ Aide à contrer les symptômes de la ménopause : bouffées de chaleur, insomnies, sécheresse vaginale, et à diminuer le cholestérol et les risques de maladies cardiaques.	■ On trouve la protéine de soya dans les fèves de soya, les lentilles, les pois chiches, le riz et l'avoine. Le soya contient des éléments similaires à l'œstrogène et des chercheurs étudient présentement son incidence sur les cancers du sein. Absorbez-le sous forme de soya naturel.	■ Selon la FDA, 25 g de soya par jour suffisent à diminuer les risques de maladies cardiaques.

Les hormones naturelles

Substances chimiques que fabrique le corps pour favoriser ou ralentir l'activité de certains organes.

Substance	Action	Commentaire	Posologie
Mélatonine	■ Peut aider le sommeil. son efficacité contre le décalage horaire n'est pas encore prouvée. D'autres recherches seront nécessaires pour confirmer son action sur le processus de vieillissement.	■ Antioxydant produit par l'épiphyse. Peut avoir un effet secondaire de somnolence le lendemain. Innocuité à long terme inconnue. Vente interdite au Canada ; importation : 3 mois.	■ Troubles du sommeil : dose habituelle, 0,3 à 5 mg au coucher. Une dose de 1 à 2 mg peut avoir l'effet contraire chez certains. Pas bonne pour tout le monde et parfois contre-indiquée si le corps

Substance	Action	Commentaire	Posologie
Mélatonine (suite)			produit suffisamment d'hormones.
DHEA	■ La carence de cette hormone (déshydroepian-drostérone) a été associée à une augmentation des risques de maladies cardiaques et autres problèmes de santé. On pense qu'elle améliore la santé générale des personnes âgées et renforce les défenses immunitaires.	■ Hormone produite par les glandes adrénalines et nécessaire à la production d'autres hormones comme l'œstrogène et la testostérone. Ne prenez pas de DHEA avant de consulter votre médecin. Faites des analyses régulières. La recherche n'a pas encore établi de lien entre ce supplément et ses incidences sur le cancer de la prostate, des ovaires et sur les autres types de cancer. Le DHEA peut agir sur la pilosité chez les femmes. Vente interdite au Canada. Le DHEA est un stéroïde anabolisant.	■ 50 à 2500 mg par jour.
Somatotrophine (hormone de croissance)	■ Prescrite généralement si vos niveaux d'hormones de croissance sont anormalement bas.	■ Sur ordonnance. Coûteuse et peut être dangereuse si vous n'en avez pas besoin. Méfiez-vous des prétentions qui veulent que des suppléments d'aminoacide (comme l'arginine et la lysine) augmentent l'efficacité de la somatotrophine.	■ Selon l'ordonnance.
Progestérone «naturelle»	■ Crème naturelle fabri-quée à partir de fèves de soya ou patates douces, alternative à la progestéro-ne sur ordonnance pour femmes ménopausées. Utilisée aussi contre la dépression légère, la fatigue et la sensibilité de la poitrine.	■ Cette crème peut être obtenue sous ordonnance ou depuis les États-Unis par l'intermédiaire de votre médecin et du programme spécial d'accès (SPA). Contre-indiquée dans certains cas.	■ Posologie habituelle : appliquez un pois de crème sur l'abdomen par jour pendant 2 semaines et faites ensuite une pose de 2 semaines. Pour l'efficacité du traitement, optez pour une crème ayant une proportion de 800 mg de progestérone par 50 g de produit.

Plantes médicinales

En Chine et dans d'autres pays, les plantes médicinales sont utilisées pour guérir. Apprenez à les employer vous aussi.

Les herbes accompagnent les humains depuis longtemps. La barbe de bouc et l'écorce de saule, par exemple, ont soulagé douleurs et fièvres pendant des siècles ; mais ce n'est qu'en 1899 que l'acide salicylique, l'élément actif, a été synthétisé sous forme d'aspirine. Beaucoup de médicaments actuels sont à base de plantes. La vincristine et la vinblastine, employées dans le traitement de la leucémie, proviennent d'une plante de la famille des pervenches. La substance active tamoxifène, employée contre le cancer du sein et des ovaires,

provient de l'if. Environ un quart des produits pharmaceutiques d'aujourd'hui sont directement issus des plantes et un plus grand nombre encore sont des versions synthétisées d'éléments phytogéniques.

Les médicaments, à base de plantes ou non, peuvent être très efficaces en cas de problèmes de santé graves. Dans les cas mineurs, qui ne le sont pas toujours tant que cela, les remèdes à base de plantes médicinales peuvent être aussi efficaces sinon plus. Ces plantes médicinales ne soulagent pas aussi vite, mais elles le font plus en douceur, avec moins d'effets secondaires.

Il est parfois difficile de trouver des herbes médicinales de qualité

Leur qualité varie selon l'endroit, l'époque et la manière dont elles ont

Les remèdes à base de plantes médicinales représentent la moitié de la pratique médicale chinoise. La recherche scientifique ayant confirmé leurs vertus, elles occupent désormais une grande place au sein de nos pratiques.

été cultivées et transformées. La puissance de leurs substances actives varie de même. Les grands fabricants ont maintenant standardisé leurs produits pour assurer un dosage constant des substances actives.

Choisissez les produits normalisés pour vous assurer d'un dosage constant. Malgré cela, la qualité des herbes médicinales varie d'un fabricant à un autre. Pour trouver les produits de la meilleure qualité, approvisionnez-vous chez des fournisseurs et des fabricants reconnus.

Leur utilisation

Inutile d'absorber des boissons malodorantes pour se guérir par les plantes ; elles viennent maintenant sous forme de comprimés ou de gélules. Lorsqu'elles sont standardisées, vous connaissez exactement le taux de substances actives. Certaines plantes sont vendues en teinture, des concentrés d'extraits végétaux à action rapide, à base d'alcool ou de glycérine. Il faut très peu de teinture, de quelques gouttes à une cuillerée à thé. On peut les mélanger à du jus pour masquer leur goût.

Les plantes médicinales plus douces, à base de feuilles ou de fleurs comme la camomille ou la menthe, fournissent des tisanes apaisantes. Utilisez un sachet ou une cuillerée à thé d'herbes par tasse d'eau bouillante et laissez infuser. Pour un effet plus radical, utilisez le double ou le triple d'herbes et laissez infuser de 10 à 20 minutes.

Les herbes sans danger

Avant de prendre une herbe médicinale, assurez-vous de bien connaître ses propriétés, sa posologie, et qu'elle soit adaptée à votre cas. Demandez

---

L'aspirine

Il existe un supplément simple, sans danger et peu cher, accessible à tout le monde : l'aspirine. Des recherches récentes semblent indiquer qu'une dose quotidienne (80 mg) pourrait avoir un effet bénéfique sur votre santé. L'aspirine semble fluidifier le sang et éviter la formation de caillots responsables des crises cardiaques et des ACV. Absorbée au début d'une crise cardiaque, l'aspirine pourrait vous sauver la vie.

Si vous avez déjà subi une première attaque, l'aspirine peut réduire vos risques d'en avoir une autre. L'aspirine est également efficace contre l'angine de poitrine. Cependant, elle n'a pas d'effet préventif sur les maladies cardiaques chez les personnes qui n'en sont pas affectées.

On découvre chaque jour de nouveaux avantages à l'aspirine. Des chercheurs ont découvert que les gens qui prennent de l'aspirine régulièrement souffrent moins souvent de cancer du côlon, de l'estomac ou de l'œsophage, mais ils ne savent pas trop pourquoi.

L'aspirine peut avoir des effets secondaires, tels que des saignements gastro-intestinaux et une légère augmentation du risque d'hémorragie cérébrale. Demandez conseil à votre médecin.

---

conseil à votre médecin pour être sûr qu'elle n'est pas contre-indiquée en association avec d'autres médicaments. Quelques conseils avisés :

- À moins d'être un herboriste confirmé, ne cueillez pas de plantes sauvages. Vous risquez de confondre une plante toxique ou sans intérêt avec celle dont vous avez besoin. De plus, les substances actives sont moins puissantes dans la plante fraîche que dans la plante séchée.
- Il faut parfois des jours, sinon des semaines, avant de ressentir leurs

ATTENTION

Ne remplacez jamais les médicaments prescrits par votre médecin par une herbe médicinale et demandez-lui toujours conseil avant d'en absorber.

ATTENTION

Une cure d'échinacée ou d'hydraste ne doit pas durer plus de huit semaines. Ces plantes sont plus efficaces si on les prend aux premiers signes de maladie et pendant une durée limitée. L'échinacée stimule les cellules T, anti-infectieuses, mais une utilisation prolongée appauvrit vos réserves et affaiblit vos défenses naturelles. L'hydraste a des propriétés antibiotiques qui peuvent entraver l'action de la flore intestinale.

On peut soigner le zona et l'arthrite avec des crèmes à la capsicine offertes en vente libre.

effets. Ne dépassez pas les doses prescrites pour aller plus vite.

● Cessez l'usage d'une plante si vous ressentez nausées, diarrhées, maux de tête, éruption cutanée, urticaire ou autres symptômes inconfortables dans les deux heures qui suivent son absorption.

● Après vous être soigné avec une plante pendant la durée recommandée, si vous ne constatez aucune amélioration, cessez d'en prendre et consultez votre médecin.

Les herbes alliées

Parmi toutes les plantes que l'on dit bonnes pour la santé, il n'y en a que quelques-unes dont les propriétés bénéfiques sont mesurables :

Contre la douleur

● **Le boswellia.** Remède traditionnel en Inde, il soulage les douleurs et l'inflammation de l'arthrite. Choisissez un extrait standardisé à 37,5 % d'acide boswellique. Dose habituelle : 400 mg 3 fois par jour. Les effets surviennent après 4 à 8 semaines.

● **La capsicine.** C'est la substance qui rend les piments piquants. Elle soulage les dernières douleurs du zona. Elle est largement utilisée par les médecins contre l'arthrite. On trouve la capsicine en vente libre sous plusieurs marques.
   Appliquez la crème selon les instructions sur l'endroit douloureux de 3 à 4 fois par jour. Veillez à ne pas vous mettre de la crème dans les

yeux, sur la bouche ou autre partie sensible. Ne jamais appliquer la crème sur une plaie. Comptez de 3 à 4 jours pour un soulagement.

● **Le curcuma et la griffe-du-diable.** Ces plantes soulagent les douleurs, les gonflements et l'inflammation dus à l'arthrite, à une blessure, au mal de dos, aux suites d'une chirurgie, etc. Le curcuma vendu en épicerie n'est pas assez puissant pour être efficace. Achetez-en une version purifiée dans un magasin spécialisé et prenez 400 mg 3 fois par jour. La griffe-du-diable est vendue en extrait standardisé à 3 % de glucosides iridoïdes ; prenez 750 mg jusqu'à 3 fois par jour.

● **La matricaire.** Cette herbe aide à prévenir les migraines. Sa feuille, en poudre, est efficace de 80 à 100 mg par jour. Elle n'a aucun effet si la migraine est déjà commencée.

Contre les problèmes digestifs

● **La menthe poivrée et la camomille.** Nausées et brûlures d'estomac se soignent bien avec 1 à 3 tasses de tisane de menthe et de camomille.

● **Le gingembre.** Contre le mal des transports, essayez le gingembre : en gélule, en tisane, ou frais, haché et mélangé à un peu de miel. Des études ont prouvé qu'il est plus efficace que le dimen-hydrinate (Gravol) et sans effets secondaires (somnolence et bouche sèche) ; prenez-le de préférence 1/2 heure avant votre départ. Posologie : 500 à 2000 mg par jour.

● **La réglisse.** Sous sa forme déglycyrrhizinée (DGL), la racine de réglisse peut aider à soulager les brûlures d'estomac et les symptômes d'ulcère. Croquez 2 ou 3 tablettes de 380 mg 3 fois par jour. Prenez la forme DGL, car la glycyrrhizine augmente la tension et peut entraîner la rétention d'eau. La réglisse qui contient de la glycyrrhizine est bénéfique contre l'hépatite (inflammation du foie).

- **Le chardon-Marie.** Aussi appelé artichaut sauvage, une autre plante alliée du foie. Prenez de l'extrait standardisé à 70, 80 % de silymarine, de 100 à 200 mg 2 à 3 fois par jour (entre les repas pour plus d'efficacité).

Pour renforcer l'immunité

- **L'échinacée.** L'échinacée pourpre (prononcer le « ch » k) s'est montrée efficace contre les virus des rhumes et de la grippe. Prenez le remède au premier éternuement, ou mieux, au début de la saison des rhumes et de la grippe. Il semble que la teinture mère soit plus efficace, peut-être parce que le liquide est vite assimilé par les muqueuses de la bouche. Dose habituelle : 3 à 4 ml 3 fois par jour ; mais suivez les instructions de l'étiquette, car les concentrations varient d'une marque à l'autre. En comprimé : 300 mg 3 fois par jour.

- **L'astragale.** Utilisée en Chine depuis plus de 2000 ans, cette plante a des vertus contre le rhume, la grippe et les infections des sinus ; elle empêche le virus de pénétrer le système respiratoire. On s'en sert pour renforcer les défenses immunitaires des personnes soumises à la chimiothérapie ou autres traitements à irradiations. Elle peut faire baisser la tension et soulage les douleurs

de l'angine de poitrine. C'est aussi un antioxydant. Dose habituelle : 200 mg 1 fois ou 2 par jour pendant 3 semaines, avec une pause de 3 semaines.

- **Les champignons : maitaké, shiitake et reishi.** En extrait, ces champignons médicinaux renforcent les défenses immunitaires. On trouve les 3 champignons conditionnés dans une seule gélule. Des études laissent supposer que les champignons médicinaux pourraient aider les personnes atteintes d'infection HIV ou sida. L'extrait de reishi stimule la production d'une substance qui tue les cellules cancérigènes, et des études semblent indiquer qu'il peut améliorer le taux de survie des personnes atteintes de cancer de l'estomac, du côlon et des poumons. Le shiitake pourrait avoir la propriété de faire baisser le cholestérol. Vérifiez la posologie sur l'étiquette.

Cicatrisants et antiseptiques

- **L'huile malaleuca altemifolia et l'huile d'origan.** L'huile de malaleuca altemifolia (sève d'un arbre d'Australie) et l'huile d'origan (des feuilles de la plante) sont deux antiseptiques naturels. Leur effet cicatrisant, aux doses prescrites, est efficace sur les blessures mineures, les morsures d'insecte, et les durillons. Appliquez-les sur votre peau à l'aide d'un coton imbibé de 2-3 gouttes d'huile diluée. Attention, ces huiles

Les champignons médicinaux, pris en extrait ou en gélule, ont prouvé leur efficacité pour renforcer les défenses immunitaires. Certains ont un usage particulier. Le reishi, comme celui de l'illustration, a aussi des propriétés anti-inflammatoires et peut aider à diminuer les symptômes allergiques.

En bref

Les divers cocktails d'énergie, gommes à mâcher, boissons gazeuses, barres énergétiques et autres ne contiennent pas suffisamment de ginseng pour être efficaces, et des études indiquent que certains de ces produits ne contiennent pas de ginseng du tout.

En bref

À la fin des années 1970, le gouvernement allemand a créé la commission E, un organisme indépendant de savants qui étudient les herbes médicinales. Les rapports de la commission E font autorité dans le monde entier. Ils sont traduits en anglais dans l'édition de Marc Blumenthal de Herbal Medicine.

tachent les vêtements. En usage interne, quelques gouttes d'huile dans un verre d'eau, l'origan peut aider au traitement des mycoses et des infections à staphylocoques.

● **L'hydraste du Canada.** Son efficacité contre les rhumes et la grippe n'est pas prouvée. Cependant, des études indiquent qu'elle favorise la circulation et peut aider à combattre les infections de la vessie, les maux de gorge et les aphtes. Quelques gouttes de teinture dans $1/2$ tasse d'eau chaude peut soigner un mal de gorge ou un aphte. Gargarisez-vous et rincez votre bouche. Pour traiter une infection urinaire, prenez des gélules. Dose habituelle : 250 à 500 mg 3 fois par jour. Si les symptômes persistent après quelques jours, consultez votre médecin.

Pour le cœur

● **L'ail.** Il se pourrait que l'usage quotidien de cette plante aide à endiguer les problèmes cardiaques ; l'une de ses substances chimiques semble fluidifier le sang en empêchant la formation des caillots responsables des crises cardiaques et autres apoplexies. L'ail contient d'autres substances antioxydantes qui aident à abaisser la tension (une gousse par jour suffit). Une étude indique que l'ail préserve la flexibilité de l'aorte, ce qui peut aussi aider à éviter une crise cardiaque. Quant au cholestérol, les résultats sont mitigés. Dose recommandée : 1 à 3 gousses d'ail par jour. Il est aussi efficace en supplément. Prenez 300 mg 3 fois par jour d'un extrait standardisé à 1,3 % d'alline, l'une des substances actives de l'ail. L'extrait d'ail vieilli n'en contient pas et risque d'être moins efficace. Si vous voulez l'essayer, prenez jusqu'à 7 g par jour en plusieurs fois.

● **Extrait d'aubépine (cenellier).** Il semble pouvoir aider les personnes affligées de problèmes cardiaques tels que l'angine de poitrine et l'insuffisance cardiaque globale. Demandez conseil à votre médecin avant d'essayer, car les doses nécessaires sont assez importantes.

● **Riz à la levure rouge.** La levure qui fermente sur ce riz agit sur le foie et bloque une enzyme qui lui permet de produire le cholestérol. La substance active est la même que celle que l'on trouve dans les hypolipidémiants sur ordonnance. N'en prenez pas si vous êtes déjà sous médicament ou si vous avez des problèmes hépatiques. L'efficacité maximale du riz à la levure rouge s'applique aux taux moyens de cholestérol (entre 5,2 mmol/l et 6,2 mmol/l).

Le problème de l'éphédra

L'éphédra, aussi appelée Ma Huang, est un stimulant du système nerveux central qui contient les substances éphédrine et pseudoéphédrine. Santé Canada n'approuve l'éphédra que sous la forme de décongestionnant nasal (vérifiez le DIN). Des produits à l'éphédrine qui n'ont pas obtenu l'agrément de Santé Canada, thé pour mincir et potions énergisantes, sont importés au Canada et vendus clandestinement dans les salles de sport.

L'éphédra est relativement inoffensive aux doses de 6 à 12 mg. À doses supérieures, pour perdre du poids par exemple, on peut ressentir de la nervosité, des palpitations et autres effets indésirables. L'éphédra a été contestée lorsque des fabricants peu scrupuleux ont mis sur le marché des produits alternatifs aux amphétamines, des «stupéfiants légaux». Des réactions négatives et même des décès ont été constatés avec des doses 2 à 3 fois plus élevées que la posologie normale. Demandez conseil à votre médecin avant d'en prendre, si vous avez des problèmes cardiaques ou de la tension.

Pour la circulation

- **Le ginkgo biloba.** Utilisé en médecine chinoise depuis des milliers d'années, le ginkgo biloba améliore la circulation au cerveau, au cœur et aux extrémités. Il est souvent recommandé contre les hémorroïdes, les varices et une mauvaise circulation dans les pieds et les mains. Il est aussi un allié dans le traitement des vertiges et des sifflements d'oreille. Utilisez l'extrait standardisé à 24 % de glucosides de flavone de ginkgo et à 6 % de terpene lactone. Dose habituelle : 2 à 4 comprimés de 60 mg par jour. Attention : n'associez pas le ginkgo biloba avec un médicament fluidifiant comme la coumafène (coumadin).

- **Le petit houx.** La commission E d'Allemagne reconnaît à cette plante des vertus curatives des hémorroïdes ; c'est une alliée contre les varices. Vous pouvez prendre des gélules, des onguents ou des suppositoires standardisés. Dose recommandée : 50 à 100 mg de ruscogénines par jour.

- **Le marron d'Inde.** Cette plante renforce les veines, ce qui en fait un allié précieux contre les varices et les hémorroïdes. Dose moyenne : 300 mg 2 fois par jour d'extrait standardisé à 50 mg d'escine.

- **Le gotu kola.** Cette plante en provenance de l'Inde a démontré ses propriétés dans la prévention des varices, sans doute parce qu'elle améliore la circulation sanguine. Elle semble aussi renforcer les parois des vaisseaux sanguins. Dose habituelle : 200 mg d'extrait standardisé 3 fois par jour.

Pour améliorer la mémoire

- **Le ginkgo biloba.** Les études ont prouvé que le ginkgo améliore la mémoire à court terme et la vivacité d'esprit. Il augmente la circulation sanguine. En extrait standardisé à 24 % de glycosides de ginkgo et 6 % de terpene lactone, la dose habituelle est de 2 à 4 comprimés de 60 mg par jour. Attention : ne prenez pas de ginkgo avec la warfarine (coumadin).

- **Le gotu kola (centella asiatique).** Des études en cours semblent confirmer que cette plante améliore la mémoire et les capacités d'apprentissage, probablement parce qu'elle améliore la circulation vers le cerveau en aidant la production des neurotransmetteurs, les messagers chimiques du cerveau. La dose habituelle est de 200 mg d'extrait standardisé 3 fois par jour.

Pour l'humeur

- **Le millepertuis (hypericum).** Les dernières recommandations aux médecins qui traitent des patients souffrant de déprime légère officialisent l'action du millepertuis sur bien des maux. Beaucoup moins cher que le médicament fluoxétine (Prozac), sans les effets secondaires indésirables. Dose recommandée : 300 à 900 mg d'extrait standardisé par jour.

ATTENTION

Ne prenez pas de millepertuis en association avec un antidépresseur ; vous risquez une réaction indésirable. Selon Santé Canada, le millepertuis affecte le métabolisme de plusieurs médicaments, dont les anticonvulsifs, les contraceptifs oraux, les immunosuppresseurs et les anticoagulants.

Vingt-trois études différentes indiquent que le millepertuis est un antidépresseur efficace contre la déprime, légère à modérée, avec peu d'effets secondaires.

Commencez avec une petite dose et augmentez graduellement jusqu'à ce que l'effet se fasse sentir.

- **La valériane.** Elle aide à dormir sans effets secondaires ni accoutumance. La tisane de valériane est très amère ; vous pouvez prendre de l'extrait standardisé en comprimé ou de la teinture. La dose efficace varie en fonction des personnes. Suivez les instructions et commencez avec la dose la plus petite.
- **Le kava.** Cette racine polynésienne est utilisée communément pour la relaxation, pour soulager l'anxiété

et favoriser l'endormissement. Prenez de l'extrait standardisé à 70 % de lactones, ou des comprimés. Une dose de 300 mg avant le coucher favorise l'endormissement.

Pour l'énergie

- **Le ginseng.** L'une des plantes les plus utilisées en Chine, le ginseng est aussi extrêmement populaire dans le reste du monde. Cette racine a une bonne réputation en tant qu'adaptogène, tonique général qui aide à faire face aux tensions et à la maladie. On l'utilise aussi comme stimulant doux, sans caféine, et reconstituant.

  Il existe plusieurs types de ginseng, mais seul le ginseng chinois (*Panax ginseng*) et le ginseng américain (*Panax quinquefolium*) sont authentiques et ont des propriétés similaires. Préférez-les au ginseng sibérien (*Eleuterococcus senticosus*), moins stimulant et pouvant présenter des problèmes au contrôle de qualité. Pour être sûr d'absorber la quantité nécessaire, utilisez des gélules standardisées à 8 % de ginsenoïdes. Prenez une gélule de 150 mg par jour en faisant une pause toutes les deux ou trois semaines. Les experts conseillent de prendre le ginseng sur quelques semaines afin d'améliorer son efficacité. Arrêtez en cas de maux de tête ou d'insomnie.

Pour les problèmes féminins

- **L'atoca (la canneberge).** Les médecins recommandent la canneberge dans le traitement et la prévention des infections de la vessie. Son acidité a un effet antibiotique sur les voies urinaires. Prenez de

Le thé vert : buvez à votre santé

De nombreuses études récentes ont montré que les gens qui boivent du thé régulièrement, surtout du thé vert, ont moins de risques de maladies cardiaques, d'apoplexie et de cancer que les autres. C'est probablement les taux élevés de l'antioxydant EGCG ainsi que d'autres substances appelées catéchines qui en sont la cause. Certains chercheurs pensent que l'EGCG est l'une des substances anticancérigènes les plus efficaces découvertes à ce jour. Les feuilles de thé vert ne sont pas fermentées, contrairement au thé noir ; tous ses antioxydants sont préservés. Le thé noir est un peu moins bénéfique pour la santé. Le thé vert est doux et contient peu de caféine. Si vous l'aimez, prenez-en 2 à 4 tasses par jour ; sinon, 1 tasse par jour (ou des gélules de thé vert) peut avoir des effets bénéfiques contre le cancer. Vérifiez sur l'étiquette le contenu en polyphénols (l'EGCG est un type de polyphénol) et faites en sorte d'atteindre 240 à 320 mg par jour.

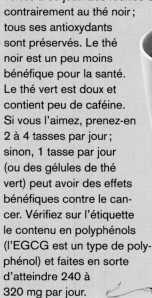

300 à 400 mg par jour en comprimés ou de 250 à 500 ml (8 à 16 oz) de jus naturel. Attention : les cocktails au jus de canneberge contiennent trop de sucre et peu de canneberges.

- **Le faux-buis (busserole).** La busserole est un antibiotique efficace contre les infections de la vessie. Mieux vaut en prendre dès les premiers symptômes (douleurs, besoins fréquents d'uriner, urine trouble). Suivez les instructions de l'étiquette et réduisez la cure à quelques jours. Posologie quotidienne : 400 à 800 mg.
- **L'actée à grappes noires.** Plante native de l'Amérique du Nord, elle soulage les symptômes de la ménopause : bouffées de chaleur, gonflements, dépression, insomnie. Dose : 8 mg d'extrait standardisé à 1 % de 27-désoxyacétéine ou 40 mg par jour de racines séchées. Prenez-la pendant les repas pour ne pas irriter votre estomac. Attention : ne confondez pas l'actée à grappes noires avec l'actée bleue, une plante à risque.
- **Le gattilier.** Fréquemment utilisé en Europe pour soulager les symptômes de la ménopause, le gattilier est aussi appelé vitex. On le trouve en gélules et en teinture. Prenez de 20 à 40 mg par jour sous forme de gélules. En teinture, suivez les instructions de la posologie.

Pour les problèmes masculins

- **Le chou palmiste nain.** Une étude majeure de 1996 montre que le palmier nain soulage les symptômes d'hyperplasie prostatique bénigne (BPH), ou gonflement de la prostate, aussi bien que le médicament finastéride (Proscar). La plante est un meilleur choix,

car elle n'a pas d'effets secondaires et n'abaisse pas artificiellement les résultats de l'antigène prostatique spécifique (PSA) lors du test du cancer de la prostate. Dose habituelle : 160 mg par jour d'extrait standardisé à 85 % d'acide gras et stérols. La plante ne fait pas désenfler la prostate.

- **Le pygeum.** Extrait de l'écorce d'un arbre africain, le pygeum est presque aussi efficace que le palmier nain contre le BPH. Il est plus cher. La dose habituelle est de 50 à 100 mg 2 fois par jour d'extrait standardisé à 14 % de triterpéniques.
- **L'ortie.** La racine de l'ortie aide à soulager les symptômes du BPH, moins bien et moins vite que le palmier nain ou le pygeum. L'usage de l'ortie est populaire en Europe et son utilisation a été agréée par la commission E allemande. La dose habituelle est de 4 à 6 g par jour.
- **La cernitine.** Mélange du pollen de 3 plantes différentes, cette potion soulage les symptômes du BPH, et de la prostatite chronique non bactérienne. Lors d'une étude clinique, un supplément contenant de la cernitine, de l'extrait de palmier, du bêta-citostérol et de la vitamine E a donné de bons résultats.

ATTENTION

La médecine traditionnelle chinoise emploie beaucoup de mélanges à base d'herbes médicinales. On ne sait pas toujours ce que contiennent ces mélanges. Aux États-Unis, la FDA met en garde contre certaines préparations importées de Chine et pouvant contenir des métaux lourds ou des pesticides. Certaines contiennent de petites quantités de diazépam (Valium). Au Canada, vérifiez toujours le DIN d'un produit. C'est l'assurance qu'il a été agréé à la vente.

CHAPITRE 4

EN FORME POUR LA VIE

110   Comme solution : l'exercice

116   Améliorer votre santé cardiovasculaire

126   Bâtir votre force musculaire

134   Allonger vos limites

138   Questions d'équilibre

142   Pour retrouver la forme

Comme solution : l'exercice

L'exercice peut réduire votre risque de maladie grave, allonger vos jours et même vous procurer un sentiment accru de bien-être. Pas besoin de courir le marathon ou devenir membre d'un club de gym : il s'agit de bouger !

Nous savons tous que l'exercice est bénéfique. Réalisez à quel point c'est aussi un outil puissant pour contrer les effets du vieillissement. On sait maintenant que la fragilité et nombre de maladies ne relèvent pas tant de l'âge que de la sédentarité. Les femmes qui restent actives passé 50 ans sont aussi en forme – ou plus – que les femmes inactives de 30 ans. Elles vivent aussi plus longtemps. Il n'est jamais trop tard pour devenir en forme. Les hommes d'âge mûr qui se mettent en forme pendant cinq ans courent 44 % moins de risques de mourir prématurément que les autres.

L'exercice n'est pas qu'un investissement pour plus tard ; il vous permet de mener une vie plus active, vous donne l'impression et l'apparence de la jeunesse. Il facilite votre vie de tous les jours. Avez-vous la force de porter votre commande d'épicerie, ou de prendre votre petit-fils ? Pouvez-vous courir pour attraper un autobus sans perdre le souffle ? Avez-vous assez d'énergie pour entreprendre un projet de rénovation après le souper ? Les exercices aérobiques (qui font pomper le cœur), l'entraînement musculaire (lever de poids, tractions) et le stretching (étirement) améliorent tous votre forme fonctionnelle – votre capacité d'accomplir aisément des tâches quotidiennes.

Les fruits de l'exercice

Dividendes immédiats

Si vous manquez d'énergie en fin d'après-midi, quelques minutes de gymnastique suédoise, ou une marche rapide de 10 minutes, vous retaperont en augmentant l'apport sanguin au cerveau. D'ailleurs, avec l'exercice, vous dormirez mieux et plus longtemps. Les gens qui marchent ou qui font des exercices pendant une quarantaine de minutes quatre fois par semaine s'endorment deux fois plus vite et dorment une heure de plus que les autres. Avec l'âge, nos périodes de sommeil profond (le plus réparateur) tendent à raccourcir ; l'exercice peut être la seule manière de les voir rallonger.

L'habitude de l'exercice fait de vous une personne plus calme. En période de stress, les gens qui font régulièrement de l'exercice ne subissent pas d'aussi fortes hausses de pression que les mollassons. On a en effet constaté qu'en période de stress

L'exercice déguisé

Pas besoin de temps ni de motivation spécifiques : vous pouvez brûler des calories en accomplissant vos tâches usuelles.

Activité	Calories dépensées à l'heure
Passer l'aspirateur	175
Faire l'épicerie	245
Râteler les feuilles	280
Passer la vadrouille	315
Promener le chien	324
Creuser dans le jardin	350
Laver le plancher	385
Scier manuellement	498

Sautez de joie! L'exercice combat la dépression. Après 10 semaines d'exercices trois fois par semaine, 82 % des personnes souffrant de dépression mineure ne présentaient plus de symptômes.

intense, ceux qui font régulièrement de l'exercice se plaignaient 37 % moins souvent de maux physiques que les gens moins actifs.

Le mouvement atténue les douleurs chroniques et aide à soulager les bouffées de chaleur de la ménopause. Si vous décidiez de suivre un programme d'exercices, ne fût-ce que quelques semaines, vous sentiriez croître votre estime de soi, parce que vous auriez atteint un objectif important. En outre, peut-être parce qu'il déclenche la libération des endorphines, l'exercice améliore l'humeur.

Un cœur en meilleure santé

Faite régulièrement, presque toute forme d'activité physique peut renforcer votre cœur – puisqu'il pompe avec moins d'efforts – et conserver la souplesse de vos parois artérielles. Des exercices modérés ou intenses (suffisants pour brûler de 1200 à 1600 calories par semaine) peuvent améliorer votre taux de cholestérol en élevant votre niveau de LHD (le « bon » cholestérol qui aide à prévenir le blocage des artères) et prévenir l'oxydation du LDL (le « mauvais » cholestérol), un processus qui le porte à adhérer aux parois artérielles.

Pour la Fondation canadienne des maladies du cœur, le lever de poids reste l'un des meilleurs exercices que vous puissiez faire pour votre cœur parce qu'il abaisse les niveaux de cholestérol, réduit la pression sanguine, améliore la santé cardio-vasculaire et le métabolisme du glucose et accroît la proportion de muscle dans son rapport au gras.

Toute masse musculaire supplémentaire accélère le métabolisme, puisque le muscle dépense plus de calories que le gras – même au repos.

Plus grande capacité pulmonaire

Les exercices aérobiques réguliers améliorent votre capacité pulmonaire. Celle-ci, connue sous le nom de VO_2 maximum, augmente généralement de 6 à 20 % avec le conditionnement aérobique, et pourrait même apporter une amélioration de 50 %. Quand votre capacité pulmonaire s'améliore, l'oxygène pénètre vos poumons plus vite et le gaz carbonique en sort plus vite.

En quelques mots

Pourquoi importe-t-il tant d'être en forme? Pour le Dr Kenneth H. Cooper, auteur de La méthode aérobique, *la réponse est claire: « À 69 ans, je veux pouvoir marcher et skier dans les montagnes à 3500 mètres d'altitude. Impossible de faire ça à moins d'être en forme. »*

En bref

Lors d'une étude sur la santé de 5000 femmes, on a découvert que le tabagisme menaçait moins leur vie que l'inactivité.

Des os plus forts

Avec l'exercice, vos os se font plus denses, surtout lors d'un entraînement intensif comme le jogging. Les femmes de plus de 50 ans qui exercent leur force deux fois par semaine pendant une année voient généralement leur densité osseuse s'accroître de 1 %. Comparez cette situation avec celle des femmes postménopausées sédentaires qui perdent habituellement 2 % de densité osseuse chaque année et présentent un plus grand risque de chutes.

Un risque de cancer diminué

Si vous faites régulièrement de l'exercice, vous avez de bonnes chances de voir réduire vos risques de cancer colorectal, de cancers des poumons, du sein, de la prostate et de l'utérus. Comparativement aux femmes moins actives, celles qui font un peu d'exercice une heure par jour ont vu diminuer leur risque de cancer colorectal de 18 % ; celles qui en font au moins quatre heures par

Vous cherchez à cultiver une habitude d'exercice ? Pensez au jardinage. Pratiqué une fois la semaine, il renforce les os plus encore que ne le feraient la marche ou la natation. En fait, tant pour les hommes que pour les femmes, il est aussi bénéfique que le lever du poids.

semaine courent deux fois moins de risques de développer un cancer du sein.

Bénéfiques de la tête aux pieds

Depuis l'arthrite jusqu'au gain pondéral, l'exercice joue un rôle majeur dans la prévention ou le traitement de diverses maladies. Par exemple, une musculature forte aux cuisses semble vous protéger contre l'arthrite des genoux. Des exercices modérés réduisent de moitié le risque de voir se développer le diabète chez la femme. Hommes ou femmes peuvent voir réduire de 20 % leur risque de calculs biliaires en s'adonnant régulièrement à des exercices récréatifs.

Des exercices aérobiques modérés stimulent la fonction immunitaire, on le sait. Les femmes qui marchent à pas rapides pendant 45 minutes cinq fois par semaine ont coupé de moitié leurs journées de maladie. Des recherches ont démontré les effets positifs de l'exercice sur le système immunitaire de personnes de 87 ans.

Finalement, une vie plus longue

Selon un institut américain, les femmes modérément en forme risqueraient beaucoup moins que les autres de mourir prématurément du cancer ou de cardiopathie. Pas besoin de vous échiner chaque jour pour ajouter des années à votre vie. Dans le cadre d'une recherche qui a duré 17 ans, on a découvert que les gens qui faisaient un peu d'exercice, au moins 30 minutes six fois par mois, vivaient beaucoup plus longtemps que les sédentaires. Quand il est question de longévité, la forme physique importe plus que le poids : les hommes sédentaires minces ont un taux de mortalité plus élevé que les obèses en bonne forme physique.

La forme de la forme

Pas besoin de vous enfermer pour vos activités de conditionnement physique. Les gens qui se contentent d'ajouter à leur journée 30 minutes d'activités – même les plus banales comme de jardiner ou de monter et descendre les escaliers – obtiennent avec le temps les mêmes bénéfices cardiovasculaires et pondéraux que ceux qui ont un programme structuré d'exercices. Marchez au lieu de prendre la voiture, montez à pied au lieu de prendre l'ascenseur, échangez votre tracteur à gazon contre une tondeuse. Allez patiner avec vos petits-enfants au lieu de les regarder faire.

En faites-vous assez?

Peu importe ce que vous faites pour être en forme, du moment que vous dépensez de 1000 à 2000 calories par semaine. Cela équivaut ou bien à une promenade quotidienne de 30 minutes au rythme de 6 km/h ou à une course quotidienne de 2 km d'une durée de 15 minutes. À part la marche ou le jogging, il existe bien d'autres manières d'accumuler des « points » brûleurs de calories.

Faites ce que vous aimez

Vous pouvez choisir une activité que vous aimez, qui ne vous donne pas l'impression de faire de l'exercice. Dans quoi excellez-vous? Si vous choisissez une activité selon vos goûts, vous en tirerez du plaisir pendant des années. Nagez-vous comme un poisson? L'aérobique aquatique, une activité physique modérée, ménage vos articulations et fait beaucoup de bien à ceux qui souffrent d'arthrite. Vous raffolez du grand air? La randonnée pédestre convient à tout le monde, peu importe la forme physique.

Plus d'excuses !

Toutes les excuses vous sont bonnes pour ne pas faire d'exercices? Vous préféreriez trier vos bas ou nettoyer le four? Voici des trucs pour vous permettre de bouger – et continuer de le faire.

- **Appelez-le autrement.** Échangez toute activité domestique stimulante contre un programme d'exercices plus standard. S'il s'agit de tâches que vous devrez faire de toute manière – comme de laver la voiture –, vous ferez d'une pierre deux coups.
- **Faites-le en musique.** Inscrivez-vous à des cours de flamenco ou de folklore. Tous aident à votre conditionnement physique et sont amusants. Ou bien, écoutez de la musique en faisant vos exercices; vos airs préférés feront oublier le temps.
- **Devenez rat de bibliothèque.** Écoutez les derniers romans policiers sur bande audio tout en faisant de l'exercice. Si le suspense vous tient en haleine, vous aurez bien hâte à votre prochaine séance pour connaître la suite.
- **Ne vous faites pas suer.** Si les t-shirts détrempés de sueur ne vous attirent pas, essayez le taï-chi ou le yoga.
- **Faites copain-copain.** L'exercice est plus amusant à deux. Les jours où vous n'avez pas envie de vous forcer, vous aurez moins le goût de décevoir votre ami que de vous en tenir à votre programme.
- **Trouvez un entraîneur électronique.** Allez fureter sur Internet et trouvez-vous un copain qui applaudira vos prochains objectifs de conditionnement physique.
- **Entraînez-vous avec un expert.** Si vous en avez les moyens, l'entraîneur professionnel vous aidera à établir vos objectifs, à mettre sur pied votre programme et à en diversifier les éléments.
- **Joignez-vous à un club.** Faites du conditionnement physique un élément de votre programme en vous joignant à un club.

Choisissez votre heure

Les gens qui font de l'exercice le matin s'en tiennent à leur programme mieux que les autres. En faisant leurs exercices avant le début de la journée, ils évitent les conflits d'horaire – et le cafard de fin de journée – qui viennent à bout des meilleures intentions. Et si vous n'êtes pas matinal? Le meilleur moment reste celui qui vous va le mieux. Si vous êtes au meilleur de votre forme entre midi et 13 h, optez pour ce moment-là.

En bref

Vous pouvez ajouter deux années à votre vie en montant et en descendant des escaliers six minutes par jour.

Allez à l'essentiel

Avant de vous lancer à corps perdu, faites le point. Les suggestions qui suivent vous aideront à élaborer un programme sécuritaire.

Apprenez quoi porter, comment réchauffer vos muscles et éviter d'en faire trop – vous aurez l'impression d'être un pro dans le temps de dire « ouf ! ».

Réchauffement et détente

Pour obtenir de meilleurs résultats, commencez par un réchauffement : de 5 à 10 minutes d'exercices aérobiques modérés pour réchauffer vos muscles et les rendre plus souples, moins sujets à la déchirure. Faites circuler le sang en marchant à pas rapides (5 à 6 km/h), en pédalant sur votre bicyclette d'exercice ou en faisant de la marche sur place.

Mettez fin à toute séance d'exercices par une détente (la moitié du temps de réchauffement) au cours de laquelle vous réduirez graduellement l'intensité de l'exercice. Ainsi le sang ne s'accumulera pas dans les veines, ce qui vous étourdirait. Faites suivre la détente d'étirements destinés à relâcher les muscles que vous venez de faire travailler. (Les muscles étirés à froid peuvent se froisser.)

Habillez-vous comme il faut

Choisissez des vêtements qui vous donnent la liberté de mouvements. Les tissus extensibles et les tailles élastiques conviennent parfaitement. Habillez-vous en couches, surtout si vous allez dehors ; ainsi, vous enlèverez les vêtements au fur et à mesure que vous vous réchaufferez. Privilégiez en première épaisseur un tissu synthétique spécial qui écarte l'humidité. Évitez le coton, qui absorbe la sueur et vous laisse une désagréable impression de moiteur.

Quand vous faites de l'exercice, vous suez et votre corps perd des fluides. Il importe donc de boire. Pour la plupart des gens, l'eau suffit. Si vous faites plus d'une heure d'exercices, pensez aux boissons spéciales ; elles rendent à votre corps le sodium et le potassium perdus.

Qu'en est-il des chaussures? Certains sports demandent des chaussures spécifiques. Les souliers pour l'aérobique, par exemple, demandent de la flexibilité, des coussinets moyens et des semelles qui facilitent les mouvements. Les souliers de course, eux, ont des coussinets épais, et sont conçus pour le mouvement vers l'avant. Ainsi, quand vous portez des souliers de course pour l'aérobique, vous pouvez avoir du mal à faire les mouvements latéraux et risquez une foulure de la cheville. Il existe des chaussures qui conviennent à plusieurs types d'exercices. Que vous marchiez, que vous couriez, jouiez au tennis ou fassiez de la randonnée, faites coordonner vos chaussures et vos activités.

N'oubliez pas de boire

Pour prévenir les étourdissements, les crampes, l'épuisement et les malaises, il importe que vous restiez hydraté avant, pendant et après l'exercice. Buvez un grand verre d'eau au moins 20 minutes avant de faire de l'exercice, et prenez 55 ml aux 10 minutes. Pour boire, n'attendez pas d'avoir soif; vous êtes alors déjà déshydraté. Buvez un autre grand verre d'eau après vos exercices.

Débutez lentement
mais persistez sûrement

Nombre de gens commencent par mettre toutes leurs énergies dans un programme ambitieux, s'efforcent au point d'en avoir les muscles endoloris ou même froissés, puis se découragent et abandonnent. Il vaut mieux fixer des objectifs intermédiaires réalisables, relever doucement votre forme actuelle et puis, graduellement, accroître la durée, la fréquence et l'intensité de vos activités.

Trouver le juste équilibre

Comment savez-vous que vous en avez fait juste assez, pas trop? Voyez où vous vous situez sur cette échelle de perception de l'épuisement, appelée parfois échelle de Borg, car celui qui l'a mise au point se nomme Gunnar Borg. Il n'est pas étonnant que votre impression de la difficulté d'un exercice corresponde à des indicateurs physiologiques comme votre pouls. Si vous trouvez un exercice trop facile, c'est qu'il ne vous demande pas suffisamment d'effort.

Échelle de Borg

	EFFORT MINIMUM	
6	Très, très léger	
7		
8	Très léger	
9		
10	Léger	
11		ZONE D'ENTRAÎNEMENT À L'ENDURANCE
12	Quelque peu intense	
13		
14	Intense	
15		ZONE D'ENTRAÎNEMENT À LA FORCE
16	Très intense	
17		
18	Très, très intense	
19		
20		
	EFFORT MAXIMUM	

À gauche, les nombres correspondent à votre estimation de l'effort fourni. Cela dépend des individus; vous seul savez ce que l'exercice vous demande d'effort. Pour des activités aérobiques, visez d'abord le niveau 11, dans lequel, tout en travaillant fort, vous pouvez continuer de parler. Travaillez jusqu'au niveau 13, où vous respirez plus difficilement mais où vous pouvez tout de même parler. Pour développer votre force, travaillez aux niveaux 15 à 17; vous devriez sentir que vous approchez de votre limite.

Vous pourriez, par exemple, vous fixer l'objectif ultime d'améliorer votre endurance cardiovasculaire en pédalant presque chaque jour pendant 30 minutes. Commencez par décider de pédaler pendant 15 minutes tous les deux jours. Une fois que vous vous sentez à l'aise à 15 minutes, augmentez vos périodes d'exercices en passant à 20, puis à 25, et enfin, à 30 minutes. Ensuite, ajoutez une séance après l'autre, jusqu'à ce que vous pédaliez pendant 30 minutes six jours par semaine.

Pour un programme d'exercice facile, voyez à la page 122.

Améliorer votre santé cardiovasculaire

Courir après vos petits-enfants ? Vous n'êtes ni en forme ni en bonne santé si vos poumons ou votre cœur ne suivent pas.

La bonne forme cardiovasculaire, appelée aussi la forme aérobique, vous donne l'endurance nécessaire pour gravir une colline ou courir sans perdre le souffle. Quand vous êtes en forme aérobique, votre organisme porte rapidement un sang riche en oxygène aux muscles qui, à leur tour, s'en servent efficacement ; à chaque battement, votre cœur pompe plus de sang et il bat moins vite. (C'est pourquoi le pouls indique bien la santé du cœur.) Vous vous épuisez donc moins vite. Les personnes qui ne sont pas en bonne forme cardiovasculaire ont du mal à porter leur lessive à l'étage et à promener leur chien plus loin que le coin de la rue.

Les exercices aérobiques – des activités qui mettent le cœur à l'épreuve, comme le jogging, la bicyclette – peuvent retarder le déclin de la santé cardiovasculaire qui survient avec l'âge. Lors d'une étude portant sur 1499 hommes, les plus en forme et les plus actifs n'ont éprouvé presque aucune diminution entre 30 et 70 ans ; ceux qui étaient moyennement en forme et actifs ont éprouvé un déclin de 25 %, tandis que les sédentaires et les obèses en ont éprouvé un de plus de 50 %.

À quelle fréquence ?

L'entraînement aérobique exerce continuellement vos grands muscles (bras, jambes, fesses et poitrine) pour faire battre votre cœur plus vite.

(Vous ne faites pas de conditionnement aérobique en regardant la télé toute la journée.) Vous faites travailler votre cœur efficacement lorsque : vous avez chaud, vous suez et vous haletez – sans en perdre le souffle. Voyez la page 118 pour connaître la vigueur de votre entraînement.

À quel rythme devez-vous faire ce genre d'exercice ? Les experts recommandent trois séances de 20 minutes par semaine, même si des séances de 30 minutes sont encore préférables. De toute manière, cela suffit à vous faire passer de la catégorie des sédentaires à celle des actifs. Si votre objectif primordial est de vivre plus longtemps et de vous sentir plus jeune, la recommandation de 3 x 20 suffit. Si vous vous préparez à faire de la randonnée en montagne ou à garder deux petits-enfants énergiques, vous pourriez bénéficier de séances d'exercice plus longues.

Au petit trot

Les experts ont cru longtemps que seuls les exercices épuisants étaient bons pour le cœur. Mais les chercheurs ont récemment découvert que même les efforts modérés, ceux que demande par exemple une marche rapide, bénéficient au cœur de façon significative. Comme la plupart des gens ne sont pas prêts à s'engager à vie quand il est question d'exercices intensifs, cette découverte rend accessible la bonne forme physique à des millions de personnes.

Astuce santé

Pas besoin de compter : les moniteurs cardiaques, appareils électroniques attachés au poignet ou à la poitrine, indiquent le pouls avec précision. Pour 100 $, on peut s'en procurer un.

Avant de commencer : êtes-vous en forme ?

Êtes-vous en forme ? Découvrez-le en mesurant votre niveau de récupération cardiaque – la vitesse à laquelle les battements de votre cœur reviennent à la normale après un exercice vigoureux – c'est-à-dire l'indice de son efficacité. Calculez votre temps ou faites-le calculer par un autre.

Commencez par faire trois minutes de *step-ups*. Portez des vêtements et des souliers d'exercice. Servez-vous de la dernière marche d'un escalier : montez, le pied droit d'abord et puis le gauche, et redescendez le pied droit et puis le gauche. À rythme égal, répétez sans interruption pendant trois minutes (mettez une minuterie si vous en avez besoin).

Arrêtez. Trente secondes plus tard, prenez votre pouls. Comparez le résultat avec les données du tableau (à droite). Si vous n'êtes pas en forme, commencez par le programme d'exercices pour débutants à la page 143. Mesurez vos progrès aux deux semaines en reprenant le test.

Attention : si vous avez des symptômes ou si vous présentez des facteurs de risques majeurs (comme le tabagisme, le diabète ou l'obésité), ne faites pas ce test et n'entreprenez pas de programme d'exercices, sans supervision médicale.

Gagner du terrain

L'exercice devient plus agréable quand vous constatez des progrès constants. C'est justement ce qui se produit quand vous faites des exercices plus difficiles, plus fréquents et plus longs.

L'approche la plus efficace consiste à maintenir la durée et la fréquence de vos exercices, et à en accroître graduellement la difficulté. Trente minutes de marche lente consument 85 calories, mais 30 minutes à pas rapides en brûlent 136. La dépense calorique est un bon indicateur de la dépense d'énergie. Vous brûlerez plus de calories en faisant de la bicyclette ou du jogging dans les côtes ou en réglant plus rapidement le régime de votre bicyclette stationnaire.

Votre niveau de récupération

Faites trois minutes de *step-ups* (texte à gauche), arrêtez. Après 30 secondes, prenez votre pouls. Comparez votre résultat avec le tableau pour mesurer votre forme. Répétez le test deux à quatre fois pour constater l'amélioration.

Femmes

Âge	Très en forme	En forme	Moyen	Pas en forme
30-39	<78	78-99	100-109	>109
40-49	<80	80-100	101-112	>112
50-59	<86	86-105	106-115	>115
60-69	<90	90-108	109-118	>118

Hommes

Âge	Très en forme	En forme	Moyen	Pas en forme
30-39	<84	84-105	106-122	>122
40-49	<88	88-108	109-118	>118
50-59	<92	92-113	114-123	>123
60-69	<95	95-117	118-127	>127

Comment prendre votre pouls
Trouvez votre pouls en plaçant l'index et le majeur, soit sur l'une de vos artères carotides (dans votre cou, dans l'un des sillons le long de la trachée), soit sur l'artère radiale (sur le poignet, près de la base du pouce). Si vous avez du mal à trouver ces points, essayez de monter et descendre les escaliers ou de faire du jogging pendant une minute, et puis recommencez. En vous servant d'une montre, comptez le nombre de battements sentis en 15 secondes et multipliez tout simplement ce nombre par quatre.

Astuce santé

Pour les expérimentés : tirez davantage de votre tapis roulant en lui donnant une pente de 10 %. Vous brûlerez 40 % de plus de calories.

L'entraînement par intervalles

Vous pouvez augmenter le défi et brûler plus de calories en pratiquant l'entraînement par intervalles. Pour cela, faites alterner de courtes périodes d'exercices très intenses avec des périodes plus longues d'activités au ralenti. Après 10 minutes de réchauffement, pédalez aussi vite que vous le pouvez pendant 30 secondes, puis pédalez deux minutes plus lentement, avant de reprendre le cycle. Avec l'entraînement, diminuez votre période de récupération, jusqu'à ce que les deux périodes soient égales.

L'entraînement par intervalles empêche l'ennui, c'est pourquoi l'équipement des clubs de santé propose toujours des programmes électroniques à cet effet. Les nageurs trouvent souvent plus intéressant de faire quatre longueurs rapides, de se reposer 30 secondes, et puis de reprendre une autre série de quatre longueurs que de soutenir un rythme continu. L'entraînement par intervalles stimule aussi la performance, peut-être parce qu'il habitue les muscles à travailler intensément. On a vu des cyclistes de compétition améliorer leur temps de deux minutes lors d'un essai de 40 kilomètres.

L'entraînement combiné

L'entraînement combiné vous fait pratiquer plusieurs activités. En alternant les muscles que vous faites travailler, vous aidez à prévenir les blessures de répétition, qui surviennent quand vous faites toujours travailler les mêmes muscles et les mêmes articulations. En faisant suivre deux séances de natation par trois de marche, vous combinez un exercice qui demande la force des membres supérieurs avec un qui exploite celle des membres inférieurs.

Les activités n'ont pas besoin d'être de même nature : le yoga et la course, par exemple, s'harmonisent bien parce que le yoga aide à étirer les muscles tendus par le jogging.

Quand la vie s'en mêle

La persistance est la clé du succès. Pensez à l'exercice comme à une médecine préventive. Vous n'arrêteriez pas sans raison de prendre vos médicaments, alors n'abandonnez pas l'exercice. La bonne forme physique ne dure pas sans entraînement. En quelques semaines à peine, les

Vos exercices sont-ils assez vigoureux ?

La meilleure manière d'évaluer votre conditionnement physique consiste à vérifier votre rythme cardiaque. Votre rythme cardiaque cible est le pouls que vous cherchez à atteindre lorsque vous faites de l'exercice. Le registre sécuritaire et efficace pour vous se situe entre 50 et 85 % de votre rythme cardiaque maximum – une limite que vous ne devriez jamais excéder. Pour calculer votre rythme maximum, de 220 soustrayez votre âge. Si vous avez 45 ans, votre rythme maximum estimé est de 175 battements par minute (220 moins 45). Votre rythme cible se situe entre 88 et 149 battements par minute (0,50 et 0,85 x 175). Un sédentaire devrait viser de 50 à 70 % de son rythme cardiaque maximum. Un actif devrait viser un objectif situé entre 65 et 85 % de son rythme maximum.

Âge	Rythme cardiaque visé	Rythme maximum
30	■ 95 à 142 battements/minute	190 battements/minute
35	■ 93 à 138 battements/minute	185 battements/minute
40	■ 90 à 135 battements/minute	180 battements/minute
45	■ 85 à 131 battements/minute	175 battements/minute
50	■ 85 à 127 battements/minute	170 battements/minute
55	■ 83 à 123 battements/minute	165 battements/minute
60	■ 80 à 120 battements/minute	160 battements/minute
65	■ 78 à 116 battements/minute	155 battements/minute
70	■ 75 à 113 battements/minute	150 battements/minute

Coup d'œil sur l'équipement cardiovasculaire

Ces appareils de conditionnement sont munis de programmes électroniques qui diversifient les exercices. Les modèles domestiques, plus simples, vous permettent aussi d'obtenir un bon conditionnement physique. Essayez toujours avant d'acheter et portez vos vêtements d'exercice.

Tapis roulant. Cet appareil, le plus populaire de tous, vous permet de déterminer votre rythme, depuis la marche paresseuse jusqu'au galop effréné. Il est facile et sécuritaire à utiliser. Les modèles plus coûteux incluent un dispositif de pente qui simule la montée et accroît votre dépense calorique ; ils conviennent bien aux gens qui veulent perdre du poids sans courir. Quand vous vous tenez aux poignées au lieu de laisser vos bras ballants, non seulement vous diminuez votre effort cardiovasculaire mais vous déséquilibrez votre démarche naturelle.

Bicyclette stationnaire. Elle possède un avantage sur les autres appareils d'aérobique : parce que vous vous y tenez droit, vous pouvez lire tout en faisant de l'exercice. Cependant, comme la bicyclette d'exercice supporte le poids du corps, il est difficile de brûler des calories, sauf à haute vitesse. Les bicyclettes se présentent en deux versions : la traditionnelle, très droite, et l'ergonomique, munie d'un siège baquet offrant un support lombaire. Même si les deux modèles se valent en efficacité, le modèle droit vise principalement le haut des cuisses, tandis que les autres font davantage travailler les muscles des fesses.

L'escalateur ou *stepper*. Les débutants ont du mal à le maîtriser. Cet appareil demande que vous vous teniez sur des pédales qui montent et descendent et fournissent de la résistance. Il permet un conditionnement vigoureux qui n'a rien à envier à la course. Nombre de gens utilisent mal cet appareil. Quand l'effort demandé est trop grand, ils posent les mains sur les rails, ce qui leur fait perdre l'équilibre et réduit la dépense calorique. Il vaut mieux diminuer quelque peu la résistance. Pour des trucs, voyez la page 125.

Rameur. Cet appareil peut vous donner un entraînement vigoureux. Assis sur un banc qui glisse d'avant en arrière, vous tirez sur une poignée lestée d'un poids (le niveau de résistance se règle) ; vous pliez et dépliez les jambes. Utilisé comme il se doit, le rameur vous prémunit contre les entorses lombaires ; aussi assurez-vous de connaître d'abord son fonctionnement (pour des trucs, voir la page 125.)

Elliptique de type skieur. Sur cet appareil, qui simule le ski de randonnée, vos pieds glissent sur des skis tandis que vos bras se déplacent sur des cordages ou des bâtons. Bon pour les membres supérieurs et les membres inférieurs (avec un accent mis sur les inférieurs), cet appareil peut fournir un assez bon conditionnement physique.

Elliptique. Cet appareil ressemble un peu à l'escalateur, mais les pédales se déplacent en formant un arc de cercle, créant un mouvement semblable à celui de la bicyclette stationnaire. Il vous fournit un exercice sans impact qui peut être soit facile, soit intense. Certains détestent l'impression de bouger les pieds dans le vide ou ont du mal à garder l'équilibre requis.

VOTRE STRATÉGIE SANTÉ

Pour commencer : faites vos choix

Pour stimuler votre endurance, choisissez parmi ces activités :

Pour un entraînement aérobique modéré

- Marche rapide
- Jogging (lent)
- Bicyclette
- Cours d'aérobique modérée
- Escalateur (à marche basse)
- Natation (lente)
- Cours d'aérobique en piscine
- Power yoga (yoga athlétique)
- Danse rythmée
- Escalateur ou elliptique (à faible résistance)
- Tae bo (niveau débutant de cet art martial – classe dérivée)

Pour un entraînement aérobique vigoureux

- Marche rapide en pente
- Marche forcée
- Randonnée avec sac lourd*
- Course (rapide)*
- Spinning (pédaler sans arrêt sur vélo stationnaire)
- Cours d'aérobique intensive*
- Saut à la corde
- Monter et descendre
- Escalateur (marche haute)*
- Rameur (intense)
- Ski de randonnée
- Natation (rapide)
- Course dans la piscine (avec un appareil de flottaison qui garde droit)
- Tae bo (niveau avancé)*
- Escalateur ou elliptique (à haute résistance)
- Racquetball*
- Squash*
- Ballon volant*

*Si vous éprouvez des problèmes orthopédiques, demandez l'avis de votre médecin avant d'essayer ces activités très intenses.

En bref

La marche peut aider à soulager certains des symptômes de l'ostéo-arthrite. Les arthritiques du genou qui se livrent à des exercices modérés éprouvent moins de douleurs et sont moins immobilisés que ceux qui sont inactifs.

avantages commencent à disparaître. Comme il faut beaucoup plus d'efforts pour atteindre un certain niveau de forme physique que pour la conserver, n'arrêtez jamais longtemps. Si vous ne pouvez pas vous entraîner aussi longtemps que d'habitude, essayez d'en faire au moins la moitié. Dès que vous en avez la possibilité, reprenez graduellement la durée, l'intensité et la fréquence de votre programme.

Marchez vers la forme

La marche est l'un des meilleurs exercices qui soit. Pas besoin de talent particulier ni d'équipement coûteux. C'est gratuit et puis vous pouvez en faire presque n'importe où, presque n'importe quand. Comparativement à la course, la marche est douce aux articulations et aux os. Quand vous courez, la force de chaque pied sur le sol équivaut de trois à quatre fois votre poids, ce qui accroît le risque de blessures aux genoux, aux chevilles et aux tibias. La marche produit des stress deux fois moins importants. Pour la plupart des gens, le plus grand risque est l'entorse à la cheville, une blessure qui guérit beaucoup plus vite qu'un genou endommagé ou qu'une entorse des muscles fléchisseurs des orteils. Avec l'âge d'ailleurs, nombre de coureurs deviennent des adeptes de la marche.

La marche renforce le cœur et les muscles et abaisse la pression artérielle. La densité osseuse y gagne aussi. Elle est si bonne pour vous qu'elle peut même allonger vos jours. On a récemment découvert qu'une marche rapide de 30 minutes six fois par mois peut diminuer de 50 % votre risque de mourir prématurément.

Promenade, marche rapide et marche au pas de course

La marche destinée à améliorer votre santé cardiovasculaire diffère de la promenade. Même si toutes les activités améliorent votre santé, la marche d'entraînement demande que vous vous déplaciez à un rythme qui amènera votre cœur dans la zone cible (voir page 118), un rythme suffisamment rapide pour que vous respiriez fort, mais pas au point d'en perdre le souffle.

La marche d'entraînement soulève l'enthousiasme. Il s'agit en fait de l'une des formes d'exercices les plus populaires… avec raison.

Relevez la tête et redressez les épaules.

Pliez les bras pour gagner en vitesse.

Tenez-vous droit pour éviter les entorses lombaires.

Poussez avec la jambe arrière pour donner de la force à votre démarche.

Pour vous déplacer plus vite, n'allongez pas la foulée ; faites des enjambées plus courtes, plus rapides.

ATTENTION

La plupart des experts font la même mise en garde : tenir des poids en marchant peut vous déséquilibrer, et porter des poids aux chevilles est encore plus risqué parce qu'ils altèrent votre foulée et peuvent entraîner des blessures graves.

Programme de marche de 12 semaines

Vous enregistrez votre rythme cardiaque et augmentez graduellement l'intensité. Vous pouvez comparer vos résultats à ceux de l'échelle de Borg (voir page 115). À la septième semaine, vous devriez monter et descendre des pentes ou des escaliers pour améliorer votre conditionnement physique.

Semaine	Fréquence	Réchauffement	Marche	Récupération
1	5 fois la semaine	5 minutes de marche lente	10 minutes à 50-60 % du rythme cardiaque maximum (RCM)	5 minutes de marche lente
2	5 fois la semaine	5 minutes	15 minutes à 50-60 % du RCM	5 minutes
3	5 fois la semaine	5 minutes	20 minutes à 50-60 % du RCM	5 minutes
4	5 fois la semaine	5 minutes	20 minutes à 60 % du RCM	5 minutes
5	5 fois la semaine	5 minutes	20 minutes à 60-70 % du RCM	5 minutes
6	5 fois la semaine	5 minutes	20 minutes à 60-70 % du RCM	5 minutes
7	5 fois la semaine	5 minutes	25 minutes à 60-70 % du RCM	5 minutes
8	5 fois la semaine	5 minutes	25 minutes à 70 % du RCM	5 minutes
9	5 fois la semaine	5 minutes	30 minutes à 70 % du RCM	5 minutes
10	5 fois la semaine	5 minutes	35 minutes à 70 % du RCM	5 minutes
11	3 fois la semaine	5 minutes	35 minutes à 70 % du RCM	5 minutes
	2 fois la semaine	5 minutes	30 minutes à 70 % du RCM, y compris 5 minutes de pente ou d'escalier	5 minutes
12	3 fois la semaine	5 minutes	35 minutes à 70 % du RCM	5 minutes
	2 fois la semaine	5 minutes	30 minutes à 70 % du RCM, y compris 10 minutes de pente ou d'escalier	5 minutes

Trucs de conditionnement

Des petits changements apportés à votre quotidien peuvent mettre un peu plus d'exercices dans votre vie. En voici quelques-uns.

- Jouez à la balle avec vos enfants ou vos petits-enfants.
- Annulez la livraison de votre journal préféré et marchez jusqu'au dépanneur pour l'acheter.
- Chaque jour, emmenez votre chien faire une promenade supplémentaire sur des chemins plus pentus.
- Dépoussiérez votre vélo et partez en expédition de fin de semaine dans le voisinage.

- Faites deux fois le tour du centre commercial quand vous magasinez.
- Choisissez la place de stationnement la plus éloignée et marchez.
- Plutôt que d'utiliser une voiturette, marchez lorsque vous jouez au golf.
- Passez le râteau au lieu d'utiliser un souffleur à feuilles.
- Étirez et renforcez les muscles de vos chevilles et de vos jambes lorsque vous regardez la télé. D'abord, fléchissez et étendez les pieds ; ensuite, tracez des ronds en l'air avec vos pieds, en tournant les chevilles dans un sens puis dans l'autre.

ATTENTION

Si vous souffrez d'hypertension, abstenez-vous de boire du café ou du cola avant de sortir marcher. La marche modérée élève temporairement de 12 à 18 points votre pression systolique ; la caféine peut y ajouter encore sept ou huit points.

La marche d'entraînement n'est pas aussi vite que la marche rapide. Les coureurs rapides, avec leur démarche déhanchée si inhabituelle, peuvent marcher plus vite que la majorité des joggeurs. Pour la plupart des gens qui parcourent 1 km en 10 ou 11 minutes cependant, la marche d'entraînement offre plus de confort.

Surveillez la posture

Vous savez poser un pied devant l'autre, et votre démarche convient sans doute à la marche d'entraînement. Mais comment est votre posture ? On courbe souvent l'échine en marchant, ce qui, avec le temps, peut mener à de la fatigue musculaire et à des douleurs dans le cou, la région lombaire et les hanches. En marchant, assurez-vous que votre poitrine va devant, que vous avez rentré le ventre, ce qui aide au soutien dorsal. Toutes les cinq minutes, pensez à votre posture. Vous tenez-vous droit ?

Que font vos bras pendant que vous marchez ? S'ils sont immobiles ou s'ils se balancent sans plier, vous ralentissez votre allure. Pliez plutôt les bras à un angle de 90° et balancez-les de manière synchronisée avec la jambe opposée. Non seulement ce mouvement vous semblera-t-il plus naturel, mais encore vous fera-t-il gagner en vitesse et en puissance.

Accélérez la cadence

Les gens essaient souvent de marcher plus vite en prenant de plus grandes enjambées. Ce mouvement, connu sous le nom de surenjambée, vous déséquilibre sans accélérer votre allure. Puisque la force de la démarche vient de la poussée de la jambe et du pied postérieurs, il est plus efficace de faire des pas plus rapides quand vous voulez avancer plus vite. Efforcez-vous aussi de faire bouger vos bras plus vite, cela vous aidera à faire bouger vos jambes en cadence.

Si vous n'arrivez pas à parler en marchant ou si, après l'exercice, votre pouls met plus de six minutes à reprendre son rythme normal, réduisez la cadence.

Astuce santé

Vous voulez de la compagnie ? Nombre d'associations organisent des marches partout en Amérique du Nord. Consultez le Guide des ressources à la fin pour trouver un club de marche près de chez vous.

L'aérobique sécuritaire

Vous sentez votre endurance augmenter et puis voilà que vous vous tordez une cheville et que vous vous retrouvez encore une fois devant la télé. Rien ne démolit plus vite un programme d'entraînement qu'une blessure.

Jouez de finesse. Placez-vous du côté de la sécurité avec le réchauffement. Pendant des périodes de 6 à 10 minutes, livrez-vous doucement à l'activité que vous vous apprêtez à faire pour relâcher vos muscles et les rendre moins sujets aux blessures. Protégez-vous en apprenant la bonne technique. Activité par activité, voici les problèmes aérobiques les plus courants et la manière de les éviter.

À vélo comme il faut

Quand vous faites du vélo, portez une attention particulière à la hauteur de la selle. Quand vous étirez complètement la jambe vers la pédale du bas, pied à plat, pliez légèrement le genou. Si la selle est trop basse, vous fatiguerez vos genoux. Si elle est trop haute, vous mettrez trop de pression sur la région lombaire. Quand la selle est à la bonne hauteur, vous faites travailler les muscles qu'il faut – les droits (sur le devant des cuisses) et les fessiers.

Du bon pied

Que vous marchiez ou couriez, touchez d'abord le sol du talon, puis de la plante du pied, finalement quittez le sol avec les orteils. Ce mouvement talon-plante-orteils aide à prévenir les entorses des muscles des orteils et la douleur au tibia. Quant aux activités de saut, elles demandent que l'on inverse le mouvement : orteils-plante-talon. Les souliers de sport ont été conçus de manière à absorber le choc là où le pied frappe le sol le plus directement. Les souliers pour la danse aérobique sont davantage coussinés à la plante du pied, tandis que les souliers de course sont plus coussinés au talon.

Rame, rame, rame donc

Si vous vous entraînez sur un rameur, gardez la bonne posture en maintenant les épaules et les hanches bien alignées. Évitez l'erreur commune de faire glisser le siège vers l'arrière avant de bouger les bras. Glissez plutôt vers l'arrière et tirez simultanément. Vous risqueriez de surfatiguer la région lombaire. Pour protéger vos articulations, ne barrez jamais les genoux ni les coudes.

Tenez-vous bien

Si vous utilisez un escalateur, évitez de surfatiguer vos genoux en gardant la jambe tendue légèrement pliée, les deux genoux alignés avec les orteils. Cela vous demandera sans doute de vous pencher un peu le dos vers l'arrière. Évitez aussi l'erreur fréquente de laisser les avant-bras reposer sur les montants. Cette mauvaise posture peut entraîner des épicondylites et un syndrome du canal carpien.

Un poisson dans l'eau

Prenez quelques leçons de natation. Les nouvelles techniques aident à prévenir les problèmes aux épaules et vous permettent de nager plus efficacement. Le mouvement en S (à droite) vous donne une meilleure poussée parce que vos bras poussent l'eau calme, pas le sillage agité. Comme vous le voyez ci-dessous, sauf pour respirer, gardez la tête dans l'eau ; tournez-la jusqu'à ce que votre bouche se trouve hors de l'eau. Gardez les épaules plus hautes que les genoux, secouez les jambes depuis les hanches, pas uniquement depuis les genoux. Ne courbez pas le dos.

VOTRE STRATÉGIE SANTÉ

Bâtir votre force musculaire

La musculation vous permet de rester jeune plus longtemps. Elle aide à stimuler le métabolisme, retarde la perte osseuse et vous donne plus d'énergie.

Avez-vous du mal à déplacer vos meubles ou à dévisser un couvercle ? Si c'est le cas, vous souhaitez sans doute retrouver votre force d'antan, celle dont vous n'aviez jamais douté. L'expression « grouille avant que ça rouille » nous parle justement de l'entretien des muscles : ils gagnent en force et en taille quand on les soumet à des résistances qui leur sont supérieures, mais ils perdent en force et en taille lorsqu'ils ne sont pas assez utilisés.

La masse musculaire culmine autour de 30 ans et décroît tout doucement jusqu'à 50 ans, alors que le déclin se fait beaucoup plus prononcé.

Quand vous êtes actif, le déclin est beaucoup moins prononcé. Les adultes âgés qui ont fait de l'entraînement musculaire pendant 15 années ou plus ont autant de force que des jeunes de 20 ans inactifs. Et puis, il n'est jamais trop tard pour commencer. Dans une étude réalisée à l'université Tufts, des volontaires de plus de 90 ans ont vu leur force tripler à la suite d'un programme d'entraînement musculaire de huit semaines.

Résistance progressive

Si vous souhaitez des muscles plus forts, il vous faut les entraîner un peu plus qu'à l'accoutumée ; un concept que l'on appelle le principe de surcharge. N'exagérez pas : s'il vous prenait soudain l'envie de lever votre canapé, vous chercheriez les ennuis.

Une fois que vos muscles se sont adaptés à une charge, augmentez la charge si vous souhaitez passer au niveau de force suivant. Le programme d'entraînement musculaire traditionnel veut que l'on ajoute des poids au fur et à mesure que l'on

Poids ou machines ?

Devriez-vous utiliser des poids ou des appareils de musculation ? C'est une question de choix. Chaque option a ses avantages. Les appareils sont conçus pour faire travailler certains muscles. Une fois en position, ils vous demandent peu de coordination. L'appareil soutient votre poids tandis que vous mettez en action les parties mécaniques.

Les haltères ont ceci de particulier qu'ils vous demandent d'équilibrer et d'aligner votre corps tout en vous entraînant, vous faites donc travailler plusieurs muscles en même temps. Ils ont aussi plus de versatilité. Vous pouvez faire des centaines d'exercices dans votre salon avec des poids de 2,25 à 4,5 kg, sans devoir vous rendre au gymnase.

acquiert de la force, que l'on s'exerce plus souvent, que l'on répète les mouvements plus fréquemment, ou un mélange de ces trois facteurs.

Combien? À quelle fréquence?

Pour brûler les graisses, mettre en forme les muscles existants et en bâtir de nouveaux, on recommande de faire deux ou trois fois la semaine entre deux et trois séries de 10 et 12 répétitions («reps» en vocabulaire de gym) pour chacun des groupes musculaires.

Lors des deux ou trois dernières répétitions, les muscles que vous faites travailler devraient approcher l'épuisement, signe que vous les faites suffisamment travailler. Si vous vous entraînez depuis un certain temps déjà et que vous souhaitez accroître le défi, augmentez le nombre de répétitions ou ajoutez du poids.

Accordez-vous de 40 à 75 secondes de répit entre les séries d'exercices. Votre sang se libère ainsi de l'acide lactique accumulé dans les muscles épuisés.

Pour éviter des lésions musculaires, accordez à vos muscles une journée complète de repos entre les séances de musculation. Il importe de donner aux muscles l'occasion de se refaire à la suite du stress imposé.

Gardez la bonne forme

Si vous êtes novice en musculation, il importe que vous fassiez évaluer votre forme physique. Il est facile d'adopter une mauvaise posture en faisant certains exercices; faites-la vérifier. Votre club de santé local organise peut-être des formations; sinon, engagez un entraîneur pour les premières séances.

Lorsque vous travaillez avec des poids et haltères, rappelez-vous de garder le dos droit et stable. Ne vous balancez jamais d'avant en arrière pour vous donner de l'élan. Au lieu de cela, levez et descendez les poids lentement pour que ce soient vos muscles qui fassent le travail. Efforcez-vous de n'utiliser que les muscles appelés au travail. Serrez-vous les mâchoires? Tendez-vous le cou? Vous pourriez ainsi vous occasionner des douleurs qui n'ont rien à voir avec la musculation.

Expirez toujours lorsque vous utilisez votre force pour aider vos mouvements à acquérir de la puissance. Inspirez lorsque vous vous détendez. Si vous faites des pompes, par exemple, inspirez en ramenant votre corps au sol, et expirez en tendant les bras. Ne retenez pas votre souffle; c'est là une erreur fréquente qui augmente votre pression sanguine.

Quand verrez-vous les résultats?

En moins d'un mois votre silhouette devrait changer; autrement, consultez un spécialiste pour obtenir des correctifs. Ne vous attendez pas à des résultats importants; ils surviendront dans les trois à six mois. Certains muscles acquièrent de la force plus vite que d'autres. Ainsi, les grands muscles comme ceux de la poitrine, du dos et des fesses se développent plus vite que d'autres. Ne vous inquiétez pas: vous ne deviendrez pas Monsieur Muscle non plus: il faut des heures de travail quotidien pour bâtir des muscles énormes; ils n'apparaissent pas subitement.

À mesure que se développera votre force, vos exercices deviendront plus faciles. Vous améliorerez votre métabolisme basal. Vous jouirez de ces avantages parce que vous brûlerez plus de calories à la minute en maintenant votre masse musculaire.

En quelques mots

John Jerome raconte comment il est devenu nageur de compétition à 47 ans:

«Les petites dépenses d'énergie avaient la capacité de m'affecter. Après avoir amélioré mon tonus musculaire et ma force en général, j'ai réalisé à quel point ce n'était qu'une question de forme physique. Quelle joie j'ai éprouvée quand j'ai constaté que je pouvais passer toute une journée à travailler au jardin sans me fatiguer. Je me suis senti devenir de plus en plus fort et sûr de moi.»

Renforcer vos membres inférieurs

Ces exercices renforceront vos jambes, fesses et hanches. Le poids de votre corps fournit la résistance néces-saire. Vous pourrez augmenter la résistance en fixant des poids à vos chevilles ou en vous servant de bandes élastiques de résistance. Commencez par deux à trois séries de 10 à 12 répétitions de chaque exercice.

Adduction

Adducteurs (intérieur des cuisses)

- Couché sur le côté droit, jambe gauche repliée devant vous, inté-rieur du pied gauche posé sur le sol. Sans barrer le genou, gardez la jambe droite tendue. La che-ville, le genou, la hanche et l'épaule doivent former une ligne.
- Soulevez la jambe droite aussi haut que possible sans inconfort. Restez une seconde dans cette position, et puis abaissez-la dou-cement, jusqu'à 2 cm du sol (elle ne doit pas toucher le sol avant la fin de la série). Gardez cette position et répétez.
- Changez de côté après la série.
- **Pour augmenter l'intensité** Ajoutez un poids de cheville à la jambe qui lève. Si vous avez des problèmes de genou, placez le poids au-dessus du genou.

Abduction

Abducteurs (extérieur des cuisses) et fessiers

- Couché sur le côté droit, hanche et genou droits repliés à 45°. Jambe supérieure étendue, torse droit pour éviter de surfatiguer la région lombaire.
- Levez la jambe gauche aussi haut que possible sans forcer. Restez en position une seconde, et puis abaissez-la lentement, jusqu'à ce qu'elle touche presque la jambe droite. La jambe gauche ne doit pas toucher l'autre avant la fin de la série.
- À la fin de chaque série, changez de côté.

- **Pour augmenter l'intensité** Ajoutez un poids de cheville à la jambe qui lève. Si vous avez des problèmes de genou, placez le poids au-dessus du genou.

- **Truc d'expert** Visualisez les muscles que vous faites travailler. Cela vous aide à garder la bonne posture et vous vous fiez moins aux autres muscles pour vous soutenir.

Accroupissement

Quadriceps (loge antérieure des cuisses), fessiers, muscles de la loge postérieure de la cuisse

- Debout devant une chaise, jambes légèrement écartées, pieds alignés avec les hanches. Gardez le corps droit et le menton pointé.
- Baissez légèrement les hanches comme si vous alliez vous asseoir. Juste avant que votre corps ne touche la chaise, reprenez lentement la position verticale. Gardez le dos droit, les genoux alignés avec les orteils, le poids concentré sur le milieu du pied et les talons (pas les orteils), les pieds bien à plat sur le sol.
- Si vous avez des problèmes d'équilibre ou de flexibilité, placez une planche de 1 à 2 cm d'épaisseur sous vos talons.

- **Pour augmenter l'intensité** Enlevez la chaise et descendez les hanches jusqu'à ce que vos cuisses soient parallèles au sol. Quand vous aurez gagné en force, augmentez l'intensité en tenant des haltères courts.

Fente

Quadriceps, fessiers et muscles de la loge postérieure de la cuisse

- Jambes légèrement écartées. Gardez le menton pointé tout au long de l'exercice.
- De la jambe droite faites un grand pas en avant, en posant ferme-ment votre pied sur le sol, les orteils pointés vers l'avant, légè-rement tournés vers l'intérieur. Alignez le genou droit sur le pied. Tout au long de l'exercice, gardez le dos droit et le genou aligné avec le bout du pied.
- Descendez le genou gauche jusqu'à environ 2,5 cm du sol. Pour vous relever, poussez fortement du pied droit en étirant le genou droit.
- Reprenez la position initiale et répétez l'exercice en mettant la jambe gauche en avant.
- **Pour augmenter l'intensité** Tenez des haltères courts.

Renforcer vos membres supérieurs

Ces exercices vous donneront la force de polir la voiture et déneiger l'entrée. Ils amélioreront vos performances sportives, que ce soit au golf ou au tennis. Ils s'avèrent particulièrement bénéfiques pour les femmes, dont les membres supérieurs manquent souvent de force. Commencez par des séries de 10 à 12 répétitions.

Développé de poitrine

Pectoraux (grands muscles de la poitrine), deltoïdes (épaules) et triceps (derrière le bras)

- Sur le dos, de préférence sur un banc (au sol, vos mouvements seraient limités), pieds sur le banc, genoux pliés, pour soutenir la région lombaire. Tenez une paire d'haltères courts, comme il est illustré, les paumes des mains face aux genoux.

- Expirez en poussant vers le haut, en rapprochant les haltères l'un de l'autre sans qu'ils se touchent, et en étirant presque complètement les coudes.
- Inspirez en abaissant lentement les haltères, et en inversant le mouvement. Gardez poignets et coudes alignés pendant l'exercice. Abaissez les coudes jusque sous le niveau du torse.

Enchaînement bras/haltère court

Grand dorsal (deux groupes musculaires qui relient vos épaules à vos hanches)

- Genou et main gauches appuyés sur le bord d'un banc, genou droit légèrement plié pour que votre poids se répartisse également sur les deux jambes. Un haltère court dans la main droite, bras pendant près du corps. Gardez le dos et les épaules droits pendant tout l'exercice.
- Expirez en tirant l'haltère court vers vous, et n'arrêtez votre mouvement que lorsque vous frôlez votre torse.
- Inspirez en ramenant l'haltère à sa position initiale. Changez de côté à chaque série.

Extension arrière

Triceps

- Genou et main droits posés sur un banc ou une chaise ; jambe gauche tendue derrière vous, pied gauche posé à plat sur le sol. Haltère court à la main, coude sur le côté, bras plié suivant un angle de 45°.
- Expirez en tendant le bras presque complètement. Gardez le coude collé aux côtes et ne bougez que l'avant-bras.
- Arrêtez-vous, puis inspirez en ramenant le bras à son angle original de 45°. Après chaque série de répétitions, changez de bras.

Flexion – torsion

Biceps (bras antérieur)

- Pour cet exercice, vous pouvez vous asseoir ou rester debout. Jambes légèrement écartées, pieds alignés avec les hanches, genoux un peu pliés. Une paire d'haltères courts à la main, bras étendus de chaque côté, paumes face aux jambes.
- Expirez en amenant les poids vers les épaules et en tournant graduellement les poignets face aux épaules. Fixez les coudes aux côtes pour que seuls les avant-bras bougent. Rentrez le ventre.
- Sans arrêter, inspirez en ramenant les bras dans la position originale.

Élévation latérale

Deltoïdes

- Debout, jambes légèrement écartées, pieds et hanches alignés, genoux légèrement pliés. Une paire d'haltères courts à la main, bras pendants de chaque côté, coudes légèrement pliés. Rentrez le ventre au cours de cet exercice.
- Expirez en écartant les bras jusqu'à ce qu'ils soient parallèles au sol. Poignets, coudes et épaules devraient former une ligne droite. Ne barrez pas les coudes.
- Expirez en baissant les bras, jusqu'à ce qu'ils frôlent vos cuisses.

Renforcer votre torse

Les muscles puissants de votre tronc – votre torse – équilibrent votre corps, vous permettent de vous asseoir pendant de longues périodes sans vous affaisser, ou de passer le râteau (vos bras bougent pendant que le torse fait levier). Ceux du ventre et du dos aident à prévenir les entorses dorsales et vous donnent de la force.

BON POUR VOTRE DOS

Flexion inversée

Abdominaux inférieurs, certains abdominaux supérieurs

■ Couché sur le dos sur un tapis ou un matelas, levez les jambes l'une après l'autre pour que les semelles de vos chaussures soient face au plafond. Levez légèrement la tête, glissez les mains derrière, pour soutenir le cou.

■ En expirant, contractez les muscles abdominaux pour tirer vos jambes vers l'avant, suivant un angle de 30° par rapport à votre tête. Servez-vous de vos abdominaux, pas des muscles des jambes.

■ Inspirez en détendant vos abdominaux pour ramener doucement les jambes en position de départ.

■ Faites deux séries de 15 répétitions.

BON POUR VOTRE DOS

Flexion oblique

Obliques (muscles qui parcourent en diagonale les côtés du torse)

■ Couché sur le dos, sur un matelas ou un tapis, genoux pliés. Cheville gauche sur le genou droit, bras gauche, paume en haut, tendu perpendiculairement à votre corps. Placez la paume droite sous la tête pour soutenir votre cou.

■ Expirez en soulevant le torse, jusqu'à ce que votre épaule droite s'aligne avec votre genou gauche.

■ Restez en position, puis inspirez en ramenant lentement le corps en position. La main droite ne devrait pas tirer la tête en avant, mais se contenter de la soutenir. Changez de côté.

■ Faites deux séries de 15 répétitions de chaque côté.

Flexion

Abdominaux supérieurs

- Couché sur le dos, sur un matelas ou un tapis, genoux pliés et pieds posés sur le sol, orteils pointés vers le haut pour soutenir le dos. Les deux mains derrière la tête, avec les index et les pouces qui se touchent sans se croiser. Ne tirez pas votre tête : l'effort doit venir des abdominaux, pas des bras. Tout au long de cet exercice, maintenez votre colonne lombaire au sol et évitez les mouvements brusques.
- En expirant, relevez votre tronc suivant un angle de 30°. Immobilisez-vous quelques secondes, et puis inspirez en ramenant doucement votre corps en position, sur le tapis ou le matelas.
- Faites deux séries de 15 répétitions chacune.

- **Truc d'expert**

Quand vous faites travailler un groupe de muscles, quel qu'il soit, commencez par les plus grands. Si vous commencez par les petits, ils seront trop fatigués pour soutenir les grands quand viendra leur tour de travailler. En suivant ce conseil, faites vos abdominaux dans l'ordre suivant : flexion inversée, flexion oblique, flexion.

Extension inférieure

Extenseurs lombaires

- À plat ventre sur un tapis, bras étendus de chaque côté.
- En expirant, immobilisez le corps sur le tapis et levez les jambes aussi haut que possible sans inconfort. Inspirez en ramenant vos jambes en position. Faites reposer les jambes quelques instants sur le tapis entre chaque répétition.
- Visez d'abord de 10 à 15 répétitions. Quand vos

muscles lombaires auront pris de la force, faites deux séries de 15 répétitions, séparées par un bref répit.

Extension supérieure

Extenseurs dorsaux

- À plat ventre sur un tapis, bras étendus de chaque côté.
- Expirez en soulevant légèrement le torse du sol aussi haut que possible sans inconfort.
- Inspirez en ramenant votre torse en position. Laissez reposer la poitrine quelques instants sur le tapis entre chaque répétition.
- Visez d'abord de 10 à 15 répétitions. Quand vos muscles dorsaux auront pris de la force, faites deux séries de 15 répétitions, séparées par un bref répit.

- **Pour augmenter l'intensité**

Placez les deux mains derrière la tête en faisant cet exercice.

VOTRE STRATÉGIE SANTÉ

Allonger vos limites

Pouvez-vous toucher vos orteils ? En redevenant flexible, vous vous trouverez peut-être à soulager votre dos et à éviter des blessures.

Les adultes ont tendance à perdre l'usage de certains mouvements. Ainsi, le muscle fléchisseur de la hanche et les muscles lombaires raccourcissent et déséquilibrent votre posture. Le manque de flexibilité entraîne des blessures et des raideurs douloureuses – dans le dos, le cou et les épaules.

Le stretching peut, d'une part, conserver leur souplesse à vos tendons, ligaments et articulations, et,

d'autre part, aider à soulager tension musculaire et douleur arthritique.

Tous les étirements suivants ont une efficacité particulière lorsqu'on les combine aux exercices de musculation qui font travailler la posture (pages 130 et 132-133).

Une fois le muscle étiré, gardez la position quelques secondes. Pour éviter des blessures aux muscles et aux tendons, ne faites pas d'étirements avant de vous réchauffer.

Étirer vos membres inférieurs

Pour ceux qui bougent peu, ces étirements prennent une grande importance. Faites-les au moins quatre fois.

Jambe pliée

Quadriceps
- Main gauche posée sur une chaise, genou droit plié ; tenez votre cheville de la main droite.
- Tirez doucement, pour produire un étirement sur le devant de la cuisse. Expirez en contractant les fesses et le jarret. Tenez quelques secondes, inspirez et relâchez. Changez de jambe et répétez.

En travers du genou

Abducteurs et fessiers
- Couché sur le dos, genoux pliés, pieds à plat sur le sol, mettez la cheville droite en travers du genou gauche.
- Expirez en tirant la jambe gauche vers la poitrine et entraînez la cheville droite du même coup. Au besoin, aidez-vous des bras. Gardez la position quelques secondes. Après quelques répétitions, changez de jambe.

Jambe tendue

De la loge postérieure de la cuisse
- Sur le dos, genoux pliés, pieds à plat sur le sol, étirez la jambe gauche vers le haut presque jusqu'à la verticale.
- Les deux mains derrière la cuisse, expirez en tirant la jambe vers la poitrine jusqu'à sentir l'étirement dans la loge postérieure. Gardez la position quelques secondes.
- Inspirez en ramenant la jambe. Changez de jambe après quelques reprises.

Étirer vos membres supérieurs

Ces étirements font du bien ; ils sont faciles à faire, n'importe quand, n'importe où. Cherchez à les faire deux ou trois fois par semaine. Ils devraient occasionner une impression de tension, pas de douleur.

Derrière le cou

Triceps et deltoïdes
- Debout ou assis, coude droit replié. Attrapez le coude de la main gauche et placez la main droite vers l'omoplate gauche.
- Tirez sur le coude droit jusqu'à ce que vous sentiez un étirement le long du bras. Le mouvement n'a que fort peu d'amplitude. Après deux ou trois répétitions, changez de bras et recommencez.

Bras tendus

Biceps
- Debout, bras gauche étendu, paume en l'air. De la main droite, attrapez votre paume.
- Expirez en poussant doucement sur la paume. Faites plier votre poignet vers l'arrière jusqu'à ce que vous sentiez un étirement à l'intérieur du coude gauche. Gardez la position, puis relâchez. Le mouvement n'a que fort peu d'amplitude. Après deux ou trois répétitions, changez de bras et recommencez.

Main au mur

Pectoraux et deltoïdes
- Bras gauche vers l'arrière, coude un peu plié, paume contre le mur.
- Coude toujours plié, expirez en tournant peu à peu vers la droite jusqu'à sentir un étirement en travers de l'épaule et dans la poitrine. Maintenez, puis relâchez. Répétez et changez de bras.

Bras étendus

Grand dorsal, trapèze (muscle triangulaire dans le haut du dos) et deltoïdes
- Debout ou assis, bras étendus devant vous. Attrapez le poignet gauche de la main droite.
- Tirez votre bras gauche vers la droite, en travers de la poitrine. Maintenez puis relâchez. Après plusieurs répétitions, changez de bras.

Étirer votre tronc

Faites les étirements du tronc avant (deux fois chaque exercice) et après (de trois à cinq fois chaque exercice) chacune de vos séances d'entraînement.

BON POUR VOTRE DOS

Étreinte des genoux

Région lombaire

- Sur le dos, genoux pliés et pieds à plat sur le sol.
- Expirez en vous servant de vos abdominaux et de vos hanches pour lever les genoux vers la poitrine. Entourez les genoux de vos bras, paumes posées sur les coudes. Utilisez les bras pour tirer vos genoux plus près de la poitrine.
- Maintenez de deux à trois secondes et relâchez les jambes en redescendant lentement les pieds au sol. Répétez.
- Pour augmenter cet étirement, tendez le menton vers les genoux lorsque vous les ramenez sur la poitrine.

BON POUR VOTRE DOS

Cobra (tractions)

Abdominaux et région lombaire

- À plat ventre, mains près des épaules, paumes sur le sol.
- Expirez en redressant les bras pour soulever le torse. Gardez les coudes collés au corps, les hanches et les membres inférieurs détendus déposés au sol.
- Arrêtez-vous dès que vous sentez un tiraillement dans le bas du dos ou à la taille. Restez en position deux secondes avant de ramener le tronc dans la position originale. Répétez.

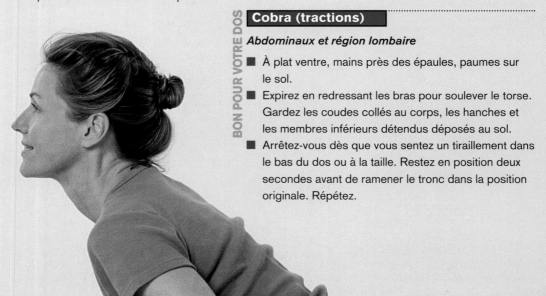

Torsion latérale

Groupes musculaires latéraux, depuis l'extérieur des cuisses et des hanches jusqu'à la région lombaire

■ Sur le dos, bras étendus de chaque côté, genoux pliés, pieds à plat sur le sol.

■ Expirez en abaissant lentement les deux jambes sur la gauche tout en gardant les genoux collés et pliés. De la main gauche, poussez doucement sur la jambe droite jusqu'à ressentir un étirement important du côté droit.

■ Inspirez en relevant les jambes pour les ramener à la verticale. Répétez de deux à quatre fois et changez de côté.

■ Pour intensifier cet étirement, placez la jambe supérieure légèrement en avant en abaissant les jambes.

Dos de chat

Région dorsale et lombaire, colonne vertébrale

■ À genoux, dos droit.

■ Expirez en poussant votre dos vers le haut et votre tête vers le bas jusqu'à ce que vous voyiez votre abdomen. Gardez la position quelques secondes.

■ Inspirez en abaissant lentement le dos jusqu'à ce qu'il soit fortement arqué mais sans inconfort, tout en relevant la tête vers le plafond. Répétez.

Pour améliorer votre flexibilité

● Natation
● Taï chi
● Yoga
● Escrime
● Ballet et danse moderne
● Cours et entraînement Pilates (technique d'abord conçue pour les danseurs, maintenant disponible en vidéo et dans les clubs de santé)
● Cours de conditionnement physique avec stretching
　● Cours offerts par le YMCA
　● Technique Nadeau (technique de gymnastique douce)

Questions d'équilibre

Les enfants rebondissent, pas les adultes. Pour éviter les chutes, il est temps d'affiner votre sens de l'équilibre.

Le sens de l'équilibre a tendance à diminuer avec l'âge. C'est un problème grave, puisque de nombreuses morts accidentelles chez les personnes âgées sont imputables aux chutes causées par un déséquilibre.

Votre capacité de garder l'équilibre relève, jusqu'à un certain point, de votre force. Vous ne pouvez pas rester longtemps en équilibre sur une jambe si elle est faible. Ainsi, en devenant plus fort, vous aurez plus de chances de rester debout.

Les exercices de musculation et de flexibilité peuvent vous aider à garder équilibre et coordination (voir page 128 à 137). À mesure que vous prenez de l'âge, il devient de plus en plus important de pratiquer des exercices destinés à améliorer votre sens de l'équilibre.

Exercices essentiels

Voici trois exercices conçus pour vous donner un meilleur équilibre. Faites vos exercices d'équilibre pieds nus sur un plancher qui ne glisse pas pour vous permettre de développer les muscles du pied.

Lever jambe postérieure

- Debout derrière une chaise, pieds écartés de 15 cm, main posée légèrement sur le dossier, genoux un peu pliés.
- Faites passer votre poids sur la jambe droite et penchez-vous légèrement en avant en repoussant doucement votre jambe gauche vers l'arrière (photo du haut), et en resserrant les muscles fessiers de la droite. Gardez la posture une seconde avant de reprendre votre position initiale.
- Répétez avec la jambe droite. Faites alterner les jambes de 10 à 15 fois.
- **Pour augmenter l'intensité** Gardez la jambe en arrière plus longtemps, répétez plus souvent de chaque côté et retirez votre main du dossier de la chaise.

Lever jambe pliée

- Debout derrière une chaise, pieds écartés de 15 cm, bout des doigts posés légèrement sur le dossier de la chaise, genoux légèrement pliés.
- Faites passer votre poids sur la jambe droite et élevez lentement le genou gauche vers votre taille (photo du bas), en fléchissant le genou et la hanche. Gardez la position une seconde avant d'abaisser la jambe.
- Répétez avec la jambe droite. Faites alterner ainsi les jambes de 10 à 15 fois.
- **Pour augmenter l'intensité** Gardez la jambe levée plus longtemps, augmentez graduellement le nombre de répétitions et retirez votre main du dossier de la chaise.

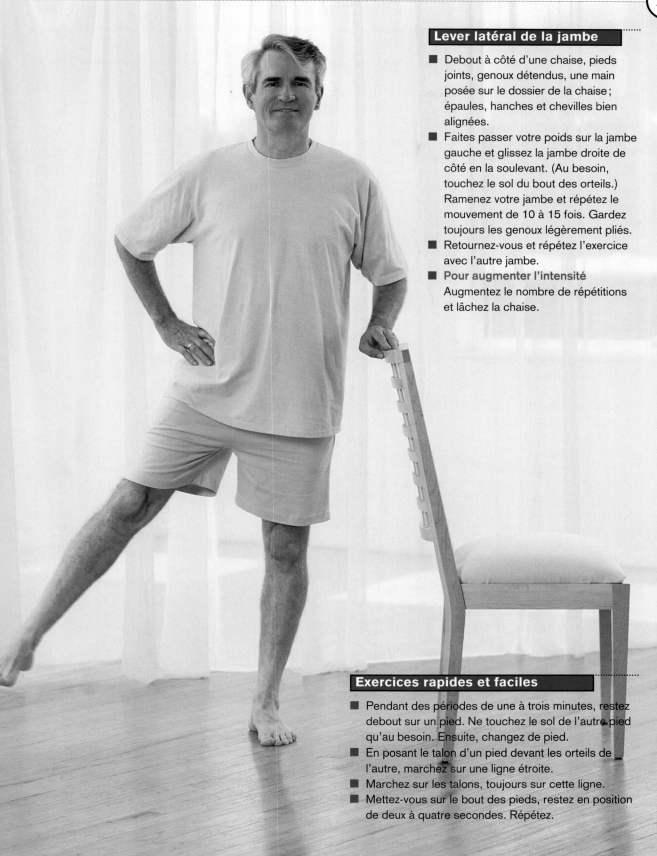

Lever latéral de la jambe

- Debout à côté d'une chaise, pieds joints, genoux détendus, une main posée sur le dossier de la chaise ; épaules, hanches et chevilles bien alignées.
- Faites passer votre poids sur la jambe gauche et glissez la jambe droite de côté en la soulevant. (Au besoin, touchez le sol du bout des orteils.) Ramenez votre jambe et répétez le mouvement de 10 à 15 fois. Gardez toujours les genoux légèrement pliés.
- Retournez-vous et répétez l'exercice avec l'autre jambe.
- **Pour augmenter l'intensité** Augmentez le nombre de répétitions et lâchez la chaise.

Exercices rapides et faciles

- Pendant des périodes de une à trois minutes, restez debout sur un pied. Ne touchez le sol de l'autre pied qu'au besoin. Ensuite, changez de pied.
- En posant le talon d'un pied devant les orteils de l'autre, marchez sur une ligne étroite.
- Marchez sur les talons, toujours sur cette ligne.
- Mettez-vous sur le bout des pieds, restez en position de deux à quatre secondes. Répétez.

Améliorer votre équilibre

Pour un meilleur équilibre, essayez le yoga! Les postures suivantes ne font pas que bonifier l'équilibre, elles améliorent aussi la concentration, la coordination et la force. Pendant chaque posture, respirez profondément, lentement et régulièrement. Gardez la pose 15 secondes, sans inconfort. Relâchez, changez de côté, répétez.

L'arbre

- Debout, épaules détendues, dos droit, mains en position de prière sur le cœur, pieds distants l'un de l'autre de 15 cm.
- Pliez le genou gauche et placez le pied gauche sur la jambe droite aussi haut que possible sans inconfort.
- Levez les bras au-dessus de la tête, dépliez les coudes.

Le bâton

- Debout, épaules détendues, dos droit, bras sur les côtés, pieds écartés de 15 cm.
- Levez les bras au-dessus de la tête, près de vos oreilles, mains jointes et index pointés, l'un contre l'autre.
- Levez la jambe droite lentement, en passant devant le pied gauche. Faites pivoter la hanche, en gardant les bras, le dos et la jambe droite alignés. À la fin du mouvement, cette ligne devrait être parallèle au sol.

Le guerrier I et II

- Debout, épaules détendues, pieds écartés de 15 cm.
- Paumes face à face, levez les bras au-dessus de la tête.
- En pliant le genou pour l'aligner avec la cheville, avancez la jambe gauche d'un mètre. Redressez le genou droit et ramenez le talon au sol.
- Pour le guerrier II, abaissez les bras parallèlement au sol et regardez droit devant vous.

Le triangle

- Debout, épaules détendues, dos droit, pieds écartés de 15 cm.
- Du pied gauche, avancez d'environ un mètre et levez les bras à hauteur d'épaules. Étirez les bras et penchez à gauche.
- Placez la main gauche sur le genou, levez le bras droit au-dessus de la tête, en gardant les épaules alignées.
- Faites glisser la main gauche vers la cheville, pointez la main droite vers le haut en faisant suivre votre regard.

Entraînement avancé pour améliorer l'équilibre

Vous cherchez un entraînement à l'équilibre plus avancé ? Pensez à acheter un appareil qui vous force à utiliser vos « neutralisateurs » et vos « stabilisateurs », des petits muscles servant à l'équilibre et souvent négligés par l'entraînement aérobique et la musculation. Les deux premiers appareils font travailler les muscles du tronc et les deux derniers, ceux du torse et des jambes.

1. **Ballon d'équilibre.** Assoyez-vous ou appuyez-vous sur ce ballon de plage géant.
2. **Rouleau de mousse.** Servez-vous de ce rouleau pendant les exercices au sol.
3. **Planche à bascule.** Placez cette planche sur un rouleau spécial et tenez-vous dessus tout en faisant vos exercices.
4. **Coussin d'air.** Servez-vous-en pour bonifier les exercices debout.

Pour retrouver la forme

Le meilleur moyen d'implanter une nouvelle habitude consiste à la mettre en pratique pendant trois semaines consécutives, sans faillir.

Vous êtes novice en ce domaine ? Ne vous découragez pas. Des bénéfices importants vous attendent. Si vous n'avez pas fait d'exercice depuis un bout de temps, la moindre activité physique fera une différence. Ainsi, 20 minutes de bicyclette stationnaire peuvent abaisser votre niveau de stress pendant deux heures. Une séance de musculation légère peut réduire le stress, la colère et la fatigue pendant trois heures. Après quelques semaines seulement, vous verrez vos muscles gagner en force et votre vigueur s'améliorer. Vous pourrez même mieux dormir.

Programme débutant en 6 semaines

Pour suivre le programme pour débutants tracé en page 143, commencez par exercer votre endurance cardiovasculaire avec une marche rapide ou de la bicyclette stationnaire sans résistance. Faites un réchauffement et une détente avant et après chaque exercice en vous livrant à la même activité à rythme lent pendant quelques minutes. Dès la troisième semaine, ajoutez deux séances de musculation, en faisant deux ou trois exercices parmi ceux des pages 128 à 133. Vous pouvez les faire après votre entraînement à l'endurance ou un jour sur deux. Après chacune des séances, étirez les muscles que vous venez de faire travailler. Donnez-vous deux jours de congé par semaine. Vous pouvez en rester là ou passer au stade suivant.

Programme intermédiaire

Lorsque vous aurez atteint le niveau intermédiaire, faites des séances d'entraînement cardiovasculaire et de

---

Vidéos d'exercice

Les vidéos d'exercice ajoutent de la variété à vos séances et vous aident à garder votre motivation.

- Josée Lavigueur, *La santé par l'étirement,* vidéocassette d'exercices de réchauffement d'une durée de 20 minutes ; des mouvements lents pour préparer le corps et les articulations aux exercices. La vidéocassette comprend des étirements debout et au sol, et des exercices de relaxation.
- Josée Lavigueur, *Aérobie 101*, d'une durée de 50 minutes ; la vidéocassette vise à améliorer la capacité cardiorespiratoire, la flexibilité, la posture, la masse et le tonus musculaires.
- Jacques Gauthier et Dorothée Lavoie, *Stretching*, une vidéo de 35 minutes comprenant 15 exercices d'étirement. Jacques Gauthier est un ancien para-

plégique condamné par la médecine et guéri par le stretching.
- FADOQ – Montréal, *VIActive*, une vidéo présentant les 300 mouvements du programme destiné au troisième âge ; elle comprend les huit premières parties du programme à trois intensités différentes.
- Marie-France Sauvé, *Aérobie, exercices de raffermissement.* Marie-France Sauvé enseigne la méthode Nautilus de conditionnement physique. Ses exercices sont à la portée de tout le monde.
- Colette Maher, *Rajeunir par la technique Nadeau,* exercices de gymnastique douce qui procurent un massage des organes vitaux et favorisent la circulation de l'énergie dans le corps ; améliorent le sommeil et la vitalité.

musculation de 30 minutes. Ajoutez à vos séances de musculation jusqu'à quatre séries de chacun des exercices décrits aux pages 128 à 133 et en incorporant des exercices davantage adaptés à vos besoins. Au fur et à mesure que vous vous renforcez, augmentez les poids.

À la cinquième semaine, ajoutez de l'intensité à votre entraînement à l'endurance en gravissant des pentes, en intégrant de la résistance à vos exercices stationnaires, ou en nageant plus vite. Il est aussi temps d'entreprendre l'entraînement combiné (page 118) avec une autre activité.

Combinez exercices aérobiques et musculation ou faites-les séparément. Commencez par un réchauffement et finissez par une détente musculaire avec cinq minutes d'étirements. Accordez-vous deux jours de repos par semaine.

Le vent dans les voiles : programme avancé

Le programme avancé présuppose que vous vous sentez à l'aise avec les séances d'exercices aérobiques et de musculation. Il ne reste qu'à augmenter la cadence de votre entraînement.

À la deuxième semaine, vous commencez à faire trois périodes de musculation. À la sixième semaine, vos séances de musculation passent à 40 minutes. Vos exercices aérobiques se maintiennent au rythme de trois séances de 30 minutes, mais l'intensité augmente à la cinquième semaine avec l'ajout de l'entraînement par intervalles (page 118). Commencez par un réchauffement et finissez par une détente musculaire avec cinq minutes d'étirements. N'oubliez pas : permettez à vos muscles de se reposer une journée par semaine.

Remise en forme en 6 semaines

Peu importe votre forme physique, vous pourrez trouver un programme d'exercices qui vous convient. Pendant les exercices d'endurance, visez votre rythme cible (page 118).

	Sem.	Type d'exercice	Fréquence	Durée
DÉBUTANT	1	Endurance	2-3 fois par semaine	15 minutes
	2	Endurance	2-3 fois par semaine	20 minutes
	3	Endurance Musculation	2-3 fois par semaine 2 fois par semaine	20 minutes 15 minutes
	4,5	Endurance Musculation	3 fois par semaine 2 fois par semaine	20 minutes 15 minutes
	6	Endurance Musculation	3 fois par semaine 2 fois par semaine	20 minutes 20 minutes
INTERMÉDIAIRE	1	Endurance Musculation	3 fois par semaine 2 fois par semaine	20 minutes 20 minutes
	2	Endurance Musculation	3 fois par semaine 2 fois par semaine	25 minutes 20 minutes
	3	Endurance Musculation	3 fois par semaine 2 fois par semaine	30 minutes 20 minutes
	4,5	Endurance Musculation	3 fois par semaine 2 fois par semaine	30 minutes 25 minutes
	6	Endurance avec intensité accrue Musculation	3 fois par semaine 2 fois par semaine	30 minutes 30 minutes
AVANCÉ	1	Endurance Musculation	3 fois par semaine 2 fois par semaine	30 minutes 30 minutes
	2,3	Endurance Musculation	3 fois par semaine 3 fois par semaine	30 minutes 30 minutes
	4	Endurance Musculation	3 fois par semaine 3 fois par semaine	30 minutes 35 minutes
	5	Endurance Musculation	3 fois par semaine (une ou deux fois avec entraînement par intervalles) 3 fois par semaine	30 minutes 35 minutes
	6	Endurance Musculation	3 fois par semaine (une ou deux fois avec entraînement par intervalles) 3 fois par semaine	30 minutes 40 minutes

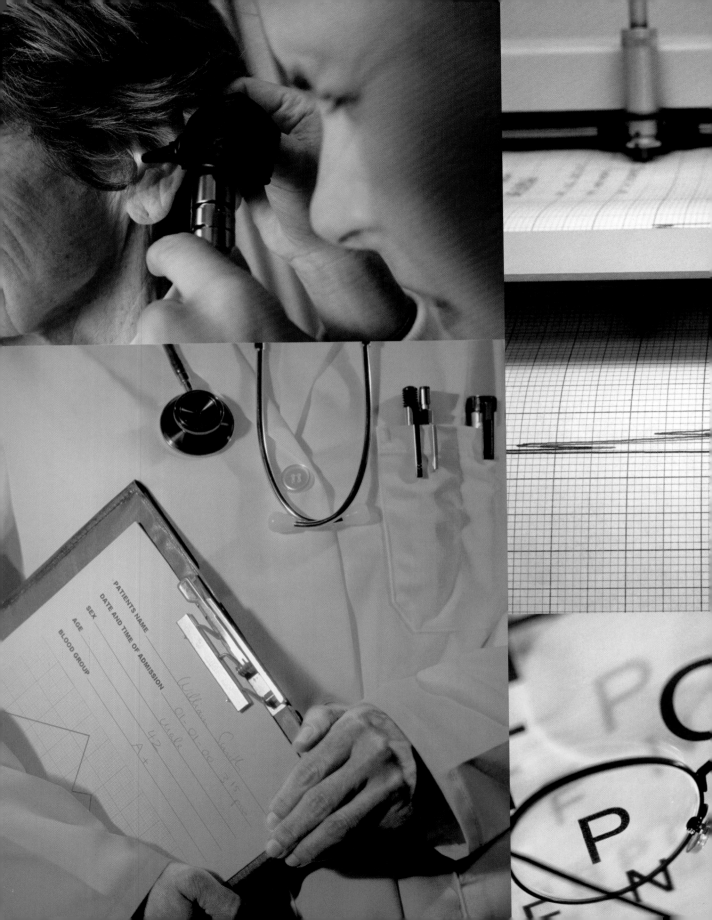

PATIENTS NAME

DATE AND TIME OF ADMISSION

SEX

AGE

BLOOD GROUP

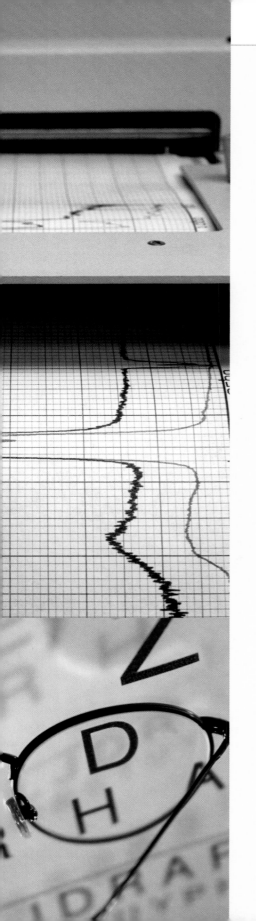

CHAPITRE 5

DES EXAMENS MÉDICAUX ESSENTIELS

146 Pour un dépistage précoce

150 Dentition, vue et audition

152 Examens cardiovasculaires

154 Dépistage du cancer

160 Trois autres tests importants

Pour un dépistage précoce

Le dépistage
précoce
est un cadeau
de la science
moderne.
Profitez-en !
Il en va peut-être
de votre vie.

« Ça n'arrive qu'aux autres. » Vantardise d'adolescent? Non, c'est malheureusement l'état d'esprit de bien des adultes qui négligent les examens médicaux qui pourraient leur sauver la vie. Des milliers de gens qui meurent chaque année auraient pu être sauvés si leur maladie avait été dépistée à temps.

En quelques chiffres :

- En l'an 2000, le cancer de la prostate reste le plus fréquent chez les Canadiens. À partir de 1994, le nombre de nouveaux cas de cancer de la prostate a commencé à décroître grâce à l'utilisation de techniques de dépistage précoce comme le test de dépistage de l'antigène prostatique spécifique APS.

- D'après la Société canadienne du cancer, le nombre de cas nouveaux de cancer du côlon et le taux de mortalité due à ce cancer continuent à diminuer. Il semblerait qu'une modification des comportements en soit la cause, du régime en particulier. Le dépistage peut avoir contribué à la diminution de la mortalité.

- En trois décennies, le taux de mortalité due au cancer du col utérin a diminué régulièrement au

Astuce santé

Faites d'une pierre deux coups : lors de votre prochaine visite de routine chez votre médecin, demandez une analyse de sang pour l'APS ou un test thyroïdien ; cela vous évitera une autre visite.

Fini l'examen clinique complet. Les médecins procèdent maintenant à des tests préventifs périodiques en fonction de votre âge et de vos antécédents.

Canada, en partie grâce à la pratique du test Pap.

- Des essais contrôlés indiquent que l'on peut espérer 30 % de réduction de la mortalité due au cancer

Une dose de prévention

La vaccination n'est pas réservée aux enfants. Le guide d'immunisation de Santé Canada recommande, surtout aux personnes de plus de 65 ans, certains vaccins contre quelques maladies infectieuses qui peuvent devenir graves.

Vaccin	Quand	Pourquoi	Où
Rappel tétanos-diphtérie	■ Tous les dix ans (c'est à dire : 25, 35, 45, 55, 65 ans, etc.).	■ Le tétanos est une maladie infectieuse aiguë du système nerveux causée par un micro-organisme. Quoique rare, elle touche les plus de 60 ans dans 60 % des cas.	■ Chez votre médecin, dans un CLSC ou l'hôpital de votre région.
Grippe	■ Chaque année (pour tout le monde en Ontario ; dans les autres provinces, pour les plus de 65 ans ou les groupes à risques).	■ Plus de 90 % des décès dus à la grippe surviennent chez les personnes âgées. Le vaccin diminue la virulence de la maladie.	■ Chez votre médecin, dans un CLSC ou à l'hôpital de votre région.
Pneumonie	■ Une fois, à 65 ans. Rappels uniquement pour les personnes à risques, les receveurs d'organes ou les personnes souffrant d'insuffisance rénale.	■ Au Canada, quelque 6000 personnes meurent chaque année de pneumonie, surtout chez les gens âgés.	■ Chez votre médecin, dans un CLSC ou l'hôpital de votre région.
Hépatite B	■ N'importe quand, surtout si vous êtes actif sexuellement, si vous vivez avec un porteur ou si votre métier vous expose (personnel médical, par exemple).	■ L'hépatite B entraîne une maladie aiguë grave, et dans 10 % des cas, en devenant chronique, l'infection entraîne le blocage du foie.	■ Chez votre médecin, dans un CLSC ou l'hôpital de votre région.
Varicelle – coqueluche	■ Dès que vous apprenez que vous n'avez pas eu la varicelle ; nous n'y sommes pas toujours exposés. Une analyse de sang pour rechercher les anticorps de la varicelle vous renseignera.	■ La coqueluche, éprouvante pour les enfants, est réellement dangereuse pour les adultes, et peut entraîner : fièvres élevées, inflammation cérébrale et endommagement du système nerveux.	■ Chez votre médecin, dans un CLSC ou l'hôpital de votre région.

du sein chez les femmes de 50 à 69 ans dont au moins 70 % passent un examen tous les deux ans. N'ayez pas peur de ce que votre docteur va trouver : il est bien plus inquiétant de découvrir une maladie lorsqu'il est trop tard. N'attendez pas la recommandation de votre médecin, suggérez un examen surtout lorsqu'une maladie particulière affecte votre famille.

Astuce santé

Avez-vous tendance à oublier des examens importants (frottis de Pap, examen de la peau) ? Prenez vos rendez-vous d'avance, pour les cinq années à venir, à une date facile à retenir, celle d'un anniversaire par exemple. On a souvent tendance à «oublier» de prendre un rendez-vous, alors qu'on respecte habituellement un rendez-vous déjà pris.

Des examens appropriés

Le corps médical estime que l'examen annuel complet, avec prises de sang et d'urine, durant lequel vous regardez le plafond pendant que votre médecin tapote et tripote votre corps, est superflu. Dans les années 1970, le gouvernement canadien a fait évaluer les examens médicaux de routine. Il recommande désormais des examens personnalisés adaptés aux besoins de chacun, sans radiographie ni électrocardiogramme superflus. Des études scientifiques ont prouvé que ces examens n'étaient pas une mesure de prévention efficace.

Des adultes en bonne santé de 40 à 65 ans n'ont pas besoin d'un examen complet. Une visite de routine annuelle ou tous les deux à trois ans suffit. Quant aux personnes de 65 ans et plus, un examen annuel est recommandé. Une visite de routine doit comprendre vos examens habituels, une mammographie par exemple. Votre médecin doit s'informer de vos facteurs de risques quant à certaines maladies et envisager avec vous un changement de mode de vie.

Le vaccin contre la grippe ?

Voici la vérité vraie :

MYTHE : Le vaccin antigrippe est inefficace.

FAIT : Le vaccin est efficace de 70 à 90 %. Vous éviterez peut-être la grippe, mais pourquoi courir un risque ? Chaque année, elle fait 75 000 victimes, dont 500 à 1500 décès, directement ou par complications. C'est pourquoi Santé Canada encourage les personnes de plus de 65 ans à se faire vacciner chaque année.

MYTHE : Le vaccin donne la grippe.

FAIT : Le vaccin contient un virus désactivé. Vous aurez peut-être un peu mal au bras et quelques douleurs musculaires ou même un peu de fièvre.

MYTHE : Le renouvellement annuel n'est pas nécessaire.

FAIT : Chaque année, la souche de la grippe varie. Il faut refaire le vaccin. Le Laboratoire de lutte contre la maladie (LLCM) et d'autres organismes prévoient la souche active et fabriquent un nouveau vaccin.

Préparez votre visite chez le médecin

Selon *Consumer Reports*, le patient moyen passe environ 18 minutes avec son médecin pendant une visite de routine, examens appropriés inclus. Pour rentabiliser cette visite :

- **Informez votre docteur des médicaments, suppléments et autres potions que vous prenez.** Informez-le aussi des autres intervenants sur votre santé : spécialistes ou praticiens alternatifs.

- **Soyez honnête et ouvert.** N'hésitez pas à aborder les sujets délicats. Si vous n'osez pas révéler un symptôme, le médecin risque une erreur de diagnostic.

- **Posez des questions.** Si vous ne comprenez pas tout ce que dit le médecin, demandez-lui une explication simple. Il peut vous donner des articles ou des brochures sur ces sujets.

- **Prenez des notes.** Prenez note des conseils du médecin. Écrivez le nom exact des suppléments ou des médicaments en vente libre qu'il vous recommande. Demandez-lui des références s'il vous conseille de maigrir, de faire de l'exercice ou de cesser de fumer. Notez aussi les effets secondaires possibles des tests et des vaccins que vous subissez.

Les examens importants : votre rappel en un clin d'œil

Photocopiez ce tableau et affichez-le sur la porte de votre réfrigérateur ou dans un autre endroit visible. Reportez la date de votre dernier examen dans la dernière colonne

Fréquence	Examen	Pour qui ?	Dates
Une fois par mois	Autoexamen des seins	Femme	_____
	Autoexamen des testicules	Homme	_____
	Autoexamen de la peau	Femme et homme	_____
2 fois par an	Examen dentaire	Femme et homme	_____
Annuellement	Tension ■	Femme et homme	_____
	Cholestérol ■■	Femme et homme	_____
	Test Pap et pelvien ■■■	Femme	_____
	Examen clinique des seins	Femme	_____
	Mammographie ■■■■	Femme 50 ans et +	_____
	Toucher rectal	H/F 50 ans et +	_____
	Antigène prostatique spécifique ■■■■■	Homme 50 ans et +	_____
	Recherche de sang (occulte) ■■■■■■ dans les selles	H/F 50 ans et +	_____
	Examen de la peau	H/F, parlez-en à votre médecin	_____
Tous les 3 ans	Glycémie à jeun ■■■■■■■	H/F 45 ans et +	_____
Tous les 3 à 5 ans	Test de thyrotrophine (TSH)	H/F 50 ans et + si présence de symptômes	_____
Tous les 5 ans	Sigmoïdoscopie souple ■■■■■■	H/F 50 ans et +	_____
Tous les 10 ans	Colonoscopie ■■■■■■	H/F 50 ans et +	_____
Au moins 1 fois	Électrocardiogramme	H/F après 40 ans	_____
En fonction des facteurs de risques	Test de densité osseuse ■■■■■■■■	H/F	_____

■ 1 an sur 2 à partir de 20 ans, et à chaque visite chez le médecin.

■■ Hommes : entre 35-40 ans ; femmes : à 40 ans. Faites un examen précoce en cas d'antécédent familial ou autre facteur de risque, la fumée par exemple. Si votre taux de cholestérol est normal, un examen aux 5 ans suffit.

■■■ Chaque année ou tous les 3 ans après 2 examens consécutifs normaux. Voyez avec votre médecin.

■■■■ Beaucoup plus tôt pour les femmes à risques. Parlez-en à votre médecin.

■■■■■ Pour hommes ayant des antécédents familiaux de cancer de la prostate ou des symptômes, faites l'examen plus tôt.

■■■■■■ Faites l'examen plus tôt en cas d'antécédents ou de facteurs de risque. Parlez-en à votre médecin.

■■■■■■■ Chaque année si vous êtes obèse, ou avez un taux de cholestérol élevé, ou des antécédents familiaux de diabète.

■■■■■■■■ Demandez à votre médecin quand vous devez commencer les examens de densité osseuse.

Dentition, vue et audition

Après 35 ans, environ trois personnes sur quatre souffrent d'une affection gingivale, parfois sans même le savoir. Des brossages réguliers, l'usage de la soie dentaire et un détartrage professionnel peuvent vous aider à prévenir des problèmes de santé.

En bref

Des études récentes montrent qu'une radiographie dentaire panoramique peut détecter plus qu'une simple affection gingivale. En effet, elle peut révéler d'éventuels blocages dans les artères du cou, ce qui indiquerait un risque de crise cardiaque.

L'examen dentaire

L'âge affecte les dents et la bouche de plusieurs manières : la production de salive, liquide protecteur naturel des dents, diminue, laissant la part belle aux bactéries responsables des caries. Les dents perdent leur blancheur et leur satiné. Les vieux plombages risquent de casser. Mais le plus grave ennui dentaire lié à l'âge est celui des gencives, ou parodontal, cause principale de la perte de toutes les dents chez 30 % des personnes de plus de 65 ans. Des soins dentaires réguliers permettent un dépistage précoce.

Pour qui ? L'Association dentaire canadienne recommande une visite chez le dentiste tous les six mois pour vérifier la santé de vos dents et de vos gencives.

Comment ? Le dentiste examine votre bouche non seulement pour y déceler caries et fêlures, mais aussi les excroissances et les ulcères de la langue, du palais et des muqueuses des joues et des gencives. Certains dentistes utilisent maintenant des vidéos intra-orales, minuscules caméras placées dans la bouche qui projettent des images agrandies sur écran couleur. On utilise toujours cependant la radiographie, en particulier sous les gencives. Votre dentiste utilisera peut-être aussi une sonde métallique pour mesurer la profondeur de vos poches gingivales, pour une détection précoce des problèmes possibles.

Les résultats. Votre dentiste vous conseillera les mesures à prendre en fonction de ce qu'il aura découvert (rebouchages, couronnes, extractions, dévitalisation). Il vous conseillera d'utiliser régulièrement la soie dentaire et un bain de bouche antiseptique. Il vous enverra peut-être chez un parodontiste ou un chirurgien-dentiste si une maladie affecte vos gencives.

L'examen des yeux

Après 40 ans, presque tout le monde souffre de presbytie. Si vous lisez beaucoup ou que votre activité exige une vision rapprochée, vous aurez probablement besoin de lunettes. Les problèmes oculaires liés au vieillissement – glaucome, cataracte, dégénérescence maculaire – s'installent

Surveillez vos yeux ! Si vous avez 65 ans ou plus, vous devez consulter un optométriste chaque année.

graduellement. Les examens réguliers des yeux permettent un dépistage précoce des problèmes.

Pour qui? L'Association canadienne des optométristes recommande une visite annuelle ou tous les deux ans entre 20 et 64 ans et annuelle à partir de 65 ans. Vous devrez y aller plus souvent si vous portez des lentilles cornéennes, ou souffrez d'une maladie oculaire spécifique ou de diabète.

Comment? L'optométriste examine l'apparence de votre œil, pour détecter tout gonflement ou infection, puis il vérifie votre rétine à l'aide d'un ophtalmoscope (petite lumière dirigée sur votre pupille) et l'état de vos vaisseaux sanguins. Il se peut qu'il vous administre un collyre pour dilater les pupilles. L'examen des yeux doit toujours inclure un test de glaucome, augmentation dangereuse de la pression à l'intérieur de l'œil. L'examen est pratiqué à l'aide d'un tonomètre, qui mesure la pression dans l'œil.

Les résultats. Si un médecin ou un optométriste détecte un problème sérieux, vous consulterez un ophtalmologue, spécialiste du diagnostic et du traitement des maladies des yeux.

L'examen de l'ouïe

Une personne sur trois a des problèmes auditifs après 65 ans, la presbyacousie en est la première cause. C'est une détérioration progressive des structures qui transportent les ondes sonores dans l'oreille.

Pour qui? Il n'existe aucune recommandation officielle concernant la fréquence des tests auditifs. Si vous avez du mal à suivre une conversation ou si vous augmentez le son de la radio et de la télévision, passez un examen auditif.

Comment? Un examen auditif complet se déroule généralement en cabine insonorisée. Vous devez identifier quelle oreille reçoit, par l'intermédiaire d'écouteurs, des sons de différentes fréquences et volumes. On peut aussi vous faire écouter et répéter des séries de mots diversement timbrées.

Les résultats. Un résultat sous la normale peut n'être dû qu'à un excédent de cérumen ou à une légère infection de l'oreille moyenne, deux troubles faciles à soigner. Sinon, votre médecin vous recommandera de consulter un oto-rhino-laryngologiste, spécialiste de l'oreille, du nez et de la gorge.

Au début, la perte d'acuité auditive peut se limiter aux hautes fréquences. Les consonnes peuvent se confondre, rendant difficile la distinction entre «dent» et «temps».

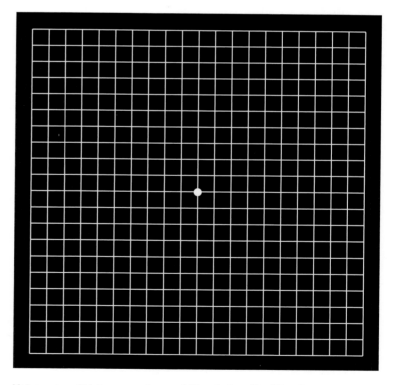

Votre optométriste se servira peut-être de la grille d'Amsler, ci-dessus, pour détecter les symptômes de dégénérescence maculaire. 1. Tenez la grille à environ 30 cm de vos yeux. 2. Cachez votre œil gauche et testez le droit. Répétez la procédure en cachant l'œil droit. 3. Regardez le point au centre. 4. Si vous apercevez des vagues, des distorsions ou des points aveugles, consultez votre ophtalmologue.

Examens cardiovasculaires

La tension

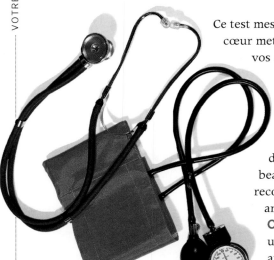

Les Canadiens d'ascendance africaine, les personnes obèses et les diabétiques doivent prendre leur tension régulièrement.

Ce test mesure la force que votre cœur met à pomper le sang dans vos artères. C'est un acte de routine.

Pour qui ? Il faut prendre sa tension une fois tous les deux ans à partir de l'âge de 20 ans. Après 65 ans, beaucoup de médecins recommandent un test annuel.

Comment ? On place un bracelet gonflable autour de votre bras. On le gonfle jusqu'à ce qu'il serre votre bras (pour arrêter l'arrivée de sang). Puis on le laisse se dégonfler en écoutant avec un stéthoscope placé sous le bracelet les battements de votre cœur.

Les résultats. La tension est représentée par deux nombres : 130/85, par exemple. Le premier nombre, appelé mesure systolique, indique la pression d'un battement de votre cœur, le deuxième nombre, appelé mesure diastolique, la pression entre deux battements. La tension varie au cours de la journée. Ne vous affolez pas en cas d'une mesure élevée ; votre médecin fera une moyenne en plusieurs prises plus représentatives.

Idéalement, le premier nombre devrait se situer aux alentours de 120 et le deuxième, entre 70 et 80. Vous êtes dans la tranche « normale » si votre premier nombre varie de 120 à 129 et le deuxième, de 80 à 84. La « normale-élevée » se situe entre 130 et 139 et entre 85 et 89. Une tension de 140/90 est une tension élevée qui peut affaiblir vos artères et augmenter vos risques de crise cardiaque et d'accident cérébrovasculaire. On appelle hypotension toute mesure significativement inférieure à 120/70. Rien de grave tant que vous n'éprouvez ni évanouissement ni vertige.

Pour de meilleurs résultats

Pour obtenir une mesure fiable de votre tension et de votre taux de cholestérol, suivez ces conseils :

La tension

● Ne prenez pas votre tension après une crise de nerfs, elle sera plus élevée.

● Ne prenez pas votre tension après une cigarette, une tasse de café ou d'alcool ou un gros repas.

● Ne parlez pas, ne mâchez pas et ne croisez pas les jambes pendant l'examen.

● Videz votre vessie, asseyez-vous confortablement et restez calme. L'angoisse causée par l'environne-ment médical, appelée « syndrome de la blouse blanche », peut entraîner une augmentation temporaire de la tension. Décontractez-vous toujours au moins 5 minutes avant une prise de tension.

Le cholestérol

● Si possible, détendez-vous 5 à 15 minutes avant le test. Restez assis, de préférence.

● Ne faites pas d'efforts importants la veille du test et n'absorbez pas d'alcool pendant 2 jours : cela augmenterait momentanément vos niveaux de HDL.

L'examen du cholestérol

Ce test mesure les gras dans le sang. L'un d'eux, le cholestérol, est une production naturelle du foie pour renforcer les membranes cellulaires et certaines hormones. Sa surproduction peut former des caillots, facteurs de risques d'infarctus et d'accident cérébrovasculaire.

Pour qui ? On recommande un premier test pour les hommes âgés de 35 à 40 ans et pour les femmes à partir de 40 ans. Si votre taux de cholestérol est normal, on vous suggérera de passer un test tous les cinq ans. Si vous présentez un taux de cholestérol élevé ou d'autres facteurs de risques cardiaques (voir page 356), vous devez subir un test annuellement.

Comment ce test se déroule-t-il ? On analyse une goutte de sang prélevée au bout du doigt.

Les résultats. Un taux de cholestérol inférieur à 5,2 mmol/l est acceptable ; 5,2 à 6,2 mmol/l est un taux légèrement élevé ; 6,2 mmol/l est un taux élevé. La mesure des lipoprotéines HDL et LDL rendra compte plus précisément des risques cardiaques. L'un de ces facteurs ou leur combinaison, un résultat représentant un niveau total de cholestérol élevé, niveau LDL élevé, niveau HDL faible, sont des alertes cardiaques. La mesure acceptable de LDL est de 3,4 mmol/l ; la mesure acceptable de HDL est de 0,9 mmol/l.

On considère comme normal un niveau de triglycérides de moins de 2,3 mmol/l ; au-dessus, votre mode de vie et votre régime doivent changer. La prise d'un médicament peut aussi être nécessaire. Lorsque l'on détecte des mesures élevées, cela peut indiquer une maladie coronaire ou un diabète insoupçonné.

L'électrocardiogramme (ECG)

C'est une représentation graphique des battements de votre cœur. On le passe en cas de risque cardiaque, pour vérifier l'efficacité d'un médicament ou évaluer l'état du cœur après un infarctus.

Pour qui ? On recommande un ECG de référence pour les personnes de plus de 40 ans présentant plus de deux facteurs de risques cardiaques (voir page 356) ou celles qui entament un programme d'exercice physique après une longue période de sédentarité.

Comment ? Allongé (ECG couché) ou debout sur un tapis roulant (mesure du stress), vous êtes relié à des petites électrodes de métal fixées à votre poitrine et parfois à vos poignets et chevilles. Les électrodes transmettent l'activité de votre cœur à une machine.

Les résultats. L'examen dépiste toute anormalité de rythme ou autre dommage (séquelles d'une crise), inflammation ou gonflement.

En bref

Une image par résonance magnétique (IRM) peut être plus précise qu'un ECG debout. On injecte dans le sang une forme d'adrénaline qui fait augmenter le rythme cardiaque, comme si vous couriez sur le tapis roulant. L'IRM reproduit une image du cœur et des vaisseaux coronaires en faisant apparaître les blocages.

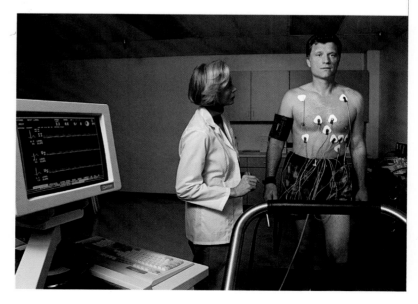

On reconnaît les séquelles d'une crise cardiaque lors d'un ECG debout. Contre-indiqué en cas de tension incontrôlable.

Dépistage du cancer

La mammographie

Le risque de cancer du sein augmente avec l'âge ; la fréquence des mammographies, elle, diminue. Une étude indique que 50 % des femmes âgées de 75 à 85 ans n'en ont jamais passé.

Si vous craignez les radiations, examinez ces chiffres : le traitement du cancer du sein par irradiation bombarde un sujet de plusieurs milliers de rads (unité d'énergie des radiations). Une mammographie tous les deux ans, entre 50 et 69 ans, équivaut à une irradiation totale de deux rads.

Pour qui ? La Société canadienne du cancer recommande une mammographie tous les deux ans pour les femmes de 50 à 69 ans ainsi qu'un examen de la poitrine. Les femmes à risques plus élevés peuvent augmenter la fréquence des mammographies.

Comment ? Une technicienne place vos seins entre deux pièces de métal de l'appareil de radiographie. La poitrine est comprimée quelques secondes et l'on prend une vue de haut et une vue latérale. La compression est un peu désagréable et vos seins restent douloureux pendant quelques minutes. Certains médecins utilisent maintenant des mammographies numériques, qui offrent une image plus claire, que l'on peut classer électroniquement et régler en cas de surexposition ou sous-exposition. L'IRM, ou imagerie par résonance magnétique, est un outil récent qui peut être associé à la mammographie pour détecter des tumeurs chez des femmes aux seins plantureux ou celles qui portent des implants.

Les résultats. En cas de taches blanches ou de masses suspectes, on fait une biopsie. (Votre médecin vous indiquera un spécialiste qui prélèvera un échantillon en vue d'un examen approfondi.)

Le test Pap

Depuis sa mise au point, le test de Papanicolaou (Pap), frottis du col de l'utérus, reste la meilleure façon de dépister un cancer utérin.

Pour qui ? La Société canadienne du cancer recommande que toutes les femmes qui ont une vie sexuelle active passent cet examen, quel que soit leur âge. Des tests Pap réguliers sont nécessaires même si vous n'êtes plus sexuellement active. Si vous avez subi une ablation de l'utérus, demandez à votre médecin si vous avez besoin d'un test Pap et à quelle fréquence.

Il est surprenant qu'un aussi grand nombre de Canadiennes ne se

La meilleure mammographie

Si vous avez encore vos règles, passez une mammographie au milieu du cycle, quand votre poitrine est moins sensible. Évitez la caféine pendant une semaine avant l'examen, car elle a tendance à stimuler les fibroses. N'appliquez ni déodorant ni poudre le jour de l'examen, des résidus risquant de troubler la lecture de la radiographie.

L'autoexamen des seins

Presque 80 % des cancers du sein sont dépistés grâce aux autoexamens. Faites un examen chaque mois, une semaine après la fin de vos règles. Si vous êtes ménopausée ou si vos règles sont irrégulières, faites l'examen à la même date chaque mois.

Comment?

- Allongez-vous, glissez un oreiller sous votre épaule droite et repliez le bras droit derrière la tête. (Peut se faire aussi sous la douche ou dans le bain.)
- Appuyez fortement sur votre sein droit avec les doigts de votre main gauche en faisant un cercle du centre vers l'extérieur ou de haut en bas, de manière à couvrir toute la surface du sein.
- Glissez l'oreiller sous votre épaule gauche, repliez votre bras gauche derrière votre tête et vérifiez votre sein gauche avec votre main droite.
- Debout devant un miroir, mains sur les hanches, puis levées au-dessus de la tête, examinez vos seins pour détecter toute bosse, peau d'orange, fossette ou modification du mamelon. Pressez légèrement le bout de chaque sein pour vérifier qu'il ne s'écoule pas de liquide.

Si vous sentez une grosseur, pas de panique, ce n'est pas nécessairement une tumeur. C'est peut-être seulement une fibrose non cancéreuse, un durcissement des fibres musculaires ou un kyste bénin (poche de liquide parfois douloureuse). Consultez votre médecin.

En quelques mots

Sharyn Lenhart, docteur en médecine et ancienne présidente de l'Association médicale des femmes américaines, a déclaré devant le Parlement américain : « La majorité des cancers de l'utérus peut être évitée. Les deux tiers affectent des femmes qui n'ont jamais subi d'examens. »

⚠ ATTENTION

Quoique rare, le cancer du sein existe chez les hommes aussi. Une bosse indolore, un ulcère de la peau et des modifications du mamelon, rétractation ou décharge parfois sanguinolente, en sont quelques symptômes.

soumettent pas au test Pap régulièrement. Dans une étude récente, 15 % des femmes déclaraient ne jamais l'avoir passé et environ 30 % n'en avaient pas subi depuis trois ans. En 2000, 430 décès sur 1450 cas dépistés étaient dus au cancer du col de l'utérus au Canada.

Comment ? Le gynécologue insère un spéculum (outil métallique) dans le vagin puis fait un prélèvement de cellules du col de l'utérus et du canal endocervical à l'aide d'un tampon. Déposé sur une plaquette de verre, l'échantillon est envoyé en analyse.

Les résultats du test Pap ne sont pas toujours fiables. Il est bon de le répéter tous les six mois en cas d'incertitude. Si nécessaire, votre médecin vous conseillera une colposcopie qui lui donne une image agrandie du col de l'utérus et qui lui permet de prélever un échantillon pour analyse complémentaire. Il existe cependant maintenant un nouveau test du virus HPV (papillomavirus), qui permet d'éviter l'attente pendant des mois. Si le résultat du test est positif, vous pouvez passer directement à une colposcopie puis à une biopsie. Cela économise six mois d'attente. Le coût du test HPV n'est probablement pas couvert par votre assurance provinciale ou nationale. Il peut l'être par une assurance complémentaire.

Les résultats. Un test Pap positif ne signifie pas nécessairement le cancer. Une dysplasie légère, ou modifications cellulaires non cancéreuses de la fine pellicule recouvrant l'utérus pouvant évoluer en cancer, est ainsi dépistée suffisamment tôt et tout rentre dans l'ordre. Une dysplasie aiguë affecte presque toute l'épaisseur de l'épithélium. Elle indique la dernière étape de la prolifération de cellules précancéreuses. Les deux cas doivent faire l'objet d'un suivi régulier. En cas de soupçon d'une tumeur maligne, votre médecin procédera à une colposcopie.

Testez vos testicules

L'autoexamen des testicules est aux hommes ce que l'autoexamen des seins est aux femmes. C'est un excellent moyen de se familiariser avec son corps en vue du dépistage précoce de toute modification. Il faut le faire chaque mois. Le cancer des testicules affecte surtout les hommes de 20 à 25 ans, mais les symptômes n'apparaissent parfois que lorsque le cancer a atteint les ganglions lymphatiques et les poumons. Il est souhaitable que les hommes plus âgés s'examinent aussi.

Comment ?
- Examinez chaque testicule séparément à l'aide de vos deux mains. Placez les index et les majeurs dessous et vos pouces dessus.
- Faites rouler doucement chaque testicule entre vos doigts. La peau doit être lisse et élastique.

Faites attention à toute modification de forme, taille ou grain, et à la présence éventuelle de boules dures de la taille d'un petit pois.
- Vérifiez aussi que votre pénis n'a ni bosse ni ulcère.

Si vous avez un doute, consultez votre médecin. Il peut détecter la grosseur aux ultrasons et sa cause. Des grosseurs douloureuses ou des testicules enflés peuvent être le signe d'un cancer. L'inflammation peut également être causée par une infection urinaire ou une congestion sanguine au scrotum, après une blessure. Des petits ulcères sur les testicules ou le pénis peuvent révéler un cancer dermique ou, plus souvent, des maladies sexuellement transmissibles : l'herpès, la syphilis ou HPV, qui produit des verrues génitales.

Le toucher rectal

Pratiqué manuellement, c'est une méthode rapide et peu coûteuse de repérer des anormalités de l'anus ou du rectum. On le pratique chez les hommes pour dépister des nodules ou un gonflement de la prostate ; chez les femmes, pour dépister des excroissances sur l'utérus ou la vessie.

Pour qui ? Toute personne de plus de 50 ans, chaque année.

Comment ? Le médecin examine d'abord la peau autour de l'anus, puis à l'aide d'un doigt recouvert d'un gant lubrifié, il tâte à la recherche d'excroissances anormales ou de signes d'inflammation.

Les résultats. Un rectum ou un anus enflés peuvent signifier la présence d'hémorroïdes. Des écoulements, des abcès, des inflammations peuvent être le signe d'une infection à soigner avec des antibiotiques ou une chirurgie. Une grosseur peut être un signe de cancer. Chez les hommes, le médecin peut demander une recherche de l'antigène spécifique de la prostate (voir l'encadré ASP en haut à droite). Si l'examen rectal et l'ASP laissent un doute sur la présence d'un cancer, votre médecin vous conseillera peut-être des radiographies et des examens du sang et de l'urine ou un ultrason. L'analyse d'un prélèvement peut s'avérer nécessaire.

Le cancer colorectal

C'est le troisième parmi les plus courants des cancers chez les hommes et les femmes et le deuxième parmi les causes de décès par cancer. C'est l'un des plus faciles à traiter quand on le dépiste tôt. Le taux de guérison est de plus de 90 %. Le Canada s'apprête à mettre au point un programme de

dépistage massif. En attendant, la Société canadienne du cancer recommande que toute personne de 50 à 75 ans se fasse examiner par son médecin. Les personnes qui ont une prédisposition génétique au cancer colorectal peuvent demander un examen plus tôt.

Le test hémoccult

L'hémoccult est l'un des plus importants examens de dépistage du cancer du côlon. Il détecte la présence cachée (occulte) de sang dans les selles. Les résultats d'une étude récente publiée par The National Cancer Institute indiquent que les personnes qui passent cet examen chaque année diminuent leurs risques de décès par le cancer du côlon de 33 % et celles qui le passent tous les deux ans, de 21 %.

Pour qui ? À partir de 50 ans, parlez-en à votre médecin, et plus tôt en cas d'antécédent familial.

Comment ? Votre médecin prélèvera un échantillon de matières fécales pendant le toucher rectal ou vous remettra le nécessaire pour que vous

---

Que vaut le test de l'ASP ?

En 1997, le cancer de la prostate a entraîné le décès de 3600 hommes, la plupart âgés de plus de 70 ans (l'occurrence de ce cancer est rare chez les moins de 50 ans). Les hommes affectés par le cancer de la prostate ont tous des niveaux élevés d'antigène spécifique de la prostate (ASP), cette substance étrangère que les défenses immunitaires identifient. Un gonflement de la prostate entraîne également une augmentation des taux d'antigènes, c'est pourquoi le test de l'ASP est sujet à controverse. Dans trois cas sur quatre, le test donne un faux résultat positif.

Certains médecins recommandent le test de l'ASP annuellement pour les hommes de plus de 50 ans ; d'autres le recommandent à ceux qui font partie d'un groupe à risques ; d'autres, enfin, ne le recommandent qu'à ceux qui ont déjà souffert d'un cancer de la prostate et reçu un traitement à cet effet. Consultez votre médecin à ce sujet.

En quelques mots

« Certains trouvent que les examens des matières fécales, sigmoïdoscopies flexibles et colonoscopies, ne sont pas très attrayants. Ils le sont toujours plus que la maladie ! Je suis heureuse que Medicare (l'assurance sociale aux États-Unis) prenne en charge les dépistages du cancer du côlon pour les gens de 65 ans et plus. Il nous faut convaincre les personnes âgées d'en profiter. Si Charles Shultz, par exemple, avait passé ces examens, nous ririons encore de ses adorables Peanuts. »

– Katie Couric, devant le Sénat des États-Unis, comité spécial sur le vieillissement.

En bref

Un dépistage précoce permet de mieux traiter le cancer colorectal. Le traitement est plus efficace avant que la maladie ne se propage.

puissiez préparer un échantillon chez vous. En général, il faut des échantillons de trois selles différentes. Pour des résultats fiables, ne donnez pas d'échantillons durant vos règles ou en cas d'hémorroïdes ouvertes. Trois jours avant le test, limitez votre consommation d'alcool et évitez les navets, le raifort, les betteraves, les agrumes et la viande rouge. Évitez les médicaments qui irritent l'estomac comme l'aspirine.

Les résultats. Du sang dans les selles peut être un signe de cancer avec ou sans polypes, excroissances en forme de champignon sur les parois intestinales. Des examens supplémentaires, sigmoïdoscopie flexible ou colonoscopie, sont nécessaires.

La sigmoïdoscopie flexible

Le médecin introduit un tube long et flexible dans le premier tiers du côlon, siège de 65 % des excroissances cancéreuses.

Pour qui ? À partir de 50 ans, parlez-en à votre médecin ; s'il y a des antécédents de cancer colorectal ou autre maladie intestinale dans votre famille, prévoyez l'examen plus tôt.

Comment ? Il faudra vous astreindre à un régime liquide léger pendant 12 à 24 heures avant l'examen et faire un lavement le matin. Au cours de l'examen, vous serez couché sur le côté, genoux repliés, pendant que le médecin introduit le sigmoïdoscope dans le rectum et le côlon inférieur. L'examen dure entre 10 et 20 minutes, il est quasiment indolore. Vous ressentirez peut-être une légère pression et des crampes mineures au moment de l'introduction, et des gaz et ballonnements pendant quelques heures après.

Les résultats. Cet examen permet de diagnostiquer la plupart des ennuis intestinaux : hémorroïdes, inflammations, infections ou cancer. Votre médecin enverra un échantillon pour une analyse en laboratoire s'il trouve une grosseur anormale.

La colonoscopie

Similaire à la sigmoïdoscopie, cet examen se pratique avec un tube plus long pour vérifier toute la longueur du côlon. On le pratique généralement chez les personnes à risques ou celles qui ont obtenu des résultats positifs au test d'hémoccult ou à la sigmoïdoscopie.

Pour qui ? Parlez-en à votre médecin à partir de 50 ans, ou plus tôt s'il y a des antécédents de cancer colorectal ou autre maladie intestinale dans votre famille.

Comment ? L'examen est précédé d'un jeûne liquide de 48 heures.

Un autre examen du côlon

Le lavement au baryum à double contraste est un autre test de dépistage du cancer. Auparavant, vous prenez un laxatif et vous vous administrez un lavement. Durant l'examen, on introduit du sulfate de baryum dans l'anus ; c'est une matière crayeuse imperméable aux rayons X. Vous changez de position jusqu'à ce que le baryum passe dans le côlon, puis on prend une radiographie. Le baryum apparaît en blanc et révèle les contours, les polypes, les tumeurs ou toute autre anomalie.

Vous absorbez une solution laxative la veille au soir et vous vous administrez un lavement le matin. Sous perfusion analgésique et sédative, vous pourrez apercevoir les images de votre côlon sur un moniteur lorsque le médecin aura introduit le colonoscope. L'examen dure de 30 à 60 minutes. Vous aurez besoin de vous reposer une heure ou deux jusqu'à ce que l'effet des sédatifs s'estompe.

Certains médecins utilisent maintenant la tomographie CT virtuelle du côlon pour dépister les tumeurs. Cette méthode est moins inconfortable, sans sédatifs et ne dure que 10 minutes environ. On gonfle le côlon propre à l'aide d'un tube introduit dans le rectum. Vous devez retenir votre respiration pendant le passage du scanner CT qui transmet des images numériques de toute la longueur du côlon. Les résultats sont fiables à 90 %, mais en cas de diagnostic positif, le test est suivi d'une coloscopie normale de toute façon.

Les résultats. Le médecin peut enlever d'éventuels polypes (excroissances bénignes) pendant l'examen en introduisant un outil dans le colonoscope. Pour une biopsie, il prélève un échantillon avec un autre outil.

Les examens de la peau

Il y a 40 ans, on ne savait pas que le soleil pouvait causer des cancers de la peau. Beaucoup de quinquagénaires et leurs parents payent actuellement la facture des longues séances de bronzage sans protection solaire. Encore aujourd'hui, 50 % des Canadiens ne se protègent pas correctement du soleil. Cette année, environ 68 000 Canadiens révéleront un cancer dermique sans mélanome. Un examen dermatologique permet de le dépister avant qu'il ne se propage.

Pour qui ? Toute personne fréquemment exposée au soleil, surtout si elle fait partie d'une population à risques (peaux claires, cheveux clairs, taches de rousseur, antécédents familiaux). Si vous avez plus de 40 ans, inspectez votre peau chaque mois et faites faire une vérification par un dermatologue au moins une fois par an.

Comment ? Faites attention aux points suivants :
- Ulcères ou blessures qui ne cicatrisent pas en 6 semaines
- Grosseur ou excroissance avec saignements persistants
- Toute excroissance dermique douteuse : brillante, ferme ou protubérante (surtout celle qui semble avoir grossi depuis le dernier examen)
- Rougeurs ou squames de la peau avec démangeaisons et qui ne semblent pas cicatriser
- Tout grain de beauté sensible ou avec démangeaisons, changement de taille, de couleur ou de forme

Examinez tous vos grains de beauté selon la méthode **ABCD** :
- **A**symétrie : les deux moitiés ne sont pas identiques
- **B**ordure irrégulière : le périmètre est fractionné
- **C**ouleur : la couleur n'est pas uniforme
- **D**iamètre : il fait plus de 6 mm (¹/₄ po)

Regardez-vous dans un miroir en pied, en tenant un autre miroir à la main. Vérifiez votre cuir chevelu en séparant vos cheveux à l'aide d'un séchoir électrique.

Les résultats. Si vous avez des soupçons, prenez rendez-vous avec un dermatologue. Il procédera à un examen en profondeur.

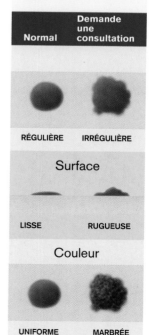

Vérification des grains de beauté

Si vos grains de beauté ressemblent à ceux de la colonne de gauche, il n'y a sans doute pas de danger ; s'ils ressemblent à ceux de la colonne de droite, prenez rendez-vous chez un dermatologue dès que possible.

Normal	Demande une consultation
RÉGULIÈRE	IRRÉGULIÈRE

Surface

LISSE	RUGUEUSE

Couleur

UNIFORME	MARBRÉE

Trois autres tests importants

En bref

Après la ménopause, 50 % des Nord-Américaines sont victimes de fractures dues à l'ostéoporose.

Le dépistage précoce permettant un traitement rapide de l'ostéoporose et de l'ostéopénie (diminution de la densité osseuse) est maintenant possible grâce aux tests d'ostéodensitométrie (DMO).

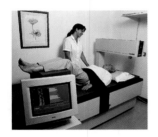

L'ostéodensitométrie

La Société de l'ostéoporose du Canada recense 1,4 million de Canadiens atteint d'ostéoporose. Le coût annuel du traitement de la maladie et des fractures est estimé à 1,3 milliard. L'ostéoporose peut frapper à n'importe quel âge et n'est pas toujours dépistée. La maladie peut progresser lentement et seul un examen peut en rendre compte. Avant d'être diagnostiquée, l'ostéoporose peut causer bien des dommages au cours d'exercices ou après une chute suivie de fracture, ou si un tassement de vertèbres est déjà installé.

Pour qui ? Aucune cause spécifique n'a été précisée pour l'ostéoporose ; cependant, il existe des facteurs de risques. La Société de l'ostéoporose ; du Canada a établi une liste (voir colonne de droite) qui vous permet d'évaluer les risques qui s'appliquent à votre cas. Demandez à votre médecin un test d'ostéodensitométrie, surtout si vous êtes concerné

par au moins quatre des facteurs ci-dessous.

Facteurs de risques communs
Certains facteurs augmentent les risques d'ostéoporose, mais des personnes peuvent développer de l'ostéoporose malgré l'absence de ces facteurs. Vos risques sont plus grands si vous :
- êtes une femme
- avez 50 ans ou plus
- êtes ménopausée
- avez souffert de carence d'hormones sexuelles pendant une longue période
- avez subi une ablation des ovaires ou une ménopause précoce, avant 45 ans
- n'assimilez pas assez de calcium
- êtes peu exposée au soleil ou ne consommez pas assez de vitamine D
- avez déjà eu une fracture mineure
- ne faites pas assez d'exercice
- avez des antécédents familiaux d'ostéoporose
- êtes mince, avec de petits os
- êtes d'origine caucasienne ou asiatique
- fumez
- absorbez de la caféine (plus de trois tasses par jour de café, thé ou cola)
- buvez de l'alcool (plus de deux verres par jour)
- prenez des médicaments pendant de longues périodes ou à hautes doses (corticostéroïdes, anticonvulsifs, hormones thyroïdiennes, désacidifiants à base d'aluminium)

Comment ? Les deux tests de densitométrie les plus communs sont

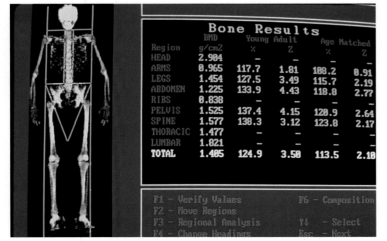

Region	BMD g/cm2	Young Adult %	Z	Age Matched %	Z
HEAD	2.904	–	–	–	–
ARMS	0.965	117.7	1.81	108.2	0.91
LEGS	1.454	127.5	3.49	115.7	2.19
ABDOMEN	1.225	133.9	4.43	118.8	2.77
RIBS	0.838	–	–	–	–
PELVIS	1.525	137.4	4.15	120.9	2.64
SPINE	1.577	138.3	3.12	123.8	2.17
THORACIC	1.477	–	–	–	–
LUMBAR	1.821	–	–	–	–
TOTAL	**1.405**	**124.9**	**3.50**	**113.5**	**2.10**

F1 – Verify Values   F6 – Composition
F2 – Move Regions
F3 – Regional Analysis   ↑↓ – Select
F4 – Change Headings   Esc – Next

l'absorptiométrie double énergie à rayons X (ADEX) et l'échographie. Le test ADEX est le plus fiable pour le diagnostic et le choix du traitement. On examine, grâce à une petite dose de radiations, la densité osseuse de la colonne vertébrale, de la hanche ou du poignet. L'échographie n'utilise pas de radiations mais des ondes sonores, généralement aux poignets ou aux talons.

Les résultats. Si une échographie révèle l'ostéoporose, le médecin conseille un test ADEX. Celui-ci compare votre masse osseuse à la norme. L'ostéopénie est révélée par un indice de -1 à -2,5. Au-delà de -2,5, il s'agit d'ostéoporose. Au-dessus de -1, la masse osseuse est saine.

Test de stimulation thyroïdienne

Les experts évaluent à environ 1 million le nombre de Canadiens ayant un problème de glande thyroïde, petite glande située près de la trachée, juste sous la peau du cou. Elle sécrète une hormone, la thyroxine, qui aide à contrôler la croissance, le métabolisme, la digestion et la température corporelle. Malgré la simplicité des tests de dépistage, les problèmes thyroïdiens restent souvent insoupçonnés.

Pour qui? Il n'y a pas de règle spécifique à ce sujet au Canada. Les experts conseillent cependant aux femmes de 65 ans et plus de passer l'examen tous les trois à cinq ans et aux hommes de 65 ans et plus de le faire régulièrement.

Comment? Vous devrez vous abstenir de prendre des médicaments qui peuvent affecter les résultats 24 heures avant l'examen: aspirine, corticostéroïdes, vitamines et

Des tests médicaux à portée de la main

Il existe maintenant des examens médicaux que l'on peut pratiquer à la maison. Vendus en pharmacie, ils offrent des résultats fiables sans visite médicale. Sans remplacer l'expertise du médecin, ils peuvent vous mettre la puce à l'oreille et vous motiver à prendre rendez-vous, ne serait-ce que pour interpréter les résultats et envisager les mesures à prendre. Vérifiez la date d'expiration de ces produits, elle affecte la fiabilité des résultats.

Pour la tension:
Il en existe trois: les unités anéroïdes (en association à un stéthoscope), les moniteurs électroniques à inflation manuelle et les moniteurs électroniques à inflation électronique. Certains s'appliquent autour du bras, d'autres au doigt ou au poignet. Les résultats prennent de deux à cinq minutes. Les prix varient de 60$ pour un équipement de base à 175$ pour des modèles plus sophistiqués.

Pour le cholestérol:
Vous piquez votre doigt et vous remplissez un petit réservoir situé sur un appareil qui ressemble à un thermomètre. Vous comparez ensuite les résultats affichés aux normes gouvernementales. Le test prend environ 15 minutes; il mesure le taux global de cholestérol mais ne fait pas la distinction entre le bon cholestérol (HDL) et le mauvais cholestérol (LDL). Coût: environ 30$.

Pour le sucre:
Vous piquez votre doigt et vous déposez une goutte de sang sur une bande à réactif chimique que vous placez ensuite dans un lecteur qui vous donne votre taux de glucose. Les prix varient de 34$ à 115$ pour l'achat de l'équipement (c'est un investissement qui durera toute la vie!) et les bandes jetables valent environ 1$ l'unité. Il existe d'autres tests moins onéreux du glucose à partir de l'urine. Ces test s'avèrent cependant moins fiables que ceux faits à partir d'une analyse de sang. Vous trempez une bande dans l'urine et obtenez le résultat (selon la couleur de la bande) en 90 secondes.

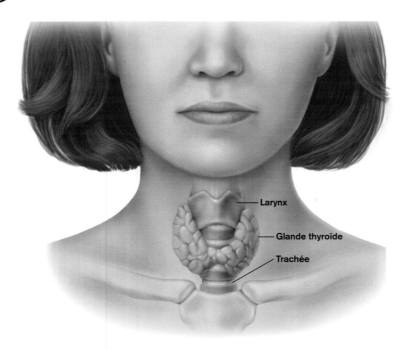

Larynx

Glande thyroïde

Trachée

La glande thyroïde produit une hormone en réaction à une autre, appelée l'hormone de stimulation thyroïdienne (TSH), sécrétée par l'hypophyse.

En quelques mots

« Le diabète peut s'installer sournoisement au cours des années. C'est une maladie grave et de plus en plus de gens en souffrent », déclare Jo Ann Manson, endocrinologue à l'hôpital des femmes Brigham de Boston et professeur de médecine à Harvard, dans un rapport du National Women's Health Resource Center.

médicaments contenant de l'iode. Un laboratoire évaluera les niveaux d'hormones de stimulation thyroïdienne de votre sang.

Les résultats. Un niveau trop bas de TSH peut être le signe d'hypothyroïdie, responsable de fatigue, de gain de poids et de constipation. Si c'est votre cas, votre médecin vous prescrira probablement un médicament pour compenser. Les niveaux élevés de TSH, que l'on rencontre moins fréquemment peuvent être un signe d'hyperthyroïdie, avec des symptômes d'accélération cardiaque, d'amaigrissement ou de vertiges.

Le traitement peut être à base de médicaments thyroïdiens, d'iode radioactif, ou encore nécessiter une chirurgie avec ablation partielle ou totale de la glande thyroïde.

Le test du diabète

Plus de 2 millions de Canadiens souffrent de diabète, pathologie où le corps ne produit pas assez d'insuline (l'hormone qui permet d'extraire le glucose du sang) ou résiste à l'action de l'insuline. Un dépistage précoce peut être établi grâce au test à jeun (FPG) ou à l'épreuve d'hyperglycémie provoquée par voie orale (OGTT). Un traitement précoce permet d'éviter des complications graves telles que crise cardiaque, accident cérébrovasculaire ou problèmes rénaux.

Pour qui ? L'Association canadienne du diabète recommande un examen tous les trois ans pour les personnes âgées de 45 ans ou plus et tous les ans pour les personnes à risques.

Comment ? L'épreuve d'hyperglycémie se pratique sur un échantillon de sang prélevé le matin, à jeun de préférence. Prévoyez un livre, car l'examen d'hyperglycémie demande plus de deux heures. Vous devrez jeûner pendant huit heures (la nuit) avant le test et éviter certains médicaments : acétaminophènes et contraceptifs oraux susceptibles d'affecter les résultats. On vous fera absorber quelques centilitres d'une solution de glucose, puis on prélèvera des échantillons de sang et d'urine après une heure et de nouveau après deux heures.

Les résultats. Les taux normaux de glucose dans le sang varient entre 3,8 à 6,1 mmol/l de sang. Si votre taux est plus élevé que 7,0 mmol/l, vous souffrez de diabète non décelé. Si votre niveau de sucre est inférieur à 3,5 mmol/l, vous souffrez peut-être d'hypoglycémie, dont les symptômes sont des fringales intempestives, des maux de tête, de l'anxiété, des suées et des idées confuses.

Mettez-vous à l'abri !

La plupart des vaccins ou des examens ci-dessous sont couverts par l'assurance-maladie selon des conditions et fréquences déterminées par les autorités médicales. Renseignez-vous auprès de votre médecin.

Vaccin ou test	Pour qui ?	Fréquence
Grippe	■ Ontario : tout le monde. Autres provinces et territoires : toute personne de 65 ans et plus ou à risques.	■ Annuel.
Pneumonie	■ À partir de 65 ans. Les vaccins supplémentaires sont déconseillés sauf pour personnes à risques, souffrant d'insuffisance rénale par exemple.	■ Une fois.
Hépatite B	■ Pour les personnes à risques, celles vivant avec un proche atteint de la maladie et le personnel médical.	■ Une fois.
Mammographie de routine	■ Toutes les femmes de plus de 50 ans. Plus tôt en cas d'antécédent familial ou de problème de santé spécifique.	■ Tous les 2 ans.
Test Pap	■ Toutes les femmes de plus de 18 ans jusqu'à 70 ans.	■ Chaque année ou tous les 3 ans après 2 tests consécutifs normaux.
Examen pelvien	■ Toutes les femmes.	■ Chaque année.
Cancer colorectal	■ Pour les personnes de 50 ans et plus.	■ Selon les recommandations de votre médecin.
Cancer de la prostate	■ Pour les hommes.	■ Selon les recommandations de votre médecin.
Ostéodensitométrie	■ Pour les hommes et les femmes à risques.	■ Parlez-en à votre médecin.

CHAPITRE 6

ÉVITER LES PIÈGES POUR VOTRE SANTÉ

166 Votre santé s'en va-t-elle en fumée ?

168 Pour cesser de fumer

172 Six semaines pour réussir

174 Réfléchir à l'alcool

180 Vos médicaments et vous

VOTRE STRATÉGIE SANTÉ

Votre santé s'en va-t-elle en fumée ?

Le tabagisme est la pire menace pour votre santé. Heureusement, il n'est jamais trop tard pour arrêter de fumer.

Même si vous suivez les conseils de ce guide, vous ne prenez toujours pas soin de vous si vous continuez de fumer. Les fumeurs font plus de dommages à leur santé que s'ils mangeaient chaque jour une pizza au pepperoni et ne quittaient plus leur canapé. Il est temps d'essayer d'arrêter pour de bon.

Parmi les cancers, celui du poumon est le plus meurtrier. Il cause le tiers des décès imputables au cancer chez les hommes et le quart chez les femmes. Le tabagisme est responsable de 85 % des cancers du poumon. Longtemps avant que le cancer ne vous tue, il s'acharne à vous faire vieillir. Vous pouvez constater vous-même qu'il accélère la sécheresse cutanée et les rides. Mais il existe aussi des effets moins évidents. L'accumulation de plaque, par exemple, cause le durcissement des artères chez les fumeurs. Les carotides des fumeurs, a-t-on découvert, épaississent autant que celles des non-fumeurs de 10 ans plus âgés. Et puis, près de la moitié des fumeurs meurent de 20 à 25 ans avant leur temps.

Outre le cancer ou les maladies cardiaques, le tabagisme peut causer l'emphysème et la bronchite chronique. Ceux qui fument plus d'un paquet par jour courent trois fois plus de risques d'attraper une pneumonie que les non-fumeurs.

En abaissant les niveaux d'œstrogènes chez les hommes et chez les femmes, le tabagisme accélère la perte osseuse. Quand une femme fume plus d'un paquet par jour, elle parvient à la ménopause avec une masse osseuse inférieure de 5 à 10 % à celle des non-fumeuses. Chez les hommes, le tabagisme affecte la performance sexuelle. Il bouche les vaisseaux sanguins péniens et mène à l'impuissance.

Histoires de pipes et de cigares

On n'entend pas souvent parler des dangers de la pipe et du cigare, mais ils sont aussi mortels que les cigarettes. Toutes les fumées de tabac émettent les mêmes éléments cancérigènes. Le tabac noir, porteur d'un risque accru pour le cancer de l'œsophage, sert à la fabrication du cigare et du tabac à pipe. Le cigare peut contenir sept fois plus de goudron et quatre fois plus de nicotine que la cigarette ; un gros cigare peut même renfermer autant de tabac qu'un paquet de cigarettes tout entier.

Le tabac sans fumée – comme le tabac à priser et le tabac à mâcher – ne présente pas moins de risques : il contient autant de nicotine et d'éléments chimiques cancérigènes absorbés par les muqueuses buccales.

Plusieurs avantages

Peu importe votre âge ou le nombre d'années que vous fumez, vous vivrez plus longtemps si vous cessez de fumer. Aux États-Unis, on a examiné 2000 fumeurs de longue date de plus de 54 ans. Six ans plus tard, ceux qui avaient cessé de fumer, même ceux qui avaient fumé le plus longtemps, présentaient un taux de mortalité beaucoup plus bas que les autres.

Si vous cessez de fumer, non seulement vivrez-vous plus longtemps, mais encore vous sentirez-vous mieux, respirerez-vous plus librement et vous sentirez-vous plus énergique. Vous éprouverez moins d'affections respiratoires, moins de maux de tête et d'estomac. Vos vêtements et votre haleine auront meilleure odeur. Vous cesserez de représenter une menace pour la santé de vos proches. Mieux : vous ne serez plus esclave du tabac.

Quelles sont vos chances de réussir ?

Vos chances de réussir sont bien meilleures si vous avez de l'aide ; la plupart des fumeurs y arrivent en prenant des médicaments (gommes à mâcher, timbres, entre autres) et en changeant de comportement (groupes de soutien ou bandes audio). Pour obtenir plus de détails sur ces médicaments ou les remplacements que votre médecin prescrira peut-être, voir la page 171.

TAUX DE RÉUSSITE

Vaporisateur nasal (pas offert au Canada)	30 %
Médicament (bupropion)	28 %
Apport nicotinique et thérapie	27,5 %
Inhalateur (pas offert au Canada)	19 %
Thérapie comportementale	15 %
Gomme à mâcher	14 %
Timbre	8 %
Guides pratiques	4 %

Source : CDC Office on Smoking and Health

La fumée secondaire est-elle dangereuse ?

Vous vivez ou travaillez avec un fumeur ? Saviez-vous que ce peut être encore plus nocif que de fumer ? En effet, la fumée qu'inhalent les fumeurs passe par un filtre, contrairement à celle qu'absorbent les gens de leur entourage. La fumée secondaire contient des concentrations plus élevées de goudron, de nicotine et autres substances. Elle augmente non seulement les risques de crise cardiaque et de cancer des poumons, mais aussi d'accident cérébrovasculaire. Selon une étude réalisée en Australie, la fumée secondaire d'un conjoint peut doubler le risque d'ACV. Pour les gens qui souffrent déjà de problèmes respiratoires ou de maladies cardiaques, elle présente des risques encore plus importants. La prochaine fois que l'on allumera une cigarette en votre présence, pensez à tout cela :

- elle contient plus de 4000 composés chimiques, dont l'oxyde de carbone, du formaldéhyde, du nickel, du zinc, de l'ammoniac, de l'acétone, de l'arsenic et des dioxines. Plus de 40 sont cancérigènes ;
- elle aggrave les symptômes du rhume des foins et de l'asthme ;
- elle cause chaque année au Canada plus de 300 décès. En plus du cancer du poumon, on rattache aussi la fumée secondaire à la leucémie et aux lymphomes, au cancer des sinus, du sein, du cerveau, de l'utérus, du col de l'utérus et de la thyroïde.

Fiche nutrition

Le tabagisme épuise la vitamine C dans l'organisme. C'est peut-être pour cela que les fumeurs sont plus sujets aux cataractes et à la dégénérescence maculaire. Jusqu'à ce que vous cessiez de fumer, mangez plus d'agrumes, de légumes vert foncé et de poivrons rouges.

Pour cesser de fumer

Avant d'essayer d'arrêter de fumer, déblayez un peu le terrain pour améliorer vos chances de succès.

I l n'y a pas de méthodes magiques pour arrêter de fumer. En fait, les études le montrent, vous avez plus de chances d'y arriver si vous combinez plusieurs stratégies. Peu importe celles que vous choisissez, parlez-en d'abord à vos proches et à vos collègues. Dites-leur que vous aimeriez compter sur leur aide. Recherchez la compagnie de quelqu'un qui désire aussi cesser de fumer.

Quand vous commencez à penser à arrêter de fumer, imaginez-vous en meilleure santé, plus beau, plus sexy, plus en contrôle de votre tabagisme et gardez cette image en vous.

Quand vous vous sentirez d'attaque, prenez rendez-vous avec votre médecin. Discutez des adjuvants nicotiniques et non nicotiniques (voir tableau, page 171) et des autres moyens considérés. Si vous n'avez pas eu d'examen physique depuis un certain temps, passez-en un ; vous aurez ainsi une image de vous avant votre nouveau moi non fumeur.

Si vous avez déjà essayé d'arrêter de fumer par le passé, revoyez ce qui a fonctionné pour vous, ne serait-ce que pour une courte période. Pensez à vous faire conseiller. Cette personne peut vous aider à faire face à vos sentiments et à vos appréhensions, et vous apprendre les trucs nécessaires pour devenir un ex-fumeur.

Quand vous voulez cesser de fumer, parlez à votre médecin. En plus de prescrire des substituts, il peut vous aider à mettre au point un programme sur mesure.

Enfin, nombre de programmes d'assurance apportent un soutien à ceux qui s'efforcent d'arrêter de fumer. Informez-vous.

Fixez une date

Choisissez la date où vous arrêterez de fumer. Dites-la à vos proches et à vos collègues. Choisissez-la suffisamment proche pour que l'on vous prenne au sérieux, et assez loin pour vous donner le temps de vous préparer. Certains choisissent une journée de congé, en dehors du train-train quotidien. D'autres préfèrent la routine qu'ils connaissent bien.

Avant la date prévue, efforcez-vous d'imaginer les problèmes que

En bref

Très peu de ceux qui essaient d'arrêter de fumer par leurs propres moyens y parviennent. Mais de 40 à 60 % de ceux qui ont recours à l'aide combinée des médicaments, des substituts de nicotine et de la thérapie n'ont pas recommencé à fumer plus d'une année après avoir cessé de le faire.

Calendrier de récupération

Plus vous restez longtemps sans fumer, mieux vous comprenez le sens du mot «récupération». Même si certains dommages peuvent être permanents – aux poumons, par exemple –, votre organisme possède la capacité merveilleuse de se réparer lui-même. Voyez-en les bénéfices.

Temps écoulé depuis l'arrêt	Effets sur votre organisme
20 minutes	■ Votre pression sanguine et votre pouls redescendent, vous avez plus chaud aux mains et aux pieds.
8 heures	■ Dans votre sang, le niveau d'oxyde de carbone et le taux d'oxygène reviennent à la normale.
24 heures	■ Le risque de crise cardiaque commence à diminuer.
72 heures	■ Votre capacité pulmonaire s'est améliorée.
Moins d'une semaine	■ Votre goût et votre odorat s'affinent. Votre haleine, vos cheveux et vos doigts ont l'air plus sains.
2 semaines à 3 mois	■ Vous marchez plus facilement. Comme le fin duvet tapissant les voies aériennes supérieures enlève davantage de mucus, vous toussez; vos poumons et vos sinus commencent à se dégager.
1 à 9 mois	■ Vous constatez que vous toussez moins, que vous êtes moins congestionné, moins fatigué, moins essoufflé.
5 à 15 ans	■ Les risques d'ACV et de crise cardiaque sont revenus à la normale.
10 ans	■ Le risque de cancer du poumon équivaut à la moitié de celui des fumeurs, celui des cancers associés diminue.
15 ans	■ Le risque de mourir prématurément équivaut presque à celui de ceux qui n'ont jamais fumé.

vous êtes susceptible d'affronter et trouvez-leur des solutions; songez à des moyens d'éloigner la tentation.

- **Planifiez des activités** qui, au cours des premières semaines, vous donneront du bien-être, vous feront sentir en meilleure santé. Ces activités pourront à la fois vous divertir et vous récompenser. Trouvez ce qu'il vous plairait de faire avec l'argent que vous dépensiez en cigarettes.

- **Faites des exercices.** Bien des gens réussissent à arrêter de fumer en faisant de l'exercice, ce qui donne de l'énergie, améliore le métabolisme, aide à éviter le fameux gain de poids – qui peut facilement mettre un terme à vos efforts –, aide à atténuer les symptômes de sevrage comme l'irritabilité, les maux de tête et la léthargie.

- **Améliorez votre alimentation.** En plus de limiter le gain de poids, en

En quelques mots

« Après avoir échoué quatre fois, j'ai réussi à arrêter de fumer pour de bon la cinquième fois; c'était il y a vingt ans. Maintenant, j'enseigne comment arrêter de fumer et je donne ces conseils:

D'abord, planifiez. Sachez ce que vous ferez lorsque se présentera le besoin de fumer. Il y en a qui mangent des graines de tournesol, mâchent de la gomme, tricotent, mangent du popcorn un grain à la fois, mâchouillent un cure-dent ou boivent de l'eau glacée (c'est très populaire). Moi, je prenais des bretzels en bâtonnets, parce que ça me donnait l'impression d'avoir une cigarette. Quand ils amollissaient, je les mangeais.

Deuxièmement, évitez ce qui déclenche votre envie de fumer. Changez vos habitudes matinales: buvez du thé au lieu du café, assoyez-vous dans un autre fauteuil pour lire le journal. Changez d'itinéraire quand vous sortez pour éviter de passer devant l'endroit où vous aviez l'habitude d'acheter vos cigarettes. »

– Rose-Anne Joseph

ATTENTION

Ne fumez jamais lorsque vous utilisez un produit de substitut nicotinique. Ce faisant, vous pourriez déclencher une crise cardiaque.

mangeant bien, vous faites le plein de vitamines, de minéraux et d'antioxydants ; vous améliorez votre protection contre les radicaux libres créés par la fumée du tabac. Pour éliminer les toxines et réduire la congestion des sinus et des poumons, buvez huit verres d'eau par jour. Et puis, préparez des légumes crus pour affronter les envies qui vous tenailleront.

● **Trouvez un copain** prêt à vous écouter chaque fois que vous aurez besoin de parler.

● **Écrivez vos motifs.** Placez cette liste bien en évidence et lisez-la au moins une fois par jour.

Prenez la voie facile

Si vous ne changez pas vos habitudes et vos comportements en l'espace de trois mois, vous courez le risque de reprendre le tabac. Les substituts nicotiniques vous font gagner le temps nécessaire pour faire ces changements. En passant par le flux sanguin pour envoyer à votre cerveau une certaine quantité de nicotine, ils

comblent vos besoins physiques sans comporter les désavantages du tabac (voir le tableau de la page de droite).

Devriez-vous vous soucier de devenir dépendant des substituts nicotiniques ?

● Pour la plupart, les gens réduisent graduellement leur utilisation de substituts jusqu'à l'arrêt complet.

● Bien peu de gens s'en servent plus longtemps que les périodes recommandées de trois à six mois.

● Ces substituts n'endommageront pas vos poumons ; ils ne causent pas le cancer non plus.

● Comme il est beaucoup moins néfaste pour votre organisme de trouver la nicotine dans une gomme à mâcher ou un timbre, certains médecins peuvent autoriser leur utilisation à long terme.

Ne vous lancez pas seul

Quand il est question d'arrêter de fumer, une approche qui réussit bien consiste à utiliser des produits de remplacement et de trouver une forme de soutien pour changer le comportement. De nombreuses ressources se présentent à vous. Santé Canada, par exemple, offre le programme *Vivre sans fumée* pour arrêter de fumer. On peut aussi consulter l'Association pulmonaire du Canada, ou le programme Stop-tabac, un programme international mis sur pied en Suisse. Consultez votre annuaire téléphonique sous la rubrique « Fumeurs – Centres d'information et de traitement ». Écoutez des cassettes de motivation pour vous aider à surmonter les périodes difficiles. Vous trouverez toutes les informations qu'il vous faut dans notre Guide des ressources en fin de volume (pages 400 à 403).

Devriez-vous arrêter tout d'un coup ?

La plupart des fumeurs qui réussissent à arrêter de fumer le font tout d'un coup. Quand vous cessez graduellement, vous vous rendez la vie plus difficile parce que la période de sevrage dure plus longtemps.

Si vous êtes un gros fumeur, il n'est peut-être pas réaliste d'arrêter brusquement puisque votre organisme a l'habitude de doses importantes de nicotine. Il serait préférable de ramener votre consommation à moins d'un paquet par jour avant d'arrêter brusquement. Parlez-en à votre médecin ; il pourra vous aider à le faire plus facilement, peut-être avec l'aide de bupropion (Zyban), un antidépresseur qui aide à équilibrer les niveaux de dopamine associée à l'humeur et à l'état mental. Vous pouvez aussi inhaler de moins en moins, et de moins en moins profondément.

De l'aide pour relever le défi

Les produits de remplacement de la nicotine prennent plusieurs formes. Familiarisez-vous avec ce que l'on trouve sur le marché, et puis discutez-en avec votre médecin. Dans certains cas, les antidépresseurs peuvent devenir des adjuvants efficaces.

Aides nicotiniques	Ce qu'il faut savoir
Timbre de nicotine 	▪ En vente libre. ▪ Disponible à différents dosages. ▪ Dispense la nicotine dans le flux sanguin par les vaisseaux capillaires à la surface de la peau. ▪ Stabilise le taux de nicotine dans le sang pour éliminer le besoin de fumer. ▪ Effets secondaires potentiels : insomnie (si tel est le cas, enlevez-le la nuit et remettez-le au matin) et irritation cutanée (si tel est le cas, déplacez-le). ▪ Habituellement utilisé pour des périodes de 8 à 12 semaines.
Vaporisateur nasal de nicotine	▪ Pas encore au Canada. ▪ Dispense la nicotine dans le flux sanguin par les muqueuses nasales en 5 à 10 minutes. ▪ Effets secondaires potentiels : irritation du nez et de la gorge, yeux larmoyants, toux et éternuements. ▪ Réduire l'utilisation après huit semaines. ▪ Peut irriter le nez et causer de la toux et des éternuements.
Inhalateur à la nicotine	▪ Pas encore au Canada. ▪ Absorbé par la bouche, la gorge et les poumons ; l'effet culmine en 20 minutes. ▪ Effets secondaires potentiels : toux, irritation de la bouche et de la gorge.
Gomme à mâcher à la nicotine 	▪ En vente libre ; disponible en deux dosages. ▪ Mâchez juste assez longtemps pour libérer un peu de nicotine (saveur poivrée). Laissez-la ensuite sans mâcher entre la joue et la gencive pour permettre l'absorption de la nicotine. Quand le goût disparaît, recommencez à mâcher, puis arrêtez encore. Il faut 20 minutes pour que l'absorption soit complète ; jetez-la après 30 minutes. ▪ Beaucoup de gens en mâchent trop peu, et pas suffisamment longtemps pour obtenir l'effet maximum. Les médecins recommandent souvent de prendre un morceau toutes les 2 ou 3 heures pendant des périodes de 1 à 3 mois. ▪ Effets secondaires potentiels : hoquet, estomac dérangé, mâchoire douloureuse, sensation de brûlure dans la bouche (souvent parce qu'on la mâche mal).

Aides non nicotiniques	Ce qu'il faut savoir
Bupropion (Zyban ou Wellbutrin)	▪ Sur ordonnance. ▪ Élève les niveaux sanguins de dopamine (le neurotransmetteur affecté par la nicotine) pour créer une sensation de bien-être. ▪ Peut être utilisé de concert avec une thérapie de remplacement nicotinique. ▪ Commencer une semaine avant l'arrêt et continuer de 8 à 12 semaines après. ▪ Entre autres effets secondaires : insomnie, sécheresse de la bouche, maux de tête.
Autres antidépresseurs	▪ À l'heure actuelle, on teste les médicaments qui agissent sur le niveau de dopamine, Zoloft et Prozac, pour connaître leur efficacité.

Six semaines pour réussir

La stratégie qui suit se fonde sur une date distante de trois semaines. Si la date de votre choix est plus ou moins distante, adaptez le programme à votre rythme.

SEMAINE 1 **Observez vos habitudes de fumeur.**
Tenez un journal du fumeur. Chaque jour, chaque fois que vous fumez, notez:

- l'heure;
- ce que vous faites;
- la raison pour laquelle vous fumez à ce moment;
- comment vous vous sentez après coup.

À la fin de la journée, observez votre façon de fumer. Qu'est-ce qui déclenche l'envie? Est-ce l'ennui, la colère, la fatigue, la nervosité ou certaines situations? Cherchez d'autres manières d'affronter ces sentiments ou ces circonstances.

SEMAINE 2 **Modifiez certaines habitudes.**
Annoncez à vos proches et à vos collègues la date où vous cesserez de fumer. Demandez leur aide. Au moins une fois par jour, revoyez les motifs qui vous poussent à l'action. Changez vos habitudes pour être moins tenté.

- Achetez les cigarettes au paquet seulement.
- Sautez la pause-café de l'après-midi (moment où vous avez l'habitude de fumer) et allez plutôt vous promener ou boire un verre de jus.
- Si vous avez l'habitude de fumer dans les embouteillages, faites provision de gommes à mâcher ou de bonbons durs.
- Tenez-vous loin des endroits enfumés.
- Retardez d'une heure tous les trois ou quatre jours votre première cigarette de la journée.

Efforcez-vous de fumer moins d'un paquet par jour avant d'arrêter. Votre médecin peut vous prescrire du bupropion pour vous aider à y parvenir.

En bref

Un fumeur s'y reprend en moyenne trois ou quatre fois avant de réussir à arrêter.

SEMAINE 3 **Commencez le compte à rebours!**
Rappelez à vos proches que le grand jour s'en vient. Continuez de remettre à plus tard la première cigarette de la journée. Faites des essais:

- tentez de passer une journée sans fumer;
- retirez le briquet de votre automobile;
- ne fumez que dans une seule pièce, pas ailleurs;
- tenez votre cigarette de l'autre main.

La veille du grand jour, trempez les cigarettes qui vous restent dans l'eau et jetez-les. Débarrassez-vous de tous les cendriers, briquets et allumettes. Préparez vos remplacements nicotiniques. Avant de vous coucher, révisez les motifs qui vous ont poussé à agir. Imaginez-vous triomphant du tabac et de la fumée, enfin en bonne santé.

SEMAINE 4 **Votre date pour arrêter de fumer.**
Considérez cette semaine un jour à la fois. Quand vous vous éveillez, relisez vos motifs pour arrêter. Répétez-vous: «Un jour à la fois, je peux

Si vous faites une rechute

Préparez-vous à rechuter avant de réussir à arrêter pour de bon. Les rechutes surviennent habituellement pendant la première semaine, lorsque les symptômes de sevrage culminent. Si cela se produit:

- Arrêtez-vous; jetez ce que vous étiez en train de fumer.
- Faites une pause. Sortez marcher ou faire quelque chose d'agréable, comme vous acheter des fleurs.
- Vous pouvez arrêter – vous l'avez prouvé. Pensez au goudron et à la nicotine évités à votre organisme et aux ponctions épargnées à votre portefeuille pendant que vous ne fumiez pas.
- Révisez les motifs qui avaient guidé votre décision d'arrêter. Discutez de votre rechute avec un ami ou un professionnel; élaborez une nouvelle stratégie pour en comprendre les motifs.
- Reprenez le programme. Rappelez-vous: la seule façon d'échouer, c'est d'arrêter d'essayer.

L'exercice peut vous distraire de votre envie de fumer ; sans compter qu'il peut vous aider à empêcher le gain de poids.

Et le gain de poids ?

Vous ne prendrez pas nécessairement de poids en renonçant au tabac. En moyenne, la personne qui arrête de fumer prend cependant de 2,25 à 3,5 kilos. En voici les explications :

Tout d'abord, la nicotine coupe l'appétit. Vous n'avez pas envie de manger autant quand vous fumez. Ensuite, comme la nicotine accélère le métabolisme, vous brûlez plus de calories. Pour des activités et une consommation de nourriture identiques, le fumeur brûle chaque jour 200 calories de plus que le non-fumeur.

Vous pouvez dépenser ces 200 calories quotidiennes en augmentant vos activités physiques (passer l'aspirateur pendant une demi-heure et faire un peu de jardinage). Vous pouvez aussi couper les collations riches en calories (42,5 g de croustilles équivalent à 200 calories).

Ces quelques kilos en trop font moins de tort à votre santé que la cigarette. Et puis, 2 ou 3 kilos superflus se remarquent moins que des dents jaunes, une mauvaise haleine, une peau ridée et des vêtements malodorants.

tout faire. » Notez vos sentiments. Comme prévu, utilisez votre remplacement nicotinique. Évitez l'alcool et la caféine, qui peuvent vous donner le goût du tabac. Tenez-vous loin des situations qui peuvent stimuler votre envie de fumer.

L'envie de fumer, rappelez-vous, fait partie du sevrage. Chacune de ces envies dure quelques minutes à peine. Quand vous éprouvez le besoin de fumer, respirez à fond et buvez un verre d'eau. Gardez à la portée de la main un paquet de gommes à mâcher, des bâtonnets de carottes ou de céleri. Votre objectif de la journée : pas de tabac.

Vous pouvez vous sentir agité et avoir du mal à vous concentrer. Si vous avez du mal à vous endormir, mangez quelques cuillerées de yogourt ou buvez un verre de lait chaud avant d'aller au lit — ils contiennent de la tryptophane, qui apaise et peut vous aider à dormir.

Vous avez traversé la journée ? Demain sera plus facile. Vous n'y êtes pas arrivé ? Ce n'est pas grave. On n'arrête pas de fumer du jour au lendemain : c'est un processus, pas un événement ponctuel.

SEMAINE 5 — Tenez bon !

Profitez du goût et de l'odorat qui se sont affinés. Si le sevrage de la nicotine perturbe encore votre sommeil, faites l'essai des exercices de respiration profonde de la page 202. Quand la tentation

pointe le nez, allez dans des endroits où il est interdit de fumer. Faites beaucoup d'activités physiques. Servez-vous des susbstituts de nicotine ou des médicaments prescrits. Poursuivez l'écriture de votre journal.

Avant d'aller au lit, réjouissez-vous de cette journée sans tabac. En vous éveillant le matin, respirez à fond et sentez l'air. Vous avez déjà meilleure mine que la semaine dernière.

SEMAINE 6 — Vous y arrivez !

Votre stratégie fonctionne ! Devenez membre d'un club de santé (un bon moyen d'utiliser l'argent économisé). Regardez-vous dans le miroir : remarquez vos dents plus blanches, votre peau plus saine, vos cheveux plus brillants.

Prenez garde aux occasions de rechute : une dispute avec votre conjoint, un embouteillage, une rencontre avec un ami perdu de vue depuis longtemps. Ne considérez qu'une journée à la fois. À la fin de la semaine, célébrez votre succès, mais ne laissez pas tomber votre garde. Certaines personnes mettent des années à oublier leur envie de fumer.

Réfléchir à l'alcool

Ces dernières années, on a vanté les bénéfices de l'alcool pour la santé. Mais boire trop élimine ces bienfaits potentiels et vous fait courir beaucoup de risques.

Vous avez sans doute entendu dire que l'alcool, consommé avec modération, est bon pour le cœur. Mais avant que vous ne fassiez provision de bière, de vin ou de spiritueux, voyez-y de plus près.

L'alcool et l'âge

Les experts réduisent la consommation modérée à un verre par jour pour la plupart des femmes et à deux pour la plupart des hommes. Mais avec l'âge, même une consommation modérée peut s'avérer mal avisée.

En prenant de l'âge, les gens consomment l'alcool avec plus d'empressement et sont plus sensibles à ses effets. Ainsi, le nombre de vos consommations passées dépasse peut-être bien votre capacité actuelle. La raison en est que la proportion d'eau par rapport aux graisses s'affaiblit avec le temps : il y a tout simplement moins d'eau pour diluer l'alcool. Ensuite,

l'apport sanguin au foie a diminué tandis que l'apport enzymatique au foie a perdu de son efficacité : votre organisme métabolise l'alcool moins facilement.

Il est possible que vous preniez plus de médicaments, sur ordonnance ou en vente libre. Mélangés à de l'alcool, ils peuvent déclencher des interactions dangereuses. (Voir le tableau, page 179.) L'alcool augmente les risques de chutes et d'accidents.

Parce qu'elles sont en général plus petites et que les gens plus petits ont un plus petit volume sanguin, les femmes doivent faire particulièrement

En bref

Les adultes plus âgés ne devraient pas consommer plus de huit verres par semaine et ne devraient pas non plus boire chaque jour.

Boire en mangeant ralentit la vitesse avec laquelle le flux sanguin absorbe l'alcool. Vous avez plus de chances de boire modérément si vous le faites en mangeant.

attention, puisqu'elles ne peuvent pas tolérer autant d'alcool que les hommes. Les femmes produisent également moins de cet enzyme qui brise les molécules d'alcool en morceaux avant son absorption dans le flux sanguin. En outre, elles ont plus de graisses; quand on sait que les graisses n'absorbent pas l'alcool, on comprend que, verre pour verre, les femmes ont 75 % de plus d'alcool dans le sang.

Avantages

En dépit des avis contraires, bien des gens croient que des quantités limitées d'alcool diminuent le risque de maladie cardiaque et permettent de vivre plus longtemps. Ceux qui présentent un risque de maladie cardiaque ou d'ACV et les diabétiques pourraient, semble-t-il, bénéficier le plus d'une consommation modérée d'alcool – un verre ou deux par jour.

Ainsi, lors d'une étude réalisée aux États-Unis et portant sur les hommes et les femmes diabétiques de 69 ans environ, on a constaté que le risque de décès à la suite de maladie cardiaque était moins important chez les buveurs modérés que chez les abstinents. Par rapport à ceux qui ne buvaient pas du tout, leur taux de mortalité était moitié moindre.

Pris en petites quantités, l'alcool peut aider à :

● élever votre taux de HDL, le bon cholestérol ;
● empêcher la formation de caillots ;
● diminuer le risque de crise cardiaque, de maladie cardiaque, de diabète tardif et d'accident ischémique.

En élevant votre taux de bon cholestérol, l'alcool empêche la

---

Qui devrait s'abstenir ?

Les chercheurs allèguent que vous ne devriez pas consommer d'alcool si :

● vous souffrez d'hypertension ;
● votre niveau de triglycérides est trop élevé ;
● vous avez une maladie du foie ;
● vous avez des ulcères ou des reflux acides importants ;
● vous souffrez d'apnée du sommeil ;
● vous projetez de conduire, ou d'opérer de la machinerie, ou de faire une activité qui demande votre attention ou votre habileté ;
● vous êtes un alcoolique en rétablissement ;
● vous essayez de concevoir, vous attendez un enfant ou vous allaitez ;
● vous prenez des médicaments (voir page 179).

---

formation de plaque dans les vaisseaux sanguins, parce que le HDL favorise l'élimination du mauvais cholestérol, le LDL. L'alcool semble aussi avoir la propriété d'éclaircir un peu le sang, ce qui pourrait aider à la prévention des crises cardiaques et des ACV.

Comparativement à ceux qui ne buvaient pas ou qui le faisaient rarement, les hommes qui boivent un verre par jour, a-t-on découvert, présentaient un taux de mortalité inférieur. On peut attribuer cela à l'incidence réduite de maladies cardiaques chez les gens de plus de 50 ans. Le taux de mortalité grimpe toutefois à trois verres ou plus par jour.

Désavantages

Cela ne signifie pas pour autant que vous devriez commencer à boire.

ATTENTION

Boire de l'alcool et des boissons gazéifiées (du rhum avec du Coke, par exemple) accélère le passage de l'estomac à l'intestin grêle, où l'absorption est encore plus rapide.

Dans un verre, il y a :

Un « **verre d'alcool** » contient 141 ml d'alcool éthylique pur. On considère chacun des éléments suivants comme étant un verre :

- 45 ml de spiritueux (105 calories) ;
- 355 ml de bière (150 calories, 100 calories pour la bière légère) ;
- 100 ml de vin de table (85 calories) ;
- 100 ml de vin de dessert, comme porto ou sherry (140 calories).

Personne ne peut prédire qui deviendra alcoolique. D'ailleurs, si vous buvez trop, les dangers inhérents à la consommation d'alcool vous feront perdre les avantages au profit des maladies qui y sont aussi rattachées.

Ces dangers sont importants. On a relié une consommation même légère à la cirrhose du foie, à certains cancers – du sein, de la bouche et de l'œsophage –, à l'hypertension, à l'hémorragie cérébrale, à l'ostéoporose et à la dépression. On a fait certaines découvertes :

- Le risque de cirrhose du foie s'accroît de manière importante avec une consommation de deux à trois verres quotidiens et même, dans certains cas, d'un à deux verres.
- À quelques verres à peine par semaine, l'alcool peut augmenter de façon significative le risque de cancer du sein. Lors d'une étude, on a découvert que le cancer du sein était plus susceptible d'apparaître chez les femmes qui prennent de trois à neuf verres par semaine que chez celles qui en consomment moins de trois.
- Consommé à moins d'un verre par jour, l'alcool a même été rattaché aux cancers de la bouche, du pharynx, du larynx et de l'œsophage.

- En réduisant sa densité osseuse, une consommation de deux verres par jour augmente le risque de fracture de la hanche chez la femme.

L'alcool a beaucoup d'effets négatifs : il peut émousser la présence d'esprit, le jugement, la coordination, les réflexes et la mémoire. Il peut aussi affecter le taux de sucre dans le sang, dérégler la fonction sexuelle et troubler le sommeil normal. Dans ce dernier cas, vous avez plus de mal à rester endormi et vous perdez jusqu'à 20 % de votre phase de sommeil réparateur, celle du sommeil paradoxal. La consommation importante et prolongée peut même affecter la taille de votre cerveau.

Au bout du compte

Puisque l'alcool possède des pouvoirs aussi bons que mauvais sur votre santé, comment savoir ce qui vous nuit et ce qui vous aide ? Pour certains, un verre par jour suffit ; d'autres devraient se limiter à deux ou trois par semaine. Parlez-en à votre médecin ; il vous aidera à prendre une décision qui tienne compte de vos risques personnels. En attendant :

- Si vous ne buvez pas, ne commencez surtout pas. Les risques pour votre santé – diminution du jugement, de la mémoire, de la capacité de raisonner et de se contrôler –, pèsent beaucoup plus lourd que les avantages potentiels.
- Si vous buvez, astreignez-vous à un verre par jour. Pour la bonne santé cardiovasculaire, les hommes devraient consommer de deux à quatre verres par semaine. Chez ceux qui boivent davantage, on observe un taux de mortalité de

ATTENTION

Les femmes ménopausées qui prennent des hormones de remplacement devraient limiter sérieusement leur consommation d'alcool. Cette combinaison augmente le risque de cancer du sein. Ce risque relatif augmente d'environ 10 % si vous prenez plus d'un verre par jour.

AUTO ÉVALUATION

Buvez-vous trop ?

La dépendance à l'alcool est un problème grave qui exige une aide professionnelle. Si vous croyez avoir un problème d'alcool, faites le test suivant, mis au point par l'Organisation mondiale de la santé.

Ces questions traitent de votre consommation d'alcool au cours de la dernière année. Une consommation équivaut à une bouteille de bière, un verre de vin, un cooler, une portion d'alcool fort. Les points suivent chacune des réponses. Additionnez-les pour obtenir votre score.

◀ **1.** À quelle fréquence buvez-vous de l'alcool ?

Jamais	0
Une fois par mois ou moins	1
2 à 4 fois par mois	2
2 à 3 fois par semaine	3
4 fois ou plus par semaine	4

◀ **2.** Quand vous buvez, combien de boissons alcoolisées prenez-vous en général ?

1 à 2 verres	0
3 à 4 verres	1
5 à 6 verres	2
7 à 9 verres	3
10 verres ou plus	4

◀ **3.** Combien de fois vous arrive-t-il de prendre plus de 6 verres en une seule occasion ?

Jamais	0
Moins d'une fois par mois	1
Une fois par mois	2
Toutes les semaines	3
Chaque jour ou presque	4

◀ **4.** Au cours de la dernière année, combien de fois avez-vous été incapable de vous arrêter ?

Jamais	0
Moins d'une fois par mois	1
Une fois par mois	2
Toutes les semaines	3
Chaque jour ou presque	4

◀ **5.** Au cours de la dernière année, combien de fois avez-vous été incapable de faire ce que l'on attendait de vous à cause de l'alcool ?

Jamais	0
Moins d'une fois par mois	1
Une fois par mois	2
Toutes les semaines	3
Chaque jour ou presque	4

◀ **6.** Au cours de la dernière année, combien de fois avez-vous eu besoin d'un verre pour vous remettre de la consommation de la veille ?

Jamais	0
Moins d'une fois par mois	1
Une fois par mois	2
Toutes les semaines	3
Chaque jour ou presque	4

◀ **7.** Au cours de la dernière année, combien de fois vous êtes-vous senti coupable après avoir bu ?

Jamais	0
Moins d'une fois par mois	1
Une fois par mois	2
Toutes les semaines	3
Chaque jour ou presque	4

◀ **8.** Au cours de la dernière année, combien de fois avez-vous été incapable de vous rappeler des événements de la veille ?

Jamais	0
Moins d'une fois par mois	1
Une fois par mois	2
Toutes les semaines	3
Chaque jour ou presque	4

◀ **9.** Avez-vous blessé quelqu'un ou été blessé en raison de votre consommation ?

Jamais	0
Oui, mais pas cette année	2
Oui, au cours de cette année	4

◀ **10.** Est-ce qu'un parent, un ami ou un professionnel de la santé s'est déjà inquiété de votre consommation ?

Jamais	0
Oui, mais pas cette année	2
Oui, au cours de cette année	4

© Avec l'autorisation de l'Organisation mondiale de la santé.

Si vous avez 8 points ou plus, vous avez probablement un problème d'alcool. Il paraît que si vous vous demandez si vous avez un problème, c'est que vous en avez un.

Où trouver de l'aide ?

◀ Les Alcooliques Anonymes : trouvez votre section locale dans l'annuaire téléphonique. Il y a plus de 5000 groupes au Canada.

◀ Si vous croyez avoir un problème d'alcool, si vous cherchez un groupe de soutien ou une association, si vous cherchez à connaître les autres ressources qui s'offrent à vous, consultez notre Guide des ressources en fin de volume, pages 400 à 403.

Ce n'est pas parce que vous pouvez acheter un médicament en vente libre qu'il est sécuritaire de le prendre avec de l'alcool.

63 % supérieur à celui des hommes qui ne boivent pas.

● Ne ménagez pas vos consommations pour en prendre plusieurs à la fois. Vous ne tirerez aucun avantage à boire beaucoup en une seule fois ; vous n'y gagneriez qu'un risque accru de mort prématurée. La consommation « concentrée » (plus de 3 verres à la fois pour les femmes et 4 pour les hommes) peut s'avérer plus dangereuse qu'une consommation régulière. Elle peut entraîner l'arythmie, responsable de la formation de caillots, et déclencher une crise cardiaque. Plus de deux verres par jour agissent sur votre risque de maladie cardiaque et d'ACV.

● Si vous êtes en bonne santé et consommez de façon modérée, il est possible que vous ne connaissiez que les avantages de l'alcool, sans aucun des effets négatifs.

Alcool et médicaments : à ne pas mélanger !

L'alcool est un dépresseur du système nerveux central ; il se comporte comme un sédatif ou un tranquillisant. Combiné avec d'autres médicaments, il peut causer des problèmes graves. Ne croyez surtout pas que ces problèmes ne surviennent qu'avec les médicaments sur ordonnance. Ce n'est pas parce que vous achetez un médicament en vente libre qu'il ne présente aucun danger. Mélangés à l'alcool, l'acétaminophène, l'aspirine et l'ibuprofène peuvent entraîner des dommages importants au foie. Consultez le tableau de la page de droite.

Un peu de lumière sur le paradoxe français

Vous avez sans doute entendu parler du paradoxe français – le fait que les Français, malgré leur affection pour les cigarettes et les aliments riches en matières grasses, aient un taux plus bas de maladies cardiaques. On soupçonne une autre habitude des Français d'être à l'origine de ce phénomène : leur amour du vin rouge. Une substance antioxydante particulière au vin rouge, appelée resvératrol, intéresse la recherche. Mais il pourrait bien y avoir plus.

Même si les antioxydants et autres produits chimiques du vin peuvent protéger le système cardiovasculaire, ce ne sont probablement pas ces composés qui ont le plus important impact sur le cœur.

L'alcool, croit-on désormais, tout alcool, aide le cœur en élevant les niveaux de HDL ou bon cholestérol. Le HDL favorise l'élimination du cholestérol et empêche la coagulation qui, autrement, pourrait mener à la crise cardiaque ou à l'ACV.

Les Français ont aussi d'autres habitudes qui pourraient expliquer leur bonne santé. Ils consomment davantage de fruits et de légumes, servent des portions de viandes plus petites, et font la cuisine avec des gras monoinsaturés, comme l'huile d'olive. Ils ne consomment pas autant de sel.

la warfarine (Coumadin), le mélange peut éclaircir votre sang au point de causer une hémorragie. Le kava, plante médicinale populaire pour contrer le stress, peut augmenter les effets des relaxants musculaires, des sédatifs et des antidépresseurs. Dans d'autres cas, un médicament peut en empêcher un autre de produire son effet.

- **Interactions médicament/aliment**
  Elles se produisent quand un aliment nuit à l'action d'un médicament. Ainsi, le jus de pamplemousse augmente les effets des inhibiteurs calciques et du triazolam, parce que le jus s'intéresse précisément aux enzymes qui contrent ces médicaments.
- **Interactions médicament/maladie**
  C'est ce qui peut se produire quand un médicament aggrave une maladie dont vous souffrez déjà ou cause des effets secondaires indésirables. Si vous souffrez d'hypertension, vous ne devriez pas prendre de décongestionnants qui viennent exacerber la maladie.

Pour prévenir ces problèmes et bien d'autres, observez attentivement les conseils qui suivent lorsque vous prenez des médicaments. Ils sont simples et parfaitement sécuritaires.

Règles d'or pour l'usage des médicaments

Lisez l'étiquette. Lisez les petits caractères des étiquettes, même s'il vous faut une loupe pour ce faire. Portez une attention particulière aux mises en garde et aux effets secondaires. Quand vous devez prendre un médicament sur ordonnance, lisez toujours l'étiquette pour vous

assurer que vous prenez le bon. Une erreur peut être fatale.

Évitez les chevauchements. Beaucoup de médicaments contiennent les mêmes ingrédients. Sans le savoir, vous pourriez en prendre trop en absorbant plus d'un médicament. Par exemple, ne prenez pas d'anticoagulant (Coumadin) avec de la cimétidine (Tagamet) ou de la vitamine E, qui éclaircissent aussi le sang.

Consultez votre médecin et votre pharmacien. Faites-leur connaître tous les médicaments que vous prenez, y compris médicaments en vente libre, vitamines, minéraux, plantes médicinales. Il est bon de conserver sur vous une liste de vos médicaments, avec leurs noms génériques et commerciaux. Demandez à ces professionnels de vous recommander les médicaments en vente libre qui vous conviennent le mieux.

Achetez tous vos médicaments à la même pharmacie. Quand tous vos médicaments viennent de la même pharmacie, vous avez plus de chances d'éviter les chevauchements et les interactions dangereuses.

Ne cachez pas vos problèmes. Si vous éprouvez des effets secondaires ou si vous ne vous sentez pas

VOTRE STRATÉGIE SANTÉ

bien après avoir commencé à prendre un médicament, ne vous contentez pas de sourire et de vous taire. Soyez à l'affût des symptômes fréquents de l'interaction médicamenteuse. Si un effet secondaire vous occasionne un inconfort, appelez votre médecin.

Plus n'est pas mieux. N'essayez pas d'ajouter un médicament en vente libre à votre ordonnance dans le but d'être soulagé plus vite. Informez-vous pour savoir quand vous pouvez cesser de prendre un médicament. Prenez la plus petite dose possible de médicament en vente libre. Mieux encore, essayez de bien manger, de faire de l'exercice, d'éviter le stress ou de changer votre manière de vivre.

N'improvisez pas. Suivez les directives à la lettre. Si vous devez prendre un médicament quatre fois par jour, demandez s'il faut le prendre aux six heures. Ne croquez pas, ne broyez pas, ne cassez pas de comprimés sans que votre médecin vous dise de le faire. Quand vous croquez un médicament à libération continue, il est absorbé trop rapidement par l'organisme et peut causer un surdosage. Il n'est pas sage non plus de casser en deux un comprimé enrobé pour le faire durer plus longtemps ou pour protéger l'estomac. Faites-le uniquement sur recommandation de votre médecin.

Chaque chose à sa place. Ne mettez pas plusieurs médicaments dans le même contenant : il est trop facile de se tromper. Même en voyage, gardez-les dans leur contenant d'origine. Les tubes d'onguent et les crèmes ne devraient pas côtoyer le dentifrice. Vous risquez d'avoir des problèmes le jour où vous serez à la course.

Pensez aux autres. Ne partagez jamais vos médicaments ; ils pourraient nuire aux autres. Rapportez vos médicaments périmés ou en trop au pharmacien qui en disposera en toute sécurité. Ne les jetez pas, ni aux poubelles ni dans les toilettes.

Entreposez-les comme il faut. Gardez-les hors de portée des enfants, pas dans votre armoire à pharmacie. La salle de bains est humide alors que les médicaments demandent un endroit frais et sec, loin de la lumière directe. Le placard de la chambre ou du corridor vaut mieux.

Évitez la précipitation. Certains médicaments comme les remèdes pour le rhume contiennent jusqu'à cinq ingrédients actifs différents. Pour minimiser le risque d'effets secondaires, ne choisissez qu'un produit dont les ingrédients vous conviennent vraiment.

N'essayez pas d'économiser. Ne gardez pas les médicaments périmés, moins efficaces et peut-être toxiques.

Jamais dans le noir. Gardez une lampe de poche à portée de la main si vous laissez des médicaments sur votre table de nuit en cas de besoin. N'y mettez pas de sédatifs, de narcotiques ou de tranquillisants. Sans le vouloir, à moitié endormi, vous pourriez doubler une dose.

MÉDICAMENT

Utilisez les services de votre pharmacien. Lors d'une étude, des gens de plus de 65 ans prenant cinq médicaments par jour ou plus vérifiaient sporadiquement le dosage de leurs médicaments auprès d'un pharmacien. Ils ont subi 25 % moins d'effets secondaires que les autres.

Sachez acheter en ligne

Aux États-Unis, les gens ont l'avantage d'acheter des médicaments par Internet ; ils n'ont pas besoin de magasiner pour obtenir de meilleurs prix. Mais acheter de sources peu fiables présente des dangers. Ainsi, en 1999, un homme de 52 ans, souffrant de douleurs épisodiques à la poitrine, avec des antécédents familiaux de maladie cardiaque, est mort après avoir acheté par Internet un médicament pour contrer l'impuissance.

Au Canada, les choses sont différentes. Il est interdit aux pharmacies canadiennes de vendre des médicaments ou de transmettre des ordonnances par Internet. Un nombre restreint de sites canadiens offrent des services pharmaceutiques à leurs clients. Il s'agit de sites d'information, qui fournissent des renseignements sur les médicaments, le bien-être et le traitement des maladies. Mais, il existe des sites où l'on peut acheter des **médicaments en vente libre.** Aux États-Unis, il existe environ 200 sites de pharmacies qui offrent des médicaments hors frontières, contrevenant ainsi aux règlements de la Food and Drug Administration. Certaines offrent en vente libre des médicaments qui devraient faire l'objet d'une ordonnance, ce qui présente un risque certain pour la santé des consommateurs. À l'intention des consommateurs canadiens et des internautes, l'Association des pharmaciens du Canada a dressé la liste des conseils qui suivent.

- Faites vos devoirs. Consultez le réseau canadien de la santé pour vous assurer que la source de l'information et de la médication est fiable.
- Ne laissez pas Internet remplacer une consultation avec votre médecin, votre pharmacien ou tout autre spécialiste de la santé.
- Vous ne devriez pas acheter de médicaments par Internet. Vous pourriez être berné et croire qu'un site Web est celui d'une pharmacie tout ce qu'il y a de plus légitime, alors que le vendeur et son produit n'ont aucune légitimité.
- Assurez-vous bien que la pharmacie qui s'annonce est une pharmacie licenciée.
- Ne faites pas préparer d'ordonnance par des sites étrangers, même si l'on vous demande de remplir un questionnaire qui sera supposément révisé par un médecin.
- Méfiez-vous des sites qui vantent de nouvelles cures pour des maladies graves.

VOTRE STRATÉGIE SANTÉ

Erreurs fréquentes avec les médicaments

Quand on les utilise mal, même les médicaments en vente libre peuvent être dangereux. Bien des gens le font sans même le savoir. Assurez-vous d'éviter les erreurs qui suivent.

Médicament	Mauvais usages et pièges à éviter
Acétaminophène (comme Tylénol) 	■ Une dose excessive ou un mauvais usage peuvent causer des lésions graves ou fatales aux reins et au foie. Un usage excessif peut occasionner des maux de tête de rebond quand vous cessez d'en prendre. En utilisation à long terme, ne prenez pas plus de 4 g par jour. Les signes de dose excessive chronique incluent saignements, contusions, maux de gorge et malaises. ■ Pour vous assurer de ne pas prendre de dose excessive, vérifiez les ingrédients sur les étiquettes des autres médicaments que vous prenez. ■ Ne buvez jamais d'alcool avec ce médicament; vous risqueriez des lésions au foie. ■ Si vous êtes trop malade pour manger, n'en prenez pas. En jeûnant, vous augmentez le risque de problèmes de foie.
Antiacides (comme Rolaids, Tums, Mylanta)	■ Les doses excessives sont fréquentes parce que les gens en consomment abondamment pour contrer les effets d'une mauvaise alimentation, d'une indigestion, du tabagisme, de l'alcoolisme et du stress. À l'excès, ce médicament peut occasionner de la constipation et des lésions rénales. ■ Les marques qui contiennent du magnésium peuvent occasionner des diarrhées ou de la déshydratation. En usage prolongé, elles peuvent conduire à la dépendance laxative. Les produits contenant du calcium peuvent affecter le niveau de calcium dans l'organisme et entraîner des calculs rénaux, lorsqu'on en consomme trop souvent. ■ Prenez tous les antiacides de 2 à 3 heures avant ou après vos autres médicaments et ne dépassez pas les dosages recommandés.
Aspirine et anti-inflammatoires non stéroïdiens (comme Advil, Motrin IB) 	■ On utilise trop souvent l'aspirine et on dépasse trop souvent la dose recommandée, au risque d'irritation et de saignement de l'estomac. Soyez à l'affût des signes d'irritation gastrique: nausée, vomissement, diarrhée. Pour diminuer l'irritation de l'estomac, prenez-la avec de la nourriture, du lait ou un grand verre d'eau. ■ Pour éviter d'irriter l'œsophage, n'allez pas vous étendre de 15 à 30 minutes après avoir pris de l'aspirine. ■ Vous ne devriez pas en prendre plus de 10 jours consécutifs. L'utilisation excessive de l'aspirine peut occasionner des maux de tête de rebond. ■ Les bourdonnements dans les oreilles peuvent signaler que vous en prenez trop. ■ Ne prenez pas une aspirine par jour sans en discuter avec votre médecin. ■ Comme l'aspirine accroît le risque de saignement, évitez d'en prendre une à deux semaines avant une chirurgie, même une chirurgie dentaire.
Sirops contre la toux et sirops expectorants (comme Benylin DM, Robitussin, Tylénol rhume et grippe)	■ Certaines marques contiennent jusqu'à 40 % d'alcool; alors évitez de boire de l'alcool quand vous en prenez. ■ Ne prenez pas en même temps du sirop contre la toux et du sirop expectorant. ■ Ne faites pas d'abus, ni en durée ni en dosage, parce que certains sirops (sur ordonnance) contiennent des narcotiques et peuvent occasionner de la dépendance.

Médicament	Mauvais usages et pièges à éviter

Laxatifs
(comme Correctol,
Dulcolax, Sénokot,
Lait de magnésie)

■ Beaucoup de personnes âgées croient qu'elles en ont besoin pour aller à la selle chaque jour – ce qui n'est pas nécessaire pour autant que les selles passent sans difficulté.

■ Certaines personnes s'en servent pour contrôler leur poids, mais ils ne sont pas efficaces, les aliments ayant déjà été absorbés par l'organisme avant que le laxatif puisse faire effet.

■ Cessez de prendre des laxatifs aussitôt que vos selles reviennent à la normale.

■ Ne les utilisez pas pendant plus d'une semaine sans l'avis de votre médecin.

■ L'utilisation excessive de laxatifs peut conduire au cycle infernal diarrhée – constipation. Cela peut affecter votre capacité d'aller à la selle et priver votre organisme de ses fluides et d'électrolytes essentiels, ainsi que nuire à l'absorption de vitamine D et de calcium.

■ Évitez la constipation en augmentant graduellement la quantité de fibres dans votre alimentation en consommant des aliments à teneur élevée en fibres, en buvant au moins huit verres d'eau par jour et en faisant davantage d'activités physiques.

■ Si vous abusez déjà des laxatifs, voyez votre médecin; vous aurez besoin de supervision médicale pour arrêter graduellement d'en prendre.

■ Ne donnez pas de laxatifs aux enfants sans l'avis de votre médecin.

Décongestionnant nasal
(comme Dristan vaporisa-
teur nasal, Otrivin)

■ Les vaporisateurs nasaux sont si efficaces que certaines personnes commencent même à s'y fier en tout temps. Cependant, un usage prolongé peut causer une enflure permanente des vaisseaux sanguins du nez appelée «congestion de rebond». En d'autres termes, il peut créer le problème qu'il s'efforce justement de résoudre.

■ Limitez l'usage à deux fois par jour, pendant trois jours consécutifs tout au plus. Soyez à l'affût des signes d'usage excessif: saignement de nez et inflammation des sinus.

Somnifères
(comme Sominex,
Nytol, Unisom)

■ Les gens qui prennent trop souvent des pilules pour dormir finissent par s'y habituer, c'est pourquoi ils doivent augmenter les doses pour obtenir le même effet.

■ Certaines personnes âgées peuvent avoir du mal à les métaboliser; ainsi restent-ils dans leur organisme jusqu'à 96 heures et compromettent-ils leur vigilance.

■ Leur ingrédient actif, la diphenhydramine, se trouve aussi dans plusieurs médicaments pour combattre le rhume et l'allergie. Ne les prenez pas en même temps.

■ Si vous souffrez du foie, des reins, si vous avez des problèmes respiratoires, une hypertrophie de la prostate, du glaucome, consultez votre médecin avant de prendre tout somnifère en vente libre.

■ Les effets secondaires fréquents comprennent: sécheresse de la bouche, vision brouillée, vertiges. Évitez de conduire et de faire des tâches qui demandent votre attention jusqu'à ce que vous sachiez comment ces médicaments vous affectent. Évitez aussi l'alcool, qui en augmente les effets sédatifs.

CHAPITRE 7

ÉVACUER LE STRESS

188 Votre rapport avec le stress

194 Votre stratégie antistress

200 Apprendre à se détendre

Votre rapport avec le stress

Le stress est inévitable en ce millénaire où chaque seconde est comptée. Cependant, rien ne vous oblige à le laisser guider votre vie et ruiner votre santé.

Le stress, c'est ce que vous ressentez dans un embouteillage lorsque vous êtes déjà en retard pour le travail ; ou lorsque vos beaux-parents s'invitent pour le week-end ; ou lorsque votre solde bancaire est dans le rouge. En résumé, tous les inconvénients de la vie moderne sont causes de stress. Le terme désigne aussi la manière dont votre corps réagit à ces événements : palpitations, mains moites, bouche sèche.

Confronté à un animal prêt à le dévorer, l'homme préhistorique,

obligé de se battre ou de prendre ses jambes à son cou, trouvait dans son corps les ressources nécessaires grâce à un enchaînement de fonctions. D'abord, la conversion des gras en glucose par le foie fournit rapidement de l'énergie, alarme du système nerveux par l'intermédiaire de neurotransmetteurs tels que la sérotonine. Ensuite, la poussée hormonale augmente les pulsions cardiaques et la tension accélérant l'assimilation de l'oxygène et des éléments nutritifs par le cerveau et les muscles. Enfin, des hormones, les glucocorticoïdes, interrompent la transformation en gras des éléments nutritifs et les pupilles se dilatent pour améliorer la vision de l'adversaire. La nature déclenche ces fonctions d'urgence pour nous permettre d'échapper à un danger immédiat. Malheureusement, les délais professionnels, les problèmes d'argent, de couple et des légions d'inconvénients de la vie moderne stimulent également ces réponses au stress.

Il ouvre la porte aux maladies

On a longtemps cru qu'un lien entre le stress chronique et des maladies comme le simple rhume n'était basé que sur des racontars. Depuis une

Fléau des temps modernes, le stress n'est un problème de santé que s'il devient chronique. Si vous vivez en permanence dans cet état, examinez-en les causes et combattez-les.

Le stress : une arme à double tranchant

L'attitude «affronter ou fuir» est très utile dans les situations d'urgence, mais trop souvent utilisée, elle risque de saper votre santé en augmentant vos risques de maladie cardiovasculaire, de dépression, d'insomnie et d'autres affections.

Réaction	Avantages	Désavantages
Votre respiration s'accélère.	■ La respiration rapide approvisionne le sang en oxygène, facteur d'énergie instantanée.	■ La respiration saccadée contrecarre la détente.
Votre rythme cardiaque augmente.	■ Le cœur augmente la circulation sanguine en pompant plus vite le sang à la minute. Cela active le transport de l'énergie aux muscles.	■ Sur plusieurs années, cela risque de contribuer à l'apparition de douleurs thoraciques, d'arythmie (irrégularités du cœur), ainsi qu'à une augmentation des suées et des bouffées de chaleur.
Vos vaisseaux sanguins se contractent.	■ Le sang est redirigé vers les organes vitaux, comme le cœur.	■ La circulation bloquée dans certains vaisseaux sanguins augmente la tension.
Le sang est approvisionné en éléments énergétiques tels que le sucre (glucose) et les gras.	■ Les niveaux de glucose augmentent l'énergie disponible.	■ Une élévation chronique du glucose sanguin peut déclencher le diabète chez l'adulte. Les gras, par ailleurs, qui approvisionnent le sang en énergie, se convertissent en cholestérol et risquent de contribuer à l'encombrement de vos artères.
La fibrine, une substance coagulante, est diffusée dans le sang.	■ En cas de blessure, les fonctions cicatrisantes de votre corps sont améliorées.	■ La coagulation est un facteur de risque cardiaque et de congestion cérébrale.

dizaine d'années, les chercheurs et les médecins se sont rendus à l'évidence qu'il existe un lien entre le stress et l'état de santé. Parmi les dommages causés par le stress, on recense :

Le système immunitaire. De nombreuses études montrent que le stress affaiblit les défenses immunitaires et nous fragilise face aux maladies infectieuses, dont le rhume et la grippe. Une recherche révèle que les personnes soumises au stress présentent 60 % moins de cellules CD8 actives et beaucoup moins de cellules CD4 que les autres. Les cellules CD8 et CD4 sont des globules blancs qui stimulent la destruction des bactéries, des virus et des cellules cancéreuses. L'épinéphrine (adrénaline) et le cortisol sont probablement les deux hormones responsables du stress.

Les symptômes d'un rhume sont également exhaussés chez les personnes soumises au stress. Lors d'une autre étude, des chercheurs ont injecté le virus de la grippe A à des bénévoles qu'ils ont placés en quarantaine pendant sept jours dans une chambre d'hôtel. Les personnes les

En bref

On estime que le stress chronique peut augmenter de 90% vos chances d'attraper un rhume.

Le stress et les sexes

Qui est le plus soumis au stress, l'homme ou la femme ? Bien que l'on sache que le stress soit un facteur de risque de crise cardiaque, les hommes entre 40 et 50 ans sont plus souvent victimes de crises cardiaques que les femmes, alors qu'ils ne semblent pas soumis à plus de stress. Une étude récente a pourtant révélé que les femmes y sont plus souvent soumises.

Les sujets féminins étudiés décrivaient des symptômes d'anxiété, de dépression, d'insomnie, de douleurs dorsales et des maux d'estomac. Ces femmes souffraient également de modifications du comportement : perte d'appétit, boulimie, abus d'exercices physiques ou incapacité à sortir du lit, augmentation de la consommation de cigarettes ou d'alcool.

Le surcroît de stress dont sont victimes les femmes semble, selon certains experts, provenir du fait que leur charge totale de travail est plus importante que celle des hommes. Le Dr Alice Domar de l'école médicale de Harvard avance l'hypothèse que les femmes ressentent plus de stress parce qu'elles ont la responsabilité du bien-être familial et ont tendance à prendre soin de chacun, sauf d'elles-mêmes.

Comment expliquer que l'incidence de risque de maladies cardiaques liés au stress ne les affecte pas ? Des chercheurs de l'université Duke ont découvert que les vaisseaux sanguins des femmes se contractent moins sous le stress que ceux des hommes, probablement grâce à l'action protectrice de l'œstrogène. À la ménopause, lorsque le taux d'œstrogène décline, le risque de problèmes cardiaques augmente pour les femmes. Généralement, les femmes expriment leurs sentiments et recherchent un soutien plus facilement que les hommes, ce qui les aide à protéger leur corps des réactions négatives dues au stress.

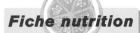

Fiche nutrition

Lorsque la vie vous apparaît plus exigeante qu'à l'habitude, prenez de la vitamine C : le corps en consomme plus en période de stress. Les experts recommandent une consommation additionnelle de 500 mg de vitamine C dans l'alimentation ou en supplément. La vitamine C a un avantage de plus : des études animales récentes montrent que cette vitamine fait diminuer le taux d'hormones de stress dans le sang.

---

plus stressées avant l'expérience ont souffert de symptômes plus intenses.

Les maladies cardiovasculaires. Depuis 1992, des études ont confirmé que la colère et le stress augmentent la tension et les risques de maladies cardiaques. Une hausse brusque de la tension inflige des blessures aux parois des artères coronaires. Les tissus cicatrisés contribuent à l'artériosclérose, ou durcissement des artères. Le stress augmente aussi le rythme du cœur et peut finir par implanter des anomalies rythmiques cardiaques.

Le stress est un facteur coagulant, probablement pour améliorer les fonctions de cicatrisation en cas de blessure. Il augmente aussi les taux de cholestérol, qui encombrent les vaisseaux sanguins nourriciers du cœur, ralentissant la circulation.

L'état de la peau. Des chercheurs ont isolé une substance appelée hormone de libération de la corticotrophine ou CRH (fabriquée par l'hypothalamus en réponse au stress) qui semble jouer un rôle important dans les affections cutanées chroniques telles que l'eczéma et le psoriasis. Des rats auxquels des chercheurs avaient injecté de la CRH ont développé plusieurs allergies dermatologiques telles que : gonflement, inflammation, pelade et démangeaison. Inoculée avec un médicament qui bloquait l'effet de la CRH, leur peau était indemne de ces réactions.

La cicatrisation. Lors d'une autre étude, des chercheurs ont stimulé un hématome par succion sur l'avant-bras de 36 sujets féminins choisis en fonction du niveau de stress auquel ils étaient soumis. Les marques ont mis plus de temps à disparaître sur les femmes dont le niveau de stress était plus élevé que sur celles qui étaient plus détendues. Les analyses de sang ont révélé que les femmes stressées produisaient beaucoup moins d'interleukine 1 et d'interleukine 8 (IL-8), deux facteurs d'immunité et de cicatrisation. C'est pourquoi les médecins conseillent aux patients en chirurgie de réduire leur niveau de stress et d'anxiété avant une intervention.

Le cerveau. Des études indiquent que le stress «grille» une partie de votre cerveau destinée à l'apprentissage et à la mémoire. La cause peut être attribuée à une hausse des niveaux de glucocorticoïde, hormone de déclenchement du stress qui peut entraver les fonctions des neurones dans le cortex et l'hippocampe du cerveau. Les effets sont plus évidents chez les personnes âgées (réflexion ralentie, difficulté à accomplir des tâches et hyperactivité ou apathie des fonctions cérébrales).

Un stress prolongé peut entraîner des pertes de mémoire : des chercheurs ont découvert qu'un taux élevé de cortisol durant plusieurs jours peut entraver la «mémoire des stimuli verbaux», capacité à se rappeler les mots, les numéros, etc. Durant l'étude, les sujets ont reçu soit un placebo, soit une dose de cortisol équivalente à celle produite dans une situation de grand stress.

Parmi ceux qui avaient reçu l'hormone, 93 % éprouvaient plus de difficultés à se rappeler le contenu d'un paragraphe que les personnes ayant pris un placebo. Six jours après l'arrêt des doses de cortisol, les groupes obtenaient les mêmes résultats aux tests de mémoire.

Une courte période de stress peut parfois améliorer votre mémoire. Mais un stress qui dure plusieurs jours peut semer la confusion dans vos idées et affecter votre souvenir des détails comme les noms ou les numéros de téléphone.

D'autres indices

Écoutez votre corps, car le stress s'exprime de différentes manières. En voici quelques exemples classiques :

- Fatigue chronique inexpliquée
- Anxiété
- Brusques éclats de colère
- Difficulté de concentration ou de mémoire
- Frustration face à un obstacle ou un revers
- Perte d'intérêt pour le sexe
- Halètement inexpliqué
- Bouche sèche
- Tremblements
- Vertiges
- Irritabilité
- Insomnies
- Maux d'estomac ou indigestion
- Perte ou gain de poids

10 causes fréquentes de stress

Sur une période de 20 ans, les chercheurs de l'école de médecine de l'université Washington ont interrogé plus de 5000 sujets pour établir une liste des 10 premiers facteurs de stress associés à une maladie ou à un accident. Les résultats :

1. Décès d'un conjoint
2. Divorce
3. Séparation
4. Emprisonnement
5. Décès d'un parent
6. Accident ou maladie
7. Mariage
8. Perte d'emploi
9. Réconciliation maritale
10. Retraite

L'intestin. Sans en être la cause première, le stress est un facteur qui favorise les ulcères. Le stress peut également augmenter les difficultés intestinales, des intestins fragiles entraînant des douleurs abdominales, des diarrhées ou de la constipation.

Le poids. Les études indiquent que des niveaux de stress élevés peuvent être responsables d'un gain de poids, surtout autour de l'abdomen. En situation de stress, le foie convertit rapidement les gras emmagasinés (glucose) et en inonde le flot sanguin. Plus une personne est soumise au stress, plus le corps s'efforce d'emmagasiner du gras autour de l'abdomen, près du foie, en prévision des périodes de crise ; de plus, certaines personnes ont tendance à manger plus lorsqu'elles sont soumises au stress.

Le bon et le mauvais stress

Le stress n'est pas toujours négatif. Un nouvel emploi, un déménagement, une naissance sont des situations de bon stress. Beaucoup d'athlètes ne parviendraient pas à battre des records si la compétition, et la poussée d'adrénaline qui l'accompagne, ne stimulait pas leurs muscles. Même le stress négatif peut être utile : rempliriez-vous votre

Quel est votre niveau de stress ?

Faites ce test pour évaluer votre niveau de stress.

◄ Avez-vous souvent des pertes de mémoire et des difficultés à vous concentrer ?

◄ Avez-vous souvent du mal à vous endormir, des réveils fréquents ou de la fatigue au réveil ?

◄ Ressentez-vous colère et frustration face à des problèmes mineurs ?

◄ Vous faites-vous du souci en permanence ?

◄ Vous sentez-vous souvent nerveux ou angoissé ?

◄ Avez-vous l'impression de ne pas contrôler ce qui vous arrive ?

◄ Vous sentez-vous souvent incompétent ?

◄ Vous semble-t-il souvent que rien ne va ?

◄ Êtes-vous souvent troublé par l'inattendu ?

◄ Avez-vous du mal à faire tout ce que vous avez à faire ?

Si vous répondez « oui » à 1 ou 2 de ces questions et que cette situation persiste sur plusieurs jours ou semaines, vous êtes noyé dans le stress. Ce livre vous aidera à trouver des solutions.

déclaration d'impôts à temps sans menace de pénalité ?

Par contre, le stress chronique n'est jamais bénéfique : peur, frustration et soucis vous désarment face à des événements que vous ne contrôlez pas.

Au travail, les personnes soumises aux plus hauts niveaux de stress sont celles qui exercent le moins de contrôle sur la situation. Leurs risques de décès d'une maladie cardiovasculaire sont plus élevés. Selon les chercheurs, le stress fait plus de victimes parmi les chauffeurs de bus, les travailleurs à la chaîne, les serveuses et autres sujets soumis à beaucoup de pression, mais n'ayant que peu d'autorité sur leurs conditions de travail, que parmi les cadres.

Le stress professionnel peut même écourter votre vie. Lors de l'analyse de données rassemblées sur 26 années, des chercheurs ont conclu que les travailleurs dont la profession exigeait peu ou pas d'autorité couraient un risque plus élevé de décès prématuré. En comparaison, ceux dont la moitié de la vie professionnelle leur permettait de prendre des décisions voyaient leur risque de décès diminuer de 50 %.

Il est important d'avoir le sentiment de contrôler la situation. Des études menées sur des personnes placées en foyer d'accueil ont montré que celles qui pouvaient choisir leur repas et planifier leurs activités entretenaient de meilleurs rapports avec les autres et se sentaient généralement plus heureuses que celles qui, durant plusieurs semaines, étaient soumises à une routine définie par le personnel. Des médecins, qui ignoraient à quel groupe les

Stress ou maladie?

On peut parfois confondre les symptômes d'une maladie avec le stress. Par exemple :

- Une douleur thoracique intense, étouffante et prolongée, une douleur dans l'épaule gauche, le bras ou la mâchoire peut être un signe précurseur de crise cardiaque. Consultez immédiatement un médecin et prenez une aspirine.
- Une inaptitude à communiquer, à participer à la vie sociale ou à assumer les activités quotidiennes normales peut être le signe avant-coureur d'une dépression clinique nécessitant l'aide d'un professionnel.

patients appartenaient, ont confirmé l'amélioration de la santé du premier groupe. Plus révélateur encore, 18 mois plus tard, le premier groupe avait un taux de décès inférieur de 50 % au second.

Le bon stress vous aidera à réaliser des choses. Avant un saut en parachute, le cœur accélère et la tension augmente pour vous préparer à l'action. Le stress chronique, cependant, ne sert à rien.

Votre stratégie antistress

Si vous n'arrachez pas le mal à la racine, sachez que le stress repousse comme du chiendent.

Vous êtes submergé par le stress ? Si les techniques de relaxation (voir pages 200 à 203) peuvent vous aider à calmer vos réactions au stress, vous devez aussi attaquer le mal à la racine.

N'en faites pas une montagne

Votre solde bancaire attendra bien demain ? Est-il nécessaire de ruminer votre prise de bec avec votre patron ? Une règle d'or pour chasser le stress : modifiez votre façon de voir les choses. Posez-vous ces questions :

● Quelle est la pire chose qui puisse vous arriver ? A-t-elle des risques de se produire ?
● Avez-vous fait tout votre possible pour régler la situation ? Si oui, c'est beau. Sinon, prenez sans tarder des mesures concrètes pour résoudre le problème, cela apaisera votre esprit.

● Quelles seront les conséquences sur votre vie ? Y penserez-vous encore dans quelques années ?
● Que conseilleriez-vous à un ami dans la même situation ?

Rappelez-vous que les maladies déclenchées par le stress sont liées à vos réactions à des événements extérieurs, pas aux événements eux-mêmes.

Fais ce que dois...

Contourner le problème qui en est la cause semble la manière la plus logique d'éviter le stress, mais cela exige un plan.

● Si vous êtes toujours dans les embouteillages, trouvez des chemins parallèles moins encombrés pour vos trajets les plus fréquents.
● Le respect des délais vous donne-t-il des insomnies ? Promettez-vous de démarrer chaque projet bien avant la date fatidique.

Embarquez-vous dans vos passe-temps préférés et vos ennuis sembleront diminuer. Le jardinage ou l'observation des oiseaux sont des activités d'extérieur particulièrement apaisantes.

Découpez la tâche en étapes quotidiennes.

- Mettez les attentes des autres en perspective. Des études indiquent que des rôles mal définis ou conflictuels sont parmi les premières causes de stress. Exigez des personnes clés de votre entourage qu'elles expriment sans ambiguïté ce qu'elles attendent de vous. Ensuite, c'est le plus important, comparez leurs souhaits à vos propres besoins et faites-leur savoir ce que vous pouvez et ne pouvez pas faire.
- Si vous êtes obligé de côtoyer des personnes qui vous indisposent, faites en sorte d'assainir vos rapports avec elles. Ne les rencontrez que lorsque vous êtes détendu et informez-les directement des sujets que vous ne voulez pas aborder.

... advienne que pourra

Cherchez refuge dans des activités de détente, selon vos préférences, mais en sachant que certains passe-temps détendent mieux : le jardinage est une bonne thérapie, parce qu'il vous met en contact avec la nature, vous oblige à ralentir et à concentrer votre attention sur des choses extérieures à vous-même (et à vos problèmes). Les passe-temps qui demandent plus de concentration sont ceux qui vous font le mieux oublier vos soucis. Les arts martiaux, les sports de raquette, le golf, l'alpinisme vous forcent à vivre l'instant présent.

Organisez votre temps

Vous connaissez bien ce sentiment : trop à faire et pas assez de temps. Pour résoudre ce problème, commencez par séparer ce qui est urgent de ce qui peut attendre et accordez toute votre attention à vos responsabilités premières. Deuxièmement, déléguez les tâches qui peuvent l'être, totalement. Cela vaut aussi pour les tâches quotidiennes. Ne cédez pas à la tentation de surveiller ceux, souvent des êtres chers, qui vous aident. Le travail ne doit pas se faire selon votre méthode, il doit se faire, c'est tout. Ne faites pas l'impasse sur le nécessaire. Même si vous êtes très occupé, vous n'arrangerez pas les choses à long terme si vous sautez les repas, vous privez d'exercice physique, ou de sommeil, selon le Dr Don R. Powell, président de l'institut américain de médecine préventive. Voici quelques astuces pour gérer son temps :

- Attelez-vous au travail le plus exigeant lorsque vous êtes le plus en forme, au milieu de la matinée ou après un léger dîner pour la plupart des gens. Réservez les appels téléphoniques et autres tâches peu exigeantes pour le coup de barre de l'après-midi, conseille le Dr Robert M. Sapolsky, neuroendocrinologue, de l'université de Stanford, un expert du stress.
- Ignorez la sonnerie du téléphone. Si vous avez un répondeur, prenez les messages et rappelez plus tard.

Fiche nutrition

Un coup de stress ? Ne vous jetez pas sur la malbouffe. Essayez ces collations :

- Lait chaud, yogourt, pudding de tapioca. Ils contiennent tous du tryptophane, un acide aminé producteur de sérotonine, élément chimique produit par le cerveau pour la relaxation.
- Pain, céréales et pâtes. Ces éléments apaisants stimulent la production de sérotonine.
- Banane, jus d'orange et abricots. Riches en potassium, dont les réserves s'appauvrissent en période de stress intense.

MÉDICAMENT

Dans des situations particulières ou de pression à court terme – un voyage en avion, un discours, une visite chez le dentiste, une déclaration d'impôts à remplir – qui vous donnent des palpitations et troublent vos pensées, demandez à votre médecin un anxiolytique tel que l'alprazolam, le lorazépam ou la buspirone. Pour un jour ou deux, jusqu'à deux semaines, l'alprazolam ou le lorazépam soulagent les symptômes d'anxiété dus à un stress de courte durée. Ils ont l'inconvénient d'être soporifiques. En comparaison, la buspirone n'est pas sédative, mais il faut la prendre régulièrement en augmentant progressivement la dose sur une semaine.

VOTRE STRATÉGIE SANTÉ

Astuce santé

Évacuez votre stress en «lâchant du lest» à l'occasion, en acceptant un compromis ou une opinion qui n'est pas la vôtre. La prochaine fois que vous entrez en conflit avec quelqu'un, prenez le temps d'inspirer profondément. N'en faites pas un «combat des chefs»; en restant souple, vous réduisez votre stress, et vous trouverez probablement une meilleure solution.

- Pour les tâches de longue haleine, avancez étape par étape, chaque fois qu'une occasion se présente, et vous aurez terminé en un rien de temps.
- Sachez dire non. Si vous n'avez vraiment pas le temps d'assumer un surcroît de travail, reconnaissez-le puis trouvez les mots pour le dire.

Ne négligez pas l'exercice

L'exercice est une arme majeure contre le stress. Il aide à relâcher les muscles et favorise la production d'endorphines, les hormones de l'humeur. De plus, il vous fait oublier vos problèmes. Les personnes qui pratiquent un exercice physique réagissent moins violemment au stress. Un peu d'exercice avant une situation angoissante atténue l'augmentation de la tension et des niveaux de glucose. Autre avantage : l'exercice favorise le sommeil profond, qui recharge mieux vos batteries.

Sans chercher à battre des records, vous ressentirez les effets bénéfiques de l'exercice physique. Une promenade alerte de 20 à 30 minutes, de la bicyclette de trois à cinq fois par semaine, peuvent aider. Choisissez une activité qui vous plaise. Toute forme d'exercice possède sa valeur en soi, mais certains ont des avantages particulièrement adaptés au soulagement du stress. En voici un aperçu :

- Les exercices aérobiques (assez rapide pour suer, assez lent pour suivre une conversation) aident à réduire les tensions, les angoisses et la dépression.
- Les exercices rythmiques (bicyclette, natation, course, aviron) peuvent vous faire atteindre un état proche de la méditation.
- Les sports à rythme soutenu (tennis, raquette ou balle au panier) exigent un effort de concentration intense et oblitèrent vos soucis.
- Les sports solitaires (marche, course, bicyclette ou patins à roulettes) vous permettent d'évacuer vos émotions négatives et d'apaiser votre esprit.
- Les sports d'équipe favorisent les contacts humains.

Pratiquez l'optimisme tous les jours

Votre attitude face à l'adversité détermine la réaction de votre corps au stress. Si vous avez tendance à vous replier sur vous-même, à vous décourager, à vous en vouloir, à perdre la tête ou à toujours vous jeter la première pierre, vous faites la part belle au stress. Par contre, si vous avez tendance à regarder les choses du bon côté, l'adversité aura moins de prise sur vous.

Martin Seligman, psychologue à l'université de Pennsylvanie et auteur de *Learned Optimism*, a déterminé des comportements qui aident les gens à affronter le stress. Devant une situation pénible, l'optimiste pense que ce n'est que passager («ça va s'arranger bientôt»). Il ne se

NATURELLEMENT

Le panax ginseng, aussi appelé ginseng d'Asie, semble réduire les effets négatifs du stress, probablement parce qu'il équilibre la production d'hormones. Il semble stimuler la production d'endorphines, les hormones du bien-être. La substance active est appelée ginsenoside, un extrait végétal de racine. Choisissez les produits standardisés à au moins 7 % de ginsenoside, et prenez de 100 à 250 mg une à deux fois par jour. Contre-indiqué cependant pour les femmes enceintes et les personnes sous inhibiteurs IMAO ou celles souffrant d'arythmie cardiaque.

Les meilleurs amis de l'homme

Être soutenu par ses amis et sa famille est un bon bouclier contre les maladies liées au stress. Mais l'affection inconditionnelle d'un chien fidèle, le ronronnement amical d'un chat sont aussi apaisants. Ceux qui bénéficient de la compagnie des animaux vont moins souvent chez le médecin, tombent moins souvent malades et possèdent une espérance de vie accrue. Ils semblent aussi mieux réagir au stress.

Les chercheurs de l'université d'État de New York-Buffalo ont récemment étudié les réactions au stress de 48 agents de change affligés de tension. Confrontés à deux situations difficiles (compter le plus rapidement possible par multiples de 17 ; parler pendant 5 minutes pour se sortir d'une accusation hypothétique de vol), leur tension a grimpé en flèche. À la suite du test, on a remis à la moitié des agents de change un chien ou un chat.

Six mois plus tard, on a répété les tests, avec cette différence majeure : la moitié des agents sont venus accompagnés de leur animal. Au cours du test, leur tension a augmenté en moyenne de 8 ou 9 points. La tension des personnes sans animal a cependant augmenté en moyenne de presque 20 points. Selon le Dr Karen M. Allen, directrice de l'étude, ces résultats ont impressionné les agents de change qui n'avaient pas adopté d'animal de compagnie.

blâme pas lui-même. Il blâme les événements extérieurs (« ce sont des choses qui peuvent arriver »). Il isole l'incident du contexte (« cette personne m'en veut, mais ce n'est pas le cas de la plupart des gens »).

Certains psychologues pensent que si vous n'êtes pas un optimiste, vous pouvez le devenir. Lorsque vous réagissez mal à un événement, réfléchissez pour essayer de le voir autrement. Fréquenter des optimistes peut aussi vous aider à cultiver une attitude positive.

Quelques astuces vous aideront à endiguer les idées négatives : dressez une liste de 5 à 10 événements qui peuvent vous rendre heureux, et concentrez-vous ensuite uniquement sur eux.

Cette méthode constitue une manière efficace de faire le point en concentrant votre attention sur les aspects positifs.

Vous avez besoin d'aide ?

Si vous avez l'impression d'être submergé par une situation de stress que vous ne pouvez plus gérer, prenez rendez-vous avec un conseiller ou un thérapeute. N'ayez pas honte ; au contraire, cela montre votre volonté de prendre la situation en main en recherchant de l'aide pour y arriver.

Demandez des recommandations à votre médecin ou à vos amis. Beaucoup de thérapeutes offrent une première session gratuite ; cela vous permet de savoir si vous vous sentez à l'aise avec cette personne. Si vous travaillez en entreprise, jetez un coup d'œil à votre régime d'assurance : certaines entreprises offrent des programmes d'aide pour les employés. Pour vous renseigner auprès d'associations et d'ordres professionnels, consultez le Guide des ressources aux pages 400 à 403.

En bref

Des études indiquent que les personnes qui entretiennent de bons rapports familiaux réagissent mieux au stress.

VOTRE STRATÉGIE SANTÉ

10 façons simples d'évacuer le stress

Vous vous noyez dans le stress ? Ne vous laissez pas couler. Prenez des mesures préventives avant qu'il ne resserre son étreinte. Voici quelques astuces pour contrer le stress.

1 Appuyez-vous sur les autres. Des études sur les animaux et sur les humains illustrent les bénéfices des rapports sociaux sur les réactions au stress. Créez un réseau d'amitiés vers lequel vous tourner. Partagez vos ennuis avec un ami et demandez-lui conseil. Évitez de fréquenter les gens qui prennent mais ne donnent jamais en retour, ceux qui ont des sautes d'humeur ou qui sont déprimés en permanence.

2 Faites le ménage. Jetez les vieilles piles de magazines, les recettes périmées et les formulaires d'impôts dont vous n'avez plus besoin. Un environnement bien rangé vous évitera l'énervement de ne pas retrouver la chose dont vous avez besoin et procure le sentiment apaisant que tout est en ordre.

3 Éliminez la pression de dernière minute. Prévoyez 15 minutes d'avance à vos rendez-vous, organisez le paiement de vos factures (renseignez-vous sur les paiements automatiques), prévoyez les paiements à l'avance, achetez des cartes de vœux en réserve quand vous en trouvez qui vous plaisent. Un peu de prévoyance peut vous économiser beaucoup d'énergie.

4 Tenez un journal. Faites le point sur votre journée, vos émotions et vos objectifs personnels. Notez tout ce qui vous angoisse pour déterminer les comportements appropriés. Écrire procure une détente et permet de prendre du recul.

5 Organisez-vous. Rangez factures, paperasse, lettres. Choisissez des endroits accessibles pour ce que vous utilisez le plus souvent. Chaque jour, prenez cinq minutes pour ranger votre lieu principal. Gardez sous la main un calendrier et un semainier. Faites des listes et rayez les corvées au fur et à mesure.

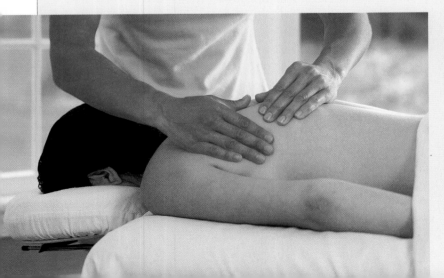

6 Offrez-vous un massage. En plus de procurer une détente, il permet de diminuer le niveau d'hormones de stress dans le sang et stimule la production de sérotonine par le cerveau, un agent chimique associé à la relaxation et au sentiment de bien-être. Des études indiquent que le massage peut même ralentir votre rythme cardiaque et faire baisser votre tension.

7 Coupez votre liste de tâches en deux. Vous avez mis la barre trop haut ! Sélectionnez les choses à faire les plus importantes à long terme. Vous n'y arrivez pas ? Confiez-en à quelqu'un d'autre. Embauchez votre petit voisin pour l'entretien du jardin, ou commandez votre repas au lieu de le cuisiner.

9 Évitez les foules. Prévoyez vos transports en dehors des heures de pointe ; allez dîner 15 minutes avant l'heure d'affluence ; choisissez de faire vos courses le jeudi plutôt que le samedi ; achetez vos vêtements par correspondance.

8 Réservez-vous du temps. Donnez la priorité à votre pause « relâche et régénération ». Prévoyez-en une au moins tous les deux jours. Même si cela signifie de renoncer à une activité, prenez le temps de vous distraire. Détendez-vous en solitaire avec un livre et la musique que vous aimez.

10 Riez. Le rire déclenche la production d'endorphines qui soulagent la douleur et exhaussent le sentiment de bien-être. Son effet stimulant sur le cœur, les poumons et les muscles renforce vos défenses immunitaires. Rire 20 secondes vous procure autant d'oxygène que trois minutes d'exercices aérobiques. De plus, il est presque impossible de demeurer tendu lorsqu'on rit. Recherchez ce qui fait rire : dessins animés, vidéos de comédie, spectacles de variétés, livres, etc. Blaguez avec des amis. Envoyez des courriels amusants à vos amis.

Apprendre à se détendre

Vous ne savez plus vous détendre ? Apprendre à se détendre demande un peu de concentration, mais cela vaut le coup.

Le relâchement progressif des muscles peut aider les gens qui souffrent d'hypertension liée au stress.

La réaction de mise en alerte est automatique face au danger. Malheureusement, à moins de fuir le problème en courant, les tensions ne peuvent être évacuées. C'est ce qui menace votre santé.

Vous pouvez apprendre à bloquer la réaction d'alerte en déclenchant ce que le Dr Herbert Benson appelle la mise en relaxation.

Le Dr Benson, l'un des pionniers dans la recherche sur le stress, a étudié les effets physiques de la relaxation. Il a découvert que la méditation ou des exercices de respiration profonde abaissent la tension et le rythme de la respiration, modifient votre rythme cérébral,

réduisent la consommation d'oxygène par le corps et renforcent même certaines défenses immunitaires.

Les méthodes de relaxation dans les pages suivantes peuvent vous aider non seulement à apaiser les angoisses, mais aussi à faire naître un sentiment de bien-être. Elles peuvent de plus améliorer votre santé générale. Leur efficacité croît avec la pratique.

Relâchement progressif des muscles

Cette méthode consiste à tendre puis à relâcher successivement divers groupes de muscles de votre corps.

1 Allongez-vous sur le dos sur un tapis.

2 Inspirez profondément, contractez tous les muscles de votre corps pendant quelques secondes, en vous concentrant sur la sensation provoquée. Relâchez vos muscles en expirant et prenez conscience du changement.

3 Contractez maintenant successivement diverses parties de votre corps. Commencez par les pieds : étirez les orteils, puis relevez-les. Tendez les muscles du talon, puis relâchez-les. Passez aux cuisses, puis à l'estomac. Cambrez légèrement le dos, puis collez-le au sol.

4 Continuez : serrez les poings puis ouvrez vos mains. Appuyez les bras contre le sol, puis relâchez-les. Haussez les épaules, puis relâchez. Votre visage : froncez les sourcils, serrez les dents, ouvrez la bouche…

5 À la fin, restez allongé quelques minutes. Votre corps tout entier doit être au repos.

La méditation

Il existe plusieurs types de méditation. La méditation transcendantale utilise un mot ou une phrase, aussi appelé mantra, pour chasser les pensées de l'esprit et atteindre un état de sérénité. Une autre technique consiste à méditer sur vos pensées sans les juger ni réagir.

Voici un exercice de base de la méditation transcendantale que vous pouvez pratiquer 20 minutes, de une à deux fois par jour.

1 Choisissez un endroit calme où vous ne serez pas dérangé. Fermez la porte, débranchez le téléphone et envoyez vos animaux domestiques se promener. Évitez les

---

Arômes détentes

L'influence sur l'humeur et même sur la douleur de certaines huiles essentielles, distillats de plantes ou de fleurs, est prouvée. Dans un hôpital de New York, un psychologue apaisait les angoisses de patients claustrophobes soumis à une IRM (image de résonance magnétique) en répandant des effluves de vanille dans la salle.

Les études décrivent l'influence spécifique d'une plante, la lavande par exemple, mais vous pouvez choisir le parfum que vous préférez : ylang-ylang, fleur d'oranger, bois de santal, eucalyptus, rose ou géranium sont parmi les plus populaires. Voici comment les utiliser :

● Mélangez quelques gouttes d'huile essentielle à votre huile de bain ou de massage (huile d'amande douce ou de pépin de raisin). Le contact de la peau avec les huiles essentielles est déconseillé aux femmes enceintes.

● Utilisez un diffuseur électrique qui disperse les molécules d'huile essentielle dans l'air. Vous pouvez coupler le diffuseur à une minuterie et vous éveiller au parfum d'huiles d'agrumes plutôt qu'à la sonnerie du réveil.

● Parsemez votre mouchoir de quelques gouttes d'huile essentielle et humez (déconseillé aux personnes asthmatiques).

Attention : les huiles essentielles peuvent irriter la peau. Ne les appliquez jamais directement sur votre peau à moins de les avoir d'abord diluées dans une autre huile. Ne pas ingérer et ne pas appliquer autour des yeux, du nez ou de la bouche.

---

moments où vous avez faim ou lorsque vous venez de prendre un gros repas.

2 Portez des vêtements amples et asseyez-vous dans une position confortable.

3 En inspirant et en expirant profondément, fermez les yeux et répétez un mot ou une phrase de votre choix. Par exemple : un mot neutre comme « une » ou « om », un terme consacré, « amour » ou « paix », ou une phrase religieuse, « le seigneur est mon berger ».

NATURELLEMENT

Pensez au kava pour calmer votre anxiété. Cette plante populaire assouplit les muscles du squelette sans affecter le système nerveux central. Elle détend sans assoupir. Des études lui accordent la même efficacité que des tranquillisants ou des anxiolytiques. Ne dépassez pas 250 mg par jour. Ne dépassez pas une cure de trois mois sans une surveillance médicale. Une utilisation prolongée peut entraîner des nausées. Ne prenez pas de kava avant de conduire, cela risque de ralentir vos réflexes.

4 Si d'autres pensées s'imposent à votre esprit, concentrez de nouveau votre attention sur le mot ou la phrase. C'est difficile au début, mais avec la pratique, la méditation vous aidera à faire le vide dans votre esprit.

Respirez profondément

Se concentrer sur sa respiration déclenche aussi la mise en relaxation. Sous l'emprise du stress, notre respiration devient saccadée et l'oxygène reste bloqué dans la partie supérieure de la poitrine. Les enfants, par contre, emplissent instinctivement leurs poumons à fond en respirant avec le ventre, une respiration profonde, ou respiration du diaphragme.

Une respiration profonde augmente l'apport d'oxygène, réduit les tensions, tout en gardant l'esprit éveillé. Pratiquez-la quotidiennement.

1 Allongez-vous sur le dos, les pieds légèrement écartés.

2 Inspirez lentement par le nez. Cela filtre et réchauffe l'air qui va aux poumons. Gardez la langue contre le palais durant tout cet exercice. Si vous souffrez de congestion nasale, inspirez par la bouche légèrement entrouverte.

3 Comptez jusqu'à 4 en imaginant la circulation de l'air dans vos poumons. Laissez votre ventre, pas seulement votre poitrine, se gonfler d'air. Gardez les épaules immobiles.

4 Retenez votre respiration en comptant jusqu'à 4, lentement.

5 À 4, expirez lentement en laissant votre souffle emporter vos tensions. Contractez les muscles du ventre pour expulser tout l'air de vos poumons. Regardez votre ventre s'aplatir.

6 Faites une pause d'une seconde ou deux puis recommencez. Plus vous êtes détendu, plus vous pourrez retenir l'air sans effort et, progressivement, vous rendre jusqu'à 8.

Visualisation

L'imagination est un outil puissant. Les athlètes s'en servent pour améliorer leurs performances, en se « voyant » exécuter l'exploit à la perfection avant la compétition. De la même manière, si vous forgez une image mentale de vous-même calme et en contrôle, votre corps s'y conformera. Des études ont prouvé l'efficacité des images mentales sur l'anxiété et même sur la douleur. Voici un exercice simple que vous pouvez pratiquer chaque jour ou dès que vous sentez le stress vous envahir.

1 Faites quelques exercices de respiration comme indiqué précédemment.

2 Fabriquez l'image mentale d'une scène paisible : une prairie, une montagne, la plage, n'importe quel endroit qui vous inspire un sentiment de calme.

3 Immergez-vous dans chaque détail de la scène. Vous pouvez, par exemple, imaginer la couleur de l'herbe ou de l'eau, la chaleur ou la fraîcheur de l'air sur votre visage, l'odeur saline de l'océan, celle des pins ou des fleurs sauvages, les trilles des oiseaux ou le murmure des vagues. Absorbez-vous complètement dans ces détails pendant 5 à 10 minutes. Observez le ralentissement et la régularisation de votre respiration. Pour terminer l'exercice, vous n'avez qu'à laisser tranquillement l'image se dissiper.

La relaxation qui nous vient de l'Orient

Si vous avez le sentiment d'être tiraillé en tous sens, les pratiques orientales telles que le yoga, ou celles décrites ci-dessous, peuvent vous aider à retrouver l'équilibre. Des positions particulières ou des mouvements répétitifs favorisent la concentration de l'esprit et détendent le corps. Prenez le temps de maîtriser les mouvements afin d'en tirer le maximum d'avantages. Inscrivez-vous à un cours, vous pourrez ensuite pratiquer seul chez vous.

Technique	Définition	Effets
Yoga	■ Signifie «union». Démarche de corps et d'esprit pour une meilleure santé. ■ Série de postures, de mouvements et d'élongations. ■ Le plus connu est le Hatha-yoga lent, basé sur l'élongation et la respiration. Le Power yoga, dont les mouvements d'élongation rapides peuvent déclencher des suées, est également populaire.	■ Renforce vos muscles, améliore leur flexibilité, augmente la sensation de bien-être. ■ Détend le corps. Une pratique régulière du yoga peut abaisser la tension, la température du corps et le rythme cardiaque. Demandez conseil à votre médecin d'abord si vous avez des problèmes de cœur, de poumon, d'os ou de muscle; certaines positions peuvent être contre-indiquées.
Taï chi	■ Art martial chinois qui a plus de 1000 ans, on le pratique selon diverses «écoles». ■ On l'appelle souvent «méditation en mouvement». Il est constitué de mouvements amples et de postures gracieuses accompagnés d'une respiration profonde. ■ Soulage les tensions du corps et de l'esprit.	■ Renforce les muscles et les articulations. ■ Augmente la circulation et améliore l'équilibre. ■ Procure un sentiment de tranquillité et de vivacité d'esprit.
Qigong	■ Élaboré en Chine comme exercice de méditation et d'autoguérison. ■ Conçu à partir du concept asiatique du chi ou énergie vitale. Un blocage du chi déclenche la maladie; la stimulation de la circulation du chi mène au bien-être. ■ Coordination des mouvements et de la respiration avec une image mentale.	■ Favorise la relaxation. ■ Renforce les défenses immunitaires. ■ Augmente l'équilibre et la souplesse.
Reiki	■ Élaboré au Japon dans les années 1800 à partir d'un art bouddhiste ancien de guérison et de relaxation. ■ Thérapie de guérison basée sur le transfert du chi, ou énergie vitale, d'un donneur à un receveur. ■ La pratique: vous êtes allongé sur une table de massage entièrement vêtu, et le praticien applique ses mains sur ou à quelques centimètres de certaines parties de votre corps.	■ Rétablit la santé physique, mentale et émotionnelle.

CHAPITRE 8

BIEN DANS VOTRE PEAU

206 Être bien dans sa peau

210 Garder le contact

212 Amoureux de la vie

216 Canaliser vos humeurs

VOTRE STRATÉGIE SANTÉ

Être bien dans sa peau

Vous pensez que vos émotions n'agissent pas sur votre santé ? Pensez-y encore. L'esprit et le corps sont unis pour le meilleur et pour le pire, dans la maladie comme dans la santé.

Chaque jour, les scientifiques en apprennent un peu plus sur le lien entre l'état d'esprit et la santé. Le stress, la dépression et le ressentiment ouvrent tous la voie à la maladie. Par ailleurs, si vous vous sentez bien dans votre peau, si vous prenez soin de vous, si vous vous engagez activement dans la vie, vous serez probablement heureux… et en meilleure santé.

L'importance de l'estime de soi

Tant de choses agissent sur votre état émotif : l'hérédité, l'environnement, l'alimentation, la maladie, le sommeil et même les saisons. Mais la plus importante d'entre elles reste l'image que vous avez de vous-même. Si vous avez une bonne estime de soi, vous affrontez mieux que les autres les défis de l'existence ; vous êtes plus satisfait, plus confiant et vous connaissez plus de succès. Vous jouissez probablement aussi d'une meilleure santé. L'estime de soi contre la dépression et l'angoisse, des états de santé qui accroissent le risque de maladies depuis le simple rhume jusqu'à l'ostéoporose, en passant par la maladie cardiaque.

Pour la plupart des gens, l'estime de soi prend racine dans l'enfance, dans l'approbation ou la désapprobation des parents, des professeurs et des amis. Avec l'âge cependant, nous avons tendance à nous évaluer dans notre rapport au monde, surtout dans les domaines de l'amour et du travail.

Notre capacité d'aimer et d'être aimé donne un sens à notre vie et nous apporte fierté et satisfaction. Nous trouvons aussi ces sentiments au travail, là où les gens confirment et renforcent l'idée que nous avons un rôle à jouer dans l'existence.

AUTO ÉVALUATION

Comment se porte votre santé émotionnelle ?

Il n'est pas aussi simple d'évaluer votre état d'esprit que de prendre votre pression. Pour ce faire, demandez-vous :

◄ si vous êtes énergique ;

◄ si vous avez des liens satisfaisants et sécurisants avec vos amis ;

◄ si vous êtes ouvert aux idées et aux gens ;

◄ si vous avez établi une relation satisfaisante avec votre conjoint ;

◄ si vous riez facilement et souvent ;

◄ si, la plupart du temps, la culpabilité et le regret vous sont étrangers ;

◄ si vous restez en contact avec vos émotions ;

◄ si vous oubliez vite la colère ;

◄ si vous n'êtes que rarement déprimé ;

◄ si vous fuyez les gens qui se montrent abusifs ;

◄ si vous prenez vos décisions spontanément ;

◄ si vous avez une vie sexuelle active ;

◄ si vous n'abusez pas d'alcool ou de drogue ;

◄ si vous sentez que vous pouvez aller de l'avant, malgré vos deuils et vos échecs.

Si vous avez répondu non à une ou deux questions, il vous faut améliorer votre sentiment de bien-être.

En réaction aux changements qui surviennent dans notre vie, notre estime de soi peut s'effriter quand arrive la cinquantaine. Les relations conjugales se transforment, les enfants quittent la maison et le travail occupe moins de place. En outre, notre reflet dans le miroir n'est peut-être plus ce qu'il était.

Nourrir
votre amour-propre

Si votre estime de soi s'effiloche quelque peu, il existe bien des manières de l'améliorer.

- **Redéfinissez-vous.** Retouchez les bases de votre estime de soi. Au lieu de vous définir comme «analyste financier», «gérante des ventes» ou «papa», commencez à penser à vous comme à un «jardinier génial», un «cuisinier hors pair» ou une «organisatrice en loisirs».
- **Répliquez à votre critique intérieure.** Prenez conscience de votre rigueur à votre endroit et contrez vos attitudes négatives par d'autres attitudes positives.
- **Fichez-vous la paix.** Comme on le dit, il vaut mieux essayer et échouer que de réussir à ne rien faire du tout. Liez vos objectifs à des activités qui vous intéressent vraiment et vous donnent le sentiment d'être utile. Vous en tirerez plaisir même si vous n'atteignez pas tout à fait vos objectifs.
- **Donnez-vous du temps.** Lisez votre revue préférée, tenez un journal, allez nager. Occupées à prendre soin des autres au point de s'oublier, les femmes, surtout, devraient se donner du temps.
- **Gardez votre corps sain.** Mangez des repas équilibrés et restez actif. Prenez l'escalier au lieu de

l'ascenseur, faites du conditionnement physique. Vous aurez meilleure mine, vous vous sentirez mieux et aurez plus d'énergie.

- **Récompensez-vous.** Dressez la liste de vos plus belles qualités. Êtes-vous d'agréable compagnie, attentif, généreux? Ajoutez des éléments à votre liste. Rangez-la à la portée de la main pour les jours où vous aurez besoin de stimulation. Apprenez à voir l'envers de vos défauts. Si vous vous reprochez de trop bavarder au téléphone, pensez à quel point vos relations amicales vous tiennent à cœur.

Quelle crise d'identité ?

Une bonne estime de soi peut vous aider à surmonter les épreuves de la vie, y compris la perspective de vieillir. Ainsi, durant ce que l'on appelle la crise de la cinquantaine, l'estime de soi est bien précieuse. Pour certaines gens, c'est une période d'incertitude, d'ennui, d'angoisse et même de panique.

Se sentir utile et important, n'est-ce pas essentiel pour nourrir son estime de soi?

Un anniversaire peut déclencher une crise d'identité. Profitez de cet événement pour réévaluer vos objectifs et vous centrer sur l'essentiel.

Pour certaines personnes, cette période dure peu et l'incertitude n'est pas bien grave ; d'autres n'en souffrent pas. Pour 10 % des gens par contre, la crise est sérieuse et douloureuse.

La crise de la cinquantaine survient souvent après une épreuve – un divorce, la perte d'un emploi, une maladie grave ou la mort d'un proche. Le seul fait de réaliser que vos enfants quittent la maison ou partent fonder leur propre foyer peut suffire à déclencher ce moment de vérité.

Au fond, peu importe le déclencheur, vous restez avec un sentiment d'insatisfaction intense qui vous pousse à la réflexion. C'est donc ça, la vie ? Malgré la perturbation qu'il provoque, ce sentiment peut donner lieu à une croissance et au changement. De cette manière, la crise peut devenir un éveil, l'occasion de redéfinir vos objectifs et d'apprécier la vie comme jamais auparavant.

Pour faire la paix avec vous-même et avec le cours qu'a pris votre existence, il vous faut prendre du recul et faire le point. Revoyez votre vie telle

En quelques mots

Jean Laroque se rappelle comment son père, ingénieur à la retraite, a réalisé son rêve de devenir ébéniste. Les compétences qu'il avait acquises au travail l'ont beaucoup aidé à créer et à produire ses magnifiques vases et ses boîtes. « À présent, déclare Jean, j'ai commencé à chercher des moyens de déterminer les éléments que je préfère dans mon emploi actuel. J'essaye de trouver comment les intégrer dans les activités que je prépare pour ma retraite. »

Affronter la crise de la cinquantaine

La crise de la cinquantaine n'est pas obligatoirement mauvaise. Comment la surmonter et la surpasser ?

● **Donnez-vous du temps.** Prenez le temps de réfléchir et de sonder votre cœur. Avez-vous fait ce que vous avez voulu dans la vie ? Il est temps d'évaluer vos objectifs et de faire des changements. Si vous vous sentez prisonnier d'un emploi que vous détestez, par exemple, vous pouvez peut-être décider de passer à l'action.

● **N'attendez pas de miracles.** Le changement vous fait peut-être piaffer d'impatience (un peu comme ce coupé sport rouge), mais rappelez-vous que tout changement demande du temps.

● **Pensez aux autres.** Aussi souvent que nécessaire, répétez-vous :

« L'univers ne tourne pas autour de mon nombril. » Contribuez au monde qui vous entoure ; ce faisant, vous vous rendrez plus utile et vous en serez plus heureux.

● **Réinventez-vous.** Même si, par le passé, vous vous êtes toujours vu jeune, beau ou énergique, il est temps d'explorer vos autres facettes. Imaginez-vous dans des situations différentes, dans des rôles différents – qui pourraient éveiller de nouvelles forces en vous.

qu'elle est, avec ses triomphes et ses joies, avec ses déceptions et ses échecs. N'ayez pas de regret ; soyez reconnaissant pour tout ce que vous avez appris. (Voyez « Affronter la crise de la cinquantaine », page de gauche.)

Une planification de la retraite différente

S'il est une circonstance de la vie qui demande une préparation soigneusement réfléchie, c'est bien la retraite. Ce passage déterminant – la récompense tant attendue pour des années de dur labeur – peut perturber la nature de vos émotions. Il peut affecter votre estime de soi, vos finances et même votre vie à deux.

Même si les uns l'accueillent avec joie, la retraite peut susciter de la confusion, de l'angoisse et de la dépression chez les autres. Pour éviter ces effets négatifs, il importe de la planifier. Vous devrez mettre de l'ordre dans vos finances personnelles, trouver un passe-temps qui vous tienne à cœur, et établir des liens personnels qui ne se fondent pas uniquement sur le travail. Ce dernier point importe particulièrement pour les gens dont le cercle social se limite au monde fermé de leur travail. Ils se sentent perdus et dévalorisés lorsque sonne l'heure de la retraite.

Ceux qui profitent le mieux de la retraite savent s'entourer d'amis et se tiennent occupés à faire des choses qu'ils aiment. Pour certains, ce peut être de lancer une nouvelle entreprise, de s'adonner à leur passe-temps favori, ou encore de dénicher un travail de rêve (voir page 215). Sous peine d'y laisser la santé, il importe avant tout, au moment de la retraite, de ne pas se retirer de la vie.

Pour le meilleur ou pour le pire…

Peu importe ce que vous ferez de votre retraite, votre union ressentira les effets de la transition. Au début de la retraite, les hommes et les femmes souffrent davantage de dépression et vivent plus de conflits dans leur vie de couple. Des chercheurs américains ont découvert qu'après la retraite, ni l'argent ni la santé n'ouvrent l'accès au bonheur conjugal. Les unions heureuses dépendraient plutôt de la manière de vivre les changements qu'apporte la retraite.

Mais quelle est donc la meilleure façon d'affronter cette étape de la vie ? Rendez-vous la tâche plus facile en adoptant les principes qui suivent. Ces suggestions peuvent aussi bénéficier à tous les couples qui cherchent à adopter un nouveau style de vie respectant les besoins des deux conjoints.

- **Soyez attentionnés, l'un pour l'autre.** Les objectifs et les inquiétudes de votre partenaire peuvent différer des vôtres. Efforcez-vous de mieux vous comprendre mutuellement en vous mettant à la place de l'autre.
- **Partagez les tâches domestiques** – et ne critiquez pas les méthodes de l'autre. Une fois la tâche terminée, consacrez un temps équivalent à faire les choses que vous aimez.
- **Étendez votre réseau d'amis.** N'attendez pas de votre conjoint qu'il comble vos besoins sociaux. Engagez-vous dans des activités qui facilitent les rencontres.

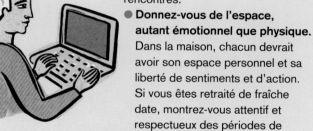

- **Donnez-vous de l'espace, autant émotionnel que physique.** Dans la maison, chacun devrait avoir son espace personnel et sa liberté de sentiments et d'action. Si vous êtes retraité de fraîche date, montrez-vous attentif et respectueux des périodes de solitude dont votre partenaire avait l'habitude de jouir.
- **Discutez.** Augmentez le nombre et le sujet de vos bavardages quotidiens ; vous n'en communiquerez que mieux. Discutez de tout : nouvelles, politique, culture, loisirs, projets de vacances.
- **Formez une équipe.** Convenez que chacun de vous doit faire sienne une décision avant de passer à l'action. Ne prenez pas de décision trop vite. Il est bien possible que le petit coin de Floride dont vous rêvez n'ait rien de paradisiaque.
- **Gardez le sens de l'humour.** Le meilleur des fortifiants est encore d'avoir la capacité de rire de soi et des événements fâcheux de l'existence.

Garder le contact

Les gens qui maintiennent leurs contacts sociaux vivent plus longtemps et restent en meilleure santé que les autres.

Les gens qui ont besoin des gens sont les gens les plus chanceux du monde, chante Barbra Streisand. Ceux qui ont tissé autour d'eux un réseau solide d'amis, de membres de la famille, de collègues vivent plus longtemps, mènent des existences plus satisfaisantes et plus actives que les solitaires et les isolés.

Une fondation américaine vouée à l'étude du vieillissement a confirmé deux découvertes.

● **L'isolement engendre la maladie.** Ainsi, les femmes qui n'ont pas l'occasion d'établir des contacts sociaux, a-t-on découvert lors d'une étude, souffrent davantage d'hypertension. Peu importe l'âge et les autres facteurs, celles qui établissent des relations rares et distantes courent de deux à quatre fois plus de risques que les autres de mourir prématurément.

● **Les soutiens sociaux améliorent la santé.** Les personnes âgées entourées d'un cercle d'amis présentent un risque moins élevé de maladie cardiaque que les gens qui en sont privés, a-t-on découvert. Le soutien des proches contribuerait même à la guérison. Les femmes souffrant de cancer du sein métastatique qui faisaient partie d'un groupe de soutien hebdomadaire ont vécu 18 mois de plus que les autres.

Les interactions sociales peuvent préserver l'organisme de certains des effets négatifs du stress. Les gens bien entourés ont moins besoin de médicaments et guérissent plus vite.

Efforcez-vous davantage de maintenir les relations qui vous procurent un sentiment de bien-être réciproque et laissez tomber celles qui ne vous apportent rien.

Prêt ? Partez sur Internet à la recherche de vos vieux amis.

Pour trouver les amis que vous avez perdus de vue, les anciens amoureux, les membres de votre famille qui vivent au loin, que ce soit au Québec, au Canada, en Amérique du Nord ou n'importe où dans le monde, rien ne vaut Internet.

Commencez par une recherche générale grâce à des moteurs comme la Toile du Québec, Google, Ask Jeeves, Excite ou Yahoo. Il vous suffit de taper le nom de la personne entre guillemets – pour vous assurer que le moteur cherche le nom complet, pas seulement le prénom ou le nom. Si vous ne trouvez pas, essayez les sites qui suivent.

Essayez les sites de recherche de gens, comme Anywho, Switchboard et Bigfoot, qui cherchent dans les annuaires du téléphone, les numéros de cellulaire, les adresses de courrier électronique, les numéros sans frais et les numéros de télécopieur. Cherchez dans les archives du Canada, les écoles, les municipalités. Avec Populus, faites des recherches par nom, par municipalité, adresse électronique, écoles et intérêts personnels particuliers.

Allez voir les sites de nouvelles, comme l'Association des professionnels de l'information.

Visitez les sites spécialisés comme ceux des écoles, des cégeps et des universités pour retrouver vos anciens camarades d'études. Allez voir à Conventum ou réunions pour trouver ceux que vous cherchez. L'Opération Bottin vise à favoriser la mise en réseau et l'organisation de réunions d'anciens ; peut-être y trouverez-vous d'anciens confrères. Visitez les associations professionnelles et le guide des anciens et anciennes.

Consultez le Guide des ressources, pages 400 à 403, pour connaître les adresses des sites dont il est question. En plus d'y découvrir toutes sortes de sites d'intérêts particuliers, vous y trouverez bien d'autres portes d'entrée pour vos recherches en ligne.

Ils ont d'ailleurs plus facilement tendance à suivre les avis médicaux et à prendre soin d'eux-mêmes. Par exemple, les femmes bien entourées, a-t-on découvert à l'université Cornell, ont tendance à manger moins gras que les femmes plus isolées.

Les autres : une priorité

Voici quelques trucs pour maintenir et fortifier les amitiés établies ou pour en créer d'autres, peu importe que vous veniez à peine d'entamer votre retraite, que vous soyez la personne la plus timide du quartier, ou que vous ne sachiez comment vous y prendre.

● **Entreprenez des relations cordiales.** En achetant le journal, bavardez un peu avec le commis ; à la station-service, blaguez avec le préposé ; ou abordez le voisin à qui vous n'avez jamais adressé la parole. Ces échanges procurent un sentiment de communauté.

● **Réveillez les relations endormies.** Reprenez contact avec le cousin que vous avez perdu de vue depuis des années. Réconciliez-vous avec un ami de longue date. Passez du temps avec votre frère ou votre sœur. Non seulement ces personnes vous relient-elles à votre histoire et à votre passé, mais encore les liens vous offrent-ils des occasions de croissance.

● **N'oubliez pas d'écrire ou de téléphoner.** Quand vos proches déménagent, gardez le contact. Même si rien ne vaut le contact direct, le téléphone et le courrier électronique sont extrêmement rapides.

● **Quittez la maison.** Il est possible que vous vous sentiez bien chez vous, mais sachez que les gens cessent de croître quand ils cessent de s'aventurer en terrain inconnu. Jouez aux cartes ou au golf, suivez des cours de cuisine, faites du bénévolat ou de la généalogie.

En bref

Lors d'une étude, on a découvert que les gens qui entretiennent plus de six types de relations – conjugale, collégiale, professionnelle, amicale, familiale, récréative – courent 25 % moins de risque d'attraper un rhume que ceux qui ont moins de contacts sociaux.

Amoureux de la vie

Dites oui à la vie.
Engagez
votre cœur,
votre esprit
et votre âme :
vous resterez
jeune de cœur.

Dressez une liste des voyages que vous auriez toujours voulu faire, et réalisez-en un.

Pour bien vieillir, il ne suffit pas de rester en bonne santé ; il faut aussi garder son énergie. À quoi bon souhaiter jouir d'une bonne santé sinon pour en prolonger le plaisir ?

Si vous vous occupez de votre bonheur, vous prenez soin de votre santé. Les gens heureux sont malades moins souvent et se remettent plus rapidement. L'optimisme améliore le système immunitaire. Comme on peut s'y attendre, les gens heureux trouvent plus facilement un partenaire de vie que les pessimistes.

Apprendre toute sa vie

Gardez l'esprit ouvert et alerte en apprenant à maîtriser de nouvelles habiletés et de nouvelles connaissances.

Ce faisant, vous ajoutez joie, aventure et satisfaction à votre existence. Vous vous aidez à combattre l'isolement, l'angoisse et la dépression. Même s'il est vrai que l'on ne cesse jamais d'apprendre, votre capacité de le faire peut s'étioler si vous ne l'utilisez pas.

- **Étendez vos horizons.** Consultez un agent de voyages pour connaître les voyages de quelques jours ou quelques semaines destinés au troisième âge. Il existe des circuits de toutes sortes, depuis les fouilles archéologiques jusqu'aux visites de musées en passant par les banquises de l'Alaska et les châteaux de la Loire.
- **Ouvrez votre esprit.** Acquérez de nouvelles connaissances : apprenez

Riez pour être en meilleure santé

Rire fait du bien. Le rire libère des endorphines, des acides aminés du cerveau, qui procurent un sentiment de bien-être. Elles détendent vos muscles, abaissent votre rythme cardiaque et votre pression artérielle. Elles font disparaître le stress et peuvent vous aider à voir votre situation sous un autre jour.

Si vous êtes malade, l'humour peut aussi vous aider à guérir. Lors d'une étude menée dans un hôpital américain, on s'est aperçu que les enfants visités par un clown guérissaient plus rapidement que les autres. Lors d'une autre étude menée aux États-Unis, on a fait une découverte étonnante : 30 minutes après le visionnement de la vidéo d'un humoriste, le nombre de globules blancs et de cellules K (les cellules tueuses) des spectateurs avait augmenté respectivement de 25 % et de 34 %.

Mais comment rendre votre vie un peu plus drôle ?

- **Commencez la journée avec humour :** voyez une bande dessinée ou un dessin animé, écoutez une émission matinale à la radio.

- **Faites de la place à la fantaisie.** À votre club de vidéos, choisissez de préférence les comédies. Même cinq minutes d'un film amusant peuvent libérer des endorphines. En famille, prenez le temps de vous raconter des histoires drôles ou de jouer à des jeux.

- **Échangez des blagues,** que ce soit par courrier électronique, par la poste ou par télécopieur.

- **Au besoin, faites semblant.** Les recherches l'ont prouvé : le fait de sourire, même quand vous n'en avez pas envie, produit des changements chimiques dans votre organisme et vous rend de bonne humeur.

> ☐ Sujet : Blague
> Date : 28 mai
> De : Suzanne Roy
> À : TOI
>
> Qu'est-ce qui est petit, vert et a la forme d'un carré ?
>
> Réponse : Un petit carré vert.

Un message!

En bref

Lors d'une étude, on a examiné le comportement de 300 personnes hospitalisées à la suite de blessures accidentelles. Celles qui croyaient apprendre de leur mésaventure ont quitté l'hôpital plus vite, guéri deux fois plus rapidement et eu moins de complications que les autres. Ces dernières déprimaient en se rendant responsables de ce qui leur était arrivé.

à jouer d'un instrument, étudiez l'art préhistorique, une langue étrangère. Exercez votre créativité et votre esprit. Les services des loisirs municipaux, les écoles secondaires, les cégeps et les universités offrent des cours destinés aux adultes ; le planétarium vous attend pour vous faire découvrir un univers. Peut-être vous ferez-vous ainsi de nouveaux amis.

- **Participez à un échange culturel.** Si vous cherchez un loisir un peu plus original, songez à participer à un échange culturel. Moyennant une somme modeste, vous êtes

logé et nourri par une famille hôtesse ; et vous avez ainsi l'occasion d'apprendre l'italien ou la langue de votre choix en immersion totale. (Voir le Guide des ressources, pages 400 à 403.)

Pensez positivement

Pour le bonheur, l'attitude positive revêt une grande importance. Quand vous souriez à la vie, le corps, l'esprit — et même votre entourage — en bénéficient. D'ailleurs, les études le démontrent, les optimistes vivent plus longtemps que les pessimistes.

En quelques mots

« On ne devient pas optimiste sur les bancs d'école. On ne devient pas optimiste non plus en se répétant des choses positives. On le devient en chassant les pensées négatives lorsqu'on vit un échec. L'optimisme s'acquiert en rejetant les idées destructrices qui nous viennent à l'esprit durant les périodes noires de la vie. »
— Martin Guay

Les organismes bénévoles comme Habitat for Humanity de l'ancien président américain Jimmy Carter vous permettent d'aider les moins fortunés et vous procurent un sentiment d'appartenance.

vous fier entièrement à l'avis du médecin, posez des questions, lisez sur votre état et joignez-vous à un groupe de soutien.

- **Une action de grâces par jour.** Tenez un journal de la reconnaissance. Commencez par y inscrire 10 motifs de reconnaissance, grands ou petits. Continuez à y ajouter des bienfaits au fur et à mesure qu'ils vous viennent à l'esprit. Quand votre moral est à la baisse, relisez votre journal.
- **Des yeux d'enfant.** Étonnez-vous. Admirez les merveilles de ce monde : bébés et papillons, haute technologie et archéologie.
- **Décidez d'arrêter d'être malheureux.** Il est possible que vous deviez vous forcer les premières fois. Faites-en l'essai pendant une minute, pendant une heure, un jour et continuez de la sorte. Faites comme si le bonheur vous habitait déjà. Il vous suivra.

Le bonheur du bénévolat

Saviez-vous qu'en Amérique du Nord, près de 25 % des hommes et des femmes sont bénévoles ? Comme le besoin de bénévoles augmente chaque jour, faites partie du nombre. Contactez le Carrefour canadien international, le centre d'action bénévole de votre municipalité ou encore le réseau des bibliothèques publiques si vous habitez en région. Tout en y gagnant des avantages certains, vous en oublierez vos propres soucis.

En vous engageant dans des activités bénévoles, vous pourriez même

L'optimisme ne se limite pas à la pensée positive – que l'on appelle « optimisme passif ». Si vous êtes optimiste, vous avez une attitude proactive ; vous faites ce qu'il faut pour améliorer vos conditions de vie.

Si vous n'êtes pas optimiste de nature, vous pouvez apprendre à le devenir. Commencez par faire semblant. À force de feindre l'optimisme, vous finirez bien par voir la vie du bon côté.

- **Changez votre façon de voir.** Au lieu de penser à des problèmes, considérez-les en termes de défis. Si l'on diagnostique une maladie, au lieu de vous désespérer ou de

ATTENTION

Comme l'obésité et l'hypercholestérolémie, l'attitude pessimiste constitue un facteur de risque pour le décès prématuré.

ajouter des années à votre vie. D'après une recherche menée à l'université du Michigan, par rapport à ceux qui ne font pas de bénévolat, les citoyens du troisième âge qui en ont fait pendant sept ans ont vu réduire de 67 % leur taux de mortalité.

Embrassez votre foi

Les gens qui assistent chaque semaine aux offices religieux vivent en moyenne huit ans de plus que les autres. Ils ont moins tendance à mourir d'une maladie cardiaque, font beaucoup moins de dépressions, demandent moins de médication et sont moins sujets aux complications postopératoires.

La foi en une puissance supérieure permettrait de faire face plus facilement aux épreuves et soulagerait le stress. Il est également possible que les croyants aient devant la vie une attitude optimiste, qui agirait positivement sur le cours de la maladie.

La spiritualité n'est pas forcément affaire de religion organisée. C'est la foi en quelque chose qui nous dépasse. Peu importe que la spiritualité entre dans votre vie par la prière, la méditation ou une promenade en montagne, elle peut vous aider à guérir.

Le pouvoir animal

Quand vous vous occupez d'un animal, vous augmentez votre satisfaction à l'égard de la vie. Avec poils ou avec plumes, il peut vous aider à :

- **Avoir du plaisir.** Rien ne vaut un chien ou un chat pour vous faire rire et vous amuser. Dans un sondage, 52 % des propriétaires de chiens ont avoué avoir déjà chanté ou dansé avec leur animal.

- **Vous sentir aimé.** Mieux que des amis, les animaux peuvent augmenter votre estime de soi. Ils ne jugent jamais, vous acceptent comme vous êtes et vous aiment.
- **Trouver quelqu'un à qui parler.** Les animaux peuvent vous aider à briser votre isolement. S'ils se trouvaient sur une île déserte, 57 % des propriétaires d'animaux préféreraient la compagnie de leur bête à celle d'un autre être humain.

En bref

Les gens qui assistent aux offices religieux ou qui étudient la spiritualité ont une pression sanguine plus basse que les autres. En outre, ils courent 56 % moins de risque d'hospitalisation.

Un emploi de rêve

Une retraite heureuse ne dépend pas de ce que l'on quitte, mais de ce que l'on envisage. La retraite, c'est l'occasion idéale de s'engager dans des activités que l'on aime, et de réaliser ses rêves de toujours. Bien des gens décident d'entreprendre une deuxième carrière, sans pression celle-là ; ils deviennent placiers ou guides touristiques, animateurs ou responsables d'activités culturelles ou sportives.

Pour trouver ce que vous aimeriez faire, posez-vous les questions suivantes.

1. Quand vous étiez enfant, qu'est-ce que vous vouliez faire ? Vous rappelez-vous pourquoi ?
2. Qu'est-ce que vous n'avez jamais pu trouver le temps de faire ?
3. Si vous pensez à un travail particulier :
- Avez-vous la force physique et le moral nécessaires pour le faire ?
- Comment serez-vous plus heureux ?
- Y trouverez-vous des avantages – comme travailler en plein air, être productif et apprécié, acquérir de nouvelles compétences ?

Une fois que vous avez imaginé votre emploi de rêve, comment faites-vous pour le trouver ? Visitez les salons de l'emploi, Internet, les regroupements d'intérêts dans le domaine. Servez-vous du bouche à oreille : dites-le à votre famille, à vos amis et aux membres des associations dont vous faites partie.

Canaliser vos humeurs

Non seulement l'inquiétude, la colère et la dépression sapent-elles votre moral, mais elles peuvent miner votre système immunitaire et affecter votre cœur.

Êtes-vous soupe au lait ? Souvent anxieux ou abattu ? Il y a plus que votre joie de vivre en jeu : on a prouvé que vos humeurs peuvent affecter votre santé.

Triompher des « bleus »

De temps à autre, chacun se sent déprimé. C'est tout à fait normal et cela se produit souvent en réaction au changement. Mais la dépression chronique peut vous rendre plus vulnérable et aggraver des maladies comme les affections coronariennes et l'arthrite rhumatoïde. Parce que la dépression élève le niveau de cortisol (l'hormone du stress), qui dérobe le calcium osseux, elle peut contribuer à la perte osseuse et augmenter votre risque de fractures.

Pour combattre la dépression, il faut garder un réseau d'amis et rester engagé. Mais la manière la plus rapide de vous remonter le moral consiste à sortir et à faire de l'exercice. Vous élèverez ainsi votre niveau d'endorphines, des acides aminés

Les femmes, en particulier celles de plus de 65 ans, sont beaucoup plus sujettes à la dépression que les hommes.

responsables du bien-être. Il faut préciser que l'exercice aide à prévenir la dépression. Dans le cadre d'une étude, on a suivi pendant 20 ans un groupe de 1800 personnes. Celles qui faisaient de l'exercice au début de l'étude éprouvaient moins de symptômes de dépression que celles qui s'y étaient mises plus tard. Celles qui étaient devenues sédentaires présentaient des risques plus élevés.

La musculation aiderait aussi. Dans le cadre d'une autre étude, des gens souffrant de dépression légère ou modérée ont utilisé les appareils de musculation trois fois la semaine. Après 10 semaines, 82 % d'entre eux ne manifestaient plus de symptômes.

Si vous êtes adepte des médecines douces, vous aurez peut-être envie d'essayer le millepertuis. En Allemagne, on prescrit cette plante médicinale quatre fois plus souvent que le Prozac. Au Canada, on peut obtenir le millepertuis en vente libre ou dans les magasins d'aliments naturels. (Consultez la page 322.)

Si votre tristesse perdure plus de deux semaines, consultez votre médecin. Il pourrait vous recommander un antidépresseur. Demandez l'aide d'un professionnel si vous manquez d'énergie, si vous vous sentez inutile, si vous ne prenez plus aucun plaisir à ce qui vous enchantait auparavant, si vous éprouvez des troubles du sommeil, si vous gagnez ou perdez beaucoup de poids, si vous avez du mal à vous concentrer, ou si vous pensez souvent à la mort et au suicide. (Voir les pages 328 à 331.)

Moi, m'en faire ?

Inquiet ? Lisez ceci. Un peu d'inquiétude de temps à autre ne peut pas vous faire du mal. Sans anxiété, vous ne penseriez sans doute pas à verrouiller votre porte ou à consulter régulièrement votre médecin. Mais il est grandement temps de vous détendre quand vos appréhensions vous empêchent de profiter de la vie.

Quand vous vous en faites trop, vous pouvez développer une foule de problèmes de santé. Vous pouvez avoir du mal à vous concentrer, à dormir ou à faire face aux tracas quotidiens. Qui plus est, vous pouvez aussi tomber malade, souffrir d'hypertension, par exemple.

Avant de vous rendre vraiment malade, essayez ces trucs.

- **Voyez les choses d'un angle différent.** Ne vous perdez pas dans les détails. Présentez-vous l'image globale ou imaginez-vous ce qu'en dirait un ami un peu plus rationnel.
- **Notez vos inquiétudes.** Quand vous tenez le journal de vos inquiétudes, vous vous distanciez d'elles. Peut-être en vous levant, avant même d'entreprendre votre

Désordre affectif saisonnier ?

Si les mois d'hiver vous font perdre le moral, vous souffrez peut-être de désordre affectif saisonnier (DAS), un trouble de l'humeur rattaché à la baisse de lumière saisonnière. Les mois de janvier et de février peuvent s'avérer particulièrement difficiles, et il est possible que vous sentiez une baisse d'énergie, que vous ayez le moral à plat et que vous preniez du poids.

Si vous souffrez de DAS, sortez au moins une heure par jour, pour profiter de la lumière hivernale. Vous pourriez aussi bénéficier de luminothérapie. Le traitement consiste à reproduire les effets de la lumière du jour. À la maison, vous vous assoyez quelques heures chaque matin devant une lampe spéciale qui diffuse une lumière vive, sans rayons ultraviolets (voir page 323).

En rangeant symbolique-ment pour quelque temps vos inquiétudes et vos craintes, vous les cacherez à votre vue et à votre esprit.

routine quotidienne, notez vos pensées chaque jour. Passez tout au plus 15 minutes à écrire ce qui vous trouble et à y réfléchir.

- **Rangez vos craintes.** Si écrire n'est pas votre fort, inventez-vous une sorte de « boîte à inquiétudes ». Imaginez-vous rangeant vos sujets d'anxiété dans la boîte et refermant le couvercle. Chaque jour, réservez un moment pour ouvrir la boîte et faire l'examen de vos craintes. En tout autre temps que celui-là, gardez le couvercle fermé.
- **Partagez vos peurs avec un ami.** En exprimant vos craintes, vous vous libérez. Votre ami y trouve l'occasion de vous faire part de sa confiance ou de vous faire absor-ber une bonne dose de réalité.
- **Inventez-vous « une chambre aux soucis ».** Choisissez un coin tran-quille de la maison ; pour réfléchir à vos craintes sans interruption. Allez-y chaque jour pendant des périodes de 10 à 20 minutes. Ne dé-passez pas le temps que vous vous êtes alloué, et évitez de vous en faire, sauf lorsque vous vous trou-vez dans la « chambre aux soucis ».

- **Inventez une fin heureuse.** Imaginez-vous triomphant de toutes les difficultés, capable de résoudre tous les problèmes qui vous effraient. En cherchant des solutions heureuses, vous pourriez fort bien en trouver.
- **Apprenez à vous détendre.** Si vous appreniez à diminuer le stress ou à méditer, vous arriveriez peut-être à mettre un frein à vos folles pensées. Contactez votre CLSC pour connaître les divers pro-grammes. Le yoga, le taï chi et le ballet peuvent vous aider à recentrer votre esprit.
- **Consultez un thérapeute.** Si vos craintes vont toujours dans tous les sens, si vous éprouvez une détresse ou une appréhension exagérée, un professionnel de la relation d'aide peut vous aider à reprendre contrôle de votre esprit.

Dompter le fauve

La colère est une émotion qui peut être saine. Quand vous l'examinez et que vous l'exprimez de manière constructive, elle peut mener à la

Le ressentiment peut hausser le niveau d'homocystéine, un acide aminé lié aux cardiopathies.

croissance personnelle et à une intimité accrue. Toutefois, quand vous la réprimez sans arrêt ou qu'elle vous rend la vie impossible, elle peut vous mener à des problèmes de santé graves.

La colère libère dans votre flux sanguin un torrent d'hormones du stress dommageables pour vos artères. Elles élèvent votre taux de cholestérol et votre rythme cardiaque et répriment votre système immunitaire. Il existe des liens entre l'hostilité, la colère refoulée et les cardiopathies. On a découvert que ces sentiments causaient une accumulation d'homocystéine, un acide aminé associé aux maladies cardiaques.

Avez-vous des sentiments d'hostilité ? Les gens qui ont tendance à en avoir exhibent en général :
- une méfiance cynique à l'endroit des autres (les jugeant trop lents, incompétents, stupides ou faux) ;
- une colère fréquente, des sentiments négatifs, ou des réactions trop vives lors d'événements anodins ;
- un comportement agressif, tempêtant, hurlant, lançant des objets.

Les gens hostiles, ont découvert les chercheurs, sont plus sujets aux maladies mortelles et courent plus de risque que les personnes douces de mourir prématurément. Ils sont aussi plus susceptibles de manger, de boire et de fumer plus que les autres.

Il n'est pas tant question de la colère en soi que de la façon qu'elle a de s'infiltrer dans nos vies. En conclusion on pourrait dire que si elle est chronique, c'est qu'elle est dangereuse. Est-ce que le moindre retard vous met hors de vous ? Devenez-vous fou dans un embouteillage ? Avez-vous l'habitude de croire que les autres gâchent tout ? Avez-vous

du mal à pardonner un affront ? La colère chronique peut prendre toutes ces formes ; elle vous rend la vie pénible et vous aliène votre entourage, vous laissant isolé.

Apprenez à admettre et à exprimer votre colère, c'est la meilleure manière de l'empêcher de ronger votre vie. Examinez le tableau ci-dessus pour en savoir plus.

Que faire de votre colère ?

Si vous vous mettez facilement en colère et avez tendance à l'exprimer de manière inappropriée, mettez ces trucs en pratique.

1. Sachez reconnaître et admettre votre colère. Quand vous êtes fâché, montrez-vous curieux à l'égard de votre colère.
- Comment vous affecte-t-elle physiquement ? (Serrez-vous les dents ? Avez-vous mal à la tête ?)
- Comment l'exprimez-vous ? (Devenez-vous railleur ? Rembarrez-vous les gens ? Tenez-vous des propos cinglants que vous regrettez par la suite ?)
- Pourquoi étiez-vous si fâché ? (Était-ce parce qu'on vous avait blessé ? Aviez-vous peur ? Avez-vous été insulté ?)

2. Soyez responsable de votre colère. Admettez qu'il vous appartient de vous mettre en colère ou de passer outre. Une fois que vous aurez accepté la responsabilité de vos sentiments, de vos pensées et de vos comportements, vous serez moins sujet à l'explosion.

3. Parlez de votre colère. Il vaut mieux exprimer verbalement vos sentiments que de vous laisser aller. Vous aurez davantage l'impression d'assumer vos relations interpersonnelles.

4. Calmez-vous. Avec le temps, vous comprendrez mieux ce que vous déclenchez et déciderez plutôt de l'action à prendre. Si votre colère ne s'apaise pas, si vous ruminez et que vous redevenez irritable, essayez de vous calmer comme suit :
- comptez jusqu'à 10 ;
- respirez à fond et concentrez-vous sur votre respiration ;
- retirez-vous dans un endroit calme ou allez faire une promenade ;
- imaginez un endroit calme et tranquille ;
- méditez ;
- en pensée, tenez-vous des propos apaisants ;
- efforcez-vous de voir d'un autre œil l'objet de votre colère.

5. Apprenez à exprimer votre colère. Consultez un thérapeute capable de vous aider à apaiser vos sentiments et à démêler vos émotions. Il arrive souvent que notre incapacité d'affronter la colère se rattache à une expérience passée douloureuse.

CHAPITRE 9

VOTRE SANTÉ SEXUELLE

222 Ça s'améliore avec le temps

228 Maturité chez la femme : apprivoiser la ménopause

232 HTS et autres traitements

236 Maturité chez l'homme : apprivoiser un rythme différent

Ça s'améliore avec le temps

Si l'on en croyait les médias, le sexe serait réservé aux jeunes dans la vingtaine. Rien n'est plus faux !

Si vous pensiez que votre vie sexuelle s'assagirait avec le temps, vous risquez une surprise. En fait, beaucoup de gens trouvent qu'avec les années ils apprécient mieux le sexe. L'Association des professionnels de la santé reproductive des États-Unis a mené un sondage auprès d'hommes et de femmes de 50 ans et plus. Il révèle que les deux tiers des répondants sont actifs sexuellement et apprécient mieux les relations sexuelles que dans leur jeunesse. Le rapport Janus de 1993 sur les comportements sexuels est une vaste étude de la population américaine qui révèle que les hommes de 51 à 64 ans sont le groupe le plus actif sexuellement. Voilà une bonne nouvelle pour votre couple et pour votre santé ! Les rapports sexuels réguliers sont bénéfiques tant sur le plan physique que sur le plan affectif. Faire l'amour :

- est un exercice d'aérobique qui renforce votre cœur et vos poumons ;
- renforce les défenses immunitaires ;
- favorise la production d'œstrogène chez les femmes, bénéfique contre le dessèchement des cheveux et de la peau et la fragilisation des os ;
- peut éviter le gonflement de la prostate chez les hommes, car l'éjaculation permet d'évacuer les fluides de la glande ;
- est un antidépresseur naturel qui déclenche la production d'endorphines, agents chimiques produits

Votre relation de couple et même votre santé dépendent de l'harmonie de votre vie sexuelle. L'âge n'est pas un facteur sclérosant ; les couples âgés apprécient mieux le sexe avec le temps.

Réalités et rumeurs

La vie sexuelle à l'âge mûr est entourée de mystères ; les exemples suivants en sont la preuve.

RUMEUR : On perd l'intérêt pour le sexe à partir d'un certain âge.
RÉALITÉ : Le sexe ne connaît pas de limite d'âge, mais pour les personnes de 50 ans et plus, la satisfaction sexuelle dépend plus de la qualité générale de la relation de couple que pour les plus jeunes. Un sondage national sur le vieillissement aux États-Unis montre que les gens de 60 ans et plus qui ont une activité sexuelle régulière trouvent, dans 74 % des cas chez les hommes et 70 % chez les femmes, que leur vie sexuelle est plus satisfaisante qu'à la quarantaine.

RUMEUR : L'érection devient plus difficile avec l'âge.
RÉALITÉ : Le vieillissement n'est pas cause de dysérection. Cependant, une diminution d'hormones entraîne certaines modifications. Un homme peut avoir besoin d'une plus grande stimulation physique et son érection ne plus être aussi ferme que lorsqu'il était plus jeune, mais le plaisir n'est pas amoindri. Un homme de 25 ans peut avoir une seconde érection environ 15 minutes après l'éjaculation, un homme de 50 ans peut avoir besoin de plusieurs heures pour récupérer.

RUMEUR : Des facteurs psychologiques et émotionnels sont la cause d'une perte d'intérêt pour le sexe chez les femmes d'âge mûr.
RÉALITÉ : Des facteurs physiques ont une influence plus remarquable encore. Les changements hormonaux de la ménopause peuvent affecter le désir sexuel d'une femme. La baisse d'œstrogène peut assécher le vagin et rendre les rapports inconfortables. Chez certaines femmes, la diminution de testostérone entraîne une baisse d'énergie et de désir. Chez d'autres femmes, la ménopause entraîne une augmentation du désir, en partie due à un rééquilibrage des niveaux de testostérone, d'œstrogène et de progestérone.

RUMEUR : Une femme a plus de difficultés à atteindre l'orgasme avec l'âge.
RÉALITÉ : Beaucoup de femmes trouvent que leur plaisir sexuel augmente après la ménopause, avec des orgasmes plus fréquents et plus intenses.

RUMEUR : La masturbation diminue votre plaisir avec un partenaire.
RÉALITÉ : La masturbation peut augmenter le plaisir, tant avec que sans partenaire. Chez les femmes, elle permet de conserver l'humidité et l'élasticité des parois vaginales et fait augmenter la production d'hormones qui déclenchent le désir. Chez les hommes, elle aide à maintenir la réaction érectile.

RUMEUR : L'incapacité à avoir une érection résulte le plus souvent d'un problème émotionnel.
RÉALITÉ : 85 % des problèmes d'érection ont des causes physiques : circulation, désordres de la prostate, effets secondaires des médicaments.

RUMEUR : Les couples mûrs et plus âgés qui ne pratiquent pas le sexe régulièrement ont perdu le désir l'un de l'autre.
RÉALITÉ : Lorsqu'un couple âgé n'a plus d'activité sexuelle, c'est souvent parce que l'un des partenaires est malade ou handicapé.

En bref

Ceux qui pratiquent un exercice physique régulièrement atteignent l'orgasme plus facilement que les autres.

Astuce santé

Les exercices de Kegel peuvent augmenter le plaisir et aider les femmes à atteindre l'orgasme. Ils ont été conçus par un gynécologue pour améliorer le contrôle de la vessie après un accouchement : repérez les muscles qui vous permettent d'arrêter l'urine, puis contractez-les et relâchez-les. Pratiquez progressivement jusqu'à 20 contractions 3 fois par jour. Cet exercice peut aussi aider les hommes.

Découvrir ensemble de nouveaux centres d'intérêt peut dynamiser votre relation de couple.

En bref

L' Association américaine des personnes retraitées a mené une recherche qui indique que le pourcentage de personnes qui trouvent leur partenaire séduisant ne diminue pas avec l'âge. À partir de 75 ans, il augmente.

par le cerveau pour améliorer l'humeur et réduire la douleur ;
- nous aide à nous détendre et à nous sentir bien dans notre peau.

Votre santé générale a plus d'incidence sur votre vie sexuelle que votre âge – une bonne raison de manger correctement et de faire de l'exercice. Les bloqueurs des fonctions sexuelles les plus communs, surtout chez les hommes, sont les problèmes de santé chroniques tels que l'hypertension, la cardiopathie et le diabète, ou les médicaments. Chez les femmes de 50 ans et plus, l'absence de partenaire est le principal frein aux relations sexuelles. Des recherches indiquent que seulement 21 % des femmes de 75 ans et plus ont un partenaire par rapport à 58 % des hommes de cette même génération.

Les temps changent

Bien sûr, le sexe change avec l'âge. Pas nécessairement pour le pire. Après la ménopause, une femme, moins exposée aux risques de grossesse, plus détendue, peut voir augmenter son désir. À la retraite, ou ne travaillant qu'à mi-temps, les partenaires ont plus de temps et d'énergie l'un pour l'autre, pour faire l'amour ainsi que pour d'autres activités.

À l'âge mûr, vous connaissez votre propre corps et celui de votre partenaire de manière intime et vous savez communiquer l'un à l'autre ce qui vous est agréable. Il y a des chances pour que vous ayez évacué vos inhibitions sexuelles et amélioré votre confiance et votre expérience. Émotionnellement, le sexe peut être devenu plus satisfaisant parce qu'il n'est pas soumis aux variations d'hormones mais à votre désir de partager vos émotions avec quelqu'un qui vous aime. Selon le rapport Janus, le sexe après 65 ans est peut-être moins fréquent, mais les sujets le trouvent plus gratifiant.

Les hommes : ils se synchronisent

À l'âge mûr, la plupart des hommes remarquent qu'une érection demande un peu plus de manipulation. Un peu plus de temps aussi, ce qui est positif. Le désir a tendance à monter moins vite chez les femmes ; le ralentissement chez les hommes les met ainsi en synchronisation. Le ralentissement favorise aussi les jeux et caresses, qui entretiennent la lubrification du vagin chez les femmes ménopausées.

Le temps de récupération (avant une nouvelle érection suivant l'éjaculation, aussi appelé période réfractaire) augmente, mais le temps d'érection augmente aussi avant l'éjaculation. Cela peut permettre de faire l'amour de manière plus détendue et plus satisfaisante, physiquement et émotionnellement.

Les femmes : prenez vos aises

Pendant et après la ménopause, une importante diminution d'œstrogène entraîne des modifications du corps qui peuvent rendre inconfortable la pratique d'une activité sexuelle. Il existe des crèmes en vente libre en pharmacie pour conserver l'élasticité et la lubrification du vagin. Si le problème persiste, demandez à votre médecin une crème topique à l'œstrogène, à insérer dans le vagin avec un applicateur, ou un cercle d'œstrogène, sorte de diaphragme qui peut se garder trois mois dans le vagin.

À cause des modifications du corps, ce qui donnait du plaisir autrefois n'est peut-être plus aussi agréable. Ainsi, la chair qui recouvre le clitoris rétrécit et s'affine, ce qui rend inconfortable la manipulation directe. Communiquer est plus important que jamais ; faites savoir à votre partenaire ce que vous aimez et n'hésitez pas à innover pour vous donner du plaisir l'un à l'autre.

Certaines femmes ménopausées ressentent une diminution de leur libido, de leur désir ou de leur capacité à atteindre l'orgasme. C'est peut-être causé par la diminution du taux de testostérone (la testostérone est la principale hormone du désir sexuel tant chez les hommes que chez les femmes). N'hésitez pas à en parler à votre médecin. Si vos niveaux de cholestérol sont trop faibles, il pourra vous prescrire un supplément de testostérone (si votre taux de cholestérol est élevé, la testostérone

peut être contre-indiquée car elle fait augmenter les niveaux de cholestérol).

Chez certaines femmes, le désir sexuel augmente avec la ménopause. C'est parce que les niveaux d'œstrogène diminuent plus que ceux de la testostérone, ce qui aboutit à un surplus de testostérone. Les femmes qui prennent une hormone de substitution ne ressentent pas les mêmes effets et peuvent même voir leur désir diminuer. C'est parce que l'œstrogène a une influence sur les protéines qui transportent la testostérone dans le sang que diminue la disponibilité de cette dernière pour le corps. Votre médecin pourra faire une analyse de votre « testostérone libre » pour tracer la cause du problème.

L'intimité retrouvée

Dans une relation à long terme, les habitudes qui s'installent risquent parfois de creuser un écart affectif entre les partenaires. Vous avez peut-être passé une bonne partie de votre vie d'adulte à élever les enfants, à diriger une carrière et à équilibrer vos comptes. Lorsque ces activités se stabilisent, vous pouvez éprouver quelques difficultés à occuper votre temps et à le partager avec votre partenaire. L'acte sexuel a peut-être perdu son goût d'aventure ; c'est

MÉDICAMENT

Les hommes et les femmes qui ont des difficultés à atteindre l'érection ou l'orgasme auront peut-être bientôt un remède sous forme de crème topique qui augmente la circulation sanguine vers les parties génitales. Ces crèmes contiennent de l'alprostadil, forme synthétique de la prostaglandine E1. Elles doivent arriver sur le marché dans un proche avenir.

Votre médecin peut vous prescrire des crèmes à faible dose d'œstrogène ou un diaphragme vaginal, si vous éprouvez des problèmes de lubrification.

Astuce santé

Des rapports sexuels fréquents maintiennent votre désir en augmentant la production de testostérone, tant chez les hommes que chez les femmes. Chez les femmes, les rapports entretiennent l'élasticité du vagin.

Changez d'air pour sortir de la routine. Les bienfaits d'une fin de semaine en amoureux se font sentir bien après le retour.

devenu une fonction physique plutôt qu'un rapprochement émotionnel. L'âge mûr est une période idéale pour se redécouvrir et retrouver l'intimité autrefois partagée.

Bien sûr, l'intimité n'est pas faite que de sexe. Elle signifie partager avec votre partenaire vos espoirs et vos rêves, vos soucis et vos peurs, vos besoins et vos désirs. C'est une histoire de confiance, d'amour et de respect. Faire l'amour de manière passionnée et sauvage est une façon d'affirmer ses sentiments. Se câliner, se cajoler et s'embrasser en est une autre, même sans conduire à l'acte sexuel.

Pour certains, l'âge mûr est une période pendant laquelle refont surface des problèmes occultés. Pour les retraités et tous ceux qui souffrent du nid vide, le virage vers une relation à deux peut déclencher des émotions intenses. Certaines relations vacillent sous le coup. Si c'est le cas de la vôtre, envisagez l'appui d'un conseiller. Un professionnel peut vous aider à porter un regard plus objectif sur la situation et à trouver des solutions adaptées à vos besoins et à ceux de votre partenaire.

L'âge mûr est une période idéale pour se redécouvrir et retrouver l'intimité autrefois partagée.

Si vous approchez de l'âge mûr en solitaire, il est peut-être temps de penser à vous engager. Pour la plupart des gens, partager les joies et les soucis de la vie avec quelqu'un est une dimension du bonheur. Cependant, n'oubliez pas que quel que soit l'âge, tout le monde est exposé à des maladies transmissibles sexuellement (MTS), dont le VIH, responsable du SIDA.

Si le souci d'une grossesse a disparu, la protection contre les maladies reste une priorité. À moins que les partenaires n'aient été monogames pendant plusieurs années et ne soient atteints d'aucune maladie transmissible sexuellement, il faut toujours pratiquer des rapports protégés avec un condom.

La solitude est le lot de beaucoup de personnes qui avancent en âge, surtout les femmes. La masturbation vous permet de rester en contact avec votre sexualité. Chez les femmes, elle préserve la santé des tissus vaginaux. Chez les hommes, elle entretient la capacité d'érection. Des objets érotiques peuvent améliorer votre plaisir.

Entretenir la passion au sein du désir

Si les hormones déclenchent le besoin sexuel physique, c'est en entretenant la passion que vous ressentez l'un pour l'autre que vous attiserez la flamme du désir. Si votre vie sexuelle est au ralenti ces derniers temps, essayez de suivre quelques-uns de ces conseils :

- **Donnez-vous rendez-vous.** Le temps a la mauvaise habitude de nous fuir entre les doigts, empli d'activités non planifiées (même regarder la télévision). Donnez-vous rendez-vous pour vos jeux amoureux pour ne pas les négliger. Un rendez-vous d'amour déclenche un plaisir par anticipation et stimule l'intérêt. Inutile de sortir ou de faire quelque chose de spécial. Réservez une soirée, une matinée ou un après-midi si vous êtes libre dans la journée, juste l'un pour l'autre.

- **Changez vos habitudes.** Si vous êtes ensemble depuis longtemps, votre rituel amoureux est probablement établi selon certaines habitudes. La prochaine fois que vous vous surprenez à engager le rituel, prenez le temps de vous arrêter et d'effectuer un changement. Il n'a pas besoin d'être radical. Prenez votre douche ensemble plutôt que séparément ; allumez des bougies parfumées ; faites-vous un massage avec de l'huile chaude. Mettez la musique de votre premier rendez-vous. Portez quelque chose de nouveau au lit. Les plus petits changements peuvent apporter un sentiment de nouveauté excitant dans votre vie amoureuse. Vous pouvez même choisir un lieu inhabituel et vous rencontrer à l'hôtel, par exemple.

- **Ralentissez et prenez le temps d'apprécier.** Même si votre corps ralentit naturellement, votre cerveau en est peut-être encore à tenter d'accélérer le pas. Détendez-vous et appréciez le voyage. Cherchez de nouvelles façons de stimuler votre partenaire en dehors de la pénétration. Trouvez du plaisir à donner autant qu'à recevoir et laissez les choses se dérouler à leur rythme naturel.

- **Essayez diverses positions.** Des problèmes de santé peuvent parfois rendre malaisées vos positions préférées pour faire l'amour. Si vous avez des problèmes d'arthrite, essayez les positions latérales qui évitent de supporter votre propre poids ou celui de votre partenaire. Les positions assises vous permettent de varier la profondeur de pénétration tout en vous apportant un soutien supplémentaire, surtout si vous reposez votre dos contre un mur ou le dossier d'une chaise. Un homme qui a du mal à conserver une érection peut s'allonger sur sa partenaire jambes écartées de manière à ce qu'elle puisse stimuler son pénis entre ses jambes serrées.

- **Faites l'amour en plusieurs étapes.** C'est génial lorsque vous pouvez y consacrer tout un après-midi, ou toute une soirée si vous n'êtes pas fatigué. Ce n'est pas toujours le cas. Plutôt que de vous contenter du « petit coup rapide », essayez d'interrompre et de reprendre plus tard là où vous en étiez. Un homme peut aimer faire l'amour à une femme même s'il n'atteint pas lui-même l'orgasme.

- **Prolongez le bien-être.** Après l'amour, appréciez les moments de détente côte à côte. Profitez-en pour discuter, ou vous laisser aller ensemble dans le sommeil.

Vous voulez vous amuser un peu ? Rallumez la petite étincelle en faisant l'amour différemment.

Astuce santé

Un bain chaud avant l'amour peut aider à détendre les articulations douloureuses. Ajoutez une huile de bain parfumée que vous aimez tous les deux pour créer une ambiance favorable à l'amour.

Maturité chez la femme : apprivoiser la ménopause

Certaines femmes redoutent cette étape comme étant la fin d'une époque. D'autres sont heureuses d'atteindre enfin le début d'une nouvelle vie, longtemps espérée.

Autrefois pudiquement appelée le «tournant de la vie», la ménopause entraîne toute une série de changements. Les ovaires de la femme cessent quasiment de produire de l'œstrogène. De sorte qu'elle n'a plus de règles et n'est plus fertile. Cela a aussi des répercussions à long terme sur sa santé.

À l'âge de 35 ans, le corps d'une femme commence à perdre du calcium. Avec la diminution de l'œstrogène, cette perte s'accélère. Pendant les années qui précèdent la ménopause, vous pouvez perdre jusqu'à 1 % par an de densité osseuse à moins de prendre les mesures qui s'imposent. Une perte osseuse excessive déclenche l'ostéoporose, état de fragilité des os décalcifiés qui risquent de briser plus facilement.

L'hormonothérapie de substitution (HTS), les suppléments de calcium et de magnésium ainsi que quelques exercices avec des poids peuvent ralentir la perte osseuse. Une fois que l'ostéoporose est installée, certains médicaments, combinés à un peu d'exercice et à l'absorption d'un supplément de calcium, peuvent aider à reconstruire la masse osseuse (voir page 382). La baisse d'œstrogène augmente aussi le risque de maladies cardiaques et d'ACV. Après la ménopause, les femmes rejoignent les hommes quant aux risques cardiaques. Ces effets dramatiques peuvent être endigués grâce à une hormonothérapie substitutive, des exercices réguliers et un régime approprié.

Les trois étapes de la ménopause

Chez les femmes qui la vivent de manière naturelle (non à cause d'une chirurgie ou autre cause), la ménopause se distingue par trois étapes. La préménopause, la ménopause et la postménopause.

1 La préménopause

La préménopause, ou l'approche de la fin des menstruations, est souvent confondue avec la ménopause. C'est durant cette période que les ovaires d'une femme diminuent leur production d'œstrogène, de progestérone et de testostérone, les hormones sexuelles. Cette diminution ne se fait pas nécessairement progressi-

D'où viennent les bouffées de chaleur ?

Les bouffées de chaleur incommodent jusqu'à 80 % des femmes en préménopause. Les fluctuations de vos niveaux d'œstrogène dérèglent les mécanismes de la température corporelle. Votre corps réagit en dilatant les vaisseaux sanguins sous la surface de la peau, cela peut occasionner rougeurs ou sueurs. Le corps ne s'étant pas réellement réchauffé, ces bouffées sont souvent suivies de frissons. Ce cycle, que les médecins appellent instabilité vasomotrice, peut affecter les femmes occasionnellement, constamment ou jamais. L'hormonothérapie substitutive parvient généralement à faire diminuer et réduire les bouffées de chaleur. Celles-ci disparaissent après la ménopause pour la plupart des femmes, lorsque les niveaux d'œstrogène se sont stabilisés.

Exercez un peu de vigilance sur ce que vous mangez. Certains aliments sont susceptibles de déclencher des bouffées de chaleur : caféine, alcool, chocolat, fromages à pâte dure, vin rouge, tomates, piments et agrumes.

vement ; les niveaux peuvent faire de grands écarts, ce qui entraîne des menstruations irrégulières. (Si vos règles deviennent très abondantes, parlez-en à votre médecin pour vous assurer qu'elle ne sont pas dues à un fibrome ou à un cancer de l'endomètre.) C'est durant cette période que certains symptômes sont les plus intenses tels que bouffées de chaleur, insomnies et pertes de mémoire. Les tissus musculaires du vagin et de l'appareil urinaire s'assèchent et s'atrophient, ce qui rend parfois le sexe inconfortable et déclenche des infections urinaires plus fréquentes. Les femmes demeurent fertiles durant cette période.

Si vous n'êtes pas sûre d'être en préménopause, votre médecin peut faire des analyses de sang pour mesurer vos taux d'hormones. Des niveaux constamment élevés d'hormone foliculo-stimulante (HSF) et des niveaux très bas d'estradiol (la forme la plus commune d'œstrogène) sont des confirmations.

Une hormonothérapie substitutive peut être bénéfique aux femmes durant cette étape (voir page 232). Votre médecin peut aussi vous prescrire une pilule contraceptive à faible dosage hormonal comme hormonothérapie.

Avantage : un meilleur contrôle du cycle menstruel ; par contre, une hormonothérapie substitutive peut occulter le moment où s'installe la ménopause proprement dite.

La ménopause peut intervenir n'importe quand entre 40 et 50 ans, la moyenne étant de 51 ans pour les femmes occidentales. La préménopause commence en moyenne à 47 ans et dure entre 2 et 10 ans. Contrairement à la croyance populaire, il n'existe aucun lien entre l'âge

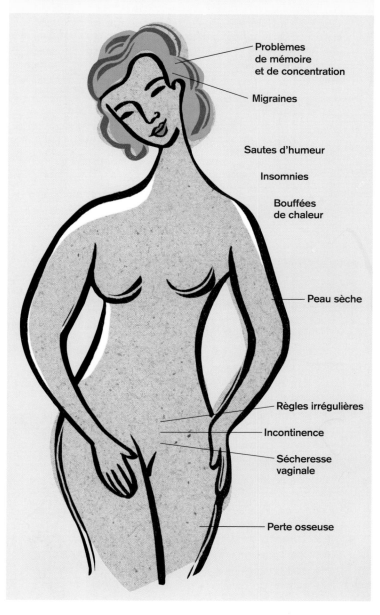

Les signes de la ménopause

Durant la période de la préménopause à la ménopause, il se peut que vous ressentiez les changements suivants : incontinence urinaire à cause de la fragilisation des parois vaginales et des muscles de soutien et de contrôle de la vessie. La plupart de ses changements sont attribuables directement ou indirectement aux fluctuations des niveaux d'hormones et au déclin de la production d'œstrogène. Les bouffées et les sautes d'humeur sont des changements temporaires ; d'autres, comme l'élasticité de la peau, sont permanents.

Problèmes de mémoire et de concentration

Migraines

Sautes d'humeur

Insomnies

Bouffées de chaleur

Peau sèche

Règles irrégulières

Incontinence

Sécheresse vaginale

Perte osseuse

AUTO ÉVALUATION

Est-ce la ménopause ?

Il n'est pas toujours facile de déterminer si vous êtes dans cette phase de préménopause. Demandez-vous :

◀ **Vos règles sont-elles anormalement abondantes ?** Les saignements sont fréquents chez les femmes à l'approche de la ménopause, mais ils peuvent aussi être dus à un fibrome utérin (tumeur bénigne).

◀ **Vos règles sont-elles irrégulières ?** Les règles irrégulières sont un indice de l'approche de la ménopause.

◀ **Avez-vous des bouffées de chaleur ?** De 45 à 80 % des femmes en préménopause font l'expérience de ces moments inconfortables, qui peuvent durer quelques minutes ou quelques heures, pendant lesquelles elles ont chaud, avec parfois des rougeurs de la peau et des suées. Cette sensation de chaleur peut également être signe d'hyperthyroïdisme, un dérèglement qui peut surgir chez les femmes à l'âge mûr.

◀ **Avez-vous pris du poids récemment ?** Beaucoup de femmes prennent un peu de poids à l'approche de la ménopause.

◀ **Souffrez-vous d'irritabilité, de difficultés de concentration, de sautes d'humeur ou de pertes de mémoire ?** Ces symptômes apparaissent parfois ou souvent chez les deux tiers des femmes en préménopause ; surtout chez celles qui ont souffert de dépression.

---

des premières règles et l'âge où la ménopause s'installe. En général, vous entrez en ménopause au même âge que votre mère et votre grand-mère. Les femmes qui fument sont généralement ménopausées deux à trois ans plus tôt que les autres.

La ménopause précoce

La ménopause surgit tôt chez certaines femmes. En voici quelques raisons :

- **Chirurgie.** L'ablation des ovaires, avec ou sans hystérectomie partielle ou totale, entraîne immédiatement une ménopause. D'autres interventions peuvent interrompre la circulation sanguine vers les ovaires, entraînant la destruction des follicules.
- **Dysfonctionnement ovarien prématuré.** Les femmes qui abordent la ménopause dans la trentaine, ou même la vingtaine, souffrent peut-être d'une maladie des ovaires qui cessent de fonctionner bien avant l'heure. Une visite médicale s'impose.
- **Syndrome des ovaires polykystiques.** Il interfère avec l'ovulation, cause des inflammations et des dommages aux tissus et détruit les follicules.
- **Désordres auto-immunitaires.** Incluant diabète dépendant de l'insuline, hypothyroïdisme, arthrite rhumatismale et lupus.
- **Les traitements du cancer.** La chimiothérapie et les radiations déclenchent souvent une ménopause précoce. La prise du tamoxifène contre le risque du cancer du sein peut aussi la déclencher.

2 La ménopause

La ménopause est un événement unique dans la vie d'une femme : sa dernière menstruation. Les médecins estiment que la ménopause est installée après 12 mois consécutifs sans règles.

3 La postménopause

De la ménopause à la fin de sa vie, une femme est dans la postménopause (après la fin des menstruations). Autrefois, lorsque l'espérance de vie n'était que de 55 ans, cela annonçait le début de la fin. De nos jours, l'accroissement de l'espérance de vie laisse entrevoir la possibilité que les femmes jouissent d'autant d'années après la ménopause qu'avant. Les risques de maladies cardiaques, d'ACV et d'ostéoporose augmentent chez les femmes ménopausées. C'est pour cette raison que de nombreux médecins recommandent une hormonothérapie substitutive après la ménopause et encouragent les femmes à avoir un mode de vie équilibré qui réduise ces risques. Cela inclut des suppléments de calcium, de magnésium et de vitamine D ; un régime nutritif allégé en gras ; et une pratique modérée régulière d'un exercice physique (voir page 232 pour l'HTS).

Et votre cerveau ?

L'abaissement des niveaux d'œstrogène fait subir des modifications chimiques à votre cerveau qui peuvent agir sur votre comportement, vos pensées et vos sensations.

Il semble que l'abaissement des niveaux d'œstrogène altère le codage et le décodage des données par le cerveau. À l'aide d'une image de résonance magnétique (IRM), des chercheurs ont découvert, par exemple, que des femmes ménopausées qui ne prennent pas d'œstrogène sont susceptibles d'avoir une activité du lobe gauche ralentie durant la phase d'encodage de l'information. C'est peut-être la cause des difficultés qu'éprouvent les femmes à avoir des pensées analytiques ou rationnelles, (activités du lobe gauche), comme tenir les comptes ou prendre des décisions. Cette condition, si elle existe, n'est que temporaire. De plus, des études ont montré que l'œstrogène de substitution peut remettre les choses en ordre.

Les chercheurs commencent à peine à entrevoir les effets complexes de l'œstrogène sur le cerveau. Chez les animaux, l'hormone a stimulé la croissance des dendrites, filaments qui facilitent la communication entre les neurones (cellules cérébrales). On étudie actuellement la possibilité que l'œstrogène retarde ou même endigue l'apparition de la maladie d'Alzheimer. À ce jour, les résultats de ces études sont contradictoires.

La mémoire

Vous ne vous rappelez pas où vous avez posé les clefs de la voiture ? Ou pourquoi vous vous dirigez vers la cuisine ? À l'approche de la ménopause, certaines femmes font l'expérience de courtes pertes de mémoire dont on pense qu'elles sont dues aux fluctuations des niveaux d'œstrogène.

Les chercheurs ont découvert que certaines parties du cerveau responsables de la mémoire sont sensibles aux niveaux d'œstrogène. Les femmes qui prennent de l'œstrogène ont une activité cérébrale accrue dans les régions liées à la mémoire. Lors de tests de mémoire, les femmes qui prennent de l'œstrogène ont de meilleurs résultats que les autres. Ces études restent à confirmer. Cependant, la perte de mémoire n'est pas une fatalité pour la plupart des femmes qui abordent la ménopause.

La ménopause et l'humeur

Des hauts et des bas ? Certaines femmes en font l'expérience, probablement à cause des variations hormonales. Contrairement à la croyance populaire, elles ne sont cependant pas plus sujettes à la dépression durant cette période. En fait, les recherches indiquent que les femmes en ménopause sont moins sujettes à la dépression que les femmes plus jeunes.

L'œstrogène semble affecter le fonctionnement de la pensée. De faibles niveaux de l'hormone, associés au vieillissement, peuvent affecter la pensée analytique (lobe gauche) et activer l'activité cérébrale créative (lobe droit).

VOTRE STRATÉGIE SANTÉ

HTS et autres traitements

L'hormonothérapie substitutive ou une alternative naturelle ? À vous de prendre votre décision, après avoir examiné le pour et le contre et demandé conseil à votre médecin en fonction de vos risques à long terme.

L'hormonothérapie substitutive ou HTS consiste à remplacer l'œstrogène (et la progestérone si vous avez encore votre utérus) que votre corps ne fabrique plus. Plusieurs hormones jouent un rôle dans la ménopause, mais c'est l'œstrogène qui déclenche les symptômes désagréables dont souffrent beaucoup de femmes. L'HTS réduit ou élimine plusieurs de ces désagréments chez la plupart des femmes. Elle peut aussi diminuer le risque de problèmes à long terme comme l'ostéoporose ou la crise cardiaque, mais les études sont encore incomplètes et l'arrêt de l'hormonothérapie annule ses effets.

L'HTS n'est pas indiquée dans tous les cas ; votre médecin vous la conseillera peut-être pour ceux-ci :
- Des bouffées de chaleur fréquentes gênent votre sommeil.
- Vous avez des risques importants d'ostéoporose (voir page 383).
- Vous souffrez de sécheresse vaginale.
- Vous souffrez d'autres symptômes tels que sautes d'humeur, irritabilité, incontinence urinaire ou infections fréquentes des voies urinaires.

L'HTS n'est généralement pas recommandée aux femmes ayant l'un des antécédents suivants :
- Problèmes hépatiques.
- Cancer du sein ou de l'endomètre (paroi utérine),

elles-mêmes ou un membre de la famille proche, mère ou sœur.
- Problèmes de formation de caillots sanguins.

L'hormonothérapie substitutive est une décision personnelle, prise après avoir consulté votre médecin et évalué les autres options et les antécédents familiaux.

Les avantages

À court terme, l'HTS soulage énormément les inconforts de la ménopause, en particulier les bouffées de chaleur, la sécheresse et l'inflammation vaginales et les sautes d'humeur. La plupart des médecins pensent que l'HTS protège aussi contre l'ostéoporose et les maladies cardiaques, malgré des études contradictoires. Deux études majeures, celle des infirmières de l'université de Harvard et celle d'un institut américain sur la santé des femmes, portent sur les effets de l'HTS sur des femmes en bonne santé. Comme d'autres, elles montrent que l'œstrogène de substitution, associé au calcium, diminue et souvent freine la perte osseuse, réduisant de manière significative les risques d'ostéoporose.

Les résultats sont moins probants en ce qui concerne le rôle de l'œstrogène dans la protection cardiaque. Il semble y avoir un lien entre l'œstrogène et la cardiopathie, mais les chercheurs ne parviennent pas à le définir. La maladie cardiaque est rare chez les femmes de moins de 50 ans ayant encore des règles, mais c'est la première cause de mortalité chez les

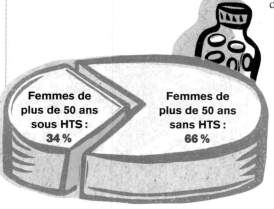

Femmes de plus de 50 ans sous HTS : 34 %

Femmes de plus de 50 ans sans HTS : 66 %

femmes de plus de 50 ans. Il semble que ce soit l'œstrogène qui fasse la différence en abaissant les niveaux de cholestérol dans le sang.

Les femmes qui suivent une HTS sont moins sujettes aux problèmes cardiaques, mais l'influence de l'HTS est encore mal définie. Une chose est claire : l'œstrogène ne semble pas avoir d'avantages cardiaques pour les femmes qui souffrent déjà de ces problèmes. D'autres études en cours cherchent à définir le rôle de l'œstrogène contre les maladies d'Alzheimer et de Parkinson.

Les risques

Le principal inconvénient de l'hormonothérapie substitutive est son lien à certains cancers du sein. L'œstrogène semble favoriser la croissance des cellules cancéreuses de la poitrine. Les experts ne sont pas

MÉDICAMENT

Des études mineures semblent indiquer que les antidépresseurs tels que le Paxil et le Prozac peuvent aider à soulager les bouffées de chaleur.

Les différentes hormonothérapies substitutives

Vous pouvez choisir d'absorber des pilules d'œstrogène et de progestérone, ou une thérapie combinée d'un timbre d'œstrogène et de pilules de progestatif, par exemple. La méthode choisie dépend de vos symptômes, antécédents et préférences personnelles.

Formes de thérapies d'HTS	Commentaires
Pilules d'œstrogène seules	▨ Seulement pour les femmes qui ont subi l'ablation de l'utérus.
Cyclique : pilules d'œstrogène et des progestatifs un mois sur deux, du 10e au 14e jour du mois	▨ Imite le cycle menstruel. Les effets secondaires possibles sont : sensibilité de la poitrine et gonflements, saignements légers lors de l'arrêt des progestatifs.
Continue combinée : œstrogène et progestatif, quotidiennement	▨ La faible dose de progestatif (puisqu'elle est quotidienne) peut éviter la sensibilité de la poitrine. Peut entraîner des saignements irréguliers.
Timbre : l'œstrogène seul (et une pilule de progestatif) ou en diffusion combinée d'œstrogène et de progestatif	▨ Le placer sur la partie inférieure du tronc, le déplacer tous les trois ou quatre jours. Les doses plus faibles entraînent moins d'effets secondaires. Il est préférable aux pilules si vous êtes sujette aux calculs biliaires (voir page 304). Semble protéger les os et faire diminuer les bouffées de chaleur et la sécheresse vaginale comme les doses d'œstrogène par voie orale.
Gels	▨ Similaires aux timbres mais sans réactions dermiques.
Crèmes vaginales à l'œstrogène	▨ Efficaces contre l'atrophie et la sécheresse vaginale et pour diminuer les risques d'infection des voies urinaires. En fonction des doses, vous devrez peut-être prendre des pilules de progestatif pour contrebalancer les risques de cancer de l'endomètre.
Œstrogènes naturels (œstriol, œstradiol et œstrone) : pilules ou crèmes	▨ Certains pensent qu'ils présentent moins de danger que l'œstrogène de synthèse, mais il existe peu de preuves scientifiques de leur efficacité. Les chercheurs se demandent si les œstrogènes naturels pris seuls, sans progestatif, n'augmentent pas les risques de cancer de l'utérus.
Progestérone naturelle : en pilules ou en crèmes (ces dernières ne sont pas encore offertes au Canada)	▨ La progestérone naturelle a moins d'effets secondaires, tels que sensibilité de la poitrine et gonflements, que la progestérone de synthèse. Il n'existe pas de données concernant son effet sur l'endomètre ou les os.

d'accord quant à la similitude des effets de l'œstrogène de synthèse et ceux de l'œstrogène que produit votre corps. La plupart des médecins s'accordent cependant pour déconseiller une hormonothérapie substitutive aux femmes qui ont déjà souffert d'un cancer du sein ou qui ont des antécédents familiaux de cette maladie. L'œstrogène de substitution à long terme (plus de 10 ans) peut augmenter les risques de cancer du sein jusqu'à 30 %. L'hormonothérapie substitutive à court terme (jusqu'à 5 ans) n'est pas associée à une augmentation des risques.

Il faut replacer cette augmentation de 30 % dans son contexte. Chez les femmes de 60 à 65 ans qui ne prennent pas d'hormones de substitution, 3 sur 1000 développent un cancer du sein. Parmi celles du même groupe d'âge qui prennent de l'œstrogène depuis 5 ans, 4 sur 1000 développent un cancer du sein. C'est un facteur de risque mineur à mesurer en prenant en considération les avantages cardiovasculaires de l'HTS. Les maladies cardiaques tuent environ 11 fois plus de femmes chaque année que le cancer du sein.

Les chercheurs ont longtemps cru que l'association de progestatif à l'œstrogène pouvait contrebalancer l'augmentation des facteurs de risque de cancer du sein. Des résultats surprenants, publiés en 2000, indiquent qu'au contraire, chez les femmes minces, la thérapie combinée augmente les risques. L'association de progestatif est cependant importante, car elle aide à protéger du cancer de l'endomètre.

Ce n'est pas tout. Certaines études laissent penser que l'œstrogène de substitution favorise la formation de caillots sanguins. D'autres ne confirment pas cette augmentation ou même l'infirment. La plupart des médecins déconseillent l'HTS aux personnes ayant des antécédents familiaux de problèmes de coagulation sanguine.

À l'évidence, les chercheurs en sont encore à définir les effets de l'HTS ; aussi, n'hésitez pas à demander conseil à votre médecin et à modifier votre décision en fonction des renseignements que vous obtiendrez.

S'adapter à l'HTS

Certaines femmes entament une HTS au moment de la ménopause puis cessent pendant une dizaine d'années si elles n'ont pas de risques d'ostéoporose ou de maladies cardiaques. À peu près à 60 ans, elles peuvent réévaluer leur besoin d'hormones de substitution en fonction de leurs risques particuliers face à ces maladies.

Certaines préfèrent prendre le médicament raloxifène (MSRE), qui semble avoir les mêmes avantages que l'œstrogène à long terme sans l'augmentation des risques du cancer du sein. Cependant, le MSRE est un nouveau médicament dont on ignore les effets à long terme. Il pourrait être responsable de l'augmentation des bouffées de chaleur. Si l'ostéoporose vous menace, votre médecin peut vous prescrire un médicament non hormonal, appelé alendronate monosodique, qui renforcera votre densité osseuse.

Au début, l'HTS entraîne des effets secondaires tels que sensibilité des seins, gain de poids, saignements de l'utérus, qui disparaissent de 6 à 12 mois plus tard. S'ils persistent, votre médecin peut rajuster le dosage, le type ou la posologie de votre médicament.

MÉDICAMENT

Si vous ne voulez pas suivre une HTS, vous essayerez peut-être une crème à l'œstrogène ou un anneau vaginal contre la sécheresse vaginale et les infections urinaires. Sous cette forme, l'œstrogène ne protège pas des maladies cardiaques, de l'ostéoporose ou des bouffées de chaleur.

Les alternatives naturelles pour soulager la ménopause

Alternatives	Comment ça fonctionne	Commentaires
Soya	Le soya contient des isoflavones, agents phyto-chimiques qui peuvent soulager certains symptômes mineurs de la ménopause. Ils semblent abaisser le cholestérol et réduire la perte osseuse. On conseille de 30 à 50 mg d'isoflavones par jour. Les préparations au soya sont diversement dosées ; vérifiez l'étiquette. Graines de soya grillées, tofu et lait de soya sont trois manières d'absorber du soya.	Aucune étude n'a clairement démontré l'efficacité du soya. Pour savoir, essayez-le vous-même. Les savants ne savent pas si des doses élevées augmentent les risques du cancer du sein, comme l'œstrogène. Il est déconseillé de prendre des suppléments d'isoflavones en même temps.
Graines de lin	Les graines de lin sont une autre source d'œstrogènes végétaux. Ajoutez une cuillère à soupe de graines moulues à vos céréales ou aliments.	
Actée à grappes noires	Ce remède contient des hormones végétales et son efficacité a été démontrée dans le soulagement de symptômes tels que les bouffées de chaleur, les gonflements, la dépression, l'insomnie et la sécheresse vaginale. Prendre 40 mg de rhizome séché par jour, ou un extrait standardisé à 1 % de deoxyaceteine-27, 8 mg par jour.	Déconseillée si vous avez des règles importantes, car elle augmente le flux menstruel. Ne confondez pas l'actée à grappes noires avec l'actée bleue, une plante potentiellement toxique.
Gattilier	Également connu sous le nom de vitex, cette plante est largement utilisée en Europe pour soulager les symptômes de la ménopause. Elle aide à rétablir les niveaux de progestérone, qui dégringolent à la ménopause. Prendre de 30 à 40 mg par jour.	
Vitamine E	Certaines femmes trouvent qu'à haute dose, elle aide à soulager les bouffées de chaleur, les suées nocturnes et la sécheresse vaginale. Essayez 400 UI de une à deux fois par jour. On la soupçonne de protéger également le cœur.	Demandez conseil à votre médecin avant de prendre plus de 400 UI par jour. Des doses plus élevées sont contre-indiquées pour certaines pathologies dont le diabète.
Millepertuis	Cette herbe peut soulager la dépression mineure et l'insomnie. Essayez de 200 à 300 mg d'extrait standardisé à 0,3 % d'hypéricine trois fois par jour.	L'effet peut n'être ressenti qu'au bout de 4 semaines. N'en prenez pas en association avec d'autres antidépresseurs (voir page 105).
Acupuncture	Selon une étude suédoise, l'acupuncture soulage l'insomnie et les bouffées de chaleur. C'est aussi l'opinion de certaines femmes.	
Exercice physique	Selon une étude, de 2 à 3 heures d'exercices physiques hebdomadaires peuvent diminuer les bouffées de chaleur. La marche et les exercices de poids peuvent aider à endiguer l'ostéoporose. L'aérobique entretient la santé cardiovasculaire.	

Maturité chez l'homme : apprivoiser un rythme différent

Un ralentissement ? Ne vous en faites pas. Prendre son temps stimule la créativité et peut donner à l'amour une tout autre dimension.

l n'existe pas de ménopause masculine ; cependant, le corps des hommes change à l'âge mûr.

L'un des plus importants changements est la diminution de testostérone libre. Le corps continue à produire presque autant de testostérone, mais chez les hommes plus âgés, une protéine bloque parfois l'hormone, réduisant la quantité disponible pour le corps. Les niveaux de testostérone sont au plus haut chez un homme à la fin de l'adolescence et au début de la vingtaine. À 50 ans, vous avez environ 75 % de la testostérone que vous aviez à 25 ; à 75 ans, la moitié. Pour la plupart des hommes, cela suffit largement à entretenir des fonctions sexuelles agréables, même si la stimulation et la récupération sont plus lentes.

D'autres changements se produisent qui peuvent rendre l'érection difficile. Vos vaisseaux sanguins perdent de leur élasticité et la circulation du sang est ralentie. Les vaisseaux sanguins sont parfois bouchés par des dépôts graisseux qui réduisent aussi la circulation du sang.

Les changements sont progressifs même s'ils semblent vous prendre par surprise. Une nuit, vous commencez à faire l'amour et soudain, vous vous apercevez que si votre esprit est bien présent, votre corps semble attendre une invitation spéciale. En vérité, votre corps vous invite peut-être à prendre votre temps et à laisser monter le désir.

Les problèmes d'érection

Pour la plupart des hommes, le problème ne réside pas dans la qualité

Les hauts et les bas de la testostérone

Chez les hommes, les niveaux de testostérone disponible diminuent graduellement à partir de 45 ans jusqu'à 70 ans, âge où la chute est très nette. Cela ne signifie pas la fin des activités sexuelles. La vie sexuelle est d'autant plus satisfaisante après 60 ans qu'elle l'a été auparavant.

Âge	0	10	20	30	40	50	60	70	80	90	100

de l'érection, mais dans la difficulté à l'atteindre ou à la maintenir. Les médecins ont longtemps cru que le dysfonctionnement érectile était un problème psychologique plutôt que physiologique. On sait maintenant que le problème est physique dans 85 % des cas. Les causes les plus fréquentes sont l'artériosclérose (durcissement des artères) qui va restreindre la circulation sanguine vers le pénis, le diabète qui va endommager les vaisseaux sanguins et les nerfs responsables des érections, la tension, ou les médicaments qui traitent ces problèmes. Les accidents de la colonne vertébrale, les ACV, la chirurgie ou un accident dans la région pelvienne, à l'aine, qui endommage le pénis ou les testicules peuvent entraîner une dysérection.

Des facteurs émotionnels peuvent compliquer la situation. On ressent un malaise lorsque le corps refuse ce que l'esprit désire. Malheureusement, le stress ne fait qu'empirer les choses. Essayez de vous détendre et surtout restez en communication ouverte avec votre partenaire.

Le Viagra

Lorsque ces petites pilules bleues sont arrivées sur le marché des États-Unis en 1998, des millions d'hommes avaient hâte de les essayer. Les médecins ont rédigé quelque 16 millions d'ordonnances pendant les deux premières années de leur arrivée sur le marché.

Pour une fois, l'engouement était justifié. Le citrate de sildénafil, mieux connu sous le nom de sa marque, Viagra, améliore les fonctions d'érection chez 80 % des hommes qui l'utilisent. Il détruit une enzyme produite par le pénis qui détruit l'oxyde nitrique nécessaire à

une érection. Il faut de 30 à 60 minutes pour ressentir l'effet du Viagra et une stimulation physique est toujours nécessaire ₁ parvenir à une érection, susceptible de durer 45 minutes à 1 heure.

Le Viagra n'est pas parfait. Comme tous les médicaments, il a des effets secondaires : maux de tête, diarrhées, bouffées de chaleur et troubles de la vision. Il est déconseillé aux hommes qui prennent des médicaments pour le cœur contenant des nitrates, car l'association entraîne un risque de chute brusque et dangereuse, ou même mortelle, de la tension. Le Viagra n'améliore pas l'érection chez les hommes qui ne sont pas impuissants.

Un autre médicament contre l'impuissance, l'apomorphine (Uprima), sera bientôt agréé par la FDA aux États-Unis. Il fait augmenter les niveaux de dopamine dans une région du cerveau dont on soupçonne qu'elle joue un rôle important dans la fonction érectile. Il agit différemment du Viagra et peut être utile pour les hommes chez qui ce dernier est inefficace. De plus, il est sans danger en association avec des médicaments au nitrate.

Uprima est conditionné sous forme de tablettes à placer sous la langue pour une diffusion dans le sang. L'érection surgit en quelques minutes. Mais ce médicament, comme tous les autres, a des effets secondaires : nausées, vomissements et baisse dangereuse de la tension qui peut entraîner des évanouissements.

Autres traitements

L'alprostadil est l'un des médicaments les plus prometteurs pour le

Le succès instantané du Viagra encourage l'industrie pharmaceutique à mettre sur le marché un remède équivalent pour les femmes qui souffrent de dysfonctionnement sexuel.

En bref

Le dysfonctionnement érectile affecte environ 3 millions de Canadiens.

Le sexe et le cœur

Pour la plupart des gens, même ceux qui ont subi des crises cardiaques ou un pontage, atteindre l'orgasme durant l'amour ne fatigue pas plus le cœur que monter un étage ou deux sans se reposer. Des statistiques montrent que moins de 1 % des crises cardiaques mortelles ont lieu pendant ou après une activité sexuelle, souvent extraconjugale et associée à une consommation d'alcool. Les cardiologues pensent que c'est la combinaison du stress (la peur d'être découvert) et de l'élévation de tension (à cause de l'alcool) qui est la cause de l'épuisement fatal du cœur, et non l'activité sexuelle elle-même. Si vous avez subi une crise cardiaque récemment, suivez les conseils de votre médecin. La plupart des gens peuvent reprendre une activité sexuelle dans les 12 à 15 semaines qui suivent.

traitement de la dysérection. Il s'injecte directement dans les muscles du pénis à l'aide d'une fine aiguille, ou vous pouvez l'insérer dans l'urètre, comme un suppositoire, à l'aide d'un applicateur jetable. L'érection survient après 15 minutes. N'utilisez pas le produit plus de 3 fois par semaine. Il existe d'autres choix : appareils de succion, pompe implantée, ou chirurgie de réparation des vaisseaux sanguins endommagés.

La testostérone, un essai ?

Plusieurs études ont porté sur une hormonothérapie de testostérone de substitution (TTS) pour contrer l'abaissement de la testostérone dans le sang chez les hommes d'un certain âge. Cette diminution n'interfère pas avec les fonctions sexuelles chez la plupart des hommes, mais elle peut entraîner une réaction sexuelle ralentie et contribuer à un étiolement du désir, à un manque d'énergie et même à des bouffées de chaleur similaires à celles de la ménopause chez

Il existe un nouveau produit sur le marché : un gel à diffusion cutanée de testostérone.

les femmes. Pour les hommes dont les niveaux baissent beaucoup, les médecins peuvent prescrire des injections de testostérone ou des timbres. Une hormonothérapie doit cependant être envisagée avec prudence, car on la soupçonne d'aggraver l'hypertrophie bénigne de la prostate. On soupçonne aussi la TTS d'augmenter le risque de cancer de la prostate, bien que les résultats d'analyse à long terme ne soient pas encore disponibles. Si vous prenez de la testostérone de substitution, faites-le avec un suivi médical sérieux.

L'approche naturelle

Il existe quelques méthodes non médicamenteuses que vous pouvez essayer.

● **Le ginkgo biloba.** C'est peut-être un remède pour les hommes qui ont des difficultés érectiles mineures. Cette plante semble améliorer la circulation en relaxant les vaisseaux sanguins, ce qui permet au sang de gonfler le pénis. Si vous prenez de l'aspirine ou des anticoagulants (comme le Coumadin), le ginkgo peut exhausser leurs effets ; parlez-en d'abord à votre médecin.

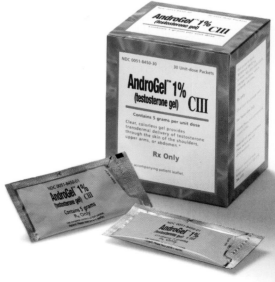

- **Prenez du zinc.** Cet élément intervient dans la production de testostérone ; il faut en consommer. Les aliments qui en contiennent le plus sont le yogourt, les céréales enrichies, le germe de blé, les noix et les graines, les coquillages et la volaille.
- **Essayez de perdre du poids.** Selon une étude récente, les hommes qui ont un tour de taille de 100 cm ou plus ont deux fois plus de risque de dysérection que ceux qui ont un tour de taille de 70 cm environ.
- **Cessez de fumer.** Fumer endommage les vaisseaux sanguins, y compris les petits vaisseaux capillaires de votre pénis. Cela peut rendre difficile l'érection et son prolongement.

Protégez votre prostate

Nichée au creux de votre bas-ventre, à la base de votre vessie, se trouve une glande de la taille d'une noix appelée la prostate. Elle est indispensable au fonctionnement de la vessie et au contrôle du jet urinaire, mais son rôle principal est la fabrication du sperme et son expulsion par le pénis.

Pour des raisons inconnues, la prostate commence à grossir vers 50 ou 60 ans. Elle comprime alors l'urètre. Les parois de la vessie compensent en exerçant une pression accrue, ce qui crée des besoins plus fréquents même si peu d'urine est emmagasinée. On appelle cette condition l'hypertrophie bénigne de la prostate ou hyperplasie. On la soigne rarement tant ses symptômes sont imperceptibles. Elle n'entraîne pas de cancer de la prostate et n'interfère pas avec les fonctions sexuelles.

Chez certains, par contre, les symptômes, dont des besoins urgents

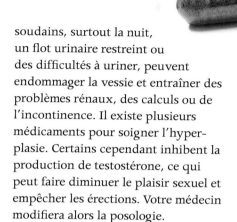

Le palmier nain a prouvé son efficacité remarquable contre le gonflement de la prostate.

soudains, surtout la nuit, un flot urinaire restreint ou des difficultés à uriner, peuvent endommager la vessie et entraîner des problèmes rénaux, des calculs ou de l'incontinence. Il existe plusieurs médicaments pour soigner l'hyperplasie. Certains cependant inhibent la production de testostérone, ce qui peut faire diminuer le plaisir sexuel et empêcher les érections. Votre médecin modifiera alors la posologie.

Le palmier nain est un traitement qui a prouvé son efficacité dans le soulagement de l'hyperplasie mineure ou modérée, mais il ne fait pas désenfler la prostate. Prenez 160 mg 2 fois par jour entre les repas. On peut en prendre sans danger à long terme. Les graines de lin ou l'huile de lin, qui aident à empêcher le gonflement de la prostate, et les graines de citrouilles, riches en zinc — un minéral qui réduit la taille de la glande et soulage certains symptômes —, sont deux autres approches naturelles. Évitez les décongestionnants et les aliments épicés ou acides, qui aggravent les symptômes. Si vous pensez souffrir d'hyperplasie, allez voir un médecin pour être sûr qu'il ne s'agit pas de prostatite (inflammation de la prostate), beaucoup plus grave, et accompagnée de symptômes de douleurs dorsales inférieures, d'une sensation de brûlure durant la miction, de fièvre, de douleurs musculaires et articulaires et de douleurs au bas-ventre et au scrotum.

En bref

À partir de 70 ans, 9 hommes sur 10 peuvent s'attendre à éprouver des problèmes de prostate.

CHAPITRE 10

ENTRETENIR VOTRE MÉMOIRE

242 Mythe du vide cérébral

246 Optimisez votre mémoire

250 Exercez votre esprit

254 Pour un cerveau en santé

Mythe du vide cérébral

En vérité, l'idée que les fonctions cérébrales déclinent avec l'âge est une exagération : aucune limite d'âge n'empêche de nouveaux apprentissages.

Ê tes-vous inquiet, lorsque votre mémoire vous joue des tours, que le vieillissement en soit la cause ou pire encore ? Du calme, détendez-vous. Inutile de paniquer chaque fois que vous oubliez un nom ou que vous égarez vos clefs.

Certes, certaines fonctions cérébrales ralentissent un peu avec l'âge. Ces troubles de mémoire ne sont généralement pas graves et n'affectent que rarement votre vie quotidienne. De plus, votre mode de vie et votre attitude mentale peuvent participer à l'entretien de votre mémoire. Il n'est jamais trop tard, ni trop tôt, pour prendre des précautions. Méditez ces conclusions, extraites d'une étude sur le vieillissement en Amérique élaborée par la fondation MacArthur :

● **Apprendre fait une différence.** Plus vous êtes cultivé et plus vous continuez d'apprendre de nouvelles choses, plus vos chances de

Assouplissez votre muscle cérébral : reprendre vos études, officiellement ou non, vous aidera à entretenir vos facultés mentales.

préserver vos fonctions cognitives sont élevées. Les chercheurs ne savent pas exactement pourquoi. Il se peut qu'une éducation précoce ait un effet positif sur les circuits cérébraux, ou encore que les personnes cultivées entretiennent leurs fonctions cognitives parce qu'elles les exercent avec leurs passe-temps favoris. Une chose est certaine : l'âge n'empêche pas la stimulation des connexions mentales, ni l'assimilation d'informations et d'aptitudes. Besoin de preuves ? Pensez donc aux nouvelles technologies que les gens âgés ont maîtrisées ces dernières années, depuis la caisse enregistreuse automatique jusqu'à Internet.

● **La forme physique est un des secrets de la force cérébrale.** Pour préserver votre acuité mentale, vous devez entretenir votre forme physique et votre capacité pulmonaire. L'exercice oxygène le cerveau. Il semble également faire augmenter les niveaux d'une substance chimique appelée facteur de croissance neurologique, qui favoriserait la formation de nouvelles cellules cérébrales, ce que les savants ont longtemps cru impossible.

● **Stimulé, le cerveau ne se détériore pas.** Vous augmenterez vos chances de rester alerte mentalement si vous croyez à votre capacité à résoudre des problèmes et à influencer le cours des choses, en relevant chaque jour un défi. Beaucoup de gens estiment que la

Le cerveau se nourrit de stimulations qui obligent les circuits neurologiques à poursuivre leur croissance. Relevez le défi d'une partie d'échecs ou plongez-vous dans la lecture d'un classique.

vos journées autour d'activités qui exigent de l'initiative, de la flexibilité, et motivent vos facultés à résoudre des problèmes. Qu'importe la rémunération du travail ! Immergez-vous dans le bénévolat ou dans les études.

● **Vous pouvez exercer vos facultés.** Les exercices de mémoire sont réellement efficaces. Une étude révèle que des personnes âgées qui avaient à l'origine du mal à se rappeler 5 mots pris au hasard dans une longue liste pouvaient, après un peu d'entraînement de leur mémoire, s'en rappeler 15. Au cours d'une expérience, des personnes qui semblaient avoir perdu la capacité à comprendre des explications ou à se déplacer de manière logique d'un point A à un point B ont amélioré leurs fonctions de manière significative et permanente au bout de cinq sessions d'entraînement. De fait, elles ont obtenu de meilleurs résultats que des personnes plus jeunes non entraînées.

En quelques mots

« Le vieillissement n'est pas une forme de rouille mentale ; le cerveau ne s'abîme pas. »
— David Drachmann, docteur en médecine, président du service de neurologie du centre médical de l'université du Massachusetts.

principale source de stimulation mentale provient de leur emploi, pour peu que celui-ci leur permette de prendre des initiatives, d'élaborer des jugements, et de prendre des décisions. C'est une des raisons pour lesquelles ceux qui passent directement d'une carrière épanouissante à la berceuse peuvent faire l'expérience d'un déclin dramatique de leurs fonctions cognitives. D'un autre côté, si vous quittez un emploi monotone et répétitif, la retraite peut être une formidable opportunité d'améliorer vos fonctions cérébrales. Croire en vous-même est la clef de cette réussite : organisez

Jamais trop vieux pour apprendre

Certaines fonctions cérébrales ralentissent légèrement au cours d'un vieillissement normal. Un tiers environ des personnes âgées ont quelques difficultés à se souvenir spontanément des noms de personnes, d'endroits ou de choses ; or, dans ce domaine, les exercices de mémoire peuvent réellement faire une différence. Par contre, quant à l'apprentissage de nouvelles activités ou l'assimilation d'information, les personnes âgées n'ont aucun handicap. Une étude montre que le vieillissement n'affecte pas la quantité d'information que l'on peut assimiler en un temps donné, et ce qui est appris reste en mémoire probablement aussi bien que chez les gens plus jeunes.

L'autoroute de l'information

Les neurones, cellules nerveuses du cerveau, envoient, reçoivent et emmagasinent l'information sous forme de signaux. Ils sont reliés à des filaments appelés les dendrites qui reçoivent et trient l'information en provenance des neurones adjacents. L'information passe par des ponts appelés les synapses. Si les synapses ne sont pas stimulées régulièrement, les dendrites s'atrophient, ce qui diminue les capacités d'apprentissage et de rétention des informations par la mémoire.

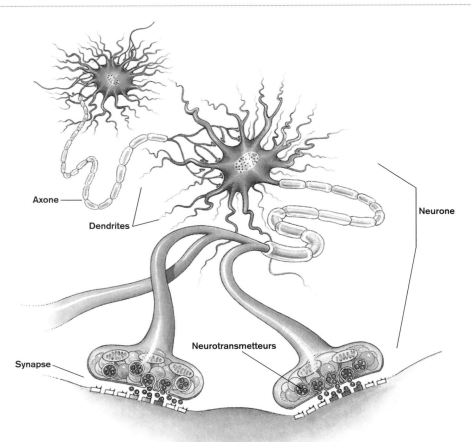

Axone

Dendrites

Neurone

Neurotransmetteurs

Synapse

Astuce santé

Pour entretenir votre santé cérébrale, continuez à travailler. Une étude japonaise menée sur des personnes de 80 ans révèle que l'emploi entretient l'agilité mentale. Ceux qui travaillaient encore normalement étaient plus alertes mentalement que leurs congénères, retraités à 60 ans. Les fonctions cérébrales étaient meilleures même chez les personnes qui ne travaillaient qu'une heure par jour.

Oubliez tous les mythes liés à la mémoire

Les études de la fondation MacArthur ont révolutionné bien des *a priori* sur les effets du vieillissement sur la mémoire et les facultés cérébrales. Les résultats ont servi de point de départ à de nombreuses recherches.

Mythe 1 :
L'âge entraîne des pertes de mémoire.

Il semblerait que les modifications des fonctions cognitives soient moins importantes que ce que l'on a pu croire. La recherche a récemment prouvé que des adultes d'un certain âge sont aussi capables que les plus jeunes d'exécuter la plupart des tâches liées à une activité cérébrale.

Mythe 2 :
Les cellules du cerveau disparaissent au rythme de 50 000 par jour, ce qui expliquerait un déclin des fonctions cérébrales lié à l'âge.

Les chercheurs pensent que la masse cérébrale réduit d'environ 10 % au cours d'une vie, mais cela n'affecte pas nécessairement l'efficacité des fonctions du cerveau. Il semble que la complexité et la solidité des circuits cérébraux soient plus importantes que la taille du cerveau.

Il semble aussi que la plupart des difficultés mentales sont le résultat non pas du rétrécissement des neurones, mais de la réduction de la densité des dendrites, des filaments fins comme des cheveux qui servent à transmettre l'information entre les neurones. Les dendrites croissent tout au long de la vie, chaque fois que nous avons besoin d'acquérir des connaissances ou des aptitudes nouvelles. L'information est transmise aux dendrites par des relais appelés les synapses. Si les synapses ne sont pas stimulées régulièrement, les dendrites peuvent s'atrophier, ce qui affaiblit les connections entre les neurones et réduit la capacité des neurones à apprendre ou à retrouver l'information dans la mémoire.

Si vous vous nourrissez correctement, si vous faites de l'exercice, que vous stimulez vos fonctions cérébrales et que vous ne souffrez pas de la maladie d'Alzheimer, vos dendrites peuvent continuer à pousser et à s'améliorer en densité. Ce réseau amélioré de connexions permet aux cellules du cerveau de se connecter de multiples façons et d'enrichir vos fonctions cognitives, tout en aidant à compenser la perte de cellules. Le réseau amélioré des liens entre les cellules cérébrales peut vous aider à :

- mieux comprendre les conséquences à long terme des décisions ;
- savoir où et quand obtenir l'information nécessaire ;
- analyser plus finement les problèmes religieux ou culturels ;
- comprendre la complexité des problèmes et la relativité des choix.

Mythe 3 :
Une fois que c'est perdu, c'est pour toujours.

Les savants ont longtemps cru que l'endommagement des cellules cérébrales ou leur destruction étaient permanents, mais des études récentes contredisent cette notion qui voudrait que nous naissions avec la totalité de nos neurones. Le scientifique Fred Cage et ses collègues de

Les dendrites croissent tout au long de la vie, chaque fois que nous faisons l'apprentissage de nouvelles connaissances ou aptitudes.

l'institut Salk ont découvert des preuves de neurogenèse (naissance de neurone) dans le cerveau humain adulte. Les chercheurs ne sont pas certains des fonctions de ces cellules neuves parmi les activités d'apprentissage et de mémoire, mais cette éventualité reste possible.

Des recherches similaires sur les capacités d'autoguérison et de régénérescence du cerveau se poursuivent dans plusieurs laboratoires des États-Unis. Des chercheurs de l'institut technologique du Massachusetts (MIT) ont réorganisé le cerveau de furets nouveau-nés en connectant leurs yeux à des régions normalement spécialisées dans les fonctions de l'ouïe. Le résultat ? Les circuits visuels des furets se sont développés sans problème dans les tissus auditifs cérébraux. On peut supposer, en conséquence, que l'ouïe, la vue, le toucher, et peut-être aussi le langage et les émotions, ne sont pas exclusivement liés à des régions isolées et spécialisées du cerveau, ou du moins que les fonctions de ces régions ne sont pas définitivement prédéterminées à la naissance.

Les chercheurs ont aussi engagé une course pour découvrir une nouvelle technique de réparation du cerveau. Si cette expérience réussit, il sera peut-être possible de restaurer les fonctions cérébrales de cerveaux endommagés. Les expériences conduites sur des rats et des primates apparemment séniles ou victimes d'apoplexie à l'école médicale de Harvard semblent prometteuses.

Optimisez votre mémoire

Impossible de vous rappeler le nom d'une nouvelle connaissance ? Utilisez quelques astuces élaborées par des experts pour entretenir votre mémoire, peu importe votre âge.

Qu'est-ce donc que la mémoire, et comment fonctionne-t-elle ? Quel phénomène extraordinaire et mystérieux que cette capacité du cerveau à acquérir de l'information, à l'emmagasiner et à la récupérer lorsqu'il en a besoin. Grâce à la caméra à positrons (TEP) et à l'imagerie par résonance magnétique fonctionnelle (IRM), les chercheurs ont commencé à dresser des cartes du fonctionnement cérébral, permettant d'avoir une meilleure idée de la fabrication des souvenirs.

La pensée active

Les souvenirs se présentent sous forme de séquences d'activité électrique qui connectent les cellules cérébrales, ou neurones, des diverses régions du cerveau. Ces réseaux électriques relient nos sens entre eux, associent les données sensorielles à nos réactions physiques et émotionnelles, et les emmagasinent dans la mémoire.

Lorsque vous vous rappelez quelque chose, vous ne vous contentez pas d'aller chercher une donnée bien rangée dans un dossier spécialisé de votre cerveau : la fonction est beaucoup plus complexe. Formulez en pensée le mot « marteau » ; votre esprit fait immédiatement le lien entre le nom de cet outil, son apparence, son poids, sa composition, sa fonction, le bruit qu'il fait en enfonçant un clou… Chaque donnée provient d'une région différente du cerveau. Lorsque le souvenir de votre professeur du cours élémentaire surgit, vous assemblez, en une fraction de seconde, les divers

La recherche le confirme : les personnes âgées peuvent aiguiser leur talents analytiques et mécaniques en assemblant des casse-têtes et en s'adonnant à des jeux complexes.

aspects de son apparence, de sa personnalité et peut-être du son de sa voix et projetez ce kaléidoscope sur l'écran de ce que nous appelons « l'œil intérieur ».

Les archives... de notre mémoire

Le souvenir se construit à partir de l'instant où vos yeux, vos oreilles, votre nez, votre peau, vos papilles gustatives enregistrent une information. Cependant, les impressions sensorielles sont fugaces et ne durent que quelques secondes, à moins que vous ne décidiez consciemment de vous rappeler l'information et de la coder : soit visuellement, soit verbalement.

L'information codée est d'abord archivée dans la mémoire à court terme, mais seulement pour 30 secondes ou quelques minutes environ, car la contenance de celle-ci est limitée. Au fur et à mesure que des informations entrent dans la mémoire à court terme, elles expulsent les informations qui s'y trouvaient auparavant.

Les règles qui régissent ce que l'esprit archive dans la mémoire à long terme et ce qu'il « nettoie » ne sont pas établies définitivement. Les informations qui recueillent un intérêt ou une attention particulière ont plus de chances d'être archivées à long terme, surtout si elles stimulent deux ou plus de nos cinq sens ou si elles sont associées à un souvenir déjà présent.

Il n'existe quasiment pas de limite à la quantité d'information que nous pouvons archiver à long terme, et celle-ci n'est jamais perdue (même si elle n'est pas toujours facile à retrouver).

Comment graver les souvenirs ?

Voici quelques astuces pour faire de vos expériences ponctuelles des souvenirs :

- **Concentrez-vous sur une chose à la fois.** Soyez réaliste : vous ne pouvez pas vous rappeler toutes les informations qui se présentent. Choisissez ce qui vous paraît vraiment important et accordez toute votre attention à cette information lorsqu'elle se présente.
- **Soyez attentif.** Entendre n'est pas écouter. Pour certains, prendre des notes ou répéter l'essentiel de ce qu'ils viennent d'entendre, comme « voyons si je vous ai bien compris. Vous voulez que je … », est nécessaire.
- **Faites abstraction de ce qui vous distrait.** Lorsque vous étiez plus jeune, vous parveniez probablement à étudier avec la télévision ou la radio allumées. Maintenant que vous êtes plus âgé, il vous faut probablement éliminer les distractions pour parvenir à vous concentrer. Certaines personnes ont besoin du silence absolu pour pouvoir se concentrer.
- **Lorsque vous voulez graver un souvenir dans votre esprit, mettez vos sens en alerte.** Autrefois, les élèves des cours élémentaires mémorisaient de longues listes de prépositions en les chantant sur un air familier. Ils traitaient les données sous plusieurs formes : cognitive, visuelle, auditive et motrice.
- **Répétez, répétez, répétez.** La répétition entretient le réseau électrique du cerveau et améliore grandement le souvenir. Rappelez-vous les heures que vous avez consacrées à mémoriser vos tables

de multiplication. Prenez le temps qu'il faut quand vous vous lancez dans un nouvel apprentissage.

● **Placez l'information dans son contexte.** Il est beaucoup plus facile de se rappeler quelque chose qui présente un intérêt immédiat qu'un concept abstrait ou une information prise au hasard. Pour mieux la retenir, associez l'idée nouvelle à une idée ancienne. Plus vous créez des liens autour de l'information, plus vous avez de chances que l'un d'eux stimule votre mémoire.

● **Dormez dessus.** Votre esprit fonctionne mieux lorsque vous n'êtes pas fatigué. De plus, des recherches préliminaires de l'école médicale de Harvard indiquent que la plupart des gens ont besoin de six à huit heures de sommeil, au moins deux cycles de sommeil profond par nuit, pour que leur cerveau soit capable d'assimiler les transformations chimiques nécessaires à l'intégration de nouveaux apprentissages dans la mémoire à long terme.

● **Réduisez le stress.** Le stress, qu'il prenne la forme d'anxiété ou de dépression, peut être un obstacle majeur à la mémoire et interférer avec la concentration et la motivation à apprendre.

● **Traitez l'affaiblissement de vos sens.** Vous ne pouvez pas retenir l'information que vous ne recevez pas. En vieillissant, certains sens s'affaiblissent; c'est là que commencent les problèmes de mémoire. Si vous voyez moins bien, si vous entendez mal, parlez-en à votre médecin.

● **Développez des habitudes.** En plaçant ses clés au même endroit, par exemple, on les retrouvera plus facilement.

● **Buvez beaucoup d'eau.** Absorbez au moins huit tasses par jour, ou plus si vous consommez des boissons contenant de la caféine. La déshydratation est cause de nombreux problèmes, dont un déséquilibre des électrolytes qui risque d'affecter vos fonctions cérébrales.

● **Choisissez un mode de vie raisonnable.** Vous pouvez améliorer votre mémoire en suivant les conseils que vous avez lus dans ce livre : suivez un régime nutritif, prenez le temps de faire des exercices aérobiques au moins trois fois par semaine, limitez votre consommation d'alcool et évitez de fumer.

Quelques astuces

Vous êtes-vous déjà demandé comment certains as de la mémoire parviennent à débiter des séquences de centaines de noms ou de chiffres ? Ils maîtrisent des techniques mnémoniques : trucs et raccourcis qui facilitent la rétention d'information dans la mémoire. La plupart de ces astuces consistent à encadrer une donnée unique de plusieurs activités mentales.

Bien que certaines de ces techniques soient vieilles comme le monde, elles sont confirmées par les découvertes les plus récentes concernant le traitement de l'information par le cerveau.

Les principales techniques utilisées sont : l'association, la visualisation, l'imagination et l'organisation. Voyez comment elles fonctionnent pour traiter ces défis quotidiens à la mémoire.

Quel est le nom de ce visage familier ? Les noms sont les cauchemars numéro un de la mémoire. Tout

---

Astuce santé

Vous vous attaquez à une tâche intellectuelle qui requiert mémorisation ? Une tasse de café peut vous aider. La caféine inhibe les fonctions d'un neurotransmetteur calmant du cerveau et vous rend plus alerte. N'en abusez pas. Plus d'une tasse ou deux de café risquent de vous énerver et de troubler votre concentration.

l'art réside dans la force de l'association entre le nom et l'image visuelle pour que le souvenir de l'une déclenche le souvenir de l'autre. Renforcez le lien mnémonique en répétant le nom de la personne plusieurs fois durant la conversation. Vous pouvez aussi visualiser mentalement le nom écrit.

Cherchez et trouvez. Vous pouvez aussi utiliser l'association et la visualisation pour éviter d'égarer vos lunettes ou votre ticket de stationnement. Pour fixer une information dans votre mémoire, associez-la à une image visuelle ou à une stimulation sensorielle complémentaire.

Phrasez le sujet. Sélectionnez la première lettre des mots que vous voulez vous rappeler et construisez un mot nouveau ou une phrase. Comme vous le faisiez en classe pour les conjonctions de coordination : mais-où-est-donc-car-ni-or ? Utilisez la même technique pour une liste de courses. Vous pouvez aussi former un mot à partir des premières lettres de chaque article de la liste : beurre, lait, œufs, carottes, ananas, gâteaux, endives. Dans ce cas, la liste épelle le mot *blocage*.

Sectionnez. Les séquences numériques longues – numéro de carte de crédit, numéro d'assurance sociale, – sont organisées en groupes de chiffres fractionnés pour faciliter leur mémorisation. La plupart des numéros de téléphone n'ont que 7 chiffres parce que c'est tout ce que la mémoire à court terme peut enregistrer en une fois. On peut appliquer la même technique aux mots. Vous pouvez par exemple classer votre liste de courses par rubriques :

Merlin Lebrun

Pour vous rappeler un nom, créez une image mentale à partir du nom et liez-la à un trait caractéristique du visage de la personne. Par exemple : Merlin Lebrun restera dans votre mémoire si vous imaginez un merle qui picore entre ses gros sourcils bruns.

Aliments	Endroits	Divers
œufs	*pharmacie*	*journal*
pain	*station-service*	*chemise*
ketchup	*nettoyeur*	*banque*

Racontez. Imaginez une petite histoire en reliant entre eux les articles dont vous voulez vous souvenir. Plus l'histoire est stupide ou choquante, mieux c'est. Vous pouvez graver la liste dans votre mémoire de cette manière : *Comme j'arrivais avec mon pain à la station-service, j'ai failli renverser un homme qui sortait de la pharmacie. Il s'est mis en colère et m'a lancé des œufs et du ketchup. En s'enfuyant vers la banque, il a fait tomber une femme qui sortait du nettoyeur, sa chemise dans les bras. L'incident a fait la une des journaux.*

Jouez au reporter. Vous devez vous rappeler quelque chose d'important ? Jouez au reporter et écrivez une histoire qui raconte les qui, quoi, où, quand et pourquoi de l'information. Pour la mémoriser plus facilement, exagérez certains aspects de l'histoire.

Exercez votre esprit

Souhaitez-vous préserver votre vivacité d'esprit? Il existe deux types d'exercices pour ce faire : l'aérobique et la neurobique.

Les personnes âgées qui restent actives physiquement et s'engagent dans des entreprises stimulantes sont plus alertes que celles qui passent leurs dernières années dans une berceuse devant la télévision. L'activité physique et les exercices intellectuels stimulent vos capacités cérébrales à n'importe quel âge.

Faites circuler

L'aérobique est un moyen qui permet d'optimiser l'agilité mentale. Des recherches basées sur des études animales semblent indiquer que l'exercice physique peut faire augmenter le nombre de neurones du cerveau. De plus, les bénéfices cardiovasculaires de l'aérobique peuvent diminuer les risques de durcissement des artères, ce qui peut aussi être utile au cerveau. Les personnes qui souffrent de problèmes cardiovasculaires sont trois fois plus exposées à un déclin des fonctions cognitives que les personnes âgées en bonne santé.

Faites-les se multiplier

Un autre genre d'exercice peut améliorer l'agilité intellectuelle : la neurobique, un exercice mental qui renforce la capacité naturelle du cerveau à l'apprentissage de choses nouvelles. Durant ses recherches à l'université Duke, le neurobiologiste Katz a observé qu'un grand nombre des réseaux de neurones du cerveau sont sous-utilisés. Ils ont besoin de stimulation pour se développer. Des recherches récentes ont identifié un élément chimique produit par le cerveau lorsqu'il est soumis à une excitation par les sens face à des situations nouvelles ou inattendues.

Cet élément est appelé neurotrophine, sorte de fertilisant qui renforce les circuits cérébraux en faisant presque doubler la taille et la complexité de vos dendrites.

La neurobique vous pousse à accomplir les tâches ordinaires d'une autre façon, en utilisant vos cinq sens plutôt que les seules ouïe et vision déjà surchargées. Elle vous apprend à sortir des sentiers battus, là où le cerveau s'endort, et à rechercher des expériences originales qui sollicitent les circuits nerveux moins entraînés. C'est un très bon moyen de faire face à de nouveaux apprentissages.

Lancez-vous dès maintenant dans un exercice de neurobique : traversez

En bref

Des expériences indiquent que le cerveau des animaux qui vivent dans un environnement riche en activités sociales, avec des jouets et des recoins à explorer, se développe plus que le cerveau des animaux qui vivent dans des espaces étriqués, tristes et peu stimulants. Les premiers apprennent plus facilement, car les connexions entre leurs neurones se développent plus.

Le muscle mental

Les personnes âgées dont l'esprit reste vif ont l'habitude de :
- jouer à des jeux complexes – échecs, scrabble ou bridge ;
- lire, souvent à la bibliothèque ;
- se tenir au courant de l'actualité ;
- parler régulièrement avec d'autres ;
- résoudre des mots croisés ;
- recourir à leur intuition pour solutionner des problèmes mathématiques ;
- se lancer dans de nouveaux apprentissages ;
- prendre soin des petits-enfants ou aider leurs enfants ;
- peindre, écrire, jouer d'un instrument de musique, ou s'adonner à un passe-temps créatif.

la pièce les yeux fermés. Vous exigez de votre cerveau d'accomplir une tâche intéressante et potentiellement frustrante. Non seulement vous contraignez votre mémoire à un effort, mais vous obligez aussi vos sens du toucher, de l'odorat et de l'ouïe à fonctionner différemment.

Votre cerveau enregistre toute sorte de données sensorielles nouvelles et crée des liens tout neufs entre les neurones. Des choses aussi simples que se brosser les dents de la main non dominante ou s'habiller les yeux fermés participent à la création de nouveaux circuits nerveux.

Entretenez la santé de votre esprit par des activités physiques quotidiennes qui fouettent le sang et font circuler l'oxygène et les éléments nutritifs vitaux vers le cerveau.

Un exercice de neurobique par jour

Chaque jour, essayez d'utiliser de manière inhabituelle au moins deux de vos sens. Le principe est simple, mais la nouveauté déclenche des activités complexes dans le cerveau et, avec le temps, emmagasine dans l'esprit des quantités étonnantes d'énergie mentale. Pour démarrer, inspirez-vous du semainier ci-dessous.

Dimanche	Lundi	Mardi	Mercredi	Jeudi	Vendredi	Samedi
Regardez les choses différemment. Déroutez votre conscience de l'espace en portant un couvre-œil ou un écran sur l'un de vos verres de lunette.	**Changez de chemin.** Découvrez un nouvel itinéraire pour aller au travail ou au magasin. Si vous conduisez, baissez la vitre et laissez entrer la lumière, les sons et les odeurs.	**Tu peux me la refaire?** Durant le souper, demandez à votre famille de passer tout le repas sans parler, en communiquant par gestes ou expressions faciales.	**Passer à l'arrière.** Surprenez vos sens et modifiez votre vision des choses en prenant place à l'arrière de la voiture et en vous laissant conduire.	**Fouinez.** Mettez dans une soucoupe un parfum assez fort, et demandez à quelqu'un de la cacher dans la maison. Fermez les yeux et tentez de la retrouver à l'aide de vos seuls sens de l'odorat et du toucher.	**Faites des petits tas.** Remplissez un bol de diverses pièces de monnaie puis, sans regarder, triez-les en piles de même valeur.	**Imaginez-vous.** Asseyez-vous sur un banc les yeux fermés dans un parc. Écoutez les bruits, reniflez les parfums autour de vous et rassemblez-les en un tableau mental. Inventez une petite histoire dans ce décor.

VOTRE STRATÉGIE SANTÉ

Remue-méninges

Voulez-vous exercer différentes régions de votre cerveau ? Voici un pot-pourri de jeux de mémoire, de défis intellectuels et de casse-têtes à essayer. Les réponses se trouvent au bas de la page 257.

1 Combien de chiffres pouvez-vous mémoriser ?

Sur une feuille de papier, inscrivez verticalement les lettres de l'alphabet de A à O. Puis, en commençant par la ligne A de l'exercice ci-dessous, regardez chaque ligne puis cachez la page et écrivez les chiffres de mémoire sur votre feuille. Passez de lettre en lettre jusqu'à ce que vous ne vous souveniez plus de la séquence chiffrée correctement. La plupart des gens peuvent se rappeler 7 chiffres sans trop d'efforts. Mais vous pouvez améliorer votre capacité en visualisant les formes des chiffres que vous prononcez à voix haute, en les écrivant pour les mémoriser, en les regroupant par trois ou quatre, en les associant à une autre séquence déjà mémorisée (une adresse ou une date de naissance), ou en déterminant des répétitions, par exemple des nombres pairs suivis par les nombres impairs, des nombres croissants ou décroissants, etc.

A	9537
B	04429
C	719503
D	4932187
E	60443659
F	138274992
G	2848688808
H	73656243317
I	934637830507
J	7564132958503
K	24179553573060
L	621487346596832
M	8574068300583237
N	79948328574639102
O	649301948672883755

2 Les trois chapeaux

Une boîte contient trois chapeaux noirs et deux chapeaux blancs. Trois hommes (appelons-les A, B et C) ont les yeux bandés. Chacun prend un chapeau dans la boîte et le place sur sa tête. Aucun ne peut voir la couleur de son propre chapeau. Les hommes sont placés de telle sorte que A peut voir le chapeau de B et de C, B ne peut voir que le chapeau de C, et C ne peut voir aucun des chapeaux. Quand on demande à A s'il sait de quelle couleur est son chapeau, il répond non. À la même question, B répond non. Quand vient le tour de C, il répond oui et sa réponse est correcte. De quelle couleur est le chapeau de C et comment le sait-il ?

Adapté de brain-teaser.com

3 Connectez les points

En ne traçant que 4 lignes, reliez les 9 points sans lever le crayon.

•   •   •

•   •   •

•   •   •

4 Euréka !

Il y a dans votre cave 3 interrupteurs hors-tension. Chaque interrupteur contrôle une ampoule à l'étage supérieur. Comment pouvez-vous deviner quelle ampoule dépend de quel interrupteur ? Vous pouvez actionner n'importe lequel des interrupteurs mais vous n'avez le droit d'aller à l'étage supérieur qu'une seule fois pour vérifier les ampoules.

Adapté de brain-teaser.com

5 Maître en mémoire

Voici un jeu qui mettra le feu à vos synapses. Demandez à un ami de disposer le contenu d'un tiroir de babioles sur une nappe et de recouvrir celles-ci d'un linge. Lorsqu'il enlève le linge, vous avez 60 secondes pour mémoriser les babioles. Lorsqu'elles sont cachées à nouveau, notez toutes celles que vous vous rappelez. Faites le test à tour de rôle en remplaçant les babioles ou en réorganisant leur présentation. Essayez d'améliorer votre mémoire en utilisant certaines des techniques présentées aux pages 247 à 249 : associez les babioles à quelque chose d'autre, classez-les par catégories, reliez-les pour en faire une histoire, etc.

6 Le magicien des mots

Créez le plus de mots possible à partir des lettres et des mots ci-dessous. Pimentez le défi en jouant contre un partenaire ou dans un délai donné.

mercenaire   *cryogénique*

7 Créez des images

À l'aide des éléments ci-après, créez trois images différentes. Il n'y a pas de bonne réponse, mais vous pouvez augmenter vos choix en variant les dimensions et l'orientation des éléments.

2 rectangles ⬜⬜   2 triangles △△

2 points ●●   2 virgules „

8 L ⌐⌐⌐⌐⌐⌐⌐⌐

8 Tendez l'oreille

Quel État américain est représenté par ces locutions loufoques ?

Mille et souris

Tennis et scie

Whist, comte et saint

Dard au tas

Louise et Anne

Minet sauta

Harry zona

9 Compte à rebours

En 1990, une personne a 15 ans. En 1995, la même personne en a 10. Comment est-ce possible ?

10 Tour de main

Mettez un bouton dans une bouteille vide et bouchez-la. Comment pouvez-vous faire sortir le bouton sans enlever le bouchon ni casser la bouteille ?

11 Tic Tac Toe

Cochez 6 cases de la grille ci-dessous sans en cocher 3 en ligne.

12 Donnez un nom à ces chiffres

Étudiez les phrases ci-après pour découvrir quels numéros de téléphone et d'assurance sociale y sont cachés ainsi que la technique utilisée pour le codage.

Numéros de téléphone

Quant à rire, jamais trop ne fera
Car santé servira.
Quant à elle, tortue prend son temps
Arrive première pourtant.

Numéros d'assurance sociale

Conseils du citron pour vivre vieux :
Pressez-vous pas !
Une poule sur un mur picotait du pain dur.

Astuce santé

Vous trouverez toutes sortes de jeux de mémoire et de puzzles dans les librairies ou dans Internet. Voici deux des meilleurs sites : brain-teaser.com et logic.com.

VOTRE STRATÉGIE SANTÉ

Pour un cerveau en santé

Vous vous inquiétez de votre mémoire ? Rassurez-vous ! Pas plus de 10 % des personnes de 65 ans ou plus souffrent de la maladie d'Alzheimer.

Il arrive à chacun d'oublier une chose ou une autre à un moment donné, et nous avons vu qu'il est normal en vieillissant de constater un ralentissement de la pensée et de l'assimilation. Lorsque les problèmes de mémoire sont pathologiques, on les appelle troubles de mémoire.

Les troubles de mémoire, légers ou sévères, résultent souvent d'une maladie ou d'un accident au cerveau. La démence est une forme aiguë de détérioration progressive et généralisée du cerveau, qui se caractérise, en plus de la perte de mémoire, par des troubles visuels, des handicaps moteurs, ainsi que des difficultés d'élocution, de réflexion et de raisonnement. La maladie d'Alzheimer est la forme la plus commune de démence (voir pages 370-373).

Une autre cause fréquente de perte de mémoire chez les personnes âgées vous surprendra peut-être.

C'est la dépression. Grâce aux dernières techniques de scintillogramme, des chercheurs ont remarqué qu'une mélancolie persistante déclenche un métabolisme cérébral qui éteint les régions cognitives du cerveau et allume les régions qui contrôlent les émotions. Heureusement, il existe plusieurs interventions possibles qui permettent généralement de traiter les troubles de mémoire dus à la dépression (voir pages 328-331).

C'est le temps d'une visite ?

Si des pertes de mémoire commencent à affecter la qualité de votre vie, parlez-en à votre médecin. Pour établir un diagnostic, il voudra d'abord connaître vos antécédents médicaux et vous fera subir des examens physiques et neurologiques, et ensuite évaluer vos fonctions

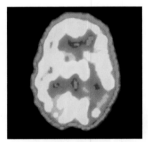

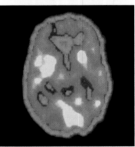

La dépression peut dérouter les fonctions cognitives. En haut, un cerveau normal. En bas, la dépression a fait diminuer les activités du cortex préfrontal.

Pas tout à fait Alzheimer

Les scientifiques ont déterminé une nouvelle catégorie de perte de mémoire : le déficit cognitif léger, ou MCI. Les personnes atteintes de déficit cognitif léger n'ont pas les mêmes symptômes que celles atteintes de la maladie d'Alzheimer et ne souffrent pas de problèmes d'orientation, de langage, d'abstraction ou d'attention. Cependant, leurs capacités mentale et motrice déclinent plus vite que celles d'une personne de leur âge et elles peuvent avoir du mal à se rappeler certaines choses : rendez-vous ou factures à payer.

Le MCI est souvent caractérisé par un rétrécissement de l'hippocampe, région du cerveau spécialisée dans l'apprentissage de la mémoire. Le MCI augmente le risque d'apparition de la maladie d'Alzheimer.

L'institut national de la santé des États-Unis finance des recherches pour endiguer la mutation du déficit cognitif léger en maladie d'Alzheimer grâce à une association de vitamine E et de donépézil (Aricept). Des expériences sont également en cours pour déterminer les effets du rofécoxib, inhibiteur spécifique de la COX-2 habituellement utilisée dans le traitement de l'arthrite.

Ça donne à penser

L'une des meilleures façons de protéger votre cerveau et votre système nerveux consiste à les approvisionner régulièrement en éléments nutritifs essentiels. Un régime inapproprié ou une mauvaise assimilation des aliments mettent en danger les fonctions cognitives.

Conseil	Justification
Suivez un régime allégé contre le cholestérol.	■ Un régime riche en viande rouge et en produits laitiers entiers peut faire grimper les niveaux de cholestérol, ce qui bouche les artères et réduit l'apport en oxygène au cerveau.
Consommez des produits laitiers allégés et des viandes maigres.	■ Ce sont de bonnes sources de carnitine, un acide aminé essentiel au fonctionnement neurologique et cérébral.
Augmentez vos rations de céréales complètes et de légumes.	■ Fèves, pain de céréales complètes contiennent de la lécithine, utilisée par le cerveau dans la fabrication d'acétylcholine, un neurotransmetteur important.
Choisissez des aliments riches en vitamines C et E et enrichissez votre régime de suppléments.	■ Ces antioxydants peuvent protéger le cerveau des dommages causés par les radicaux libres et aider à réduire les dépôts de plaques de protéine associées au déclin mental. Brocoli, chou vert, fraise, tomate et agrumes sont des aliments riches en vitamine C. Amande, huiles végétales, noix, graines et farines complètes le sont en vitamine E. Complétez avec des suppléments.
Consommez des aliments riches en vitamines B complexes ou des céréales enrichies.	■ Des recherches récentes indiquent que des carences en vitamine B_{12} et en acide folique peuvent contribuer au déclin mental et peut-être à l'apparition de la maladie d'Alzheimer, car elles favorisent l'augmentation des niveaux d'homocystéine (acide aminé) dans le sang. Privilégiez : céréales, germe de blé, noix, graines et huiles végétales.

cognitives, et peut-être faire le test de densitométrie (CT) ou d'imagerie par résonance magnétique (IRM). Ce dernier permet de déceler les causes d'amnésie possibles, parmi les plus communes :
- mauvaise nutrition, surtout déficience en vitamine B ;
- problèmes endocriniens ;
- effets secondaires de médicaments ;
- troubles de la vue ou de l'ouïe ;
- anxiété ou stress ;
- déshydratation ;
- abus d'alcool ;
- isolement et inactivité ;
- troubles du sommeil ;
- chagrin.

À part ces causes qui peuvent être traitées, il existe peu de médicaments contre les troubles de mémoire, mais les scientifiques espèrent en mettre au point dans la décennie qui vient.

MÉDICAMENT

Des études révèlent une moindre fréquence de la maladie d'Alzheimer chez les patients souffrant d'arthrite et ceux qui prennent régulièrement des médicaments anti-inflammatoires non stéroïdiens (AINS), tels l'aspirine, l'ibuprofène et le naproxen. L'acétaminophène n'a pas d'effet sur l'inflammation ni sur le risque d'Alzheimer. Demandez conseil à votre médecin avant d'entamer une cure d'AINS.

Les médicaments zappe-mémoire

Plusieurs médicaments et associations de médicaments peuvent avoir des effets secondaires sur les fonctions cognitives, dont la mémoire. Votre médecin peut parfois remplacer un médicament ou en réduire le dosage.

Type de médicament	Exemple
Désacidifiants H2	■ Famotidine (Pepcidine)
Antidépresseurs	■ Amoxapine (Asendin) ■ Amitriptyline (Elavil)
Antipsychotiques	■ Halopéridol (Haldol) ■ Thioridazine (Mellaril)
Antiviraux	■ Amantadine (Symmetrel)
Régulateurs de tension	■ Methyldopa (Aldomet) ■ Propranolol (Inderal)
Sédatifs	■ Flurazépam (Dalmane) ■ Diazépam (Valium)

ATTENTION

La tension semble interférer avec les activités cérébrales. Une tension élevée accroît la pression sur vos artères et vos vaisseaux capillaires, ce qui réduit l'apport de sang et d'oxygène au cerveau. Sur une échelle de 100, l'hypertension chronique non traitée pendant 10 ans peut abaisser votre mémoire de 2 ou 3 points.

Un lien avec l'œstrogène ?

L'œstrogène semble avoir un lien clef dans les fonctions de la mémoire, car il absorbe les radicaux libres (molécules d'oxygène instables), il participe à la réparation des cellules nerveuses, il réduit l'inflammation des cellules et favorise la production d'acétylcholine, un neurotransmetteur important.

Les chercheurs pensent qu'il existe un lien entre la fréquence de maladie d'Alzheimer chez les femmes et la baisse d'œstrogène de la ménopause. Une étude de 1996 a montré une surprenante réduction des risques de la maladie d'Alzheimer de 60 % par une hormonothérapie d'œstrogène d'une durée pouvant aller jusqu'à un an. L'étude portait sur plus de 1000 femmes. Les risques diminuaient encore lorsque les femmes suivaient la thérapie plus longtemps. Des études plus récentes indiquent des réductions du risque de l'ordre de 30 à 50 %. Certaines, pas toutes, indiquent que les femmes postménopausées qui suivent une hormonothérapie substitutive (HTS) à l'œstrogène constatent une amélioration de leur mémoire.

Les résultats, quoique impressionnants, restent un peu flous. Une étude récente de femmes postménopausées atteintes des symptômes de la maladie d'Alzheimer n'a pas indiqué de modification du rythme du déclin de leurs fonctions cognitives malgré l'HTS. D'autres études font remarquer qu'il est parfois difficile de différencier les multiples facteurs possibles. Ainsi, des femmes sous HTS semblent avoir une meilleure éducation et pour des raisons inconnues, une éducation élevée est associée à un moindre risque d'Alzheimer.

L'HTS à l'œstrogène ne va pas sans risques (voir pages 232-234) et il ne faut pas la suivre uniquement pour ses seuls bénéfices potentiels pour le cerveau. Parlez-en à votre médecin.

Le ginkgo biloba aide à améliorer la circulation sanguine qui approvisionne le cerveau en oxygène et en éléments nutritifs.

Gâtez-vous au ginkgo

Utilisé depuis des milliers d'années par les cultures asiatiques pour améliorer la vivacité et l'énergie mentale, le ginkgo biloba est un antioxydant qui a des propriétés fluidifiantes. On pense qu'il augmente la circulation du sang vers le cerveau (ainsi que vers le cœur et les extrémités). Le ginkgo n'améliore peut-être pas la mémoire des personnes en bonne santé, mais il peut aider les personnes âgées dont les artères rétrécissent, le sang circulant mal vers le cerveau. Choisissez un produit standardisé à 24 % de flavo-glycosides et 6 % de terpènes. Le ginkgo pourrait augmenter les effets des fluidifiants comme l'aspirine ou la warfarine ; aussi, demandez conseil à votre médecin avant d'en prendre. Le gingembre, le ginseng et le romarin sont des plantes à inclure dans votre régime. Elles ont toutes des propriétés antioxydantes qui semblent stimuler la circulation sanguine vers le cerveau.

Réponses au remue-méninges

Voici les réponses aux casse-têtes des pages 252 et 253. (Les questions 1 et 5 n'ont pas de réponses précises.)

2 L'homme A ne peut pas voir 2 chapeaux blancs sur B et C, sinon il saurait que son propre chapeau est noir. La réponse de A établit donc que B et/ou C doit porter un chapeau noir. Si B avait vu que C portait un chapeau blanc, il ne saurait pas que le sien est noir. Mais puisque B ne peut pas dire de quelle couleur est son chapeau, C sait que le sien doit être noir, et sa réponse est correcte.

3

Commencez ici.

4 Allumez l'interrupteur numéro 1 pendant 5 minutes, puis éteignez. Allumez l'interrupteur numéro 2, et allez immédiatement inspecter les ampoules. L'ampoule chaude correspond à l'interrupteur numéro 1, l'ampoule allumée correspond à l'interrupteur numéro 2, l'ampoule froide qui n'est pas allumée correspond à l'interrupteur numéro 3.

6 Voici quelques possibilités :
mercenaire : merci, mer, aire, crier, rire, rien, main, crin, cirer, arme, mine, rime
cryogénique : ego, oui, crique, coin, cynique, groin, ion, roi, cygne, noyer, crin.

7

8 Missouri, Tennessee, Wisconsin, Dakota, Louisiane, Minnesota et Arizona. Amusez-vous à faire vos propres jeux de mots ou phrases phonémiques avec les syllabes des noms des autres États.

9 Une personne qui vivait avant Jésus-Christ.

10 Enfoncez le bouchon dans la bouteille puis secouez-la pour faire tomber le bouton.

11

X	X	
X		X
	X	X

12 **Les numéros de téléphone :** 514 642 4357 ; 514 653 5688
Les numéros d'assurance sociale : 826-455-743 ; 353-238-243
Le nombre de lettres de chaque mot est le chiffre de la séquence. Par exemple : «main» a 4 lettres, «à» a 1 lettre, etc.

CHAPITRE 11

DORMIR SUFFISAMMENT

260 Qu'est-ce qui vous tient réveillé ?

268 Trucs pour mieux dormir

Qu'est-ce qui vous tient réveillé?

Vous tournez sans cesse dans votre lit? Vous vous réveillez trop tôt? Les troubles du sommeil peuvent s'avérer pires que de simples dérangements: certains peuvent mettre votre santé en danger.

La plupart des gens croient qu'après une nuit de sommeil ils se lèveront frais et dispos. Une bonne nuit de sommeil, c'est une vraie bénédiction, et c'est nécessaire pour la santé mentale et physique. Les gens qui dorment au moins six heures ont meilleure mémoire que ceux qui dorment moins.

Pour gagner du temps, cependant, bien des gens coupent les heures de sommeil. Avec l'âge, le sommeil profond, récupérateur, se fait plus rare. Passé 60 ans, 40 % des gens se plaignent que leur sommeil ne soit plus ce qu'il était. Avec le temps en effet, le sommeil devient plus agité, plus léger. À partir de 60 ans, les gens se réveillent plus de 20 fois par nuit (deux fois plus que les jeunes). Ce genre de sommeil improductif vous laisse au réveil une impression de fatigue et une humeur maussade. Il peut aussi perturber votre fonction cognitive et affecter votre santé (voir le tableau *Les dangers du manque de sommeil* ci-dessous).

Combien d'heures de sommeil vous faut-il?

Même si votre sommeil se transforme, il vous faut probablement autant d'heures de sommeil qu'avant. La plupart des adultes, qu'ils aient 25 ou 75 ans, ont besoin de sept à huit

Les dangers du manque de sommeil

Pour le bon fonctionnement de votre cerveau et de votre organisme, le sommeil importe beaucoup. Le sommeil profond restaure l'organisme, tandis que le sommeil paradoxal régénère l'esprit, en éliminant peut-être les informations inutiles accumulées au cours de la journée. Une nuit de sommeil perdue peut avoir des conséquences sérieuses.

- **Immunité affaiblie.** La privation de sommeil peut affecter le système immunitaire, comme l'ont montré plusieurs études. Quatre heures de sommeil perdues, par exemple, affectent à la baisse l'activité des lymphocytes, une sorte de globules blancs qui combattent la maladie. Après une nuit de sommeil normal, l'activité de ces cellules a repris son cours régulier.
- **Fonction cognitive perturbée.** Plusieurs études l'ont démontré: le manque de sommeil peut affecter la mémoire, la concentration, l'apprentissage, le raisonnement logique et mathématique.

- **Augmentation des hormones du stress.** On a rattaché le manque de sommeil à la production accrue de cortisol, l'hormone du stress qui, avec le temps, augmente le risque de pertes de mémoire et de résistance à l'insuline.
- **Métabolisme du glucose moins efficace.** Les personnes privées de sommeil voient s'abaisser de 30 % leur capacité de sécréter et de répondre à l'insuline, état semblable aux premiers stades du diabète. Le manque de sommeil pourrait donc précipiter le diabète de type 2, a-t-on découvert lors d'une étude menée aux États-Unis.
- **Risque accru d'accidents d'automobile.** Chaque année, la somnolence serait responsable de plus de 100 000 accidents de la route en Amérique du Nord. Les études se font éloquentes: les gens qui souffrent de somnolence durant la journée courraient deux fois plus de risque que les autres d'avoir un accident au volant.

Que se passe-t-il durant le sommeil ?

Quand nous dormons, notre cerveau se livre à une série d'activités cycliques qui se répètent de 4 à 5 fois par nuit. Chaque cycle comprend les 5 phases du sommeil : soit de la phase 1 à la phase du sommeil paradoxal, puis le cycle recommence. Entre 50 et 60 ans, nous passons de plus en plus de temps dans les phases 1 et 2, et de moins en moins dans les phases de sommeil profond. Chez les personnes âgées souffrant d'insomnie (surtout des femmes), la quatrième phase manque souvent. Une phase 4 déficiente serait probablement responsable de la fibromyalgie, une maladie chronique douloureuse.

Phase 1	Phase 2	Phase 3	Phase 4	Sommeil paradoxal

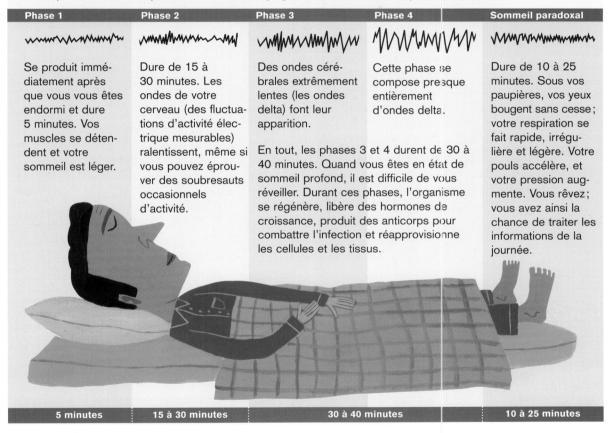

Phase 1 — Se produit immédiatement après que vous vous êtes endormi et dure 5 minutes. Vos muscles se détendent et votre sommeil est léger.

Phase 2 — Dure de 15 à 30 minutes. Les ondes de votre cerveau (des fluctuations d'activité électrique mesurables) ralentissent, même si vous pouvez éprouver des soubresauts occasionnels d'activité.

Phase 3 — Des ondes cérébrales extrêmement lentes (les ondes delta) font leur apparition.

En tout, les phases 3 et 4 durent de 30 à 40 minutes. Quand vous êtes en état de sommeil profond, il est difficile de vous réveiller. Durant ces phases, l'organisme se régénère, libère des hormones de croissance, produit des anticorps pour combattre l'infection et réapprovisionne les cellules et les tissus.

Phase 4 — Cette phase se compose presque entièrement d'ondes delta.

Sommeil paradoxal — Dure de 10 à 25 minutes. Sous vos paupières, vos yeux bougent sans cesse ; votre respiration se fait rapide, irrégulière et légère. Votre pouls accélère, et votre pression augmente. Vous rêvez ; vous avez ainsi la chance de traiter les informations de la journée.

5 minutes	15 à 30 minutes	30 à 40 minutes	10 à 25 minutes

heures de sommeil. Les résultats d'un sondage mené aux États-Unis montrent que seul un tiers des adultes dit dormir huit heures par nuit durant la semaine. Un autre tiers a déclaré dormir moins de six heures. Parmi les répondants, les femmes de 30 à 60 ans appartenaient au groupe qui rapportait manquer le plus de sommeil.

Certaines personnes se satisfont de 5 heures de sommeil tandis que d'autres ont besoin de 10 heures pour se sentir d'attaque. Le nombre d'heures, en fait, peut s'avérer moins important que la qualité même du sommeil. Si vous vous éveillez en forme après sept heures ou moins de sommeil, que vous n'avez pas besoin de réveille-matin pour vous tirer du lit, vous n'avez pas à vous inquiéter. Par contre, si vous dormez mal, ou si vous dormez suffisamment sans jamais satisfaire votre besoin de sommeil, il faut vous interroger.

Si vous vous réveillez la nuit et que vous n'arrivez pas à vous rendormir, ne restez pas à compter les moutons. Sortez du lit et faites une activité calme jusqu'à ce que le sommeil vous gagne de nouveau.

Compter les moutons

Près de la moitié de la population canadienne souffre d'insomnie, le trouble du sommeil le plus fréquent. L'insomnie peut prendre plusieurs formes : elle peut vous donner du mal à vous endormir, à vous réveiller ou à vous rendormir, ou encore vous faire lever très tôt. L'insomnie transitoire ne dure que quelques jours, tandis que l'insomnie de courte durée se fait sentir pendant quelques semaines. Quant à l'insomnie chronique, elle vous affecte pendant plus d'un mois.

La forme la plus commune d'insomnie s'appelle insomnie acquise. Quelques nuits sans sommeil mènent à l'angoisse de ne pas s'endormir, ce qui éloigne davantage le sommeil.

Quelle que soit sa durée, l'insomnie n'est pas une maladie comme telle ; c'est le symptôme d'un ou de plusieurs problèmes, physiques, émotionnels ou comportementaux. Plusieurs facteurs en sont responsables :

● **Stress.** Le stress, dit-on, serait le principal responsable des troubles du sommeil de courte durée. La pression reliée au travail, les problèmes conjugaux, les maladies graves ou les décès dans la famille sont autant de déclencheurs du stress. D'habitude, l'insomnie cesse dès que la situation stressante disparaît. Si les hormones du stress font tempête dans votre organisme à l'heure du coucher, elles empêchent la production de mélatonine, l'hormone qui induit le sommeil. Elles peuvent aussi entraver les effets restaurateurs de l'hormone de croissance qui aide à former de nouvelles cellules.

● **Alcool et caféine.** La consommation excessive de café ou d'alcool, surtout près de l'heure du coucher, peut détruire une bonne nuit de sommeil. La caféine, un stimulant, peut vous donner du mal à

Astuce santé

Avec l'âge, les gens font la sieste ; non pas qu'ils soient fatigués, mais parce qu'ils s'ennuient ou qu'ils se sentent seuls. Il vaudrait mieux participer à des activités comme celles d'un groupe de lecture ou de bénévolat.

Les siestes : bon ou mauvais ?

Les rythmes corporels naturels connaissent deux pointes de somnolence : la nuit et le milieu de l'après-midi. Même si vous ne souffrez pas d'insomnie chronique, le besoin de dormir après dîner peut vous submerger. Vous devriez y succomber si cela ne trouble pas votre sommeil nocturne. Les siestes courtes améliorent la productivité, la créativité et la capacité de résoudre les problèmes. Le cerveau serait plus actif après une sieste ; ainsi les gens porteraient plus d'attention aux détails et pourraient mieux prendre des décisions importantes.

La meilleure sieste dure de 20 à 30 minutes. Si vous dormez plus longtemps, vous entrez dans la phase de sommeil profond. Vous avez plus de mal à vous réveiller et vous mettez environ une demi-heure à vous remettre d'aplomb. Une sieste de plus d'une heure affecterait votre sommeil nocturne, diminuerait le nombre d'heures nécessaires durant la nuit ; vous vous éveilleriez plus tôt qu'à l'habitude ou bien auriez du mal à rester endormi.

vous endormir. Ses effets peuvent durer jusqu'à 10 heures, surtout chez les personnes âgées dont le métabolisme est plus lent. Même s'il est sédatif, l'alcool peut troubler votre sommeil plus tard dans la nuit, quand ses effets finissent par se dissiper.

- **Douleur et maladie chronique.** Certaines personnes dorment mal en raison d'un état de santé qui les incommode. La douleur causée par l'arthrite, les brûlures d'estomac, les problèmes de dos ou un mal de tête peuvent vous réveiller ou vous donner du mal à vous rendormir. En Amérique du Nord, le quart des personnes rapporte souffrir de douleurs qui portent atteinte à leur sommeil au moins 10 nuits par mois. La fibromyalgie, la maladie de Parkinson et le diabète peuvent aussi vous empêcher de vous endormir, ou vous réveiller durant la nuit.

- **Les hauts et les bas des hormones féminines.** En début et en fin de cycle menstruel, le manque de progestérone peut déranger le sommeil. Si vous croyez que cela contribue à vos problèmes de sommeil, notez pendant tout un mois comment vous dormez. Vous découvrirez peut-être des périodes où vous devriez éviter la caféine, l'alcool et les éléments susceptibles de nuire à votre sommeil. Pendant la ménopause, les niveaux fluctuants d'œstrogène, responsables des bouffées de chaleur, peuvent agiter vos nuits. L'hormonothérapie peut vous aider.

- **Médicaments.** Certains médicaments, comme les corticostéroïdes, les antihypertenseurs, les vasodilatateurs et les anxyolitiques, peuvent affecter le sommeil, tout comme les médicaments pour combattre les problèmes thyroïdiens quand leur dosage est trop élevé. Des médicaments en vente libre, les décongestionnants par exemple, contiennent des stimulants comme la pseudoéphédrine. Certaines formules d'aspirine contiennent de la caféine. Si vous avez encore du mal à dormir, consultez votre médecin.

- **Dépression.** Les chercheurs des centres de troubles du sommeil ont découvert chez les individus en dépression des anomalies comme des périodes raccourcies de sommeil profond (ondes lentes delta) et du premier cycle de sommeil paradoxal. Presque tous les individus souffrant de dépression présenteraient des troubles du sommeil, depuis le réveil hâtif jusqu'au sommeil excessif. Les antidépresseurs peuvent aider.

En vente libre

Très fréquentes, les insomnies transitoires et de courte durée ne se prolongent pas. En trouvant l'origine du problème, vous pourrez peut-être le régler. Ce peut être aussi simple que de sauter la pause-café de l'après-midi ou d'aller au lit et de vous lever à la même heure chaque jour.

Quand le stress est en cause, vous pouvez essayer une technique de relaxation comme la respiration profonde ou la méditation (voir pages 200-203). Les gens qui

Plusieurs personnes âgées souffrent de sommeil léger ou interrompu. L'exercice est une solution : il accroît la durée du sommeil profond, durant lequel il est plus difficile de se réveiller.

La mélatonine peut-elle faire dormir ?

La mélatonine est une hormone naturelle produite par la glande pinéale du cerveau. Durant la journée, les niveaux de mélatonine dans le sang sont relativement bas, mais à l'heure du coucher, la glande se met à l'œuvre pour libérer plus d'hormones dans le sang. Même si elle ne vous fait pas vraiment dormir, la mélatonine peut induire des changements dans votre organisme pour vous inciter à dormir. Les niveaux s'élèvent autour de 2 h du matin et reviennent à la normale graduellement autour de 7 h ou 8 h le matin.

On a longtemps cru que la production de mélatonine diminuait avec l'âge, mais on a récemment découvert que ce n'est pas exact.

Les suppléments de mélatonine peuvent vous aider à vous endormir plus vite, mais ils ne vous aideront pas nécessairement à rester endormi. Des doses quotidiennes de 1 ou 2 mg peuvent aider certains, mais probablement seulement ceux qui souffrent de déficiences en mélatonine. Comme on n'a pas procédé à des essais cliniques sur la mélatonine, les médecins ignorent ce que seront ses effets à long terme. Au risque de perturber votre sommeil, ne dépassez pas 1 ou 2 mg si vous tenez à en faire l'essai. Au Canada, la vente de mélatonine est encore interdite ; cependant, il est possible d'en importer pour des périodes de 3 mois.

ATTENTION

Chez les personnes de 65 ans et plus, on associe souvent somnolence diurne et cardiopathie. Lors d'une étude, on a découvert que les hommes et les femmes qui se plaignaient de somnolence durant la journée étaient susceptibles de souffrir de cardiopathie.

pratiquent des techniques de relaxation et qui ont acquis de bonnes habitudes de sommeil (voir *Trucs pour mieux dormir*, page 268) ont vu leur période d'endormissement passer de 76 à 19 minutes.

Beaucoup se tournent vers les médicaments en vente libre comme Sominex ou Nytol pour traiter les nuits sans sommeil. On achèterait même plus de somnifères que tout autre médicament en vente libre ! Les pilules, soutiennent les experts, ne règlent pas efficacement l'insomnie. Si vous éprouvez souvent des troubles du sommeil, il vaut mieux améliorer vos rites de coucher. Les médicaments en vente libre peuvent toutefois soulager l'insomnie de courte durée.

Même s'ils ne causent pas d'accoutumance, ces médicaments peuvent vous garder somnolent le lendemain. Les personnes âgées sont plus susceptibles de souffrir de somnolence du lendemain parce que leur métabolisme est plus lent et que les médicaments mettent plus de temps à cesser de faire effet. Les antihistaminiques sont les principaux ingrédients actifs de la plupart de ces médicaments. Pour soulager les douleurs modérées responsables de vos problèmes, essayez de prendre des analgésiques qui ne vous épuiseront pas durant la journée. Si vous souffrez d'angine, d'arythmie cardiaque, de troubles respiratoires, de bronchite chronique, de glaucome ou d'hypertrophie de la prostate, consultez votre médecin avant de prendre des médicaments en vente libre.

Aide en force

Voyez votre médecin si votre insomnie persiste. Il devra peut-être modifier le dosage de vos médicaments, vous traiter pour le stress ou la dépression, ou demander une consultation dans un centre de troubles du sommeil. Au Québec, il en existe un, associé avec un hôpital universitaire. Là, on vous examinera, on enregistrera votre sommeil pour détecter toute maladie sous-jacente comme l'apnée du sommeil (voir *Ronflements dangereux : apnée du sommeil*, page 265) ou les mouvements périodiques des jambes au cours du sommeil (MPJS – voir page 267), susceptibles de troubler vos nuits.

Environ la moitié des personnes qui consultent le médecin pour des troubles du sommeil reviennent avec une ordonnance de somnifères. Rappelez-vous : même les médicaments sous ordonnance traitent les symptômes, pas la cause.

Les médicaments peuvent aussi causer une insomnie de rebond – ramener en force l'insomnie – quand

Si vous avez souvent du mal à dormir, il vaut mieux améliorer vos habitudes de sommeil. Si vous souffrez d'insomnie occasionnelle, les médicaments en vente libre peuvent vous aider.

vous cessez de les prendre. Plus vous les prenez longtemps, plus vous risquez une insomnie de rebond ou des symptômes de sevrage. Vous ne devriez jamais utiliser de somnifères chaque soir ou pendant des périodes dépassant de trois à six mois. En les prenant aux deux ou trois jours, vous brisez le cycle d'insomnie et diminuez vos risques d'accoutumance.

Pour contrer l'insomnie, on prescrit surtout les benzodiazépines – comme Dalmane, Restoril ou Halcion –, des hypnotiques inhibant l'excitabilité des cellules nerveuses que l'on appelle neurones.

Le nouveau médicament zaleplon n'appartient pas à la famille des benzodiazépines et ne cause pas de somnolence le lendemain, pourvu que vous le preniez au moins quatre heures avant le moment du lever. Le zaleplon pourrait être pris en toute sécurité pendant un an avant de provoquer des réactions de sevrage.

Quand on les prend avec de l'alcool, les benzodiazépines peuvent être dangereuses. Prises avec le médicament contre les ulcères Tagamet, elles peuvent causer des effets secondaires. Les benzodiazépines à action prolongée (Valium, Dalmane, Librium) peuvent rester pendant des jours dans l'organisme des personnes âgées et devraient être évitées. Même s'il est rapidement métabolisé, Halcion a été rattaché à des troubles de mémoire à court terme et à la confusion.

On prescrit souvent des antidépresseurs comme le Paxil pour les insomnies causées par la dépression. Ils sont moins susceptibles d'occasionner la dépendance que les autres médicaments.

Ronflements dangereux : apnée du sommeil

Si vous ronflez beaucoup et fort, vous pourriez souffrir d'apnée obstructive du sommeil, un trouble qui affecte plus de 3 % de la population canadienne et qui passe souvent inaperçu. Lorsque vous en souffrez, vous arrêtez littéralement de respirer pendant de courtes périodes. Sérieuse et même parfois menaçante, l'apnée du sommeil se rencontre surtout chez les hommes obèses même si les femmes en sont aussi victimes. Passé 65 ans, 28 % des hommes et 24 % des femmes en souffriraient.

L'apnée obstructive du sommeil se produit quand, au cours du sommeil, la langue ou le palais mou se détendent dans l'arrière-gorge et empêchent l'oxygène de passer.

Un nouveau somnifère, le zaleplon (Starnoc), quitte votre organisme après quelques heures et n'a pas d'effets secondaires. Vous pouvez le prendre une fois au lit si vous avez du mal à vous endormir.

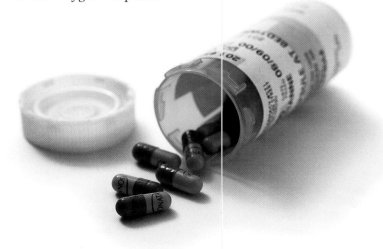

Chaque nuit, vous pouvez ainsi arrêter de respirer entre 20 fois et des centaines de fois pendant 10 secondes ou plus. De coutume, vous vous réveillez pendant les arrêts, mais vous n'en gardez pas le souvenir. Vous pouvez aussi ronfler à tue-tête pour vous mettre à suffoquer, signal que votre cerveau cherche à faire redémarrer votre respiration. Au matin, vous vous éveillez complètement épuisé.

Pour la santé, le danger vient des fluctuations à la hausse du niveau de gaz carbonique et à la baisse d'oxygène, qui surviennent quand on ne respire pas régulièrement. Elles augmentent les risques d'hypertension, d'ACV, de crise cardiaque, de diabète et d'insuffisance rénale.

Dans la plus rare apnée centrale du sommeil, d'origine vasculaire ou cérébrale, les tissus des voies aériennes sont normaux, mais le centre respiratoire du cerveau fonctionne mal.

Si vous croyez souffrir d'apnée du sommeil, il importe de consulter votre médecin pour éviter des problèmes plus graves et des accidents d'automobile. Lorsqu'on a mesuré leur temps de réaction, les conducteurs souffrant d'apnée ont eu de plus mauvais résultats que les conducteurs ivres.

Que faire pour l'apnée ?

L'apnée du sommeil va de modérée à grave ; elle est traitée selon la gravité des symptômes et du type d'apnée (obstructive ou centrale). Si vous souffrez d'apnée modérée, ou bien si vous ronflez beaucoup, couchez-vous sur le côté au lieu de vous coucher sur le dos ; vous empêcherez ainsi votre palais mou et votre langue d'obstruer le pharynx en se détendant.

Si votre tour de cou dépasse 43 cm, si vous avez un double menton, il vous suffira peut-être de perdre du poids. Il est possible que des dépôts de gras se soient logés dans votre cou, affectant le passage de l'air et contribuant à votre problème de ronflements. L'importance de l'apnée obstructive du sommeil diminue souvent avec la perte de poids.

Si votre apnée fait problème, évitez l'alcool et les somnifères qui détendent davantage les muscles et aggravent le problème. Le tabagisme, lui, fait enfler votre gorge et rétrécit de ce fait le passage de l'air. Enfin, pensez aux languettes de respiration nasales que vous pouvez trouver en pharmacie. Vous les collez sur votre nez pour que vos narines restent ouvertes pendant le sommeil.

Si vous souffrez d'apnée grave, un médecin pourra vous prescrire un masque à porter pendant que vous dormez. Appelé PPCN (pour pression positive continue par voie nasale), cet appareil qui garde vos voies respiratoires ouvertes vous permet d'inhaler l'air pressurisé de votre chambre.

Pour vous empêcher de vous tourner sur le dos au milieu de la nuit – ce qui suscite les ronflements –, cousez des pochettes dans le dos de votre pyjama et placez-y des balles de tennis. Vous pouvez aussi rouler des chaussettes et les épingler au dos de votre vêtement de nuit.

Si ces méthodes ne conviennent pas, vous aurez peut-être besoin d'une chirurgie pour augmenter le diamètre de vos voies aériennes supérieures. Le pourcentage de succès de ces opérations atteint 65 %. La chirurgie au laser est aussi possible; elle demande d'habitude trois ou quatre visites en externe.

L'un des plus récents traitements utilise l'énergie des fréquences radio pour diminuer le volume de la langue. Au cours d'une procédure de 45 minutes, le médecin fixe une électrode à la base de la langue. Cet appareil transmet l'énergie des ondes radio à des niveaux peu élevés, ce qui fait diminuer le volume de la langue. Ceux qui ont subi cette opération en externe ont vu leurs interruptions de sommeil diminuer de moitié.

Sous les couvertures : des jambes impatientes

Plus de 5 % des Canadiens adultes d'âge moyen et avancé souffriraient du syndrome d'impatiences musculaires, une autre affection qui perturbe le sommeil. Au repos, ce syndrome produit douleurs et crampes dans les jambes et vous donne l'impression qu'il vous faut absolument étirer les membres inférieurs pour trouver le confort.

Les médecins ignorent les causes de ce syndrome, mais on le croit associé à des déficiences en fer ou en vitamines, à des problèmes de thyroïde, aux troubles des nerfs périphériques et à certaines maladies chroniques comme le diabète ou l'arthrite rhumatoïde.

Bien des gens souffrent aussi de mouvements périodiques des jambes au cours du sommeil (MPJS). Dans cette affection, les jambes et les bras

Vos ronflements sont-ils dangereux?

Comment faire la différence entre les ronflements sans gravité et ceux de l'apnée du sommeil? Si vous ronflez doucement, régulièrement, il est fort probable que vous n'avez pas de problème. Les ronflements puissants, suivis d'arrêts respiratoires, de ceux qui vous réveillent ou qui réveillent votre partenaire, sont plus suspects.

Votre médecin peut établir un diagnostic préliminaire après vous avoir posé quelques questions toutes simples. Vous pouvez obtenir confirmation du diagnostic en passant un test appelé polysomnographie dans un centre de troubles du sommeil. On y mesurera votre pression artérielle, en général très basse durant le sommeil. Si votre pression s'élève durant la nuit, vous souffrez probablement d'apnée.

À l'université Stanford, on a récemment mis au point un test fort prometteur, encore peu utilisé, qui permettrait aux médecins de détecter l'apnée du sommeil en cinq minutes. En considérant certains signes comme le poids, la taille, le tour du cou et l'occlusion dentaire, le médecin pourra découvrir si vos voies aériennes supérieures risquent de se bloquer durant la nuit.

tressautent toutes les 20 ou 40 secondes pendant le sommeil. Dans le cas du syndrome d'impatiences musculaires, le tressaillement est continuel et se produit au repos, que l'on soit endormi ou éveillé.

Si les trépidements de vos membres vous tiennent réveillé, essayez de les masser ou bien levez-vous et marchez. Certains trouvent du soulagement à tremper les jambes dans l'eau fraîche ou à utiliser un coussin électrique. Évitez la caféine, l'alcool et la nicotine qui aggravent cette affection, tout comme le stress que l'on peut soulager au moyen de la relaxation. L'acétaminophène et l'ibuprofène aident aussi.

Si vous n'y arrivez pas, votre médecin vous prescrira peut-être des médicaments comme la carbidopa et la lévodopa à libération lente, l'amantadine, la pergolide et la bromocriptine (utilisées pour le traitement de la maladie de Parkinson) ou des benzodiazépines (hypnotiques).

En quelques mots

« Les décès, les maladies et les lésions occasionnés par les carences et les troubles de sommeil constituent un problème considérable pour la société nord-américaine. »
— Rapport de la Commission nationale américaine sur les troubles du sommeil.

Trucs pour mieux dormir

Dites bonne nuit aux problèmes de sommeil. Vous dormirez mieux, et ce, sans même devoir vous rendre à la pharmacie du coin, si vous mettez ces trucs en pratique.

Si vous avez passé quelques mauvaises nuits récemment, vous trouverez peut-être enfin du repos en adoptant les trucs qui suivent. Vous devrez peut-être changer vos habitudes de sommeil, mais l'effort en vaut la peine.

1 Faites de votre chambre un havre de repos. Votre chambre devrait être tranquille et sombre, parce que l'obscurité force la glande pinéale à produire de la mélatonine, l'hormone qui induit le sommeil. Les tentures épaisses et les ventilateurs ou machines à bruit blanc peuvent aider à faire taire les bruits environnants.

La fraîcheur aide à dormir ; contrôlez en ce sens la température ambiante. Ouvrez une fenêtre ou utilisez un ventilateur. Si l'air est trop humide, procurez-vous un déshumidificateur.

2 Devenez un être d'habitudes. Laissez votre corps apprendre à connaître le moment du coucher : faites un rituel de votre heure du coucher. Lisez par exemple quelques pages de roman, passez 5 ou 10 minutes à faire votre toilette, méditez, faites des étirements. Il importe aussi de vous coucher tous les soirs à la même heure, même la fin de semaine.

3 N'allez au lit que pour dormir ou faire l'amour. Évitez toute autre activité au lit, même regarder la télé. Si votre lit est synonyme de sommeil, vous aurez plus de chances de vous endormir quand vous vous glisserez sous les couvertures.

4 Domptez votre estomac. Votre sommeil peut être perturbé si vous allez vous coucher soit trop affamé, soit trop repu. Ne prenez pas de repas lourd peu avant votre coucher ; autrement, le processus de digestion pourrait vous tenir éveillé. Si vous allez vous coucher après avoir trop mangé, vous risquez le reflux gastro-œsophagien. Si vous avez faim, prenez un repas riche en hydrates de carbone qui peuvent déclencher la libération de sérotonine, associée à la détente. Prenez un biscuit ou un bol de céréales avec un verre de lait (le lait contient du tryptophane, qui incite au sommeil).

5 Évitez la caféine. Durant la journée, l'excès de caféine peut contribuer au sommeil agité. Passé 50 ans, votre métabolisme ralentit ; la caféine peut donc rester près de 10 heures dans votre système. Au moins six heures avant le coucher, restreignez-vous à deux tasses de café, de thé ou de cola. Si vous avez toujours du mal à dormir, coupez complètement la caféine.

6 Faites de l'exercice. Si vous êtes fatigué à la fin de la journée, vous dormirez mieux. Lors d'une étude menée à l'université Stanford, un groupe d'individus de 50 à 76 ans, qui s'étaient plaints de troubles de sommeil, a entrepris un programme d'exercices une demi-heure quatre fois par semaine. Comparativement à un groupe similaire, formé de gens qui ne faisaient pas d'exercices, le groupe actif a dormi en moyenne

Astuce santé

Vous ne serez peut-être pas très sexy en allant vous coucher avec vos chaussettes, mais vous pourriez bien remporter un rendez-vous avec le marchand de sable. Quand on a les mains et les pieds au chaud, on s'endort plus vite. En réchauffant vos extrémités, vous y augmentez le flux sanguin. Ce faisant, le sang délaisse les organes internes et la température corporelle s'abaisse, ce qui est nécessaire au sommeil.

une heure de plus chaque nuit, a mis moins de temps à s'endormir, a fait moins de siestes et noté une amélioration sensible de son sommeil. L'exercice fait dehors semble particulièrement efficace. En vous exposant à la lumière du jour (surtout en après-midi), vous évitez la somnolence diurne et renforcez les rythmes circadiens de votre organisme (votre horloge biologique).

7 Faites-vous tremper. Une heure ou deux avant d'aller vous coucher, prenez un bain chaud. Votre température corporelle s'abaissera lentement après coup et vous donnera l'impression d'être fatigué. Ne prenez pas de bain juste avant d'aller vous coucher.

8 Endormez-vous naturellement. Appréciez les avantages de la camomille, de la valériane, du kava, des fruits de la passion. Ces plantes médicinales se présentent sous forme de tisane ou autrement. Avant le coucher, une tasse de camomille

peut vous aider à vous détendre. Deux à trois grammes de valériane peuvent vous aider, à la condition de ne pas les mélanger avec de l'alcool ou des médicaments pour régulariser l'humeur. Si vous optez pour le kava, prenez-en entre 60 et 120 mg avant de vous coucher.

9 Arrêtez de tourner. Si vous ne vous êtes pas endormi après 30 minutes, ne restez pas couché. Levez-vous et installez-vous dans une atmosphère de détente : écoutez de la musique, feuilletez un magazine, faites-vous une tasse de lait chaud.

10 Achetez le bon lit. Un lit trop mou peut occasionner des raideurs musculaires et des problèmes de dos. Si l'empreinte de votre corps s'est imprégnée dans votre matelas à votre lever, c'est qu'il est trop mou. Si votre matelas a plus de 10 ans, changez-le pour un autre, plus ferme. Choisissez un modèle qui, tout en étant confortable, sera le plus ferme possible pour vous.

MÉDICAMENT

L'hormonothérapie aide à prévenir les bouffées de chaleur qui vous empêchent de dormir durant la ménopause. Les femmes qui prennent de l'œstrogène s'endorment plus vite, dorment plus longtemps et se réveillent moins souvent.

En la mélangeant à une huile végétale, ajoutez à l'eau de votre bain une huile essentielle apaisante : rose, lavande, ou marjolaine, par exemple. Votre bain du soir n'en sera que plus relaxant.

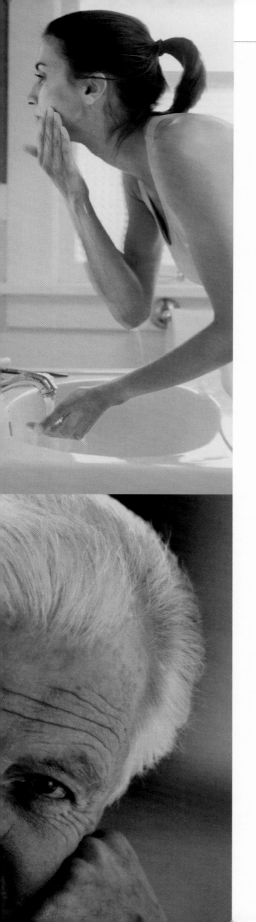

CHAPITRE 12

EN BEAUTÉ DANS SA PEAU

272 Retrouver votre peau d'autrefois

282 Un sourire parfait

286 Des cheveux sains

288 Combattre la calvitie

VOTRE STRATÉGIE SANTÉ

Retrouver votre peau d'autrefois

Votre peau paraît plus vieille qu'elle ne le devrait ? Il n'est pas trop tard pour freiner le processus de vieillissement – et même peut-être pour lui redonner l'éclat de la jeunesse.

Quand vous voulez paraître à votre avantage, qu'est-ce qui vous vient à l'esprit ? Votre peau, évidemment. Avec ou sans rides, la peau d'apparence saine a l'éclat de la jeunesse, peu importe l'âge. Mais la peau qui trahit la mauvaise alimentation, le tabagisme, ou l'exposition exagérée au soleil, ajoute des années à l'apparence.

Pourquoi votre peau paraît-elle plus vieille ?

Vous pensez voir le même visage chaque matin ? Ce n'est pas le cas. Par lavage et par friction, l'épiderme, la couche externe de votre peau, se remplace tous les 27 jours. L'apparence vient du dessous, du derme. C'est là que se trouvent le collagène, les fibres protéiques en forme de câble qui soutiennent la peau, et l'élastine, les fibres protéiques qui lui fournissent son élasticité. Il s'y trouve également un coussin de gras, responsable des rondeurs de votre visage et de votre corps.

Avec l'âge, le collagène et l'élastine se fragmentent, les gras sous-cutanés fondent, rendant plus anguleux les régions osseuses du visage. La peau s'amincissant, les minuscules vaisseaux sanguins et les colorations inégales deviennent plus visibles. Avec le temps et la gravité, la peau commence à s'affaisser. Les expressions du visage laissent leur trace.

Soins attentifs de base

Rien ne peut faire autant pour votre peau qu'un régime alimentaire équilibré et de l'exercice. Pour avoir une

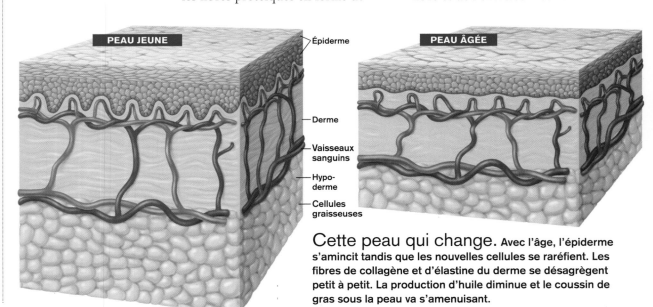

PEAU JEUNE

Épiderme

Derme

Vaisseaux sanguins

Hypo-derme

Cellules graisseuses

PEAU ÂGÉE

Cette peau qui change. Avec l'âge, l'épiderme s'amincit tandis que les nouvelles cellules se raréfient. Les fibres de collagène et d'élastine du derme se désagrègent petit à petit. La production d'huile diminue et le coussin de gras sous la peau va s'amenuisant.

> Le soleil est responsable de 90 % des rides, sans parler de l'aspect tanné de la peau.

peau jeune et radieuse, il faut lui fournir régulièrement tous les nutriments fondamentaux que sont les protéines, le gras, les vitamines et minéraux et l'eau. Les vitamines antioxydantes A, C et E importent tout particulièrement puisqu'elles aident à contrer les effets des radicaux libres, des molécules d'oxygène instables que l'on croit responsables de l'accélération du vieillissement.

L'exercice importe aussi parce qu'il fait circuler dans l'organisme un sang plus riche en oxygène, ce qui accélère l'élimination des toxines et la production de nouvelles cellules. La peau utilise environ 7 % de l'oxygène que nous respirons. Si vous faites moins d'exercice, vous respirez moins d'oxygène et votre peau s'en ressent.

Les grands ravageurs de la peau

Quand vous prenez soin de votre peau, vous évitez aussi ce qui peut gâcher son apparence.

- **Trop de soleil.** Le soleil est responsable de 90 % des rides, sans parler de l'aspect tanné de la peau. Les rayons ultraviolets s'attaquent à la structure sous-jacente de la peau et endommagent les membranes cellulaires et l'ADN. Ils stimulent la production des enzymes responsables de la destruction du collagène. Le fait de porter un écran solaire ne répare pas les dommages déjà causés ; par contre, il prévient

les rides supplémentaires et fournit une protection contre le cancer de la peau (voir page 275).
- **Trop de tabac.** Le tabac resserre les vaisseaux sanguins, diminue le flux sanguin, et prive la peau d'une partie de l'oxygène dont elle a besoin. Il introduit également des toxines dans l'organisme et augmente les dommages causés par les radicaux libres. Si vous souhaitez arrêter de fumer, voyez les pages 166-173.
- **Trop d'alcool.** En déshydratant l'organisme, l'alcool, consommé à l'excès, peut assécher votre peau et lui donner une apparence plus âgée. Si vous voulez jouir d'une meilleure santé, limitez votre consommation à un verre ou deux par jour. Évitez la déshydratation en buvant beaucoup d'eau durant la journée.

Cycle délicat : si vous avez la peau très sèche, vous laver le visage une fois par jour peut être suffisant.

Astuce santé

Peau trop sèche ? Douchez-vous moins longtemps et prenez de l'eau tiède. La plupart des femmes se douchent pendant environ 12 minutes (deux fois trop longtemps). L'exposition prolongée à l'eau chaude dépouille la peau de son huile, ce qui laisse celle-ci encore plus sèche, une fois l'eau évaporée.

Astuce santé

Afin d'empêcher la peau de sécher, servez-vous d'un humidificateur pour rendre à l'air ambiant l'humidité que chassent le chauffage en hiver et l'air climatisé en été.

● **Trop peu de sommeil.** Durant le sommeil, l'organisme restaure le collagène et la kératine (une protéine que l'on trouve dans la couche externe de la peau). Le manque de sommeil rend la complexion plus terne et noircit les cernes que vous avez sous les yeux. En plaçant des blocs sous les pattes de la tête de votre lit, vous pourrez peut-être réduire l'enflure de vos yeux.

● **Trop de stress.** Les problèmes cutanés sont plus fréquents en période de stress. Même sans cela, votre peau peut paraître pâle ou rougeaude et étirée. Comme les techniques de relaxation, les vacances peuvent accomplir des merveilles. Faites-vous donner un massage facial ou corporel. Vous relaxerez, améliorerez votre circulation sanguine et lymphatique, et accélérerez l'élimination des toxines et l'alimentation de votre peau en oxygène et en nutriments.

Des soins tout simples

Prendre soin de votre peau ne veut pas dire dépenser des fortunes en produits ni y consacrer des heures. En fait, bien des gens font plus de tort que de bien à leur peau en utilisant

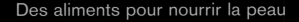

Des aliments pour nourrir la peau

Vous êtes ce que vous mangez, dit-on, et rien ne le montre plus rapidement que la peau. Pour une peau éclatante et radieuse, mangez les aliments suivants :

● **Pour les caroténoïdes (comme le bêta-carotène) :** fruits et légumes orange et jaunes, abricots, courges jaunes, patates douces.

● **Pour les vitamines B :** foie, sardines, œufs, céréales de grains entiers.

● **Pour la vitamine C :** agrumes, fraises, tomates et légumes verts.

● **Pour la vitamine E :** huile végétale, légumes verts en feuilles, céréales de grains entiers et germe de blé.

● **Pour les acides gras essentiels :** saumon, truite, maquereau, thon, suppléments comme l'huile d'onagre.

● **Pour l'eau :** eau de source, mais aussi jus de fruits.

des savons rudes et des masques abrasifs, et en se lavant trop souvent. Voici les seules habitudes à prendre.

1 **Nettoyez.** Lavez votre visage une ou deux fois par jour avec un savon doux, sans mousse, ou avec une lotion nettoyante. Servez-vous de vos mains, pas d'un gant de toilette qui non seulement pourrait contenir des bactéries, mais encore s'avérer trop rude. Tenez-vous loin des tampons nettoyants, qui privent votre épiderme de sa couche protectrice et accroissent la production d'huile, ce qui favorise les éruptions. Si vous avez la peau grasse, lavez-la deux fois par jour avec un nettoyant astringent.

2 **Tonifiez.** Si vous vous servez d'une lotion clarifiante ou astringente après le nettoyage, choisissez-en une à base de vinaigre plutôt qu'une contenant de l'alcool, qui assèche la peau.

3 **Hydratez-vous** après la douche, quand votre peau est encore humide. Les hydratants conservent à la peau son hydratation ; ils n'y ajoutent rien. Si vous avez la peau sèche, optez pour un hydratant à base d'huile. Si vous avez la peau grasse, optez plutôt pour un hydratant à base d'eau. Vous n'avez pas à dépenser une fortune : le prix n'est absolument pas gage d'efficacité. Autour des yeux, appliquez doucement la lotion ou la crème parce que la peau y est plus mince, plus susceptible de rider.

Si vous avez la peau sensible, si votre peau rougit et pique facilement, utilisez une lotion hydratante en vente libre comme Sarna-P ou bien gardez la peau soyeuse avec un produit doux comme Aveeno.

À l'abri du soleil

L'écran solaire protège votre peau et son apparence de jeunesse. Utilisez-le – et faites-le comme il se doit.

- **Portez chaque jour un écran solaire,** qu'il fasse beau ou non, été comme hiver. Ne supposez pas que le brouillard, la bruine et les nuages vous protègent : 80 % des rayons du soleil les traversent. Ne vous contentez pas non plus de vous abriter sous un parasol ou un chapeau à large bord. Comme les rayons UVA traversent le verre, utilisez aussi une lotion solaire si vous passez du temps à proximité d'une fenêtre.
- **Optez pour un écran à large spectre** pour vous protéger des rayons UVA, plus longs, associés au vieillissement cutané, et contre les rayons UVB, plus courts, responsables de la plupart des cancers de la peau. Optez pour un écran avec un facteur de protection solaire – FPS – de 15 ou plus, ce qui signifie que votre peau mettra 15 fois plus de temps à brûler.
- **Mettez-en épais.** Les dermatologues recommandent de mettre

Ne lésinez pas sur la lotion solaire – la plupart des gens n'en mettent pas assez. Mettez-en chaque jour, peu importe la saison ou la température, et remettez-en souvent pour une protection accrue.

VOTRE STRATÉGIE SANTÉ

ATTENTION

Ne confiez pas votre visage à n'importe qui. Choisissez un médecin accrédité par le Collège des médecins, la Société canadienne des chirurgiens plasticiens, ou par la Société canadienne de chirurgie esthétique au laser. Pour en savoir plus, consultez notre Guide des ressources (p. 400 à 403).

environ 28 g de crème solaire sur le visage, les oreilles et le cou. Mettez-la une trentaine de minutes avant de sortir pour que votre peau l'absorbe bien et recommencez aux deux à trois heures.

● **Protégez vos mains.** La peau de vos mains est fine ; c'est d'ailleurs pour cette raison que les mains sont les premières à montrer des signes de dommages. Pour éviter rides et taches de vieillissement, protégez-les aussi.

● **Et vos lèvres !** Appliquez un baume pour les lèvres ou un rouge contenant un écran solaire. L'épithélioma spinocellulaire est beaucoup plus agressif sur les lèvres.

● **À midi, restez à l'ombre.** Lorsque c'est possible, tenez-vous loin du soleil entre 10 h et 15 h : ses rayons sont à leur plus fort.

Adieu ridules

Même si vous vous protégez du soleil, avec le temps, certaines rides apparaîtront. Mais vous n'avez pas à vous rendre sans combattre. Vous n'arriverez sans doute pas à effacer tout à fait vos rides, mais vous pouvez faire beaucoup pour les atténuer.

● **Trétinoïne.** Utilisée pour traiter l'acné, la trétinoïne débarrasse la peau des cellules mortes et permet à de nouvelles cellules de faire surface. Elle favorise la production de collagène, le tissu spongieux sous la surface de la peau. La préparation topique de trétinoïne (comme Retin-A et Renova) peut atténuer les rides, diminuer les taches et faire disparaître les dommages causés par le soleil.

Le médecin devra rédiger une ordonnance pour Retin-A et

En vente sur ordonnance, Retin-A diminue l'apparence des ridules, des rides et des taches de vieillissement. Renova contient le même ingrédient actif mélangé à un produit émollient, ce qui le rend plus doux.

Renova, un médicament qui mélange l'acide rétinoïque avec un émollient. En l'utilisant régulièrement, vous constaterez les résultats en quelques mois. Avec une seule goutte de la taille d'un pois, la peau se met à piquer, vire au rouge et peut même peler au cours des premières semaines. Avec le temps, une quantité excessive peut occasionner la rupture de vaisseaux capillaires. Parce que la trétinoïne rend votre peau plus sensible au soleil, il faut l'utiliser en soirée.

● **Ne vous fiez pas au rétinol.** Sur l'étiquette de produits en vente libre, le rétinol prend souvent le nom de vitamine A ou de palmitate de rétinol. Aucune étude clinique ne soutient les prétentions antivieillissement des fabricants.

● **Pour une approche en douceur, essayez les AHA.** Les acides alpha hydroxylés ou AHA, que l'on appelle aussi acides glycoliques, sont des acides de fruits qui éliminent les peaux mortes et accélèrent la production de cellules nouvelles. Les différents produits contiennent diverses concentrations de AHA. Les produits en vente libre en contiennent moins de 10 %. Les AHA peuvent mettre jusqu'à six mois pour atténuer les ridules. Certains produits contiennent des concentrations supérieures. Ils agissent à la manière de la trétinoïne en épaississant le derme. Comme la trétinoïne, aussi à concentration élevée, les AHA peuvent causer des irritations.

Comme les AHA augmentent la sensibilité de la peau aux rayons du soleil, il importe d'appliquer un écran solaire. Ne mettez pas de AHA sur la peau délicate des yeux, à moins qu'il ne s'agisse d'une crème spécialement produite à cet effet. Tenez-vous-en à un seul produit : n'allez pas mettre de la trétinoïne et des AHA. Une quantité de la taille d'une pièce de 10 cents suffit pour tout le visage.

- **Cherchez l'œstrogène.** Même s'il ne faudrait jamais prendre de l'œstrogène pour ses avantages cutanés, il est vrai que les femmes qui suivent une hormonothérapie ont moins de rides que les autres. C'est que l'œstrogène contre le ralentissement des glandes productrices d'huile. Dans le cadre d'une étude, on a découvert que les femmes qui prenaient de l'œstrogène ont vu leur peau épaissir de 12 %.

Les taches hépatiques

Malgré leur nom, les taches hépatiques – appelées aussi taches de vieillissement – n'ont rien à voir avec le foie et peu à voir avec l'âge, même si elles apparaissent en général passé 55 ans. Ces petites taches sombres du visage et des mains viennent de l'exposition au soleil.

Si vous cherchez à minimiser les taches hépatiques, les crèmes de blanchiment peuvent s'avérer efficaces avec le temps. Les produits en vente libre mettent environ six mois à produire un changement visible. Les produits plus forts demandent une ordonnance. Utilisez toujours une crème solaire.

Les onguents à la trétinoïne peuvent améliorer la qualité de la peau abîmée et atténuer les taches. Ces dernières peuvent disparaître avec l'azote liquide. Le traitement exfoliant et le lissage au laser (voir pages 280-281) peuvent aussi aider.

Ne confondez pas taches hépatiques et hyperpigmentation, une coloration foncée de la peau, signe possible d'insuffisance des glandes surrénales ou effet secondaire de certains médicaments. Si vos taches sont plus grandes qu'un vingt-cinq cents, si leur couleur est irrégulière, avisez-en immédiatement votre médecin.

Les antirides en vente libre ont-ils la capacité d'estomper les ridules ? Ce n'est pas sûr. Vous devrez en outre les utiliser longtemps avant de constater le moindre changement. Ceux que vous achetez chez le dermatologue sont plus efficaces.

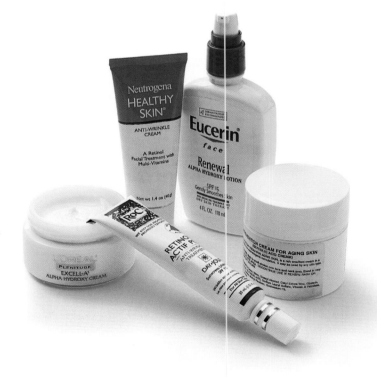

Le traitement au laser s'avère efficace pour éliminer les vaisseaux capillaires éclatés autour du nez et sur les joues.

Minuscules varicosités

Les varicosités, ces réseaux de veines bleu et pourpre et ces capillaires rouges sous la surface de la peau, portent peu à conséquence, contrairement aux veines variqueuses qui forment des protubérances à la surface de la peau des jambes causant douleurs et démangeaisons. Si vous souhaitez vous en défaire, demandez l'aide de votre dermatologue.

La sclérothérapie est le traitement le plus fréquent des varicosités des jambes et des cuisses. Après avoir anesthésié la région, on injecte une solution saline dans les veines. Cette solution cause une inflammation de la paroi des veines et provoque leur affaissement avant que l'organisme ne les réabsorbe. Il y a peu d'effets secondaires, mais il faut d'ordinaire répéter le traitement.

Le laser peut également être efficace. Sans que les tissus environnants en soient affectés, l'énergie provenant d'une onde lumineuse précise chauffe les minuscules vaisseaux sanguins et provoque leur affaissement. Une séance — qu'il faut souvent répéter — coûte entre 100 $ et 150 $.

En bref

Si vous avez plus de 50 grains de beauté, vous risquez deux fois plus que les autres un cancer de la peau. Si vous en avez quatre dont le diamètre dépasse 6 mm (¼ de pouce), votre risque est 28 fois plus grand.

Pour empêcher la formation d'autres varicosités, il faut cesser de se croiser les jambes, éviter la station debout prolongée et les activités à impact élevé comme la course.

Ouch ! Cellulite

Vous la voyez ; vous la détestez cette peau d'orange qui peut se développer autour des rotules, sur les cuisses et les fesses des femmes. La cellulite n'est que du tissu adipeux sous la peau. Le gras devient peau d'orange quand les adhérences de tissus conjonctifs fibreux tirent sur la peau, ce qui repousse le gras de chaque côté. Personne n'en connaît la raison même si l'âge, le sexe et l'hérédité ont un rôle à jouer parce qu'ils affectent la force des tissus conjonctifs et l'épaisseur de la peau. (Les dépôts graisseux sont plus visibles parce que les femmes ont généralement la peau plus mince que les hommes.)

Y a-t-il un traitement ? Certaines crèmes prétendent diminuer l'apparence de la cellulite, mais leur efficacité est loin d'être prouvée. Certes, la liposuccion retire les tissus graisseux, mais elle peut aussi endommager le fragile réseau de capillaires, les vaisseaux lymphatiques et les fibres de collagène. Ce faisant, elle prépare le terrain pour le retour de la cellulite, qui paraît pire après le traitement.

Même s'il n'existe pas de cures miracles pour le traitement de la cellulite, l'exercice, particulièrement la musculation, aide à la combattre. Perdre du poids peut aussi aider, même si la cellulite est fréquente chez les femmes minces. Il faut boire beaucoup pour hydrater les cellules et appliquer une lotion autobronzante (qui fait paraître les cuisses plus minces).

Voir rouge

La rosacée, que l'on appelle aussi couperose, est marquée par des bouffées constrictives et des rougeurs faciales, des boutons et des petits traits rouges provenant de vaisseaux sanguins dilatés. Elle est sans danger, mais inesthétique. Chez les hommes, elle se situe surtout sur le nez, qui prend une apparence bulbeuse.

Pour la contrôler, votre dermatologue pourra prescrire un antibiotique, soit sous forme d'onguent, soit sous forme de pilule, même si la rosacée risque de revenir plus tard.

Pour prévenir le retour de la couperose, évitez le soleil direct, les produits de beauté contenant des parfums, de l'alcool, de l'hamamélis, de la menthe, des huiles de menthe poivrée et d'eucalyptus. Limitez votre consommation d'aliments et de boissons contenant de l'alcool, des épices, de la caféine. Autant que possible, évitez le stress.

Quelques traitements parfaitement naturels valent d'être essayés.

● Combattez l'inflammation avec des acides gras oméga-3 que l'on trouve dans le maquereau ou le saumon, l'huile de graines de lin et l'huile d'onagre. Prenez 1000 mg d'huile d'onagre trois fois par jour ou une cuillerée à soupe d'huile de graines de lin une fois par jour.

● Prenez assez de vitamine A, qui aide à garder la peau en santé. Assurez-vous que votre multivitamine en contient 5000 UI. Si vous en prenez assez et que la couperose persiste, prenez un supplément vitaminique contenant 15 000 UI par jour.

● Prenez assez de vitamine B. Les gens qui font de la couperose en manquent souvent.

Pour hommes seulement

Les hommes ont leurs propres problèmes de peau, mais ils ne sont pas portés à consulter pour y trouver des solutions.

Problème	Solution
Une armoire remplie de produits	■ Utilisez de préférence un gel nettoyant tout-en-un. S'il contient un acide alpha hydroxylé, il peut enlever les cellules mortes, soigner les méfaits du rasoir et des poils incarnés. Pour absorber les huiles en excès, préconisez l'achat d'un gel douche contenant de l'argile.
Feu du rasoir	■ Prévenez le feu du rasoir avec un adoucissant avant rasage. Rasez-vous immédiatement après la douche. Pour protéger votre peau, appliquez ensuite un baume après rasage.
Points noirs	■ Commencez par nettoyer votre peau avec un gel contenant de l'acide alpha hydroxylé pour éliminer les cellules mortes qui peuvent en obstruer les pores. Appliquez ensuite une lotion «exfoliante» dont les particules abrasives débouchent les pores et empêchent les imperfections et les poils tournés. Vous pouvez finir par un hydratant pour peau grasse contenant des ingrédients antibactériens et de l'acide salicylique.

Les fibromes mous

La peau saine peut produire des fibromes mous, des petites excroissances couleur chair qui apparaissent sur le cou, sous les bras ou sur les aines. Le dermatologue les enlève facilement avec de l'azote liquide.

Fréquentes chez les personnes âgées, les kératoses séborrhéiques sont des petites excroissances plus foncées qui peuvent apparaître n'importe où, mais surtout dans le visage, sur les tempes ou sur le torse. Le dermatologue peut les enlever soit à l'azote liquide, soit au scalpel sous anesthésie locale.

Régénérations rapides

Et si vous aviez le goût d'adopter une approche beaucoup plus radicale pour retrouver une peau d'apparence plus jeune ? Vous pourriez faire l'essai d'une opération cosmétique rapide et non chirurgicale. Autrefois chasse-gardée des riches et célèbres, ces approches, que l'on appelle parfois «nooners» parce qu'elles ont lieu à l'heure du dîner, sont désormais accessibles à tous. En 1999, aux États-Unis seulement, presque cinq millions ont été faites, ce qui représente une hausse de 66 % par rapport à l'année précédente.

Procédé	Ce que c'est	Avantages
Injection de Botox	■ Le Botox est un poison paralysant parfaitement sécuritaire lorsqu'on en use à des doses infimes. Injecté dans les rides sourcilières, les pattes-d'oie, les plis du front et du cou, il se fixe aux terminaisons nerveuses des muscles pour les rendre inactives. Une fois le muscle immobilisé, les rides à la surface de la peau s'estompent.	■ Les injections de Botox prennent moins de trois minutes et ne laissent ni cicatrices ni points de suture. Pour contrer la piqûre des injections, on n'a besoin que d'un anesthésiant topique. L'enflure dure moins d'une demi-heure, mais les résultats se font attendre de deux jours à deux semaines.
Microdermabrasion	■ Connue sous le nom de «power peel», cette opération est faite au moyen d'un appareil qui pose un jet fin de particules d'oxyde d'aluminium sur le visage, le cou, la poitrine et les mains pour sabler les rides, les taches brunes et autres imperfections cutanées.	■ Cette opération, qui lisse et éclaircit la peau, n'est pas agressive : pas de laser ni de temps de guérison. L'amélioration est graduelle. Il faut d'habitude de 6 à 10 traitements avant que le changement soit visible. Les résultats sont permanents.
Traitement exfoliant («chemical peel»)	■ Pour retirer entièrement l'épiderme (couche externe de la peau) et parfois une partie du derme (couche interne), on tamponne une solution acide sur la peau. La profondeur du traitement exfoliant dépend de la force de l'acide. Celui-ci est généralement 20 fois plus fort que la plupart des acides alpha hydroxylés. D'ordinaire, on laisse l'acide en place pendant deux minutes.	■ Le traitement exfoliant élimine les ridules et lisse la peau. Si le dermatologue utilise un acide suffisamment fort, le traitement exfoliant peut même éclaircir ou venir à bout des taches hépatiques et des taches de rousseur.
Lissage au laser (resurfaçage ou «resurfacing»)	■ On projette un rayon lumineux sur quelques couches de peau (davantage quand le laser repasse plusieurs fois) pour en éliminer les décolorations, les rides et les irrégularités. Le lissage au laser peut aussi stimuler la production de collagène. Ainsi, les rides et les plis se remplissent naturellement pour donner une peau plus lisse.	■ Vous obtenez rapidement des résultats avec ce type de traitement, fait dans le bureau même du médecin.
Comblement des rides («line fillers»)	■ Pour donner une apparence plus lisse à votre peau, on injecte dans vos rides faciales ou vos cicatrices d'acné du collagène extrait de tissus bovins ou produit en laboratoire à partir de vos propres tissus. On utilise les mêmes matériaux pour gonfler les lèvres.	■ Dans le bureau du médecin, les injections se font rapidement et ne demandent qu'un anesthésiant topique. Les résultats durent jusqu'à un an.

Les traitements exfoliants («chemical peels») et les injections de Botox ont la faveur populaire. En 1999, près d'un demi-million de personnes ont reçu des injections de Botox.

Voici les cinq options les plus populaires. Votre choix repose sur la profondeur de vos rides et de votre portefeuille (parce que l'assurance couvre rarement les frais de chirurgie esthétique). Avant de passer à l'action, discutez des avantages et des inconvénients des différents procédés avec votre dermatologue.

Inconvénients	Coûts	En conclusion
▨ Il est troublant de penser qu'on nous injecte une toxine mortelle qui, à dose plus élevée, nous paralyserait de la tête aux pieds. Mal située, l'injection peut vous donner des sourcils ou des paupières tombantes – mais cela ne se produit que dans 2 % des cas et peut se corriger.	▨ Un traitement typique coûte environ 500 $.	▨ Le résultat des injections dure jusqu'à quatre mois, après quoi, il faut recommencer. Ainsi, avec le temps, vous pourriez dépenser plus que vous ne l'auriez fait pour un lifting.
▨ La microdermabrasion peut occasionner des rougeurs qui ne durent qu'une dizaine de minutes. N'allez surtout pas penser à un traitement exfoliant à l'acide la même journée!	▨ 125 $ à 250 $.	▨ La microdermabrasion élimine les ridules; toute décoloration disparaît.
▨ Dans le cas de traitements exfoliants en profondeur, la guérison peut prendre un certain temps. La peau peut faire des croûtes pendant deux semaines avant de virer au rouge luisant pendant plusieurs mois. Les effets secondaires potentiels comprennent douleur, infection et cicatrices. (Les gens à la peau sensible devraient plutôt opter pour un traitement au glycol dont les prix varient de 50 $ à 170 $.)	▨ 200 $ à 300 $ pour un traitement exfoliant à l'acide.	▨ Cette procédure ne vous convient que si vous pouvez vous permettre de vous cacher pendant deux semaines, le temps que votre peau se remette.
▨ Une exposition indue peut laisser des brûlures et des cicatrices. Le lissage ne corrige pas la peau flasque. La rougeur peut durer trois mois, peu importe l'habileté de la personne qui vous traite.	▨ 800 $ (lèvre supérieure) à 4000 $ (pour tout le visage).	▨ On considère désormais que le lissage au laser est plus sécuritaire et plus efficace que la microdermabrasion. Ce procédé est toutefois plus coûteux. Assurez-vous de choisir un dermatologue qualifié et expérimenté.
▨ Des réactions allergiques peuvent survenir, à moins que l'on utilise vos propres tissus. Si vous poussez trop loin votre quête de jeunesse, vous pourriez finir par ressembler à une starlette vieillissante.	▨ 350 $ à 600 $ (consultation, test d'allergie, si le collagène bovin est utilisé, et traitement). Plus, si vos propres tissus servent à l'injection.	▨ Les résultats dépendent de l'habileté du médecin; pour éviter les protubérances et les bosses, assurez-vous de choisir un dermatologue qualifié et expérimenté.

Un sourire parfait

Avez-vous une maladie des gencives ? Désormais, on considère qu'il s'agit d'un facteur de risque pour les maladies cardiovascu-laires. Il est donc grand temps d'y voir.

Il est facile d'omettre de se brosser les dents et de passer la soie dentaire ; ce n'est pas comme si ces quelques minutes pouvaient vous sauver la vie. Ce que vous ne pouvez pas voir peut vous faire du tort.

Au cœur de la question

Selon l'Association dentaire cana-dienne, neuf Canadiens sur dix souf-friront d'une maladie des gencives à un moment ou à un autre. La gingi-vite commence par de la plaque, une pellicule transparente faite de bacté-ries, de mucus et de particules ali-mentaires qui se forme autour des gencives et sur les dents. Elle peut irriter les gencives, causer de l'en-flure et de l'infection. Lorsque les gencives sont enflées, entre la gencive et la dent se forme une poche, qui emprisonne d'autre plaque. Sans traitement, la gingivite peut s'étendre sous les gencives et gruger l'os qui entoure la dent. C'est ce que l'on appelle périodontite.

La périodontite peut conduire à la perte des dents – et ce n'est pas tout. On a en effet relié la maladie des gencives à trois types de maladies mortelles : les cardiopathies, le diabète et les maladies pulmonaires. Parmi les facteurs de risque pour les cardiopathies, la maladie des gen-cives vient même avant le tabagisme.

Comment la maladie des gencives peut-elle affecter votre cœur ? La bactérie qui s'en prend à vos dents pénètre aussi dans le flux sanguin, ce qui conduirait à une infection du cœur. Pour s'en défendre, l'organisme

Vous voulez un sou-rire gagnant ? Infor-mez-vous auprès de votre dentiste pour connaître les traite-ments au fluorure. Pour garder vos dents et vos gencives en bonne santé, ils sont tout aussi efficaces pour les adultes qu'ils le sont pour les enfants et les adolescents.

formerait des caillots sanguins susceptibles de bloquer les artères et de causer arrêts cardiaques et ACV.

La périodontite peut également exacerber le diabète de type 2 en affectant le processus de l'insuline et en rendant plus difficile le contrôle des taux de sucre sanguin. (Le diabète, lui, accroît le risque de maladie des gencives.) On a aussi associé la périodontite à l'ostéoporose et à la bronchite.

Pourriez-vous souffrir d'une maladie des gencives sans le savoir ? Vérifiez-en les symptômes et les facteurs de risque en page 380.

Polissez votre technique

Pour préserver vos dents (et peut-être votre cœur), il suffit d'en prendre soin. En brossant vos dents et en passant la soie dentaire, vous les protégez. En suivant les conseils ci-après, vous pouvez tenir les maladies des gencives à distance.

- Passez un examen dentaire et faites faire un nettoyage pour enlever la plaque tous les six mois.
- Tenez la brosse à un angle de 45° et faites des petits mouvements d'avant en arrière. Tenez-la verticalement pour nettoyer la face interne de vos incisives. N'oubliez pas de vous brosser la langue pour éliminer les bactéries responsables des odeurs.
- Servez-vous d'une pâte dentifrice antitartre au fluorure et au triclosan, ou antibactérien à l'huile de théier ou au bioxyde de chlore.
- Utilisez la soie dentaire et les pointes de caoutchouc pour enlever la plaque qui s'accumule autour des gencives. Quand vous atteignez la gencive avec la soie dentaire, incurvez-la en forme

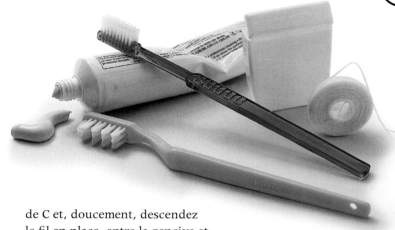

de C et, doucement, descendez le fil en place, entre la gencive et la dent, en maintenant la soie contre la dent. Glissez la soie de bas en haut et de haut en bas. Rappelez-vous : n'oubliez pas de passer la soie derrière vos dents du fond.

Réparer les dommages

Si vous souffrez déjà d'une maladie grave des gencives, votre dentiste et votre parodontiste peuvent vous prescrire des antibiotiques. Ils peuvent aussi faire un détartrage et un aplanissement de racines, un procédé au cours duquel la gencive est relevée pour retirer la plaque des racines et des gencives infectées. Dans 88 % des cas, ces procédés peuvent prolonger la vie de vos dents et éviter les extractions.

Si vous avez déjà perdu des dents, les couronnes sur implants dentaires peuvent combler les vides, pourvu qu'il vous reste suffisamment d'os pour les maintenir. D'apparence naturelle et sans douleur (après six mois), ces implants de métal (d'habitude du titane) sont fixés en permanence à l'os de votre mâchoire. Ils occupent désormais la place que tenaient auparavant les prothèses traditionnelles. Ils ont l'avantage de prévenir la perte osseuse et le

En vous servant d'une brosse à soies douces munie d'une petite tête pour vous rendre facilement au fond, brossez partout pendant deux à trois minutes. Changez de brosse quand les soies perdent leur forme ou après un rhume.

En quelques mots

« Un de ces jours, tout à côté du tabagisme, on ajoutera les maladies des gencives aux facteurs de risque pour les cardiopathies. »
– Fredric Pashkow, m.d.

ATTENTION

Selon l'Association dentaire canadienne, les produits des trousses de blanchiment en vente libre dans les pharmacies restent sur vos dents plus longtemps que les dentifrices blanchissants. Cependant, ces trousses ne présentent pas l'avantage des soins prodigués par votre dentiste. En outre, ces trousses, préparées pour monsieur ou madame-tout-le-monde, peuvent laisser les produits chimiques s'insinuer dans vos gencives et y causer de l'irritation.

vieillissement associé au port des prothèses.

Un sourire plus blanc

Il n'est pas que les pages des livres qui jaunissent au fil des années. Avec le temps, les dents peuvent prendre une teinte qui affecte votre apparence générale. C'est que l'émail protecteur transparent de la dent amincit chaque année, permettant ainsi à la dentine jaune sous-jacente de transparaître. Le sucre ingéré accélère le processus en acidifiant notre salive, ce qui rend l'émail encore plus poreux. Ainsi, les résidus de baies, de colas, de café, de thé et de vin rouge s'insinuent dans l'émail et tachent les dents. Les dépôts de tartre et le tabagisme peuvent aussi causer une décoloration.

Rien de plus normal que de rêver d'un sourire plus blanc. Au cours des cinq dernières années, le nombre de patients demandant des techniques de blanchiment a triplé. Pour éclaircir vos dents, vous avez plusieurs choix. Notez toutefois que les

programmes d'assurance ne couvrent habituellement pas le coût de ces traitements.

- **Le blanchiment au fauteuil** remporte la faveur populaire parmi les choix de blanchiment. Le dentiste recouvre l'intérieur de votre bouche et vos gencives d'une barrière protectrice et applique sur les dents un gel blanchissant contenant de 20 à 35 % de peroxyde d'hydrogène. Il utilise parfois une puissante source lumineuse pour rendre actif l'agent de blanchiment. (Le laser a aussi été approuvé pour le blanchiment en cabinet, mais beaucoup de dentistes attendent les résultats des tests de sécurité et d'efficacité à long terme.) Les taches brunes et jaunes réagissent mieux que les autres. Les taches grises, imputables aux antibiotiques pris pendant la formation des dents, réagissent mal à ce traitement. Les gens aux dents ou aux tissus buccaux hypersensibles ne font pas de bons candidats. Ce traitement coûte entre 600 $ et 1500 $ et les résultats durent de un à trois ans.

- **Le blanchiment ambulatoire** peut avoir lieu à la maison… avec l'aide de votre dentiste. Il fera des moulages de vos dents du haut et du bas, et façonnera des gouttières ou moules. Vous recevrez une provision de gel blanchissant à mettre dans les gouttières. La formule chimique est moins concentrée que celle dont il se sert en cabinet. Habituellement, il s'agit de peroxyde de carbamide à 10 %, qui devient, une fois dans la bouche, du peroxyde d'hydrogène à 3 %. Vous portez les gouttières pendant un ou deux jours durant la journée ou la nuit (selon

Votre nouvelle image

Plus besoin de deviner de quoi vous aurez l'air après un blanchiment, la pose d'un implant ou quand on vous enlèvera un appareil orthodontique. Beaucoup de dentistes et d'orthodontistes utiliseront bientôt l'ordinateur pour vous permettre de voir votre nouvelle image. Méfiez-vous des procédés au laser lorsqu'ils sont censés agir sur les dents et sur l'os de la gencive. Ils ne sont pas encore au point. Pour en savoir plus, consultez le Guide des ressources, pages 400 à 403.

Avant

Après

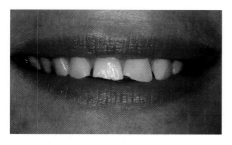

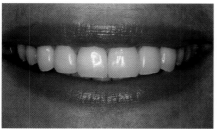

Une transformation étonnante : grâce aux couronnes en porcelaine ou céramique cosmétiques, dites adieu aux dents ébréchées ou inégales.

votre sensibilité). Le traitement dure deux semaines (plus long-temps pour les taches de tabac). Le prix varie de 300 $ à 800 $. Les résultats durent entre un et trois ans, mais il est possible de réutiliser les gouttières.

● **Les dentifrices blanchissants** contiennent des agents chimiques aptes à éliminer les taches des dents. L'Association dentaire canadienne recommande un certain nombre de produits qui préviennent les caries et réduisent la gingivite.

Des couronnes

Vous vous êtes déjà demandé comment les vedettes avaient ce sourire triomphant ? Plusieurs portent des vernis de porcelaine, appelés aussi cou-ronnes. Comme les faux ongles, ces coquilles minces, sur mesure, sont faites d'un matériau de la couleur des dents collé en permanence sur vos dents naturelles. Ces dernières sont limées et préparées à recevoir les coquilles. Les vernis durent environ 15 ans et remplacent avantageusement les espaces, les dents croches ou décolorées. Elles peuvent même corriger l'affaissement des joues et donner l'impression que les lèvres sont plus pleines. Il en coûte entre 800 $ et 2000 $ par dent.

Expérience de jumelage

Il exite une autre manière de combler les vides ; on l'appelle jumelage. Au cours de ce traitement, un dentiste cosméticien taille ou construit vos dents avec une résine semblable à l'émail de vos dents naturelles. On utilise le jumelage pour refermer les espaces, égaliser la longueur des dents et réparer les dents ébréchées. Il en coûte de 300 $ à 700 $ par dent. Il peut s'écouler cinq ans avant que le jumelage ne demande des répara-tions. Il faut savoir par contre que les dents jumelées ont tendance à tacher ; vous devrez souvent faire nettoyer vos dents.

Des broches

Autrefois les broches étaient réservées aux enfants et aux adolescents. De nos jours, le tiers des patients en orthodontie sont des adultes. Question d'esthétique : les broches ne sont plus aussi apparentes qu'avant. Les montures faites de plastique transparent et les broches, de la couleur des dents, corrigent la malocclusion et redressent les dents.

Peut-être moins esthétiques, les traditionnelles broches de métal (300 $ de moins), faites de nickel et de titane, diminuent du tiers le temps de redressement – qui peut ainsi être ramené à six mois.

Des cheveux sains

Si vous préférez l'argent dans un coffret à bijoux, il n'y a aucune raison de le laisser envahir vos cheveux. Si votre casque gris vous satisfait, apprenez à le faire resplendir.

Une crinière blanche peut fort bien être une marque de distinction. Si vous aimez le gris, tant mieux ! Mais si vous préférez votre teinte d'autrefois, vous n'êtes pas seul. On estime à 64 % le nombre de femmes nord-américaines de 35 à 49 ans qui teignent leurs cheveux pour cacher le gris. Chez les femmes de 50 à 69 ans, le chiffre grimpe à 74 %. Les hommes, quant à eux, représentent le marché montant le plus prometteur de l'industrie des soins capillaires.

Teignez-moi plus jeune

Si vous êtes prêt pour un changement de couleur et que vous n'avez qu'un peu de gris, pensez aux éclaircissants soit avec décolorant, soit léger, sans

décolorant. Pour obtenir de meilleurs résultats, consultez un coloriste. (Pour obtenir plus de lustre, demandez à votre coiffeur d'ajouter une teinture semi-permanente qui donne de la brillance.) Si vous voulez teindre vos cheveux vous-même, il existe plusieurs marques de produits colorants sans dégâts que l'on peut aussi utiliser sur les barbes et les moustaches. Faites un test d'allergie et de coloration 48 heures avant la teinture.

Trucs de coloration

Suivez ces indications pour obtenir une couleur flatteuse et durable.

- Avant de teindre, lavez-vous les cheveux avec un shampoing éclaircissant pour éliminer les dépôts minéraux, les toxines et les résidus de produits coiffants.
- Si vous voulez couvrir le gris, choisissez une teinte ou deux plus pâle que votre couleur naturelle. (La peau pâlit avec le temps et les cheveux foncés la font paraître encore plus pâle.)
- Si vos cheveux gardent une teinte rosée, c'est que la teinture n'a pas pénétré le cuir chevelu à fond. Recommencez en laissant la couleur – plus cendrée, cette fois – de 10 à 40 minutes de plus.
- Servez-vous d'un shampoing qui garde la couleur et restez loin du soleil, de l'eau salée et chlorée.

S'il ne vous déprime pas, mettez le gris en valeur avec une jolie coupe, et portez des couleurs qui le font ressortir.

Lustrez ce gris

Pour éviter que vos cheveux gris ne jaunissent, évitez les fers à friser et les rouleaux chauffants. Pour rendre votre gris plus lustré, plus brillant, optez pour un shampoing qui rehausse le gris, contenant des huiles essentielles de violette odorante, de trèfle ou d'acide citrique qui, toutes, font ressortir le gris et neutralisent le jaune.

Hydratez !

Comme la peau, les cheveux perdent leur hydratation naturelle avec le temps.

- **Utilisez un shampoing doux** qui contient des acides gras, de la balsamine, des hydratants ou des protéines. Même si ces produits riches en protéines ne peuvent nourrir les cellules de kératine mortes, ils peuvent protéger l'enveloppe externe des cheveux et leur donner du lustre.
- **Changez de marque** de shampoing tous les six à huit mois.
- **Ne faites pas deux shampoings** – ce conseil ne cherche qu'à vendre plus de shampoing. Vous voudrez peut-être même diluer votre shampoing pour un traitement en douceur et vous laver la tête moins souvent. Rincez à fond.
- **Mettez du revitalisant** seulement sur les longueurs excédant 7 cm – jamais sur le cuir chevelu qui sécrète assez d'huile pour revitaliser les sept premiers centimètres.
- **Scellez les cuticules** en rinçant à l'eau froide.
- **Séchez vos cheveux à l'air,** évitez les séchoirs et les fers à friser qui assèchent et cassent les cheveux. Si vous utilisez le séchoir, tenez-le à 15-30 cm de vos cheveux.

Envie d'essayer ?

Vous teignez vos cheveux pour la première fois ? Commencez par une couleur temporaire avant de faire un changement permanent.

Type de teinture	Infos et trucs
Temporaire	■ Produit un changement mineur en couvrant la surface des cheveux d'une couleur subtile. ■ Ne cache pas le gris. ■ Dure jusqu'à trois lavages.
Semi-permanente	■ Sans ammoniaque ni peroxyde ; convient aux cheveux permanentés ou traités. ■ Avive la couleur naturelle, ajoute de l'éclat, couvre jusqu'à 50 % du gris. ■ Pour minimiser l'apparence des repousses, choisissez une couleur deux teintes plus pâles que la vôtre. Dure de 6 à 12 lavages.
Demi-permanente	■ Un peu de peroxyde, pas d'ammoniaque ; n'affecte pas la santé de vos cheveux. ■ Grand choix de teintes qui se mêlent au gris et le cachent. ■ Pénètre le cheveu plus en profondeur. Peut éclaircir les cheveux. ■ Dure environ 24 lavages.
Permanente	■ Contient peroxyde et ammoniaque. ■ Fonce ou éclaircit, jusqu'à trois teintes de différences. Cache tout le gris. ■ Convient mieux aux gros cheveux. L'ammoniaque adoucit la repousse, aide le gris à se mêler aux autres cheveux. ■ Ne part pas au lavage.

- **Évitez les produits qui contiennent de l'alcool :** ils dessèchent les cheveux.
- **Limitez les produits lustrants :** ils contiennent du silicone qui laisse, avec le temps, les cheveux sans vie.
- **Coupez** les cheveux toutes les quatre à six semaines.
- **Mangez des aliments** riches en zinc, magnésium, potassium, fer, et des protéines sans gras.

VOTRE STRATÉGIE SANTÉ

Combattre la calvitie

Si vos cheveux se retirent aussi vite que les armées napoléoniennes, ne vous découragez pas : les renforts arrivent.

Les cheveux ne tombent pas en une nuit, même si vous pouvez en avoir l'impression. En fait, la croissance des cheveux commence à ralentir au milieu de la vingtaine, que vous soyez un homme ou une femme. Environ la moitié des hommes chauves commencent à perdre leurs cheveux avant l'âge de 30 ans. Seulement 30 % des femmes constatent un éclaircissement avant l'âge de 50 ans. Chez elles, l'œstrogène aide à maintenir la croissance des cheveux.

Rogaine et plus

Même s'ils ne font pas de miracles, deux médicaments ralentissent la perte des cheveux chez la moitié de leurs utilisateurs. Pour les hommes, minoxidil (Rogaine) est en vente libre. Santé Canada n'a pas encore approuvé son utilisation pour les femmes. Il peut irriter le cuir chevelu. Si le traitement est interrompu, les avantages qu'il procure sont perdus.

Pour obtenir de meilleurs résultats, commencez à appliquer Rogaine avant la perte. Il est plus efficace sur les endroits où les cheveux tombent que sur les endroits déjà sans cheveux. Il n'améliorera donc pas nécessairement la perte des cheveux à la ligne d'implantation. Le quart des hommes de 18 à 49 ans qui ont utilisé Rogaine ont constaté une repousse des cheveux sur le sommet de la tête après quatre mois, soutient le fabricant de Rogaine.

Finastéride (Propecia) n'est destiné qu'aux hommes et n'existe que sous forme de comprimés. Comme Rogaine, il faut poursuivre le traitement à vie. Il peut altérer la libido. Ce médicament cause une grande controverse et des mises en garde nous parviennent régulièrement à son sujet.

ATTENTION

Si vous souffrez de calvitie grave, consultez un dermatologue. Celui-ci pourra en déterminer les causes, qu'il s'agisse de maladie, de stress, de changement hormonal, d'antibiotiques, d'anémie ou de psoriasis, d'excès en vitamine A ou de pelade, une maladie rare qui produit une chute localisée des cheveux.

Rogaine agit plus efficacement quand vous l'utilisez aussitôt que vous commencez à perdre vos cheveux. Ils ne repousseront peut-être pas tous, mais leur chute peut s'arrêter.

Plusieurs autres médicaments sont en développement ou à l'étude.

Solution permanente

Si les médicaments ne vous conviennent pas, vous voudrez peut-être essayer le remplacement chirurgical des cheveux. Chacune des techniques utilise vos propres cheveux et nécessite que vous ayez des cheveux sains sur les côtés et à l'arrière de la tête. Il arrive que l'on combine ces traitements. Même s'ils ne ramènent pas votre chevelure d'antan, ils aident à remettre des cheveux là où ils s'éclaircissent.

Pour la microgreffe, on prélève les cheveux donneurs et on les transplante dans la zone chauve. Les techniques de microchirurgie se sont grandement améliorées et permettent à un dermatologue expérimenté ou à un plasticien d'implanter un plus grand nombre de cheveux à la fois et de donner une apparence plus naturelle aux greffons. Pour une séance de 2 à 3 heures (et il en faut plusieurs), il en coûte de 2500 $ à 3000 $.

En chirurgie réfractive, le chirurgien commence par enlever la peau de la zone chauve pour y transplanter un lambeau de cuir chevelu sur lequel les cheveux continuent de pousser. L'extendeur, lui, est un petit appareil semblable à un ballon que l'on insère sous la zone chauve, à proximité d'une zone où la croissance capillaire est normale. Pendant des semaines, l'extendeur est doucement rempli d'eau saline; la peau se gonfle. Les cheveux finissent par pousser sur la nouvelle peau qui sert alors à restaurer la zone chauve adjacente. Une autre option est celle de la réduction tonsurale, au cours de laquelle le chirurgien enlève les zones chauves

Chute des cheveux : mythes et réalités

Mythe	Réalité
La perte des cheveux est génétique ; elle vous vient de votre père.	Votre mère comme votre père peuvent vous transmettre l'alopécie. Plus vous avez de proches qui ont perdu leurs cheveux complètement ou partiellement, plus vous courez de risques d'en perdre aussi.
Il y a lieu de vous inquiéter si vous perdez entre 50 et 100 cheveux par jour.	C'est normal, au contraire. En moyenne, pendant deux années, le cheveu pousse d'un centimètre par mois, et puis il entre en période de latence avant de finir par tomber.
Avec l'âge, cheveux et poils s'éclaircissent partout sur le corps.	Chez les hommes et chez les femmes, les changements hormonaux ralentissent la poussée des cheveux et des poils. Toutefois, ils peuvent aussi occasionner l'apparition de poils. Les femmes peuvent subir la pousse de poils faciaux, et les hommes, souvent celle de poils dans les sourcils, les oreilles, les narines, sur les épaules et le dos.
La perte des cheveux est avant tout un problème d'homme.	À l'âge de 50 ans, la moitié des hommes perdra ses cheveux, soit sur le dessus de la tête, soit aux tempes. Une femme sur quatre verra ses cheveux s'éclaircir en raison de la baisse d'œstrogène qui accompagne la ménopause.
Cent coups de brosse chaque soir stimulent la poussée des cheveux et la production de l'huile des glandes sébacées.	En réalité, autant de coups de brosse stimulent la perte des cheveux.

et referme l'un après l'autre les espaces entre les zones chevelues.

Avant de procéder, on vous fera une anesthésie locale et on vous donnera un sédatif. Évidemment, tout type de chirurgie comporte des risques, comme des cicatrices et de l'infection. Assurez-vous que vous avez fait le tour de la question avec votre médecin avant de procéder.

PARTIE II

MAUX ET MALADIES DE A À Z

Accidents cérébrovasculaires

◄ Faiblesse subite, pico-
tements ou engourdis-
sements des bras, des
jambes ou du visage,
affectant surtout une
moitié de votre corps.

◄ Idées subitement
confuses avec
difficultés d'élocution
(voix traînante et
écoulement de salive)
ou de compréhension.

◄ Perte subite de la
vision dans un œil
ou dans les deux,
ou vision double.

◄ Étourdissements
soudains, pertes
d'équilibre ou de
coordination,
évanouissements.

◄ Maux de tête sévères
inopinés avec nausées
et vomissements.

**Attention! Une inter-
vention médicale
rapide peut réduire
substantiellement
les dommages
causés par un ACV
et même vous
sauver la vie.**

En bref

*80% des accidents
cérébrovasculaires
sont dus à une hyper-
tension mal surveillée.*

Qu'est-ce que c'est ?

Les accidents cérébrovasculaires (ACV) sont la troisième cause de mortalité au Canada après les crises cardiaques et le cancer. De nouveaux traitements permettent néanmoins à beaucoup de malades de guérir presque totalement.

La congestion cérébrale est parfois appelée un ACV, car c'est la circulation sanguine vers le cerveau qui est interrompue par l'attaque, de la même manière qu'elle l'est pour le cœur au cours d'une crise cardiaque. Les cellules cérébrales, privées de l'apport d'oxygène que leur fournit le sang, meurent ou subissent des lésions. Pour sauver les cellules endommagées, l'oxygène doit arriver le plus rapidement possible. On distingue deux types principaux d'accidents cérébraux :

● **Les congestions passives (ischémiques)** sont le résultat d'un blocage de la circulation dans le cerveau ou dans les vaisseaux sanguins du cou par un caillot. Elles représentent 80 % des accidents cérébraux et sont de deux sortes. L'embolie résulte du blocage d'un vaisseau sanguin du cerveau par un caillot formé dans une autre région de votre corps. La plupart du temps, le caillot qui cause l'embolie résulte d'une fibrillation auriculaire, sorte d'arythmie cardiaque qui entraîne la stagnation du sang dans l'atrial, les deux cavités cardiaques supérieures. L'occlusion thrombotique est due à l'agglomération de sédiments qui réduisent le diamètre des artères, diminuant ainsi l'arrivée de sang au cerveau.

● **Les congestions hémorragiques** représentent 20 % des accidents cérébrovasculaires, mais elles sont le plus souvent fatales. Elles sont dues à la rupture d'un vaisseau sanguin dans le cerveau ou à une rupture d'anévrisme (rupture d'un sac qui se forme sur un vaisseau fragilisé).

Les signes précurseurs d'un ACV

Les accidents ischémiques transitoires (ischémie intracérébrale) sont aussi appelés «mini-congestions» parce qu'ils produisent les mêmes symptômes qu'une congestion réelle, mais ils disparaissent en quelques heures sans laisser de traces. Ils peuvent être un signe avant-coureur d'une congestion dans 40 % des cas.

Consultez votre médecin si vous pensez que vous avez souffert d'une ischémie intracérébrale. L'échographie ou l'imagerie par résonance magnétique (IRM) peut permettre de déterminer si les artères de votre cou sont bouchées par des sédiments qui ralentissent la circulation sanguine vers le cerveau et si une chirurgie est nécessaire (70 % des cas).

Le médecin vous recommandera un examen complet physique et neurologique pour évaluer l'étendue des lésions dues à la congestion.

Il est vital de déterminer le type de congestion dont vous avez souffert pour choisir le traitement :

- **Une tomodensitométrie (TDM) ou TACO** pour aider à confirmer le diagnostic d'ACV.
- **L'imagerie par résonance magnétique (IRM)** pour confirmer le type d'ACV que vous avez.
- **L'électrocardiogramme (ECG)** enregistre les battements de votre cœur et peut révéler une arythmie.

> ### Fiche nutrition
>
> Selon le journal de l'American Medical Association, les personnes fortes qui mangent beaucoup de sel ont 32 % de risques de plus que les autres de subir un accident cérébrovasculaire.

AUTO ÉVALUATION

Accidents cérébrovasculaires : évaluez vos risques

Ce qui ne dépend pas de vous :

◀ **Votre appartenance ethnique.** Risque plus élevé chez les personnes d'ascendance africaine.

◀ **L'âge.** À partir de 55 ans, vos risques d'ACV doublent à chaque décennie.

◀ **Le sexe.** Le risque d'ACV est 1,25 fois plus grand pour les hommes que pour les femmes.

◀ **L'hérédité.** Des antécédents familiaux de formation de caillots sanguins augmentent vos risques d'ACV. La carence en protéine C est plus fréquente chez les Blancs alors que l'anémie frappe plutôt les personnes d'ascendance africaine.

◀ **Les antécédents familiaux d'ischémie intracérébrale ou de congestion.**

◀ **Le diabète.** Si vous souffrez de diabète, vos risques d'ACV sont plus élevés.

◀ **Vous avez déjà eu une ischémie intracérébrale ou une congestion cérébrale.** Les hommes qui ont subi un accident cardiovasculaire ont 42 % de risques d'en avoir un autre dans les 5 années qui suivent ; les femmes, 24 %. Et environ 35 % des personnes qui ont déjà eu une ischémie intracérébrale subissent un ACV dans les 5 années qui suivent.

Ce qui dépend de vous :

◀ **L'hypertension.**

◀ **Fumer.**

◀ **L'arythmie.** La fibrillation auriculaire (FA), multiplie par six vos risques d'ACV.

◀ **Les cardiopathies.** L'artériosclérose (rétrécissement des artères) et la sténose de la carotide (rétrécissement des artères du cou) peuvent multiplier par six vos risques.

◀ **Trop de cholestérol.** Selon certaines études (mais pas toutes), des niveaux élevés de cholestérol pourraient augmenter vos risques d'ACV. Des études semblent indiquer qu'un niveau trop bas de HDL pourrait être le vrai responsable.

◀ **La réaction au stress.** Certaines études suggèrent que votre réaction à des situations de stress peut aider à prédire vos risques d'ACV. Les personnes colériques ou celles qui souffrent de tachycardie semblent plus exposées.

◀ **Le poids.** L'embonpoint est un facteur de risque de diabète, de tension et d'hyper-cholestérolémie.

◀ **Les drogues.** La cocaïne peut rétrécir vos artères et mettre votre cœur en arythmie, ce qui favorise la formation de caillots et le risque d'ACV. La marijuana est peut-être aussi un facteur de risque parce qu'elle entraîne des modifications rapides de la tension. L'héroïne, des amphétamines et des stéroïdes anabolisants sont autant de facteurs qui augmentent vos risques.

◀ **L'usage immodéré de l'alcool.**

◀ **Une alimentation inadéquate.** Limitez le sel, les gras et augmentez les fibres pour contrôler vos niveaux de cholestérol et votre tension.

► Comment les soigne-t-on ?

MÉDICAMENTS

L'activateur tissulaire du plasminogène (tPA) est un médicament puissant qui dissout les caillots responsables du blocage des artères cérébrales. Pour être efficace, il doit être injecté en intraveineuse dans les trois heures qui suivent le début des symptômes de la congestion cérébrale. Il peut être dangereux s'il est administré en cas de congestion hémorragique, car il peut augmenter le saignement ou entraîner la mort. Le traitement d'une hémorragie cérébrale comprend généralement beaucoup de repos au lit et des médicaments pour abaisser la tension et réduire l'encombrement du cerveau.

CHIRURGIE

Une chirurgie est souvent nécessaire pour réparer un anévrisme ou évacuer le sang qui s'est accumulé dans le cerveau à la suite d'une hémorragie cérébrale. La transplantation de cellules d'embryons dans les cerveaux de victimes de congestions cérébrales pour remplacer les cellules endommagées semble prometteuse, mais les études ne sont pas terminées.

Votre programme de prévention

Alimentation ■ **Mangez à votre santé.** Une alimentation équilibrée permet de contrôler les facteurs de risque d'ACV tels que le cholestérol, le diabète et la tension. Ayez une alimentation allégée en gras et en cholestérol et riche en fibres, incluant de 5 à 10 portions de fruits et de légumes par jour. N'abusez pas du sel afin d'éviter des problèmes de tension.

■ **Optez pour les oméga-3.** Les acides gras oméga-3 aident à prévenir la formation de caillots dans le sang. Mangez des aliments qui contiennent ces acides gras deux ou trois fois par semaine : saumon, sardines, truite, maquereau, germe de blé et huiles de colza et de soya.

■ **Buvez modérément.** Il se pourrait que l'absorption quotidienne de 100 ml (mais pas plus) d'alcool protège des ACV en fluidifiant le sang. Une étude rapporte qu'un verre par semaine suffit à procurer des effets protecteurs contre les ACV chez les hommes. Trop, par contre, augmente vos risques.

Exercice ■ **Brûlez-en.** Des exercices aérobiques qui vous essoufflent légèrement peuvent diminuer vos risques d'attaque. Le risque d'ACV est réduit de 24 % chez les personnes qui marchent une demi-heure de manière énergique 5 jours par semaine et brûlent 1000 calories.

Solutions médicales ■ **Une visite annuelle.** Si vous avez plus de 55 ans, faites un examen annuel. Vos risques sont plus élevés à partir d'une tension de 140/90 et d'un niveau de cholestérol de plus de 5,2 mol/l.

■ **Les pilules hypotensives.** Si l'alimentation et les exercices physiques n'améliorent pas votre tension, les médicaments peuvent aider. Jusqu'à 90 % des personnes atteintes d'un ACV souffraient d'hypertension auparavant. La recherche indique que les médicaments hypotenseurs peuvent diminuer de 38 % l'incidence d'ACV et de 40 % le taux de mortalité.

■ **Le contrôle du cholestérol.** Votre médecin peut devoir vous prescrire un hypocholestérolémiant comme la statine pour réduire vos risques. Plusieurs études indiquent qu'elle diminue les risques d'environ 30 %.

■ **Une demi-aspirine par jour.** Une faible dose d'aspirine par jour peut aider à réduire vos risques de caillots. Si vous ne supportez pas l'aspirine, vous pouvez obtenir sur ordonnance de la ticlopidine (Ticlid) un fluidifiant ou du clopidogrel (Plavix). La warfarine (Coumadine) aide les personnes à risques élevés, celles qui souffrent de fibrillation auriculaire par exemple. Si l'aspirine diminue votre risque de congestion ischémique, elle peut augmenter vos risques d'hémorragie cérébrale. Évaluez les risques et les avantages avec votre médecin.

■ **La vision des ultrasons.** Si vous avez plus de 60 ans, si vous fumez, si vous souffrez de diabète ou de cardiopathie, demandez à votre médecin une échographie de la carotide (voir *Les signes précurseurs d'un ACV*, page 292) pour vérifier les risques de blocage.

■ **Faites voir vos yeux.** Si vous avez plus de 50 ans, consultez un ophtalmologue pour qu'il vérifie la présence de lésions artérielles éventuelles, signe précurseur d'ACV chez certaines personnes.

■ **Mort au sucre.** Si vous souffrez de diabète, surveillez attentivement vos niveaux de glucose dans le sang.

Suppléments ■ **Pensez aux antioxydants.** Les vitamines C, E et le bêta-carotène sont des antioxydants qui peuvent aider à réduire les dommages causés par les radicaux libres, molécules d'oxygène instables, aux artères. Des études récentes voulaient infirmer leurs avantages dans la prévention des ACV, mais il semblerait qu'ils peuvent effectivement minimiser les lésions après un ACV.

Médecines douces ■ **Pratiquez la méditation transcendantale.** La diminution du stress pourrait avoir un effet réducteur sur l'agglomération de sédiments dans les artères selon une étude publiée dans *Stroke*, un journal de l'Association américaine pour le cœur. Voir les conseils donnés aux pages 201-202.

Au quotidien ■ **Écrasez-la tout simplement.** Les risques sont 50 % plus élevés chez les fumeurs (encore plus pour les femmes) que chez les non-fumeurs. Cesser de fumer diminue vos risques immédiatement, mais la diminution est plus importante encore entre deux et quatre ans plus tard.

■ **Soyez serein.** Gérer le stress aide à réduire l'hypertension, un facteur de risque majeur des ACV. La méditation, le biofeedback, la visualisation (voir page 202) peuvent diminuer votre rythme cardiaque et votre tension. Le yoga, le taï chi et la danse peuvent vous calmer et améliorer votre humeur. Apprendre à exprimer calmement votre colère ou votre frustration aussi.

ATTENTION

Les chercheurs de l'université Duke ont établi un lien entre la dépression et la congestion asymptomatique dite «muette», ainsi appelée parce que les lésions qu'elle inflige aux vaisseaux du cerveau ne produisent aucun des symptômes classiques des accidents cérébro-vasculaires. Si vous êtes d'un groupe à hauts risques et que votre humeur s'aggrave de jour en jour, il se pourrait que vous ayez subi une congestion asymptomatique. Consultez votre médecin.

Allergies

◄ La rhinite allergique : yeux irrités, larmoyants, voies nasales encombrées, éternuements, mal de gorge, oreilles bouchées et goutte au nez.

◄ Asthme allergique : sifflements, toux, oppression thoracique ou essoufflement.

◄ Dermatite allergique de contact : cloques ou rougeurs avec démangeaisons et sécheresse de la peau.

◄ Allergies alimentaires : gonflement avec picotements des lèvres, éruption cutanée et démangeaisons n'importe où sur le corps, crampes abdominales, gaz, nausées, vomissements ou diarrhées.

Qu'est-ce que c'est ?

Une allergie apparaît quand votre système immunitaire traite une substance habituellement inoffensive (allergène) comme un intrus et fabrique des anticorps pour s'en débarrasser. Concurremment, les cellules de la région affectée produisent de l'histamine et autres substances qui déclenchent rapidement des éternuements, des démangeaisons, de l'urticaire ou d'autres réactions allergiques. La plupart interviennent dans ou sur la région en contact avec l'allergène : les pollens font éternuer, et l'herbe à puce est urticante. Les adultes parviennent rarement à se débarrasser totalement d'une allergie, mais les symptômes peuvent diminuer avec le temps. Chez certaines personnes, les allergies s'installent à l'âge mûr.

TYPES D'ALLERGIES

● **Les rhinites allergiques** peuvent être saisonnières (rhume des foins) et d'autres, apériodiques, c'est-à-dire survenant tout au long de l'année. Les symptômes sont les mêmes dans les deux cas, mais les pollens des arbres, des plantes et de l'herbe à poux sont les causes du premier, tandis que les acariens, les spores de moisissures, les duvets, les poils et squames des animaux familiers sont responsables des allergies apériodiques.

● **L'asthme allergique** peut être fatal. Cette maladie entraîne des difficultés respiratoires après exposition à un allergène. Les facteurs déclencheurs les plus communs sont : les pollens, les moisissures, les acariens, les poils et squames d'animaux, les duvets et les cafards, surtout leurs déjections. Environ 5 à 10 % de Canadiens souffrent d'asthme, parmi lesquels 80 % souffrent aussi d'une allergie.

AUTO ÉVALUATION

Allergies : évaluez vos risques

L'hérédité et le milieu sont les deux premières sources d'allergies. Évaluez vos risques :
◄ L'un de vos parents souffrait-il d'allergie ? Si oui, vous avez entre 30 et 50 % de risques d'en souffrir aussi ;
◄ Vos deux parents souffraient-ils d'allergie ? Si oui, vos risques augmentent à 60 %, voire 80 %, mais vous n'aurez pas nécessairement les mêmes allergies ;
◄ Vivez-vous dans une maison très enfumée par la cigarette, avec des moisissures ou d'autres allergènes ? ou dans une région géographique dont l'air contient beaucoup de pollens ou de polluants (poussière ; gaz d'échappement de diesel ; fumées de charbon de bois ou de carburant) ? Si c'est le cas, vous avez de forts risques de développer une allergie, surtout si vous y avez été exposé fréquemment.

- **La dermatite allergique de contact** se déclenche lorsque la peau entre en contact avec des allergènes spécifiques, comme l'herbe à puce, certains ingrédients cosmétiques, le nickel (bijoux) ou la salive des animaux.
- **Les allergies alimentaires** tuent une centaine de Nord-Américains chaque année. Heureusement, l'allergie alimentaire fatale n'affecte que 1 à 2 % des adultes. Dans 90 % des cas, l'un de ces aliments en est la cause : poissons, fruits de mer, blé, soya, lait, œufs, cacahuètes, ou autres noix comme les noix de Grenoble, les noix de cajou ou les amandes. Les arachides et les noix sont la première cause d'allergie mortelle.
- **Les allergies médicamenteuses** sont souvent déclenchées par des médicaments comme la pénicilline ou les antibiotiques du même type. Elles affectent environ 10 % de la population et sont responsables de 2 à 3 % des hospitalisations.
- **Les piqûres d'insectes** provoquent des réactions allergiques chez environ 15 % des Nord-Américains. Les allergies aux insectes et aux médicaments peuvent déclencher des réactions graves, éventuellement mortelles (anaphylaxie) ; elles entraînent environ 40 décès par an en Amérique du Nord.

Comment les soigne-t-on ?

Le meilleur traitement consiste à éviter l'allergène. Lorsque ce n'est pas possible, les mesures suivantes peuvent aider.

RHINITES ALLERGIQUES

- **Les antihistaminiques** préviennent les symptômes allergiques en bloquant la diffusion d'histamines. Des produits en vente libre comme la diphénhydramine (Bénadryl) et la chlorphéniramine (Chlor-Tripolon) peuvent entraîner une somnolence tandis que les antihistaminiques plus récents comme la féxofénadine (Allegra), la loratadine (Claritin) et la cetirizine (Reactine) ont moins cet effet gênant. Chez certaines personnes âgées, les antihistaminiques déclenchent de la nervosité et de l'irritabilité plutôt que la somnolence.
- **Les décongestionnants** réduisent le gonflement des voies nasales lors d'une attaque allergique. Les médicaments en vente libre les plus connus sont la pseudoéphédrine (Sudafed) et la xylométazoline (Otrivin). Ils peuvent vous empêcher de dormir ; aussi, mieux vaut les prendre durant la journée. N'utilisez pas de pulvérisateur nasal ou de gouttes pendant plus de trois ou quatre jours. Une utilisation prolongée provoque une rhinite de rechute.
- **Les antihistaminiques décongestionnants** existent sous forme de combinaison de pseudoéphédrine (Allegra-D) et de féxofénadine, de pseudoéphédrine et triprolidine (Actifed) ainsi que de pseudoéphédrine et de loratadine (Claritin Extra).
- **Les pulvérisateurs anti-inflammatoires** font dégonfler les membranes nasales. Parmi eux, la solution nasale Cromolyn et les pulvérisateurs de corticostéroïdes comme le fluticasone (Flonase) ont peu d'effets secondaires, mais on ne constate leur efficacité qu'au bout de quelques jours.

ASTHME ALLERGIQUE

- **Les bronchodilatateurs** comme le salbutamol (Ventolin) arrêtent les crises en élargissant les voies respiratoires. Les corticostéroïdes comme la prednisone désensibilisent les voies respiratoires et préviennent les attaques. Les antileukotriènes comme le montélukast (Singulair) et le zafirlukast (Accolate) préviennent les inflammations et les crises. Voir, page 293, pulvérisateurs anti-inflammatoires et prednisone.

DERMATITES ALLERGIQUES DE CONTACT

- **Les crèmes corticostéroïdes** à 5 % d'hydrocortisone (Cortate) sont utilisées dans les cas d'allergies légères. On peut traiter les allergies graves avec des corticostéroïdes par voie orale comme la prednisone. Pour éviter toute infection, nettoyez bien la peau, mettez un pansement et ne crevez pas les ampoules. Soulagent aussi les démangeaisons.

ALLERGIES ALIMENTAIRES, MÉDICAMENTEUSES ET AUX INSECTES

- **Les antihistaminiques** sont utilisés dans les cas d'allergies légères. Des crèmes aux corticostéroïdes peuvent traiter les allergies de la peau. Les réactions potentiellement mortelles sont traitées avec une injection d'épinéphrine (Epipen).
- **Les vaccins :** lorsque les médicaments sont inefficaces ou si vous ne pouvez pas vous éloigner de l'allergène, vous pouvez avoir recours à l'injection de doses infimes, diluées, d'allergènes. Cette méthode, qu'on appelle désensibilisation ou immunothérapie, peut être efficace contre les acariens, les poils et squames d'animaux, les pollens et le venin des insectes, mais pas contre les allergies médicamenteuses ou alimentaires. De plus, la vaccination se fait sur une période de 2 ans avec des rappels réguliers.

Votre programme de prévention

Alimentation ■ **Évitez les aliments** qui déclenchent des crises. Si vous souffrez d'une allergie alimentaire, examinez avec soin les étiquettes et apprenez les noms scientifiques des aliments incriminés : le blé peut s'appeler gluten, le blanc d'œuf, albumine.

■ **Absorbez beaucoup d'aliments riches en vitamine C.** Certaines études semblent lier les allergies à des carences en vitamine C. Agrumes, tomates, poivrons, pommes de terre et choux sont de bonnes sources de vitamine C.

■ **Mangez du yogourt.** Une étude indique que l'on peut réduire la sévérité des attaques de rhume des foins en absorbant 175 ml de yogourt par jour.

Exercice ■ **Faites vos exercices physiques à l'intérieur.** Si vous souffrez de rhume des foins, évitez de sortir quand l'air est chargé de pollen, le matin surtout. Pratiquez vos exercices à l'intérieur les jours de vent et pendant les saisons critiques.

■ **Soyez prévoyant.** Un exercice, surtout par temps frais et sec, peut déclencher une crise d'asthme. Inhalez votre médicament 15 minutes avant.

■ **Soyez actif.** Faire de l'exercice régulièrement améliore les fonctions pulmonaires des personnes atteintes d'asthme. Demandez à votre médecin quelles mesures de prévention peuvent vous éviter des accidents.

Solutions médicales

■ **Soyez prévoyant.** Vous êtes allergique aux piqûres d'insectes? Ayez toujours une dose d'épinéphrine sur vous. Vous souffrez du rhume des foins? Prenez des antihistaminiques deux semaines avant la saison des allergies et 30 minutes avant de sortir.

■ **Faites des analyses.** Si vous n'êtes pas certain des causes d'une allergie, consultez un allergologue. Les tests cutanés consistent à injecter sous la peau des quantités diluées d'allergènes, ou faire une analyse de sang pendant une crise. L'augmentation des globules blancs indique que votre système immunitaire a déclenché une réaction allergique. La technique RADT permet de déceler une allergie en mesurant les niveaux d'anticorps.

Suppléments

■ **Prenez des multivitamines.** Certains experts recommandent des multivitamines contenant 1000 mg de vitamine C, 10 000 UI de bêta-carotène et 400 UI de vitamine E pour soulager les symptômes allergiques et l'asthme.

Médecines douces

■ **Détendez-vous.** Une étude indique que les adeptes du yoga ont moins de crises, souffrent moins de symptômes sévères et ont un fonctionnement pulmonaire généralement meilleur. Toutes les techniques contre le stress peuvent aider à réduire les symptômes asthmatiques.

■ **Pensez à l'acupuncture.** Des études indiquent qu'elle déclenche la production d'endorphine, substance chimique fabriquée par le cerveau pour soulager la douleur et le stress. Selon une de ces études, les patients asthmatiques estiment que l'acupuncture a amélioré leur qualité de vie.

Au quotidien

■ **Désinfectez votre maison.** Si vous êtes allergique à des particules en suspension dans l'air, prenez les précautions suivantes: fermez vos fenêtres pour éviter que le pollen ne pénètre à l'intérieur de la maison. Un climatiseur peut assainir une atmosphère humide et chaude favorable aux acariens. Lavez la literie à l'eau chaude une fois par semaine et recouvrez matelas, sommiers et oreillers de housses en plastique. Laissez les animaux dehors, ou du moins fermez la porte de votre chambre. Débarrassez-vous des moisissures en nettoyant la cuisine, la salle de bains et le sous-sol régulièrement. Ne fumez pas, ne vous exposez pas à la fumée des autres, n'utilisez pas de chauffage au bois ou au kérosène et, si possible, utilisez l'électricité plutôt que le gaz naturel pour le chauffage et la cuisine. Évitez les aérosols, les parfums, le talc, les désodorisants d'ambiance et la peinture fraîche.

■ **Regardez avec les yeux!** Sachez reconnaître l'herbe à puce, le chêne et le sumac. Si vous touchez une plante, lavez votre peau avec du savon dans les 5 à 10 minutes qui suivent pour éviter toute réaction.

■ **Parlez de votre allergie.** Portez un collier ou un bracelet médical si vous avez déjà souffert de réactions allergiques sévères par le passé.

ATTENTION

L'anaphylaxie est une réaction allergique mortelle. Elle peut se déclencher en quelques secondes après le contact avec l'allergène; les aliments, les médicaments et les piqûres d'insectes en sont les premières causes. Les symptômes: picotements dans la bouche, rougeurs de la face et du cou, urticaire, essoufflements, vomissements, diarrhées, baisse de tension soudaine, perte de conscience et coma. Donner de l'épinéphrine immédiatement pour endiguer la réaction. Si vous souffrez d'une allergie sévère, demandez à votre médecin une ordonnance pour avoir toujours sur vous une dose injectable d'épinéphrine. Après l'injection, rendez-vous immédiatement aux urgences.

Arthrite

◆ SYMPTÔMES

◄ Les symptômes de l'arthrose sont parfois imperceptibles ; ils peuvent se traduire par une douleur légère accompagnée de raideurs surtout le matin, ou par des douleurs intenses et des déformations handicapantes.

◄ L'arthrose affecte plus particulièrement les jointures qui supportent le poids (hanches, genoux et colonne vertébrale), mais elle peut affecter d'autres articulations, surtout les mains chez les femmes.

◄ La polyarthrite rhuma-toïde est une affection plus grave qui peut frapper à n'importe quel âge. C'est une maladie auto-immune, un dérèglement du système immunitaire qui attaque les articulations et les ligaments comme s'ils étaient des corps étrangers. Elle peut aboutir à une inflammation de toutes les parties du corps.

◄ La polyarthrite peut provoquer de la fièvre et de la fatigue.

Qu'est-ce que c'est ?

Arthrite signifie littéralement inflammation d'une articulation. Le terme englobe plus de cent affections rhumatismales accompagnées de douleurs, de gonflements, d'inflammation et d'une réduction de la mobilité des articu-lations et des ligaments, dans n'importe quelle partie du corps. La plupart sont des maladies chroniques. Si vous souffrez d'arthrite, c'est pour la vie, et des facteurs génétiques peuvent augmenter vos risques. Cependant, une thérapie intensive peut vous aider à soulager les douleurs et à empêcher les déformations invalidantes. Un dépistage précoce est essentiel : si vous res-sentez des douleurs musculaires ou articulaires, des raideurs ou des gonfle-ments sur des périodes de plusieurs semaines, consultez votre médecin.

Le type le plus fréquent d'arthrite est l'arthrose, qui touche environ 3 millions de Canadiens, soit 1 sur 10. L'arthrose est une maladie dégénéra-tive des articulations qui affecte surtout les personnes de plus de 45 ans. Les cartilages, coussinets protecteurs des extrémités des os, s'usent pro-gressivement. Les os mis à nu frottent les uns contre les autres, infligeant des lésions aux articulations accompagnées de douleurs.

La polyarthrite rhumatoïde est une affection plus grave qui peut frap-per à n'importe quel âge. Dans cette maladie auto-immune, le système immunitaire attaque les articulations et les ligaments comme s'ils étaient des corps étrangers. L'inflammation peut se propager dans tout le corps.

Comment la soigne-t-on ?

Les traitements les plus récents associent plusieurs thérapies. Vous devrez peut-être prendre plusieurs médicaments, pratiquer des exercices adaptés, prendre du repos, employer le chaud et le froid, modifier votre régime alimentaire ou prendre des suppléments nutritifs. En dernier recours, une chirurgie peut être nécessaire pour réparer ou remplacer les articulations abîmées.

MÉDICAMENTS

De nouveaux médicaments existent pour traiter l'arthrose : le Synvisc (hylan G-F 20) dérivé de l'acide hyaluronique, un des composants des fluides articulaires. Injecté directement dans le genou une fois par semaine pendant plusieurs semaines, le Synvisc peut éliminer la douleur pendant 26 semaines. Employé à l'origine pour le traitement des genoux, le Synvisc est actuellement à l'étude sur des personnes atteintes de hanches arthritiques.

Chez certaines personnes, les douleurs de l'arthrose peuvent être soula-gées avec de simples analgésiques comme l'acétaminophène (Tylenol, Tempra). Les douleurs plus sévères et l'inflammation sont traitées avec des médicaments anti-inflammatoires non stéroïdiens (AINS) comme l'ibuprophène (Advil, Motrin, etc.) ou l'aspirine. Utilisez les AINS avec précaution, car ils sont des facteurs de risque d'ulcères et d'hémorragies internes. Le risque est plus grand pour les personnes âgées. Une solution : choisissez les nouvelles versions appelées inhibiteurs de la COX-2 comme le célécoxib (Celebrex) et le rofécoxib (Vioxx).

Ces médicaments sont presque aussi puissants que l'ibuprofène sans être aussi agressifs pour l'estomac. Pour éviter les effets secondaires des AINS, leur application en crème topique locale est une autre solution. Un gel au diclofénac (DMARD) aide à ralentir la détérioration des articulations. L'immunosuppresseur méthotrexate (Rheumatrex) est le plus utilisé actuellement mais certains, plus anciens et posant moins de risques, peuvent soulager beaucoup de gens. Parmi eux, on trouve : l'hydroxychloroquine (Plaquenil), la sulfasalazine (Salazopyrin), l'azathioprine (Imuran), l'aurofin (Ridaura) et les corticostéroïdes comme la prednisone. Tous ces médicaments seront peut-être bientôt remplacés par deux médicaments plus puissants comportant moins d'effets secondaires : le léflunomide (Arava) ou des solutions injectables.

Les plus prometteurs sont les injections qui attaquent les agents chimiques responsables des lésions et le système immunitaire complet. L'etanercept (Enbrel) est auto-injectable, deux fois par semaine. L'infliximab (Remicade) est une infusion intraveineuse administrée toutes les quatre à huit semaines (intervention ambulatoire de deux heures). Soyez patient. Ces médicaments récents peuvent prendre des semaines ou des mois à vous soulager. Ils peuvent ralentir ou arrêter l'endommagement des articulations et leur effet est durable.

FILTRAGE DU SANG

Pour les 5 à 10 % de personnes atteintes de polyarthrite rhumatoïde que les médicaments ne soulagent pas, il existe une méthode dite à colonne Prosorba, hémodyalise similaire à la dialyse pour les reins, qui filtre les anticorps responsables de l'aggravation des symptômes de la polyarthrite. Une diminution substantielle (au moins 20 %) des symptômes intervient chez 50 % des patients après 12 séances de traitements hebdomadaires de trois à quatre heures. L'amélioration dure environ neuf mois.

AUTOGREFFE DE CHONDROCYTES

On prélève des cellules saines de cartilage dans le genou, on accélère leur croissance en laboratoire pour produire des millions de cellules que l'on réinjecte quelques semaines plus tard dans la région abîmée de l'articulation.

CHIRURGIE

Quand faut-il envisager une chirurgie des articulations ? Quand la douleur est suffisamment forte pour vous réveiller la nuit ou quand elle vous handicape dans vos activités quotidiennes. Un chirurgien peut effectuer des réparations ou un remplacement de l'articulation.

En bref

Surveiller votre poids peut aider à éloigner l'arthrite. Une étude de jumeaux, dont l'un était atteint d'arthrose et l'autre non, montre que les arthritiques pèsent entre trois et cinq kilos de plus que leurs frères et sœurs.

Votre programme de prévention

 ■ **Tendez vers le régime végétarien.** Les graisses animales peuvent augmenter l'inflammation ; un régime principalement végétarien peut diminuer les douleurs et l'enflure des articulations. Le régime végétarien peut aussi permettre aux personnes qui souffrent de polyarthrite rhumatoïde de diminuer leur consommation de médicaments.

■ **Prenez un supplément de vitamine C.** Dans une étude sur 10 ans, les participants qui souffraient d'arthrose du genou et consommaient le plus de vitamine C (entre 150 et 450 mg par jour) réduisaient par trois les risques d'aggravation de leur état. Ajouter 100 mg de vitamine C à votre régime chaque jour, manger de une à deux oranges par exemple, peut faire une différence.

■ **Faites la chasse aux kilos.** Quatre à cinq kilos de moins peuvent aider à éviter l'arthrose ou ralentir sa progression. Perdre du poids est bénéfique dans n'importe quel cas d'arthrite, car cela soulage la pression sur les articulations et la douleur. Dans le cas d'arthrose, c'est un facteur de soulagement et de prévention particulièrement important.

Exercice ■ **Bougez!** Dans tous les cas d'arthrite, la pratique régulière d'un exercice soulage la douleur, réduit la déformation des articulations et entretient la mobilité des patients. Commencez doucement par des marches fréquentes de 10 minutes ou en nageant régulièrement dans une piscine chauffée. Augmentez graduellement jusqu'à 30 à 60 minutes d'activités physiques quotidiennes. Demandez conseil à votre médecin afin d'opter pour un plan adapté à votre situation.

■ **Faites du muscle.** Travaillez avec des poids légers de 500 g à 2,5 kg pour renforcer vos muscles et diminuer la pression sur les articulations. Les personnes qui souffrent d'arthrose ont souvent les quadriceps et les jarrets affaiblis. Renforcer ces muscles peut diminuer vos risques d'arthrose ou la pression sur les articulations atteintes, si vous en souffrez déjà.

Solutions médicales ■ **Zappez votre douleur.** Bionicare 1000, un appareil portatif à piles, envoie des impulsions électriques dans vos articulations pendant votre sommeil. Il est approuvé par la FDA aux États-Unis. Dans le cas de l'arthrose, il peut faire diminuer la douleur, les gonflements et les raideurs, et améliorer le fonctionnement des articulations en un mois d'utilisation quotidienne, la nuit. Une étude a montré que dans 75 % des cas, utilisé pendant six mois à un an, cet appareil peut éliminer le besoin de chirurgie pour remplacer les articulations défectueuses.

Suppléments ■ **Prenez vos vitamines.** Des études ont montré que certains types d'arthrite affectent plutôt les personnes carencées en vitamines ou minéraux ; il se pourrait donc qu'une multivitamine puisse aider.

■ **Prenez du calcium.** L'utilisation prolongée de médicaments corticostéroïdiens augmente les risques d'ostéoporose ; si vous en prenez, il est indispensable d'ajouter des suppléments pour renforcer vos os : 1500 mg de calcium et 800 UI de vitamine D par jour.

■ **E pour éloigner la douleur.** Les personnes qui ont des niveaux élevés de vitamine E dans le sang ont moins de risques d'arthrose. De plus, une étude allemande a montré que l'absorption de 1500 UI de vitamine E diminue la douleur et les raideurs matinales et améliore la préhension chez les personnes atteintes de polyarthrite rhumatoïde, aussi bien que le médicament diclofenac, sans effets secondaires sur l'estomac. Conseils d'achat : choisissez des suppléments de vitamine E contenant des tocophérols alpha purs plutôt que des tocophérols gamma qui peuvent augmenter les risques d'arthrose du genou. Évitez aussi les tocophérols gamma présents dans les huiles de palme, de soya, de maïs et de graines de coton.

■ **Essayez la glucosamine.** Des études européennes indiquent que les personnes atteintes d'arthrose qui prennent de la glucosamine et du sulfate de chondroïtine (qui fabrique le cartilage) s'en trouvent bien. Des radiographies ont récemment montré que ces suppléments semblent interrompre la détérioration des articulations. Pour sentir un résultat, vous prendrez 1500 mg de glucosamine ou 1200 mg de chondroïtine ou les deux chaque jour. Les bénéfices commencent généralement à se faire sentir après quatre à huit semaines.

■ **Ajoutez des acides gras.** Les personnes souffrant de polyarthrite rhumatoïde ont souvent des niveaux d'acide gras peu élevés ; leur état peut être amélioré avec des suppléments d'acides gras polyinsaturés oméga-6 ; on en trouve dans l'huile d'onagre et l'huile de bourrache. Cherchez l'acide linoléine gamma sur l'étiquette (GLA) qui aide à réduire l'inflammation. L'amélioration ne se fait sentir que si vous prenez des doses élevées (1000 à 2000 mg par jour) pendant au moins quatre à huit semaines. L'acide eicosapentanoïque (EPA) et l'acide docosahexaénoïque (DHA), des acides gras oméga-3 présents dans l'huile de poisson, peuvent aussi soulager les symptômes de polyarthrite rhumatoïde. Prenez 3000 mg par jour ou consommez plus de poisson gras comme le saumon, les sardines et le thon.

■ **Prenez du cuivre.** Il se pourrait que les suppléments de cuivre diminuent l'inflammation. Au cours d'une expérience, on a administré 0,3 mg de cuivre (à peu près le même dosage que les multivitamines) trois fois par jour à des adultes atteints d'arthrose. Au bout d'un mois, les patients ayant absorbé le cuivre ressentaient moins de douleur que ceux du groupe à placebo, même si l'amélioration était légère.

■ **Pensez au SAMe.** D'après certaines recherches, il semblerait que les douleurs de l'arthrose peuvent être traitées avec presque autant de succès en administrant du SAMe (S-adénosyl-méthionine, substance naturelle aux propriétés anti-inflammatoires et qui joue peut-être un rôle important dans la réparation des cartilages) qu'avec des AINS (l'aspirine), sans les effets secondaires de ces derniers, en particulier sur l'estomac.

■ **Essayez le collagène de type 2.** Certaines études montrent que des doses orales (environ 500 mcg) peuvent soulager les symptômes de polyarthrite rhumatoïde. Parlez-en à votre médecin pour éviter les interactions avec d'autres médicaments.

Médecines douces ■ **Thérapie de la pointe.** L'arthrose peut être soulagée par des séances bihebdomadaires d'acupuncture sur un mois. Le soulagement de la douleur et l'amélioration motrice peuvent durer plusieurs semaines ou plusieurs mois.

■ **Tournez-vous vers l'Inde.** L'absorption pendant quatre mois d'un mélange ayurvédique de quatre extraits de plantes — boswellin, gingembre, curcuma (le composant actif du curcuma) et withania — a montré une amélioration de la préhension, de même qu'une diminution de l'inflammation des gonflements, de la sensibilité des articulations, de leur raideur et de la douleur chez des personnes atteintes de polyarthrite rhumatoïde.

■ **Passez au vert.** Les thés verts contiennent des éléments appelés polyphénols qui pourraient aider à soulager l'inflammation de la polyarthrite rhumatoïde. L'extrait de thé vert a abaissé le taux d'arthrite chez des animaux. On peut le prendre en gélules ou le boire sans lait ; celui-ci risquerait de bloquer les effets des polyphénols.

Au quotidien ■ **Détendez-vous tout simplement.** Apprenez une technique de relaxation, comme la méditation, la respiration profonde ou la relaxation progressive des muscles, et pratiquez-la chaque jour pendant au moins 30 minutes.

■ **Conservez une image mentale de bonne santé.** Les facteurs psychologiques peuvent avoir un rôle significatif sur les crises de polyarthrite rhumatoïde. Au cours de votre relaxation quotidienne, contemplez une image mentale de vous-même en bonne santé, en train de pratiquer les activités que vous aimez. Forcez-vous à croire que vous serez un jour à nouveau dans cet état de santé.

Calculs biliaires

◄ Douleur intense à droite, en haut de l'abdomen – souvent après un repas – qui peut irradier à l'épaule droite, au dos ou à la poitrine. La douleur peut se faire sentir pendant des périodes qui vont d'une demi-heure à plusieurs heures.

◄ Nausées et vomissements.

◄ Éructations, gaz, ballonnements et indigestion.

◄ Jaunisse – jaunissement de la peau et du blanc des yeux.

Qu'est-ce que c'est ?

Les calculs biliaires se forment dans la vésicule biliaire, qui sert d'entrepôt à la bile, une substance fabriquée et libérée par le foie pour aider l'organisme à digérer les matières grasses. La bile contient de l'eau, des sels, du cholestérol et un pigment, la bilirubine – qui donne leur couleur aux matières fécales. Après avoir mangé, la vésicule se contracte et libère la bile dans l'intestin grêle. Les calculs biliaires sont faits de matériaux durs qui se forment lorsque la bile contient trop de l'un ou l'autre de ses éléments. Les trois quarts des calculs se développent parce que la bile contient trop de cholestérol. Les pierres peuvent aussi se former lorsque la vésicule biliaire ne se vide pas tout à fait. Les autres proviennent des pigments de bilirubine. Ce dernier type de calcul se développerait, croit-on, chez les gens qui souffrent de cirrhose du foie, d'une infection de la vésicule biliaire ou de maladies héréditaires du sang.

La plupart des gens qui ont des calculs biliaires ne présentent aucun symptôme et n'ont pas besoin de traitement. La douleur survient lorsque les calculs occasionnent une inflammation de la vésicule biliaire ou se logent dans l'un des conduits proches, ce qui se produit souvent après un repas riche en matières grasses pris le soir. Si votre médecin croit que vous avez des calculs biliaires, il pourra prescrire l'un des tests qui suivent pour confirmer le diagnostic.

● **L'échographie** émet dans l'abdomen des ondes sonores indolores qui rebondissent sur la vésicule pour créer une image des pierres éventuelles.

● **Pour le cholécystogramme,** vous devez prendre le soir précédent plusieurs comprimés pour que votre vésicule biliaire et toute obstruction éventuelle puissent apparaître à la radiographie.

AUTO ÉVALUATION

Calculs biliaires : évaluez vos risques

Vous êtes plus à risques si vous :

◄ avez plus de 60 ans ;

◄ êtes une femme. L'œstrogène, naturelle ou provenant de l'hormonothérapie et des contraceptifs oraux, élève le taux de cholestérol dans la bile ;

◄ êtes une femme obèse au taux de sels biliaires peu élevé et aux niveaux élevés de cholestérol, ce qui accroît les risques ;

◄ souffrez du diabète. Le niveau élevé de triglycérides dans le sang stimulerait la formation de calculs ;

◄ jeûnez ou entreprenez un régime draconien. Le jeûne force le cholestérol à rester dans la vésicule, tandis que le régime fait réagir le foie qui libère alors plus de cholestérol dans la bile. Deux situations idéales pour la formation de calculs ;

◄ prenez des médicaments pour abaisser le cholestérol qui peuvent élever le niveau de bile et mener à la formation de calculs ;

◄ souffrez de colite ulcéreuse, de la maladie de Crohn ou avez eu une chirurgie de l'intestin ;

◄ êtes constipé.

- **Lors de la cholangio-pancréatographie rétrograde endoscopique,** on passe un tube flexible dans la gorge et on le fait descendre jusque dans l'intestin grêle; après avoir localisé le conduit biliaire, on injecte un colorant et on passe une radiographie pour y déceler des blocages.
- **Les tests sanguins** dépistent infections et niveaux élevés de bilirubine.

Comment les soigne-t-on ?

CHIRURGIE
La chirurgie laparoscopique rend l'ablation de la vésicule biliaire beaucoup moins risquée que par le passé. Le chirurgien pratique plusieurs petites incisions dans l'abdomen et insère dans l'une d'elles un tube flexible lumineux muni d'une minuscule caméra qui lui permet de voir ce qu'il fait. Les instruments sont insérés dans les autres pour procéder à l'ablation comme telle.

LITHOTRIPSIE EXTRACORPORELLE PAR ONDES DE CHOC
Les ondes de choc servent à briser les calculs en pièces suffisamment petites pour être évacuées des conduits biliaires. Cette intervention ne connaît pas autant de succès que celle qui sert au traitement des calculs rénaux.

MÉDICAMENTS
Les médicaments mettent de 18 à 24 mois à dissoudre les petits calculs. Ils ne s'avèrent véritablement efficaces que dans 5 % des cas.

> **Astuce santé**
>
> Pour aider à dissoudre les calculs biliaires, prenez un comprimé d'huile de menthe poivrée en mangeant. Prenez des comprimés enrobés qui ne se dissolvent que dans l'intestin.

Votre programme de prévention

Alimentation ■ **Mangez bien.** Un régime alimentaire faible en matières grasses et riche en fibres présente maints avantages qui peuvent abaisser les risques de calculs biliaires. En premier lieu, il aide à contrôler votre poids. Il vous aide à éviter la constipation. En outre, quand vous réduisez les graisses animales, vous abaissez votre taux de cholestérol et vos risques de crise de foie.

■ **Remplissez votre verre.** Chaque jour, buvez au moins huit verres d'eau de 250 ml. Si vous augmentez votre apport en fibres, buvez encore plus d'eau pour prévenir la constipation.

■ **Cherchez le poisson.** Ceux qui consomment beaucoup de poisson et de gras mono-insaturés (dans l'huile d'olive) présenteraient moins de risques de calculs biliaires.

■ **Pas de régime draconien.** Si vous perdez du poids trop vite, vous faites augmenter les risques.

Exercice ■ **Du nerf.** Les exercices réguliers aident à contrôler votre poids et à abaisser votre taux de cholestérol, ce qui réduit les risques de calculs biliaires. Ils peuvent aussi aider à corriger le taux de sucre.

Suppléments ■ **Ajoutez du psyllium.** Ce supplément aide à prévenir la constipation et s'attache au cholestérol biliaire, aidant à prévenir la formation de calculs.

■ **Plus de C.** Les femmes dont le sang montre des niveaux élevés de vitamine C seraient moins à risque de connaître les calculs biliaires. La vitamine C abaisserait le taux de cholestérol.

Médecines douces ■ **Tisanes.** Essayez le chardon-Marie et le pissenlit. Sous forme de comprimés, ces plantes médicinales modifieraient la composition de la bile et abaisseraient son niveau de cholestérol.

Calculs rénaux

Qu'est-ce que c'est ?

Un Canadien sur dix souffre de calculs rénaux, masse sableuse de minéraux et de protéines cristallisés dans l'urine par un déséquilibre chimique. Les calculs peuvent être lisses ou rugueux, aussi petits qu'un grain de sable ou suffisamment gros pour infliger une douleur. Vous pouvez évacuer les grains de sable dans vos urines sans vous en rendre compte, mais les calculs plus gros déclenchent des douleurs intenses en passant dans l'uretère.

C'est un surplus de calcium dans l'urine qui est responsable de la formation de la plupart des calculs rénaux. (Cela n'est pas lié à l'apport nutritionnel en calcium.) Les calculs de calcium contiennent parfois aussi des oxalates et des phosphates, sels normalement présents dans le corps. Certains types de calculs moins communs proviennent d'une infection urinaire ou d'une surabondance d'acide urique dans l'urine. Les chercheurs ont découvert que les reins abritent parfois des bactéries extrêmement petites qui pourraient être responsables de la formation des calculs.

Comment les soigne-t-on ?

La plupart des calculs rénaux sont expulsés dans l'urine au bout de six semaines. Pour faciliter l'expulsion, buvez de deux à trois litres d'eau par jour. Vous aurez peut-être besoin de calmants. Si vous ne parvenez pas à éliminer le calcul, votre médecin peut vous recommander l'un de ces traitements :

● **Une lithotripsie** extracorporelle par ondes de choc (LEOC) qui désagrège le calcul en particules que l'urine peut évacuer.

AUTO ÉVALUATION

Calculs rénaux : évaluez vos risques

Vos risques sont plus grands si :

◀ un de vos parents souffre déjà de calculs ;

◀ vous êtes de sexe masculin ;

◀ vous êtes caucasien ;

◀ vous avez entre 20 et 40 ans ;

◀ vous n'urinez pas beaucoup à cause d'un dysfonctionnement rénal, intestinal ou à la suite d'une chirurgie ou d'une déshydratation ;

◀ vous prenez des médicaments qui forment des calculs, comme le diurétique triamterene (Dyrenium), le médicament contre le sida indinavir (Crixivan) ou des antibactériens de la famille des sulfamides. Les inhibiteurs de l'anhydrase carbonique utilisés dans le traitement du glaucome peuvent entraîner la formation de calculs parce qu'ils font augmenter le pH de votre urine et la production de phosphate de calcium par votre corps ;

◀ vous souffrez d'une maladie qui augmente le niveau de calcium dans vos urines, comme l'hyperactivité parathyroïdienne ;

◀ vous prenez de grandes quantités de vitamines D, de sel (calculs de calcium) ou de protéines animales (calculs de calcium et calculs d'acide urique) ;

◀ vous vivez sous un climat chaud : en suant, la chaleur diminue le volume des urines.

- **Une urétéroscopie,** pour extraire les calculs de l'uretère moyen ou inférieur. On insère un instrument très fin dans l'urètre et on le fait glisser dans l'uretère pour localiser le calcul afin de l'extirper ou de le désagréger pour qu'il puisse être évacué par les urines.
- **L'incision chirurgicale** permet d'atteindre le rein en pratiquant une petite incision dans votre flanc et en y insérant un instrument très fin pour extraire le calcul. On utilise cette méthode pour les calculs de grosse taille ou ceux que la lithotripsie ne parvient pas à dégager.

Votre programme de prévention

Alimentation

■ **Rincez-vous.** Buvez de deux à trois litres d'eau par jour pour diluer l'urine et éliminer les calculs.

■ **Renseignez-vous sur les oxalates.** Informez-vous auprès de votre médecin pour limiter votre consommation d'aliments riches en oxalates qui peuvent contribuer à la formation de calculs : betteraves, épinards, rhubarbe, fraises, son de blé, noix, café, thé, chocolat, cola.

■ **Évitez le jus de pamplemousse.** Personne ne sait pourquoi, mais le jus de pamplemousse semble augmenter de 44 % le risque de formation de calculs.

■ **Appréciez vos légumes.** Une étude a prouvé qu'une consommation importante de légumes réduit les risques de formation de calculs rénaux.

■ **Contrôlez l'acide urique.** Si vous souffrez de calculs d'acide urique, diminuez votre consommation de viande, de poisson et de volaille.

Solutions médicales

■ **Traitez à la source.** Faites soigner rapidement toute infection urinaire ou toute autre maladie susceptible d'augmenter vos risques de calculs rénaux.

■ **Prévenez leur formation.** Filtrez vos urines pour récupérer un calcul et portez-le à votre médecin pour analyse. La composition du médicament que vous devez prendre contre la formation de calculs dépend de la composition de ceux que vous expulsez. Les diurétiques préviennent la formation de calculs de calcium en réduisant le montant de calcium expulsé par les reins dans l'urine. Le sodium cellulose phosphate agglomère le calcium dans les intestins pour qu'il n'envahisse pas l'urine où il pourrait former des calculs. Le citrate de potassium augmente les niveaux de citrate dans l'urine, un sel qui empêche la formation des calculs de calcium. Il endigue aussi la formation de calculs d'acide urique en désacidifiant l'urine. L'allopurinol (Zyloprim) fait diminuer l'acide urique et pourrait prévenir les calculs de calcium.

Médecines douces

■ **Pensez aux aquarétiques.** Certaines plantes améliorent la circulation vers les reins et augmentent le volume d'urine, ce qui évacue les bactéries et dilue le calcium et les oxalates. On pense qu'elles sont utiles dans la prévention des infections urinaires et peut-être aussi des calculs rénaux. Essayez des tisanes de verge d'or (feuilles et inflorescences), de persil (feuilles et racines), de feuilles de bouleau, de racine de ligustikon, de feuilles d'uva-ursi ou canneberge.

Fiche nutrition

Pendant des années, on a déconseillé la consommation de calcium aux personnes souffrant de calculs rénaux. Des études plus récentes indiquent que les aliments riches en calcium peuvent, en fait, aider à endiguer la formation de certains calculs. Les suppléments de calcium (en pilule) ne semblent pas contre-indiqués aux personnes souffrant de calculs rénaux, mais demandez à votre médecin de déterminer la dose qui vous convient.

Astuce santé

Comment savoir si vous absorbez suffisamment de liquide ? Votre urine doit être jaune clair, presque incolore.

Cancer

SYMPTÔMES

Si vous remarquez l'un de ces signes, consultez votre médecin :

◄ Modification de vos habitudes urinaires et fécales.

◄ Mal de gorge persistant.

◄ Saignements ou décharges inhabituels.

◄ Durcissement ou masse au sein ou ailleurs.

◄ Indigestion ou déglutition difficile.

◄ Modification de l'aspect d'un grain de beauté ou d'une verrue.

◄ Toux persistante ou voix rauque.

Certains de ces symptômes sont liés au cancer, mais ils sont également associés à d'autres maladies. Pour plus de renseignements, voir *le cancer du sein, le cancer colorectal, le cancer du poumon, le cancer ovarien, le cancer de la prostate* et *les cancers cutanés.*

En bref

Le cancer est la deuxième cause de décès au Canada, responsable de 65 000 décès par an.

Qu'est-ce que c'est ?

Le cancer est la multiplication incontrôlée d'une cellule anormale unique. Les cellules malades se reproduisent inlassablement en formant des tumeurs qui compressent, envahissent ou détruisent les tissus sains. Lorsque des cellules malades se détachent, elles circulent dans le sang ou dans le système lymphatique vers d'autres régions du corps. Des colonies de tumeurs se forment dans diverses régions du corps selon un principe de croissance appelé métastase. Leur propagation doit être endiguée.

L'hérédité, le style de vie et l'environnement peuvent être des facteurs de risque de cancer. On dépiste 70 % des cas nouveaux chez les personnes d'au moins 60 ans. Si vous avez des antécédents familiaux de cancer, un gène défectueux peut se transmettre de génération en génération et être un facteur de risque aggravant dans certains cancers. L'hérédité n'est cependant la cause principale que dans 5 à 10 % des cancers. Dans la majorité des cas, environ 75 %, les cancers apparaissent dans des situations sur lesquelles vous pouvez exercer un contrôle, comme la fumée de cigarette, un régime alimentaire déficient, l'embonpoint, l'abus d'alcool ou l'exposition à diverses substances carcinogènes tels les pesticides, l'amiante et les radons. Certains experts affirment qu'environ un tiers des décès par cancer au pays sont le résultat de mauvaises habitudes alimentaires.

Comment le soigne-t-on ?

Le traitement dépend du type de cancer et de la rapidité de sa propagation. La recherche médicale et pharmaceutique et les progrès technologiques ont été si rapides que de plus en plus de gens survivent au cancer grâce à des interventions soigneusement ciblées. Deux opinions valent mieux qu'une avant d'entamer une thérapie contre le cancer, mais n'attendez pas pour suivre un traitement. Quelques exemples :

● **La chirurgie,** nécessaire dans 60 % des cas, souvent associée à d'autres traitements.

● **Les radiations,** pour endommager ou détruire les cellules cancéreuses en les exposant à des rayons X ou gamma.

● **La chimiothérapie** empoisonne les cellules cancéreuses avec des médicaments pour endiguer leur reproduction.

● **L'hormonothérapie** déstabilise la production ou l'action de certaines hormones, messagères chimiques responsables de la reproduction de certains types de cellules cancéreuses. L'hormonothérapie inclut parfois l'ablation de la glande productrice d'hormones dans le but de détruire les cellules cancéreuses ou de ralentir leur multiplication.

● **L'immunothérapie** renforce les défenses immunitaires contre le cancer.

Votre programme de prévention

 Alimentation ■ **Limitez les graisses.** Votre régime ne devrait pas en contenir plus de 20 %. Évitez les graisses saturées et les gras trans (présents dans de nombreux aliments raffinés). Utilisez les huiles monoinsaturées comme l'huile d'olive ou l'huile de colza plutôt que les huiles végétales qui contiennent des graisses polyinsaturées.

■ **Pensez au poisson.** Remplacez la viande rouge par de la viande blanche ou du poisson, surtout le poisson riche en acide gras oméga-3: saumon, sardine, hareng et anchois. Une portion par semaine peut suffire à diminuer vos risques de cancer colorectal, de l'œsophage ou de l'estomac.

■ **Prenez-en cinq.** Consommez au moins cinq portions de fruits et légumes chaque jour; ils sont bourrés de substances anticancérigènes. Les crucifères en sont particulièrement riches. Les tomates ont aussi des propriétés anticancérigènes; pour en tirer le maximum d'avantages, mangez-les cuites, en sauce, en soupe ou même en ketchup. L'ail et l'oignon ont également des propriétés anticancérigènes.

■ **Augmentez les fibres.** Manger des fibres évite de manger trop de gras et peut aider à réduire les risques de certains cancers. Céréales complètes et fèves sont de bonnes sources de fibres.

■ **Mangez du soya.** Le soya contient des substances susceptibles de diminuer les risques de cancer. Prenez du lait de soya, du miso ou des fèves vertes. Faites vos crêpes à la farine de soya ou ajoutez du tofu en morceaux dans vos ragoûts ou vos soupes.

■ **Bannissez le barbecue.** On soupçonne les aliments cuits sur des braises d'être carcinogènes; choisissez un autre mode de cuisson lorsque c'est possible. Il est conseillé de faire mariner les viandes avant de les cuire sur le gril pour diminuer les agents carcinogènes. On peut aussi les passer au micro-ondes d'abord pour réduire le temps sur le gril.

■ **Mort aux nitrites.** Ces additifs alimentaires associés de longue date au cancer sont présents dans les viandes et les poissons fumés, le lard et le jambon, les saucisses et les viandes fumées.

 Exercice ■ **Soignez votre forme.** La pratique même modérée d'un exercice physique peut aider à protéger d'un cancer colorectal, du poumon, du sein, de la prostate et de l'utérus, de même qu'à contrôler votre embonpoint.

 Solutions médicales ■ **Prenez-le à temps.** Renseignez-vous sur les symptômes des divers cancers et parlez de vos facteurs de risque avec votre médecin. Prenez ensuite rendez-vous pour les examens appropriés, comme la mammographie et la coloscopie. Demandez à votre médecin ou à votre dermatologue de vérifier les excroissances sur votre peau.

 Suppléments ■ **Bardez-vous d'antioxydants.** Andrew Weil, médecin chef du programme de médecine complémentaire de l'université de l'Arizona à Tucson, recommande un apport quotidien de 250 mg de vitamine C et de 25 000 UI de carotène multiple (bêta-carotène et autres éléments nutritifs de la famille des caroténoïdes) au petit-déjeuner; 400 à 800 UI de vitamine E naturelle et 200 mcg de sélénium au dîner; 250 mg de vitamine C au souper. Il n'existe cependant aucun résultat chiffré de l'étude des effets de ces posologies.

 Médecines douces ■ **Voyez la vie en vert.** Le thé vert contient un antioxydant puissant appelé le EGCG que les scientifiques soupçonnent d'avoir des effets bénéfiques contre le cancer. Le thé vert pourrait aider à prévenir les cancers colorectal, du sein, de l'estomac et de la peau.

 Au quotidien ■ **Limitez l'alcool.** Une consommation excessive d'alcool augmente les risques de certains cancers. Pas plus d'un verre par jour pour une femme, deux pour un homme.

■ **Cessez de fumer.** Des tas d'expériences ont confirmé les effets nocifs du tabac. Fumer aggrave les risques de cancer du poumon, mais aussi des cancers de la bouche, de la gorge, de l'œsophage, de la vessie et du pancréas.

Cancer colorectal

◄ Aucun durant les premiers stades.

◄ Diarrhée ou constipation persistante.

◄ Crampes ou gaz abdominaux inhabituels.

◄ Fatigue inexplicable.

◄ Perte de poids ou d'appétit.

◄ Selles sanglantes ou saignement rectal.

◄ Selles fines comme le diamètre d'un crayon.

◄ Douleur et sensibilité dans le bas-ventre.

◄ Tout changement dans la couleur, le diamètre ou la fréquence des selles durant plus de deux semaines.

Qu'est-ce que c'est ?

Le cancer colorectal affecte les deux parties du gros intestin, le côlon et le rectum. Il met habituellement des années à se développer. Il s'agit d'abord souvent d'un polype (une petite excroissance non cancéreuse) et se transforme peu à peu, en 5 à 10 ans, en une tumeur maligne. Le quart des patients atteints du cancer du côlon – plus particulièrement ceux qui ont vu apparaître la maladie durant la trentaine ou la quarantaine – ont une prédisposition génétique.

Dans la plupart des cas, la cause en est inconnue, mais un régime alimentaire faible en fruits et légumes et riche en viandes rouges semble accroître le risque.

Au Canada, le cancer colorectal est la deuxième des causes de décès par cancer. Mais il ne devrait pas en être ainsi. Quand les polypes et les débuts de cancer sont découverts et enlevés avant l'apparition des symptômes, le pourcentage de guérison avoisine les 100 %. Voyez *Votre programme de prévention* (page de droite) pour des conseils de dépistage.

Pour diagnostiquer le cancer colorectal, le médecin devrait analyser vos selles chaque année pour voir s'il s'y trouve du sang caché. Il pourra aussi pratiquer une sigmoïdoscopie, examen au cours duquel un tube flexible muni d'une caméra est inséré dans le tiers inférieur du côlon – près de la moitié des cancers y sont situés. Pour examiner le côlon entier, on pratique une coloscopie au moyen d'un tube semblable à celui dont on se sert pour la sigmoïdoscopie. Il est aussi possible de subir un examen du côlon après un lavement baryté, qui remplit le rectum et le côlon d'un liquide opaque visible à la radiographie.

AUTO ÉVALUATION

Cancer colorectal : évaluez vos risques

Vous êtes plus à risque si vous comptez plus d'un facteur suivant :
Ce que vous ne pouvez contrôler :
◄ **Âge.** Le risque s'accroît passé 50 ans ;
◄ **Hérédité.** Le risque est multiplié par trois si des membres de votre famille immédiate ont souffert de

ce cancer. Vos risques augmentent aussi beaucoup si des proches du second degré (tantes, oncles, cousins) en ont souffert ;
◄ **Prédisposition.** Vos risques augmentent si vous souffrez ou avez souffert de colite hémorragique.

Ce que vous pouvez contrôler :
◄ **Alimentation.** Même s'il n'est pas encore prouvé qu'une alimentation riche en fibres, faible en gras aide à prévenir ce cancer, les experts la recommandent ;
◄ **Dépistage.** Dès

50 ans (et plus tôt si votre hérédité est lourde), passez chaque année une analyse des selles pour y déceler du sang occulte et une sigmoïdoscopie aux cinq ans ;
◄ **Tabac.** Le tabagisme accroît le risque.

Comment le soigne-t-on ?

MÉDICAMENTS

On peut recommander la chimiothérapie – des médicaments contre le cancer – aux personnes dont le cancer est avancé.

CHIRURGIE

Au cours de la coloscopie, le médecin enlève tout polype. Si l'on détecte une tumeur assez tôt, on procède à l'ablation de la partie affectée du côlon, lequel continue à fonctionner normalement. La guérison est alors complète. Si le cancer a pénétré la paroi du côlon et atteint la lymphe et les vaisseaux sanguins, la chimiothérapie s'impose. L'ablation d'une tumeur importante peut aussi demander une colostomie temporaire ou permanente. Les selles passent alors par l'ouverture pratiquée dans l'abdomen pour aller dans un sac à l'extérieur du corps. Grâce à l'amélioration des techniques médicales, seulement 2 % des cas de cancer exigent désormais une colostomie.

> **En bref**
>
> *Le cancer du côlon tue chaque année plus de 6500 Canadiens dont les trois quarts ont plus de 50 ans.*

Votre programme de prévention

En plus des éléments énumérés ci-dessous, suivez les conseils de la rubrique *Cancer*, pages 308-309.

 Alimentation ■ **Faites la chasse aux radicaux libres.** Brocoli, épinards, carottes et jus d'orange réduisent les risques, peut-être parce qu'ils contiennent tous un élément capable de neutraliser les radicaux libres, causes de cancer. L'effet des suppléments d'antioxydants n'a pas encore été prouvé.

■ **Mangez des fibres.** Depuis longtemps, on croit qu'une alimentation riche en fibres et faible en matières grasses réduit le risque de cancer colo-rectal en accélérant l'élimination et l'éradication des toxines, causes de cancer. Des études récentes jettent cependant un doute sur cette affirmation. Même si les changements apportés dans l'alimentation n'ont eu aucun effet chez les personnes ayant au moins un polype, on persiste à croire que les fibres peuvent prévenir la formation de polypes. L'alimentation riche en fibres et faible en matières grasses présente tellement d'avantages que la plupart des experts la conseillent toujours.

■ **Buvez plus d'eau.** L'eau aide à diluer les toxines responsables du cancer et accélère leur élimination. Les personnes qui boivent au moins un litre d'eau par jour présenteraient 92 % moins de risques que celles qui en boivent moins de 300 ml.

 Solutions médicales ■ **Passez des examens.** Si, dans votre famille, quelqu'un a souffert de cancer colorectal ou de colite hémorragique, demandez à votre médecin de commencer les tests de dépistage dans la trentaine ou la quarantaine. Autrement, passé 50 ans, demandez-lui de passer les tests d'usage.

■ **Cherchez l'œstrogène.** Les femmes post-ménopausées qui prennent des hormones de remplacement présentent un risque beaucoup moins élevé que les autres de cancer colorectal.

■ **Et l'aspirine ?** L'utilisation prolongée de l'aspirine et autres anti-inflammatoires non stéroïdiens (AINS), aux doses requises pour combattre l'arthrite, abaissent le risque. En raison des effets secondaires potentiels, consultez votre médecin.

 Suppléments ■ **Pensez vitamines.** Prenez 400 mcg d'acide folique. Lors d'une étude, on a constaté que l'acide folique diminuait de 75 % le risque de cancer.

■ **Essayez le calcium.** Selon les chercheurs, le calcium aiderait à réduire la formation de polypes précancéreux. Prenez donc chaque jour 1000 mg de calcium.

Cancer ovarien

SYMPTÔMES

◀ Souvent aucun jusqu'à ce que la tumeur grossisse et appuie sur les organes voisins.

◀ Gonflements, douleurs et pressions à l'abdomen.

◀ Flatuosités excessives.

◀ Nausées.

◀ Saignement vaginal anormal.

◀ Diarrhée ou constipation persistantes.

◀ Perte ou gain de poids.

◀ Sentiment d'être rassasiée en mangeant peu.

Qu'est-ce que c'est ?

Le cancer ovarien se développe dans un des ovaires, les organes reproducteurs de la taille d'une amande qui produisent les ovules et sont placés de chaque côté de l'utérus. À l'ovulation, l'ovule traverse la paroi de l'ovaire. Pour réparer la lésion, les cellules ovariennes doivent se diviser et se reproduire. Comme dans tous les cancers, c'est la multiplication incontrôlée des cellules qui forme une tumeur.

Le cancer ovarien est difficile à dépister parce qu'il ne suscite aucun symptôme précoce, et que ceux que l'on décèle plus tard sont vagues et peuvent être confondus avec des affections communes. Il affecte le plus souvent les femmes de plus de 50 ans. Votre risque est plus élevé si vous avez des antécédents familiaux de cancer ovarien ou si vous êtes porteuse du gène BRCA1 (qui a également une influence sur le risque de cancer du sein). Si vous êtes porteuse de ce gène, vous avez 45 % de risques de cancer ovarien ; les autres femmes ont un risque de 2 %.

Dans 70 % des cas environ, le cancer ovarien n'est pas diagnostiqué avant qu'il ne se soit propagé à d'autres régions du corps. À ce stade, le taux de survie est de 20 à 25 %. Chez les femmes traitées avant la propagation du cancer, la chance de guérison est de 85 à 90 %.

AUTO ÉVALUATION

Cancer ovarien : évaluez vos risques

Ce qui ne dépend pas de vous :

◀ **L'âge.** Le risque augmente avec l'âge. Âge moyen des patientes : 61 ans.

◀ **Les antécédents familiaux.** Ce cancer touche des femmes sans antécédent familial de cette maladie, mais les risques triplent si une parente proche souffre d'un cancer ovarien.

◀ **Votre historique médical.** Si vous avez déjà eu un cancer du sein, vous risquez

d'avoir un cancer ovarien.

◀ **L'appartenance ethnique.** Risques plus élevés si vous êtes d'origine européenne occidentale ou d'ascendance juive avec des antécédents familiaux de cancer du sein.

Ce qui dépend de vous :

◀ **Les antécédents chirurgicaux.** Si vous avez subi une ligature des trompes ou une hystérectomie au cours de vos années fécondes, vos risques

sont restreints. L'ablation des ovaires diminue les risques mais ne les élimine pas, car le cancer peut toujours se former dans les cellules de la muqueuse pelvienne qui entoure les ovaires.

◀ **Les médicaments.** L'hormonothérapie substitutive semble augmenter le risque de cancer ovarien chez les femmes postménopausées.

◀ **Vos fonctions reproductrices.** Tout ce qui empêche une femme d'ovuler semble la protéger du cancer ovarien. Vos risques sont diminués si vous avez pris une pilule contraceptive pendant vos années fécondes (risque réduit de 70 % pour une durée de 10 ans), puisque la pilule arrête l'ovulation. Chaque grossesse diminue les risques de 10 %. L'allaitement a aussi une action préventive.

Il n'existe aucun test fiable de dépistage du cancer ovarien. Au stade avancé, votre médecin peut sentir une tumeur au cours d'un examen pelvien ou la voir aux ultrasons. Un petit échantillon de cellules pourra être prélevé et examiné au microscope.

Comment le soigne-t-on ?

Le traitement dépend de l'étendue du cancer et de votre santé générale.

CHIRURGIE

On procède toujours à l'ablation chirurgicale de l'ovaire cancéreux et des autres régions susceptibles d'être affectées, dont les trompes de Fallope, l'utérus et l'autre ovaire. Les médecins favorisent une intervention radicale, car l'ablation des tissus malades augmente vos chances de survie.

MÉDICAMENTS ANTICANCÉRIGÈNES

La chimiothérapie est généralement nécessaire.

RADIATIONS

La radiothérapie peut être utilisée en association avec la chirurgie et la chimiothérapie.

NOUVEAUX TRAITEMENTS

Des combinaisons nouvelles de médicaments anticancérigènes ont amélioré les taux de survie. Pendant de longues années, le traitement de base était la cisplatine (Platinol-AQ) et la cyclophosphamide (Cytoxan). Mais des essais en 1995 ont montré que l'association à la cisplastine du nouveau médicament paclitaxel (Taxol) améliorait le taux de survie chez des femmes atteintes d'un cancer ovarien au stade avancé.

Votre programme de prévention

Alimentation ■ **Mangez malin.** Suivez les conseils diététiques de *Cancer*, page 308, et *Cancer du sein*, page 318.

Solutions médicales ■ **Allez chez votre médecin.** Même s'il n'existe pas de test fiable pour dépister le cancer ovarien, vous pouvez diminuer votre risque en vous soumettant à un examen pelvien annuel et à un frottis de Pap. Si vous avez des antécédents familiaux de cancer ovarien, passez une échographie annuelle de vos ovaires. Demandez aussi à votre médecin des renseignements sur l'analyse de sang au CA125.

■ **L'intervention médicale.** Si vos risques sont élevés, parlez avec votre médecin de l'ablation des ovaires qui offre une protection relative contre le cancer ovarien.

■ **Repensez aux hormones.** Si vos risques de cancer ovarien sont élevés, demandez à votre médecin les risques additionnels qui pourraient être associés à une hormonothérapie de substitution.

Suppléments ■ **Une aspirine par jour?** L'aspirine semble prometteuse pour la prévention du cancer ovarien. Demandez à votre médecin si vous pouvez prendre une dose quotidienne de 80 à 325 mg.

Cancer du poumon

◄ Premiers stades : pas de symptômes.

◄ Stade évolué : toux persistante qui peut être suivie d'un flegme ou de crachements de sang, douleurs de poitrine, halètements, sifflements, voix rauque, fatigue, perte de poids ou d'appétit, rechutes de pneumonie, bronchite et autres affections pulmonaires.

Qu'est-ce que c'est ?

Il existe deux types de cancer du poumon : le cancer à petites cellules et le cancer non à petites cellules. Le cancer à petites cellules évolue rapidement et envahit les autres organes. Il est responsable d'environ 20 % des cancers du poumon et surgit principalement chez les fumeurs. Presque les deux tiers des personnes atteintes par le cancer à petites cellules le sont dans d'autres parties de leur corps (les os, le cerveau, le foie ou l'autre poumon) au moment du diagnostic.

Les cancers bronchiques non à petites cellules sont généralement liés à la fumée, passive ou non, ou à l'exposition au radon. Ils se répandent plus lentement, mais ne sont généralement plus guérissables lorsqu'on parvient à les diagnostiquer.

Chez les personnes atteintes du cancer du poumon, seulement environ 14 % survivent 5 ans après le diagnostic. La détection précoce de la maladie peut porter le taux de survie à 49 %, mais le dépistage précoce n'intervient que dans 15 % des cas.

Comment le soigne-t-on ?

Le traitement dépend du type de cancer, de son emplacement, de sa taille et de votre santé générale. Malheureusement, les thérapies actuelles,

AUTO ÉVALUATION

Cancer du poumon : évaluez vos risques

Ce qui ne dépend pas de vous :

◄ **Le sexe.** Les femmes en sont plus souvent victimes. Des chercheurs ont découvert un gène associé à la croissance cellulaire folle plus actif chez les femmes, que celles-ci fument ou non. L'étude confirme que les fumeuses sont plus sensibles aussi aux éléments chimiques carcinogènes des cigarettes.

Ce qui dépend de vous :

◄ **Fumer.** Neuf cancers du poumons sur dix affectent des fumeurs. Leurs risques augmentent en fonction de la quantité et du nombre d'années.

◄ **La fumée passive.** Si vous êtes exposé quotidiennement à la fumée, même sans fumer vous-même, votre risque augmente de 30 %.

◄ **Le radon.** Ce gaz inodore présent dans le sol et l'eau est la deuxième cause de cancer du poumon, loin derrière la cigarette.

◄ **Carcinogènes au travail.** En Amérique du Nord, environ 9 000 hommes et 900 femmes sont atteints chaque année du cancer du poumon à cause d'une exposition à des carcinogènes sur leur lieu de travail : amiante, arsenic, éther méthylique monochlore et dérivés du chrome. Le risque est plus élevé chez les fumeurs.

◄ **L'œstrogène de substitution.** Selon une étude, l'œstrogène pourrait favoriser la croissance du cancer bronchique non à petites cellules.

radiations, chimiothérapies et chirurgie, guérissent peu de gens et leurs effets secondaires sont lourds. En conséquence, certaines personnes choisissent de participer à des essais cliniques pour tester de nouveaux protocoles.

Le cancer du poumon à petites cellules est traité aux radiations (rayons X à hautes doses) et à la chimiothérapie (médicaments) pour tuer les cellules cancéreuses. La chirurgie n'est pas envisageable lorsque la maladie s'est répandue avant d'être diagnostiquée. Le cancer bronchique non à petites cellules peut être traité chirurgicalement lorsqu'il est confiné à une région limitée du poumon. Le chirurgien peut pratiquer l'ablation d'une portion du poumon ou du poumon au complet. On peut associer la radiothérapie à une chirurgie et à une chimiothérapie.

En bref

Pour demander la liste des essais cliniques au Canada et aux États-Unis : 1 888 939-3333 ou rendez-vous sur www.ctg.queensu.ca et www.cancer.ca/indexf. htm

Votre programme de prévention

Suivez les conseils donnés à la rubrique *Cancer*, page 308, ainsi que ceux qui suivent :

Alimentation ■ **Une pomme par jour.** Les risques de cancer du poumon sont moins élevés pour les personnes, fumeuses ou non, qui consomment au moins cinq portions de fruits et légumes chaque jour. Ajoutez des pommes et des oignons, riches en flavonoïdes anticancérigènes. Une étude indique un risque de cancer du poumon inférieur de 58 % chez les personnes qui mangent le plus de pommes.

■ **Essayez la sauce tomate.** La recherche indique que les tomates, surtout cuites, semblent protéger contre le cancer du poumon.

■ **Pariez sur le bêta-carotène.** Si vous fumez, vous pouvez diminuer vos risques de cancer du poumon en absorbant beaucoup de caroténoïdes présents dans certains produits frais (pêches, melons, mangues, patates douces, courges, citrouilles et légumes feuilles). Évitez cependant de prendre des suppléments de bêta-carotène. Les chercheurs de l'Institut national du cancer ont fait suspendre une étude sur les effets de la vitamine A et du bêta-carotène parce que les fumeurs étudiés qui prenaient les suppléments voyaient leurs risques de cancer du poumon augmenter de 28 % par rapport à ceux qui prenaient un placebo.

Solutions médicales

■ **Demandez une radio.** Certains médecins pensent que les fumeurs, surtout à partir de 50 ans, devraient passer une radiographie annuelle des poumons.

■ **Renseignez-vous sur l'aspirine.** De 80 à 325 mg d'aspirine par jour semblent avoir des effets prometteurs contre le cancer du poumon. Renseignez-vous auprès de votre médecin avant d'en prendre, car une thérapie à l'aspirine a des effets secondaires non négligeables.

Suppléments ■ **Repérez le sélénium.** Le sélénium (présent dans beaucoup de suppléments de vitamines et de minéraux) semble pouvoir protéger du cancer si on le prend durant une longue période. Une étude montre une diminution de 46 % du taux de risque chez des personnes absorbant de 55 à 200 mcg de ce minéral quotidiennement.

■ **C contre le cancer.** D'après certaines études, les personnes qui prennent moins de 90 mg de vitamine C par jour peuvent augmenter leurs risques de cancer du poumon de 90 % par rapport à celles qui en prennent 140 mg ou plus.

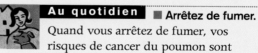

Au quotidien ■ **Arrêtez de fumer.** Quand vous arrêtez de fumer, vos risques de cancer du poumon sont divisés par deux en 10 ans. La nicotine est une drogue à accoutumance qui rend l'abstinence difficile, mais il existe des programmes et des produits pour vous aider (voir pages 166-173).

■ **Dépistez le radon.** Vous pouvez tester votre maison avec un nécessaire vendu en magasin ou demander l'aide d'un professionnel.

Cancer de la prostate

Qu'est-ce que c'est ?

Le cancer de la prostate est une tumeur qui se développe dans la prostate, généralement très lentement, sur plusieurs années. Environ 60 % des cancers de la prostate sont dépistés avant de se généraliser aux tissus voisins ou à d'autres régions du corps. Le dépistage précoce offre de meilleures chances de guérison : elles peuvent alors atteindre 93 %.

Les chercheurs pensent que les hormones masculines jouent un rôle dans l'apparition du cancer de la prostate, mais ils n'ont pas diagnostiqué avec exactitude les facteurs déterminants. Vous pouvez limiter les dégâts en faisant un dépistage précoce, par radiographie, avec un examen rectal et une analyse sanguine pour évaluer la présence de l'antigène spécifique de la prostate, une substance plus abondante chez les hommes atteints du cancer de la prostate.

Si un doute persiste, des radiographies, des analyses de sang et d'urine supplémentaires ou une échographie de la prostate peuvent confirmer un diagnostic définitif de cancer de la prostate. On vous fera peut-être une biopsie pour rechercher les cellules cancérigènes.

Comment le soigne-t-on ?

Le traitement dépend de votre âge et du stade de développement ainsi que de la gravité de votre cancer. Avant de choisir un traitement, demandez à votre médecin de vous expliquer les choix qui s'offrent à vous et les effets secondaires. Prenez des notes ou demandez la permission d'enregistrer l'entrevue pour vous y référer plus tard. Comme dans tous les cas de cancer, une deuxième opinion n'est pas à négliger. Voici les thérapies les plus fréquentes :

AUTO ÉVALUATION

Cancer de la prostate : évaluez vos risques

Ce qui ne dépend pas de vous :

◀ **L'âge.** Le risque croît rapidement après 50 ans. Plus de 80 % des cancers de la prostate sont dépistés chez des hommes de plus de 60 ans.

◀ **Les antécédents familiaux.** Le cancer de la prostate semble être une histoire de famille, surtout lorsqu'il apparaît avant 60 ans. Si votre père ou votre frère en souffre, votre risque double.

◀ **Votre appartenance ethnique.** Risques plus élevés chez les personnes d'ascendance africaine que chez les Caucasiens, et le taux de mortalité est deux fois plus élevé.

Ce qui dépend de vous :

◀ **L'alcool et le tabac.** Augmentent vos risques.

◀ **L'alimentation.** Régimes gras = facteurs de risque.

VIGILANCE

Les effets secondaires d'un traitement intensif peuvent être très lourds. Ceux qui surveillent leur état de près n'ont presque jamais besoin de suivre un traitement parce que le cancer de la prostate croît lentement.

CHIRURGIE

L'ablation de la prostate peut être envisagée, surtout si le cancer est confiné à la glande elle-même. Cette chirurgie entraîne un risque substantiel d'incontinence et d'impotence. Dans certains cas, si le cancer s'est propagé, on procède à l'ablation des testicules pour réduire significativement la production de testostérone. Cela peut entraîner une baisse notable du désir sexuel.

RADIATIONS

Des rayons X sont dirigés sur la prostate ou plantés comme des graines autour de la prostate, pour tuer les cellules cancéreuses.

THÉRAPIE DE DÉSAFFÉRENCE D'ANDROGÈNE

Parmi les médicaments qui inhibent la production de testostérone ou qui bloquent ses effets on trouve : le flutamide (Euflex) et le leuprolide (Lupron).

Fiche nutrition

Une étude a révélé une diminution de 20 % du risque de cancer de la prostate chez les hommes qui mangeaient des tomates cuites ou de la sauce tomate 4 fois par semaine, et une réduction de 35 % chez les hommes qui en mangeaient 10 portions par semaine.

Votre programme de prévention

Suivez aussi les conseils donnés à la rubrique *Cancer* aux pages 308-309 et les suivants :

Alimentation ■ **Réduisez le gras.** Suivez un régime constitué principalement de poisson, de volaille sans la peau, de produits laitiers allégés et de 5 à 10 portions quotidiennes de fruits et de légumes.

■ **Les végétaux vitaux.** Le lycopène, le pigment rouge des tomates, a des propriétés protectrices. Il est mieux assimilé cuit. Manger aussi pois, haricots secs, brocolis et choux.

■ **Faites le plein de fruits.** Les risques de cancer de la prostate avancé sont diminués de moitié chez les hommes qui consomment 5 portions ou plus de fruits chaque jour.

■ **Goûtez le soya sous toutes ses formes.** Le faible taux de cancer de la prostate au Japon pourrait être lié au soya. Essayez tofu, tempeh, fèves vertes de soya au moins deux fois par semaine.

■ **Prenez suffisamment de zinc.** Les aliments riches en zinc peuvent entretenir la santé de la prostate : grains complets, graines de citrouille et de tournesol, champignons et fruits de mer.

Exercice ■ **Bougez.** Les risques diminuent chez les personnes qui pratiquent régulièrement des exercices physiques et surveillent leur poids.

Solutions médicales ■ **Mieux vaut prévenir.** Les opinions des médecins sur la fréquence des radiographies varient mais jouez la sécurité. La Société canadienne du cancer conseille aux hommes de plus de 50 ans (avant pour les hommes à risques élevés) de se renseigner auprès de leurs médecins sur les avantages et les risques pour envisager des examens de dépistage de l'antigène spécifique de la prostate ainsi qu'un examen rectal.

Suppléments ■ **Forcez sur la C et la E.** L'absorption de 1000 mg de vitamine C et de 400 à 800 UI de vitamine E peut avoir un effet protecteur. Demandez conseil à votre médecin.

■ **Pensez au sélénium.** Vous pouvez prendre 200 mcg par jour, mais demandez d'abord à votre médecin.

Cancer du sein

◄ Masse ou durcissement au sein ou sous le bras.

◄ Mamelon rétracté ou inversé.

◄ Écoulement parfois sanguinolent du mamelon.

◄ Modification de la dimension du sein, de son contour ou de sa couleur.

◄ Déformation ou peau d'orange sur le sein.

Qu'est-ce que c'est ?

Une tumeur maligne se développe à partir d'une cellule anormale unique se multipliant de manière incontrôlable. Elle se forme généralement dans les conduits et les poches de lactation. Le cancer du sein peut se développer lentement ou agresser rapidement les noyaux lymphatiques environnants. Rare chez les hommes, c'est la deuxième cause de mortalité par cancer, chez les femmes, après celui du poumon.

Comment le soigne-t-on ?

Plus de 95 % des cancers du sein peuvent être guéris s'ils sont dépistés à temps. Le traitement dépend du type de cancer et du stade de développement, des particularités des cellules cancéreuses et de l'état de l'autre sein. Il dépend aussi de votre âge, de votre poids, de votre santé générale et de votre stade de ménopause. Le traitement typique comprend une chirurgie : extraction de la masse ou mastectomie (ablation du sein), ou extraction du noyau lymphatique ; radiothérapie ; chimiothérapie ; et thérapie hormonale avec le médicament tamoxifène pour éviter la récurrence de la maladie.

AUTO ÉVALUATION

Cancer du sein : évaluez vos risques

Ce qui ne dépend pas de vous :

◄ **Le vieillissement.** Probabilité d'apparition :
– à 30 ans : 0,4 %
– à 40 ans : 1,3 %
– à 50 ans : 2,3 %
– à 60 ans : 2,9 %
– à 70 ans : 3,2 % ;

◄ **Antécédents familiaux.** Risques plus grands si vous avez des membres de votre famille atteints d'un cancer du sein (ou des ovaires) ;

◄ **Âge de la menstruation ou de la ménopause.** Vos risques sont accrus si vous avez eu votre première menstruation avant 12 ans ou si vous avez atteint la ménopause après 51 ans ;

◄ **Fonctions reproductrices.** Le risque augmente beaucoup si vous avez donné naissance à votre premier enfant après 30 ans ou si vous avez peu ou pas d'enfants du tout.

Ce qui dépend de vous :

◄ **L'hormonothérapie substitutive (HTS).** L'HTS peut avoir une incidence sur l'augmentation du risque, mais tout rentre dans la normale lorsqu'on cesse la thérapie ;

◄ **Votre poids.** L'embonpoint augmente vos risques surtout après la ménopause ;

◄ **Consommation d'alcool.** À partir de trois verres d'alcool par jour, vous doublez vos risques.

Jusqu'à 20 % des femmes ont des antécédents familiaux de cancer du sein. Seulement 5 % d'elles cependant sont susceptibles d'avoir hérité d'une faiblesse génétique qui augmente le risque de cancer du sein.

Votre programme de prévention

Suivez les conseils donnés à la rubrique *Cancer* aux pages 308-309, et les recommandations ci-après.

 Alimentation ■ **Choisissez vos gras.** Certains types de gras semblent augmenter les niveaux d'œstrogène qui, en retour, augmentent les risques de cancer du sein. Une étude suédoise récente semble indiquer que les graisses monoinsaturées peuvent aider à réduire les risques alors que les graisses polyinsaturées les augmenteraient. Préférez les huiles monoinsaturées comme l'huile d'olive ou de colza, et les acides gras oméga-3 présents dans le saumon, la sardine et le hareng. Évitez les gras trans, présents dans la margarine, les aliments précuits emballés et les collations (recherchez la mention partiellement hydrogéné sur l'étiquette) et les graisses polyinsaturées des huiles de maïs, de tournesol et de carthame.

■ **Faites le plein de fibres.** L'œstrogène excédentaire est aggloméré par les fibres qui l'entraînent et l'évacuent par les intestins. On en trouve surtout dans les haricots, le riz brun, les pains et céréales complets ainsi que dans beaucoup de fruits et de légumes.

■ **Mangez vos fruits et vos légumes.** Mettez l'accent sur les crucifères, comme le brocoli, le chou et le chou-fleur, qui favorisent la production d'enzymes anticancérigènes.

■ **Savourez le soya.** Les isoflavones du soya sont des éléments faibles similaires à l'œstrogène, qui inhibent l'action carcinogène de ce dernier. Dans vos recettes, utilisez la farine de soya, ajoutez du tofu à vos soupes ou aux plats principaux, mangez des fèves vertes de soya ou buvez du lait de soya.

■ **Évitez les additifs.** Achetez, autant que possible, viande, volaille et produits laitiers organiques et sans hormones. Lavez bien les produits frais et épluchez-les pour les débarrasser des résidus de pesticides.

 Exercice ■ **Bougez.** Des études indiquent que les femmes qui pratiquent des exercices physiques au moins quatre heures par semaine réduisent de 37 % leurs risques de cancer du sein par rapport aux femmes moins actives. Il se pourrait que l'exercice diminue la production d'œstrogène en brûlant des calories et de la graisse.

 Solutions médicales ■ **Prévenir vaut mieux que guérir.** Une mammographie peut dépister le cancer du sein deux à cinq ans avant qu'on ne détecte une masse. Si vous avez entre 50 et 69 ans, passez une mammographie ainsi qu'un examen clinique de la poitrine tous les deux ans (plus souvent pour les femmes à hauts risques). Si vous avez toujours vos règles, pratiquez un autoexamen de la poitrine chaque mois, 7 à 10 jours après le début des règles. Si vous êtes postménopausée, pratiquez l'examen le même jour chaque mois. On estime que si toutes les femmes examinaient leur poitrine chaque mois et passaient une mammographie aux époques recommandées, 15 000 vies seraient épargnées chaque année en Amérique du Nord.

■ **Pensez au SERM.** Le tamoxifène, que l'on utilise couramment pour traiter le cancer, a peut-être aussi un effet préventif. Mais beaucoup de médecins estiment que ses effets secondaires (augmentation du risque de cancer de l'endomètre et de caillots) dépassent ses avantages. Il ne peut être envisagé que pour les femmes à risques élevés. Un nouveau modulateur-récepteur sélectif d'œstrogène, Evista, est actuellement à l'étude. Il semble avoir les mêmes propriétés bénéfiques mais moins d'effets secondaires.

 Suppléments ■ **Essayez la vitamine E.** Une petite étude à Sunny, Buffalo, indique que les participantes, choisies pour leurs antécédents familiaux de cancer du sein, pouvaient diminuer de 80 % leur risque de cancer du sein en incluant 10 UI ou plus de vitamine E par jour à leur régime. Demandez à votre médecin de déterminer la dose qui vous convient. (Voir les conseils sur les suppléments, page 309.)

Au quotidien ■ **Doucement avec l'alcool.** Une consommation élevée d'alcool semble augmenter le risque. Limitez-vous à deux ou trois portions par semaine.

Cancers cutanés

◀ Le carcinome basocellulaire : (visage, oreilles, cou) masse lisse indolore qui croît lentement.

◀ L'épithélioma spinocellulaire de la peau (visage, oreilles, cou, mains ou bras) : masse rouge indolore ou plaque avec des croûtes ou des squames à la surface.

◀ Le mélanome : masse sombre ou tache, verrue ou plaie qui ne cicatrise pas, n'importe où sur le corps.

Qu'est-ce que c'est ?

Il existe trois types de cancers cutanés les plus fréquents. Dépistés à temps, ils peuvent tous être traités et guéris. Environ 80 % des cancers cutanés sont des carcinomes basocellulaires ou des épithéliomas spinocellulaires de la peau. Les carcinomes basocellulaires sont rarement mortels, mais ils peuvent défigurer s'ils ne sont pas traités. Les épithéliomas spinocellulaires sont plus dangereux que les carcinomes basocellulaires.

Le mélanome est la forme la plus mortelle de cancer cutané. Il peut se propager rapidement à d'autres régions de votre corps par le sang ou le système lymphatique. S'il est dépisté à temps, le taux de survie sur 5 ans est de 95 % ; mais à un stade avancé, la maladie est difficile à soigner.

Les cas de cancers cutanés augmentent considérablement. D'où vient cette augmentation ? Une hypothèse suggère que cette incidence est liée au déclin des activités extérieures : la peau est moins habituée aux rayons UV et brûle plus facilement. Une autre hypothèse estime que les radiations solaires nocives sont plus abondantes sur la Terre à cause du trou dans la couche d'ozone. Si vous remarquez une nouvelle excroissance, une modification de l'aspect de votre peau ou une lésion qui ne cicatrise pas en deux semaines, consultez votre médecin.

AUTO ÉVALUATION

Cancers cutanés : évaluez vos risques

Ce qui ne dépend pas de vous :

◀ **Votre type de peau et vos caractéristiques morphologiques.** Les facteurs de risque les plus importants sont des cheveux roux ou blonds, des yeux clairs, une peau claire avec des taches de rousseur ainsi qu'un nombre élevé de grains de beauté.

◀ **Votre appartenance ethnique.** Les Caucasiens ont 10 fois plus de risques de cancer cutané que les personnes d'ascendance africaine.

◀ **L'âge.** Plus vous vieillissez, plus vos risques de cancer cutané augmentent. Le risque de mélanome augmente rapidement après 50 ans.

◀ **Antécédents familiaux.** Des antécédents familiaux de cancer cutané augmentent vos risques.

Ce qui dépend de vous :

◀ **L'exposition aux rayons ultra-violets (UV).** 90 % des cancers cutanés surgissent sur des peaux régulièrement exposées aux rayons ultra-violets du soleil ou de lampes à bronzer.

◀ **Les brûlures.** Si vous avez souffert de brûlures dues à des lampes à bronzer ou au soleil, vos risques sont plus élevés. Des coups de soleil répétés pendant votre enfance augmentent aussi vos risques.

◀ **La géographie.** Si vous passez l'hiver au soleil ou si vous vivez en altitude.

◀ **L'environnement.** Vos risques sont plus élevés si vous avez été exposé à des éléments chimiques : charbon, goudron, poix, créosote, dérivés d'arsenic, radium ou certains herbicides.

Comment les soigne-t-on ?

Le traitement dépend de la taille, du type, de la profondeur et de la localisation du cancer. Une chirurgie mineure suffit généralement pour éliminer les cancers cutanés.

CHIRURGIE

La cryochirurgie (destruction par le froid), la thérapie au laser (destruction au rayon laser) et l'électro-dessiccation (destruction par la chaleur) sont trois formes de chirurgie. Certains mélanomes exigent une extraction des glandes lymphatiques et de larges portions de la peau autour de la zone affectée.

RADIOTHÉRAPIE

Administration de hautes doses de rayons X localement, afin de tuer les cellules cancéreuses.

CHIMIOTHÉRAPIE ET BIOTHÉRAPIE

On traite le stade avancé du mélanome à la chimiothérapie (médicaments anticancer) ou par la biothérapie (en utilisant les ressources immunitaires pour combattre le cancer).

Votre programme de prévention

Suivez les conseils à la rubrique *Cancer* aux pages 308-309 et les suivants:

 Solutions médicales ■ **Examinez votre peau.** Consultez le dermatologue chaque année si vous avez des antécédents familiaux de mélanomes, beaucoup de grains de beauté (surtout sur le tronc) ou avez subi beaucoup de coups de soleil dans votre jeunesse.

Au quotidien ■ **Limitez votre exposition au soleil.** Surtout entre 10 h et 15 h, moment ou les rayons UV sont les plus dangereux.

■ **Mettez de l'écran solaire.** Lorsque vous sortez, appliquez toujours généreusement un écran solaire à facteur de protection d'au moins 15, qui protège des UV à 93 %. Assurez-vous que le produit contient de l'avobenzone (ou Parsol 1789) pour être protégé contre les UVA et les UVB. Renouvelez les applications toutes les deux heures.

■ **Couvrez-vous.** Portez des tissus à mailles serrées et couvrez le plus de peau possible. Le port d'un chapeau à large bord protège bien du soleil. Soyez particulièrement prudent lorsque vous êtes dans la neige, dans l'eau ou sur la glace; elles intensifient l'exposition.

■ **Examinez-vous.** Examinez votre peau chaque mois pour détecter de nouvelles excroissances ou des modifications de vos grains de beauté, taches de rousseur ou taches de naissance (pour plus de détails sur l'examen de votre peau, voir page 159). Si vous détectez quoi que ce soit d'anormal, consultez votre médecin.

Astuce santé

Voici l'abcd des anomalies des grains de beauté :
- **Assymétrie:** la forme du grain de beauté est bizarre, non symétrique.
- **Bordure:** elle est irrégulière, entaillée, saillante ou mal définie.
- **Couleur:** certaines parties sont plus foncées que d'autres et plusieurs couleurs sont présentes.
- **Diamètre:** il fait plus de 5 mm de diamètre (circonférence d'un crayon) ou il grossit à vue d'œil.

Cataractes

◄ Perception des distances réduite ; vision de nuit diminuée ; vision double dans l'œil affecté.

◄ Sensibilité à la lumière et aux éblouissements, halos autour des lumières.

◄ Impression d'avoir une « pellicule » sur l'œil.

◄ Ajustement fréquent des verres correcteurs et besoin d'une lumière vive pour voir de près.

Qu'est-ce que c'est ?

En rendant votre cristallin trouble ou opaque, les cataractes affaiblissent votre vision. Normalement, le cristallin dirige la lumière dans la rétine, mais les cataractes obstruent ou altèrent la lumière. Environ la moitié des gens entre 52 et 64 ans ont des cataractes ; presque tout le monde en a à 75 ans. Comme elles ne causent pas de douleur et se développent lentement, vous ne constaterez probablement pas de changement de vision avant la soixantaine.

Vous êtes plus susceptible de souffrir de cataractes si vous :
- avez une hérédité de cataractes ;
- fumez ;
- souffrez du diabète ;
- vous êtes blessé aux yeux ;
- prenez des corticostéroïdes ;
- vous êtes longtemps exposé au soleil ;
- consommez trop d'alcool ;
- êtes une femme ;
- êtes d'origine africaine.

Comment les soigne-t-on ?

Au début, vous devrez peut-être ajuster vos verres plus souvent, porter des lunettes fumées, augmenter l'intensité lumineuse et éviter de conduire le soir. Mais vous finirez sans doute par les faire enlever. En moins d'une heure, le chirurgien pratiquera une petite incision dans l'œil, retirera le cristallin opacifié et le remplacera par un implant permanent de plastique ou de silicone. Dans 90 % des cas, l'intervention améliore la vision.

ATTENTION
Si vous prenez de fortes doses de corticostéroïdes (10 à 15 mg/jour) depuis un an ou deux, vous risquez fort de faire des cataractes. Voyez votre médecin tous les trois à six mois.

À propos des cataractes

Est-ce qu'on se sert d'un laser pour enlever les cataractes ?
Non. On les enlève en pratiquant une incision chirurgicale. On utiliserait le laser des semaines et même des années plus tard, pour ouvrir la membrane derrière la lentille greffée, si elle devait s'embrouiller à son tour.

Peut-on enlever les deux cataractes en même temps ?
Non. On opérera chacun de vos yeux à six semaines d'intervalle environ. Si

vous deviez avoir des complications durant la chirurgie ou après, votre médecin pourrait décider d'utiliser une approche différente. C'est aussi plus pratique pour vous parce que la vision met du temps à s'améliorer.

Ma vision sera-t-elle de 20/20 ?
Pas nécessairement, mais elle sera bien meilleure. Pour lire et bien voir de loin, la plupart des gens doivent continuer à porter des lunettes ou des verres de contact.

Votre programme de prévention

Alimentation ■ **Minimisez les dommages.** Les antioxydants empêchent les radicaux libres (des molécules d'oxygène instables) de s'accumuler dans les yeux, où ils peuvent causer des cataractes. Les bons aliments sont : agrumes, fraises, raisins bleus, bleuets, cantaloup ; brocoli, tomates, poivrons rouges et verts, maïs, pommes de terre, carottes et légumes à feuilles vert foncé ; viande, volaille, fruits de mer et poisson, soya, céréales enrichies, œufs, lait et fromage. Privilégiez aussi les aliments riches en vitamine A : foie de bœuf, jaunes d'œufs, légumes à feuilles jaunes et vert foncé. Les aliments qui contiennent du sélénium, du fer, du zinc, de la niacine, de la thiamine (vitamine B_1) et de la riboflavine (vitamine B_2) préviennent aussi les dommages causés par les radicaux libres.

■ **Un bon bol.** De nos jours, beaucoup de céréales nous arrivent enrichies de vitamines. Achetez de préférence celles qui contiennent la dose recommandée des nutriments dont vous manquez dans votre alimentation.

Solutions médicales ■ **Voyez votre médecin.** Entre 40 et 59 ans, passez un examen médical complet tous les deux ans ; après 60 ans passez-en un chaque année.

Suppléments ■ **Prenez une multivitamine.** Ça ne peut pas faire de tort, surtout si vous ne consommez pas chaque jour les cinq portions recommandées de fruits et de légumes.

■ **Pensez C.** Plusieurs études ont montré que de prendre de la vitamine C pendant 10 ans peut prévenir les cataractes. Les doses recommandées varient de 250 à 1250 mg par jour. Demandez conseil à votre médecin.

■ **Et puis A et E.** La vitamine A peut protéger votre vue. Comme les autres antioxydants, la vitamine E peut prévenir les cataractes. Les chercheurs ont découvert que la vitamine E, à une dose de 200 UI par jour, diminue de 50 % le risque de cataractes.

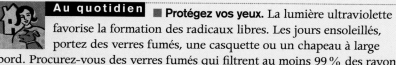

Au quotidien ■ **Protégez vos yeux.** La lumière ultraviolette favorise la formation des radicaux libres. Les jours ensoleillés, portez des verres fumés, une casquette ou un chapeau à large bord. Procurez-vous des verres fumés qui filtrent au moins 99 % des rayons UVA et UVB. Si vous avez un travail ou si vous pratiquez des sports susceptibles de vous occasionner des blessures aux yeux, portez toujours des verres protecteurs.

■ **Contrôlez votre diabète.** Incontrôlé, le diabète peut entraîner toutes sortes de maladies des yeux, y compris les cataractes… et la cécité.

■ **Arrêtez de fumer.** Une autre raison d'arrêter : par rapport aux non-fumeurs, les gens qui fument sont plus susceptibles d'avoir des cataractes, et ils les ont dix ans plus tôt.

■ **Restez loin des toxines.** Évitez d'exposer vos yeux aux substances toxiques et aux radiations émises par les rayons X ou les lumières infrarouges. Ces dernières ont toutes été reliées à la formation des cataractes.

Fiche nutrition

Deux études récentes, menées à Harvard auprès de 77 000 femmes et 36 000 hommes pendant des périodes de 8 à 12 ans, ont montré que le fait de manger du chou frisé, du brocoli et d'autres légumes vert foncé peut réduire votre risque de faire des cataractes. Dans ce groupe, on a compté 2311 chirurgies pour enlever les cataractes. Mais les femmes qui mangeaient des épinards et autres légumes verts deux fois la semaine ont eu 18 % moins de cataractes que celles qui en mangeaient moins d'une fois par mois. Les hommes qui mangeaient du brocoli deux fois par semaine ont eu 23 % moins de cataractes que ceux qui en mangeaient moins d'une fois par mois.

Constipation

◀ Selles rares, petites et dures, difficiles à évacuer.

◀ Gonflement abdominal, gaz, inconfort rectal et évacuation incomplète.

◀ Perte de poids, douleur abdominale aiguë, saignement rectal peuvent signaler un problème plus grave.

▶ Qu'est-ce que c'est ?

Lorsque vous êtes constipé, vous n'arrivez pas à aller à la selle régulièrement ; vos selles sont sèches, dures, difficiles à évacuer. Les habitudes d'évacuation diffèrent d'une personne à l'autre. Certaines personnes vont à la selle plus d'une fois par jour, d'autres deux ou trois fois par semaine. On dit qu'il y a constipation quand votre rythme d'évacuation habituel ralentit considérablement.

Tout changement dans votre alimentation quotidienne peut assécher vos selles dans le gros intestin (côlon). Les changements dans les habitudes : exercice, style de vie, apport de fibres alimentaires, stress et, dans l'attente d'un moment plus convenable, retard à évacuer peuvent tous assécher vos selles.

Si vous ne mangez pas comme vous en avez l'habitude pendant quelques jours, votre digestion et votre intestin peuvent mettre un certain temps à se remettre d'aplomb. Ne vous en faites pas. Une fois que votre organisme aura repris les nutriments dont il a besoin, il évacuera l'excès.

Certains médicaments, y compris les suppléments de fer, les inhibiteurs calciques, les narcotiques, les antiacides contenant de l'aluminium et les antihypertenseurs peuvent causer de la constipation en déshydratant le côlon. Les troubles endocriniens comme le diabète et les troubles de la thyroïde peuvent aussi affecter l'évacuation.

Si vous consultez votre médecin, il vous demandera depuis combien de temps vous souffrez de constipation, à quand remonte votre dernière évacuation, quel aspect prenaient vos selles et si vous avez eu des saignements.

▶ Comment la soigne-t-on ?

Parce que les habitudes alimentaires sont souvent responsables de la constipation, il est bon de commencer par ajouter des fibres à son alimentation. Efforcez-vous toujours d'aller chercher les fibres dont vous avez besoin dans les aliments que vous consommez – le son en est une excellente source. Pour corriger la situation, il vous suffit peut-être d'ajouter tout simplement des laxatifs doux et naturels comme les pruneaux, la rhubarbe, la choucroute et les choux de Bruxelles.

Pour obtenir un soulagement rapide, utilisez un suppositoire ou un lavement doux. Si vous optez pour un laxatif en vente libre, choisissez le produit le moins agressif, et n'en prenez surtout pas l'habitude. (Pour plus de détails, voir le chapitre 6, *Éviter les pièges pour votre santé*.)

Votre médecin prescrira peut-être un laxatif émollient. Si la constipation est un effet secondaire d'un médicament que vous prenez, il changera peut-être la dose ou le médicament.

Astuce santé

Quand l'envie se fait sentir, n'ignorez pas ce message de votre système digestif. Si vous le faites, vos selles peuvent durcir et votre intestin peut devenir insensible.

Votre programme de prévention

Alimentation

■ **Emmagasinez des fibres.** Dans les végétaux, les fibres sont la partie que l'on ne peut digérer. En aidant les matières fécales à garder leur eau, les fibres leur ajoutent du volume ; c'est ce qui favorise les contractions naturelles de l'intestin et entraîne l'élimination. Fruits, légumes, fèves, son et grains entiers constituent d'excellentes sources de fibres. Optez pour des céréales de son et ajoutez-en un peu à vos plats cuisinés. Passez du riz blanc au riz brun qui contient trois fois plus de fibres. Augmentez graduellement les fibres que vous ingérez ; autrement, vous pourriez connaître flatulences, ballonnements et douleurs abdominales.

■ **Sources de fibres**

Aliment	Portion	Fibres (en g)
Framboises	1 tasse	6
Poire avec la pelure	1 moyenne	4
Pomme avec la pelure	1 moyenne	3
Courge poivrée	$^3/_4$ tasse	4
Choux de Bruxelles	$^1/_2$ tasse	3
Haricots blancs à œil jaune	$^1/_2$ tasse	4
Fèves de Lima	$^1/_2$ tasse	4
Lentilles	$^1/_2$ tasse	4
Riz brun	1 tasse	3
Flocons d'avoine	$^2/_3$ tasse	3
Céréales de blé entier	1 tasse	3
Céréales de son à 100 %	$^1/_3$ tasse	8
Pomme de terre au four	1 moyenne	4

■ **Buvez, buvez, buvez.** Chaque jour, buvez beaucoup de liquide – au moins huit verres d'eau de 225 ml – pour amollir les matières fécales. Si vous faites l'erreur d'augmenter les fibres que vous consommez sans boire assez, le volume supplémentaire pourra ralentir ou arrêter l'élimination.

Exercice

■ **Bougez.** Des exercices réguliers favorisent l'élimination. Les études ont montré que l'exercice accélère le transit intestinal. Moins les matières fécales passent de temps dans l'intestin, moins elles ont le temps de perdre de l'eau et plus elles s'éliminent rapidement.

Suppléments

■ **Fortifiez-vous.** Jusqu'à ce que vous changiez vos habitudes alimentaires pour inclure davantage de fibres, vous pourriez prendre un supplément de fibres comme le Métamucil. Contrairement aux fibres naturelles contenues dans les aliments complets, ces produits ne contiennent cependant pas de nutriments.

Au quotidien

■ **Cherchez la cohérence.** Autant que faire se peut, adoptez un mode de vie régulier. Qu'il s'agisse de vos activités physiques, de vos habitudes alimentaires, tout changement subit peut occasionner de la constipation.

ATTENTION

Ne prenez jamais de laxatif stimulant comme Correctol ou Ex-Lax pendant plus de trois jours. L'excès peut occasionner des dommages intestinaux et causer le «syndrome de l'intestin paresseux» (l'intestin devenant alors incapable de fonctionner normalement sans l'aide d'un laxatif).

Dégénérescence maculaire

◄ Les plus fréquents sont des points aveugles au centre du champ de vision, une vision trouble (surtout à la lecture ou en détaillant des visages), une vision sinueuse des lignes droites.

Qu'est-ce que c'est ?

Situé dans la rétine, la macula photo-sensible retranscrit les détails et les images au centre de votre champ de vision. La dégénérescence maculaire (DMA) liée à l'âge est une maladie progressive indolore qui entraîne la perte de la vision centrale. Lorsque la macula commence à faiblir, votre vision centrale devient trouble et déformée et des petits points aveugles apparaissent. Votre vision périphérique reste intacte. La DMA est responsable de 35 % des cas de cécité légale. La cécité légale est une vision de 20 sur 200 à la meilleure correction, ce qui signifie que vous pouvez distinguer les formes et les ombres, mais ne pouvez ni lire, ni conduire, ni vous déplacer sans assistance.

La DMA est la première cause de cécité légale chez les personnes de plus de 65 ans. Son incidence augmente avec le vieillissement.

● **La DMA sèche** est la forme la plus courante, celle qu'on observe dans 90 % des cas. Des petits sédiments durs et jaunes appelés drusen se forment sur la macula, se concentrent et entraînent une atrophie de la macula. Seul un petit pourcentage des personnes qui ont des drusen perdent la vue à cause de la dégénérescence maculaire liée à l'âge.

● **La DMA humide** est due à des fuites des vaisseaux sanguins de la macula. Les fuites, de fluide ou de sang, entraînent un décollement de la macula et la formation de tissus cicatriciels qui remplacent les cellules maculaires. La DMA humide entraîne une détérioration rapide de la vision et peut apparaître en même temps que la DMA sèche.

Faites examiner vos yeux si vous perdez votre vision centrale, si vous voyez trouble ou avec des points blancs. Votre médecin traitant peut parfois déceler la présence de drusen et d'atrophie maculaire à l'aide d'un ophtalmoscope (une lampe miniature qui permet de voir l'intérieur de l'œil). Mais un ophtalmologue pourra vous faire subir les tests d'acuité visuelle dont celui de la grille d'Amsler (voir chapitre 5, page 151). Si vous souffrez de DMA humide, l'ophtalmologue pourra vous soumettre à une angiographie en fluorescence avant d'envisager une thérapie au laser.

Comment la soigne-t-on ?

On ne guérit pas de la DMA, mais le déclin de la vision peut être ralenti de diverses manières :

● **La thérapie photodynamique** utilise des teintures épaisses qui bouchent les fuites vasculaires. Santé Canada a récemment agréé un nouveau médicament appelé vertéporfine (Visudyne), une teinture que l'on

Astuce santé

À l'extérieur, portez toujours des lunettes de soleil à verres anti-UV pour protéger vos yeux de l'éblouissement par la lumière du soleil.

injecte dans les vaisseaux sanguins et que l'on stimule au laser pour éviter une croissance vasculaire anormale. Généralement, des thérapies multiples sont nécessaires.

- **La photocoagulation au laser** qui détruit les vaisseaux sanguins anormaux soulage un petit pourcentage des personnes atteintes de DMA humide. Mais les rechutes sont fréquentes. La perte de vision s'installe à nouveau au bout de trois à cinq ans et un nouveau traitement n'est pas forcément efficace.
- **La translocation maculaire** est une opération chirurgicale qui repositionne la rétine. On y a rarement recours, car elle aggrave parfois l'état.
- **Les articles pour malvoyants peuvent vous aider énormément.** Lumière forte, ordinateurs à macro-caractères, livres, journaux, jeux, cartes à jouer en gros caractères, de même que livres audio. Les loupes, à porter sur soi ou à tenir dans la main, ont divers degrés de grossissement. Pour vous diriger ou faire vos comptes, utilisez des horloges, des montres ou des calculatrices parlantes. Il existe aussi des loupes vidéo pour agrandir le lettrage sur les écrans de télévision.

ATTENTION

Si vous souffrez de DMA sèche et que survient une brusque modification de votre vision, faites-vous traiter d'urgence ; votre maladie peut avoir évolué en DMA humide. Les fuites peuvent être colmatées par un traitement au laser pour réduire les lésions à la rétine. Sinon, votre rétine risque des lésions permanentes graves.

Votre programme de prévention

Alimentation ■ **De la verdure.** Certains aliments contiennent beaucoup de lutéine et de zéaxanthine, deux antioxydants qui protègent la santé de vos yeux. Des chercheurs ont évalué une diminution de 43 % du risque de DMA chez les personnes qui mangeaient du chou frisé, des épinards ou des brocolis, riches en antioxydants, une fois par jour. Le chou vert, le jaune d'œuf, le maïs, les poivrons orange, les kiwis, le jus d'orange et les courgettes sont de bonnes sources de lutéine et de zéaxanthine.

■ **Faites place au poisson.** Des chercheurs australiens ont découvert que ceux qui mangeaient du poisson au moins une fois par mois diminuaient de moitié leurs risques de DMA en stade final. Ceux qui en consommaient une fois par semaine étaient mieux protégés. Les acides gras oméga-3 du poisson expliquent peut-être ce phénomène.

■ **Pensez au zinc.** Le zinc pourrait ralentir l'évolution de la dégénérescence maculaire. On le trouve dans les graines de citrouille et de tournesol, l'orge, le poulet, le crabe et les huîtres.

Solutions médicales ■ **Veillez sur votre vision.** Si vous avez plus de 45 ans, faites examiner vos yeux chaque année ou tous les deux ans ; plus souvent, si vous avez des antécédents familiaux de la maladie, d'autres facteurs de risque, ou que votre vision s'altère. Un diagnostic précoce permet d'intervenir rapidement lorsqu'il est possible de ralentir la progression de la maladie. La DMA humide peut se transformer rapidement en un cas d'urgence.

■ **Surveillez votre tension.** Dans une étude sur 1200 sujets, les chercheurs décelaient une incidence quatre fois plus élevée d'hypertension chez les personnes souffrant de DMA humide en comparaison à celles qui ne souffraient pas de la maladie ou qui souffraient de DMA sèche.

Suppléments ■ **Pensez aux antioxydants.** Des suppléments de lutéine et de zéaxanthine peuvent être bénéfiques. Si votre régime alimentaire (voir *De la verdure*) ne contient pas suffisamment de ces antioxydants, modifiez-le d'abord puis demandez à votre médecin des suppléments.

Au quotidien ■ **Vainquez la cigarette.** Une raison de plus de cesser de fumer. Au cours d'une étude de la Nurses Health, les chercheurs ont découvert que les risques de DMA étaient deux fois plus élevés chez les fumeurs.

Dépression

◀ Entretien quotidien de pensées tristes ; pleurs fréquents.

◀ Perte d'intérêt pour les activités agréables.

◀ Perte d'énergie.

◀ Culpabilité.

◀ Insomnie ou somnolence excessive.

◀ Réactions ralenties.

◀ Gain ou perte de poids (sans suivre de régime).

◀ Difficulté à se concentrer ou à prendre des décisions.

◀ Pensées suicidaires.

Qu'est-ce que c'est ?

La dépression connaît des intensités différentes. Le deuil, une réaction normale à la suite d'une perte ou d'un décès, déclenche parfois une dépression ; c'est ce que l'on appelle une dépression situationnelle. Mais les symptômes du deuil, qui peuvent être identiques à ceux de la dépression, se dissipent en quelques mois. On appelle mélancolie la dépression chronique qui, sans vous empêcher de fonctionner, vous prive des joies de la vie. La dépression majeure comporte des symptômes débilitants qui affectent les activités normales. Les idées suicidaires relèvent de la dépression majeure.

La dépression se produit, croit-on, quand les neurotransmetteurs, responsables de l'humeur, la sérotonine, la dopamine et la norépinéphrine, sont en déséquilibre, ce qui peut provenir de facteurs biologiques ou environnementaux. Quand vous souffrez d'une maladie douloureuse, la dépression vous fait sentir encore plus mal. Elle peut prendre la forme de la migraine, de douleurs dans tout le corps, de problèmes digestifs. Elle peut faire partie des facteurs contribuant à des maladies encore méconnues comme la fatigue chronique, la fibromyalgie ou le côlon irritable.

Comment pouvez-vous savoir si vous faites une dépression ? Si, la plupart du temps, depuis au moins deux semaines, vous présentez l'un ou l'autre des deux premiers symptômes énumérés ci-contre, en plus de quatre autres, c'est que vous souffrez sans doute d'une dépression majeure.

Comment la soigne-t-on ?

Le traitement dépend des facteurs qui ont causé votre dépression et de la gravité des symptômes. Avant d'entreprendre une thérapie, votre médecin essayera de trouver une cause physique à votre dépression. De 10 à 15 % des dépressions dépendent en effet de causes physiques, comme une perte

AUTO ÉVALUATION

Dépression : évaluez vos risques

Environ 11 000 000 de Nord-Américains souffrent de dépression. Vous êtes plus à risque si vous :
◀ êtes une femme ;
◀ avez déjà fait une dépression ;

◀ n'êtes pas assez entouré ;
◀ vivez beaucoup de stress (maladie, ennuis financiers) ;
◀ souffrez d'Alzheimer, de Parkinson, d'arthrite, de cancer, de

diabète, d'une cardiopathie ou de troubles thyroïdiens, toutes maladies associées à la dépression ;
◀ prenez des médicaments susceptibles de causer

une dépression : bêtabloquants, somnifères, narcotiques, benzodiazépines, corticostéroïdes, antihistaminiques et tranquillisants.

d'audition non détectée, le diabète, le cancer ou l'hypothyroïdie. Même s'il est nécessaire de traiter la maladie, la dépression «secondaire» demande aussi un traitement. Votre médecin examinera les médicaments que vous prenez, pour savoir si l'un d'entre eux pourrait en être responsable.

Si vous ne souffrez pas de dépression majeure mais que la tristesse vous habite, vous pourriez bénéficier d'une thérapie ou d'un supplément de millepertuis. Parfois, l'exercice, l'acupuncture et le biofeedback s'avèrent efficaces. Il serait important de maintenir votre réseau de relations sociales et familiales, vos habitudes religieuses, et d'explorer votre spiritualité. Si votre dépression coïncide avec la baisse de lumière du jour en hiver, la luminothérapie pourrait alléger vos humeurs (voir page 323).

Quand la dépression majeure frappe, le médecin peut prescrire l'un des traitements suivants :

- **Antidépresseurs :** La plupart prennent ces médicaments pendant environ un an, mais il arrive que certaines personnes doivent les prendre à vie. Voir *Choisir le bon antidépresseur*, ci-dessous.
- **Thérapie de la parole :** Parler de ses problèmes, surtout avec un professionnel, a aidé des millions de personnes à surmonter la dépression. Pour traiter la maladie, la thérapie cognitive behaviorale s'avère particulièrement efficace. Son but est de vous aider à reconnaître vos habitudes négatives ou improductives de monologue intérieur et à les remplacer par des pensées et des comportements positifs. Chez les personnes âgées, la thérapie de la parole seule – sans antidépresseurs – n'est pas très efficace.
- **Sismothérapie :** Quand les autres formes de traitement échouent, la sismothérapie peut réussir. Autrefois connue sous le nom d'«électrochocs», la sismothérapie utilise le courant électrique pour produire une décharge intense momentanée des neurotransmetteurs. Au cours des 20 dernières années, le traitement a évolué : de nos jours avant la sismothérapie, les patients prennent un relaxant musculaire et un sédatif pour éliminer les spasmes musculaires que produirait autrement la charge électrique. On comprend mal comment la dépression s'en trouve soignée, mais les résultats sont là, immédiats et spectaculaires.

CHOISIR LE BON ANTIDÉPRESSEUR

Pour le traitement de la dépression, il existe une vingtaine de médicaments différents. Même s'ils appartiennent à quatre catégories spécifiques, chaque médicament possède sa propre structure chimique ; c'est pourquoi il existe des petites différences dans leurs effets primaires et secondaires. Ainsi, certains médicaments ont tendance à donner de l'énergie aux gens que la dépression rend somnolents et amorphes, tandis que d'autres calment l'angoisse et l'agitation qui accompagnent souvent la dépression. En raison de leur chimie organique unique, les gens ne réagissent pas tous de la même façon aux médicaments ; il faut donc travailler de concert avec son médecin.

Les *inhibiteurs spécifiques du recaptage de la sérotonine (ISRS),* comme la fluoxétine (Prozac), la paroxétine (Paxil) et la sertraline (Zoloft), mettent quelques semaines à devenir efficaces ; ils peuvent occasionner sécheresse de la bouche, constipation, étourdissements, gain ou perte de poids et dysfonction sexuelle. Ces médicaments (surtout la fluoxétine) peuvent affecter la capacité du foie de métaboliser les autres médicaments. Révisez avec votre médecin la liste de tous les médicaments que vous prenez.

Les *antidépresseurs tricycliques (ATC)*, comme la désipramine (Norpramine), la doxépine (Sinéquan) et la protriptyline (Triptil), mettent plusieurs semaines à atteindre leur efficacité ; les effets secondaires incluent : problèmes à uriner, gain pondéral inattendu, arythmie et vertiges.

Les *inhibiteurs de la monoamine oxydase (IMAO)* ont de graves effets secondaires potentiels, y compris une hypertension importante, si vous ingérez des aliments qui contiennent de la tyramine (comme du vin rouge ou des marinades). Leurs versions plus récentes éliminent le potentiel d'interactions avec des aliments, mais elles peuvent causer l'impuissance et l'insomnie. On les prescrit en dernier recours.

Les *antidépresseurs de dernière génération* comme la néfazodone (Serzone) et la venlafaxine (Effexor) et les autres produits réservés aux essais, comme la mirtazapine et la reboxétine, peuvent s'avérer aussi efficaces que les ISRS, mais produisent des effets différents, ce qui permet d'adapter plus efficacement le traitement aux symptômes.

OPTION MILLEPERTUIS

Le millepertuis, un supplément végétal en vente libre, semble agir en ralentissant l'absorption de la sérotonine, ce qui en laisse davantage dans les synapses, entre les cellules. Ainsi, il agirait à la manière des ISRS. Vous devrez peut-être en prendre pendant trois à six semaines avant que le millepertuis ne commence à faire effet. Achetez les comprimés qui contiennent 0,3 % d'hypericin (l'ingrédient actif) et prenez de 200 à 300 mg trois fois par jour.

Les médecins savent désormais que le millepertuis traite efficacement la dépression légère. Mais ne prenez pas de millepertuis avec d'autres ISRS ou

La dépression chez les personnes âgées

Bien des gens croient que la dépression fait partie du vieillissement. Ce n'est pas le cas. Même si les personnes âgées affrontent bien des pertes et bien des deuils, la capacité d'y faire face s'améliore avec le temps. Et pourtant, environ 3 % des personnes âgées souffrent de dépression majeure et 15 % présentent des symptômes dépressifs.

Les médecins n'ont pas été formés pour dépister les signes de dépression chez les personnes âgées, et ce, même si les antidépresseurs peuvent leur faire retrouver leur joie de vivre. Un seul patient âgé déprimé sur six recevrait le traitement approprié.

La dépression peut accompagner plusieurs des maladies chroniques qui affectent les personnes

âgées. La perte d'autonomie en raison d'un handicap ou d'une maladie peut aussi contribuer à faire apparaître la dépression chez une personne âgée. Enfin, la solitude et l'isolement prennent pour elle de plus en plus d'importance au fur et à mesure que les amis et les êtres chers déménagent ou meurent.

La polypharmacie, le fait de prendre plusieurs médicaments, est un autre facteur. Certains médicaments (voir *Dépression : évaluez vos risques*, page 328) causent ou aggravent la dépression.

En conclusion : la personne qui fuit ses proches, qui entretient des pensées suicidaires, ou n'a plus la même énergie, devrait consulter son médecin. Pour lui donner du soutien, offrez-lui de l'accompagner.

avec des tranquillisants : il pourrait élever dangereusement votre pression artérielle. Il peut aussi émousser l'effet des médicaments contre le HIV, contre le rejet lors de transplantations, des anticoagulants et des anovulants.

Un autre supplément, appelé SAM-e (pour S-adénosyl-méthionine), pourrait bien s'avérer efficace, mais d'autres études devront avoir lieu avant que l'on puisse le recommander.

UN PEU DE LUMIÈRE SUR LE DÉSORDRE AFFECTIF SAISONNIER

Le désordre affectif saisonnier (DAS) est une forme de dépression qui frappe à la fin de l'automne et en hiver, quand les heures de lumière sont les plus brèves. Le DAS signale la défaillance du cerveau à traiter la mélatonine, qui régularise le sommeil et l'éveil. On peut minimiser les symptômes en prenant autant de lumière naturelle que possible, en peignant en blanc les murs de votre maison, en gardant stores et rideaux ouverts, en vous assoyant près des fenêtres et en prenant une marche d'une heure le midi. Beaucoup bénéficient de la luminothérapie, en s'exposant plusieurs heures chaque jour à une lumière vive sans ultraviolet.

ATTENTION

Certes, le ginkgo biloba peut réduire la léthargie mentale typique de la dépression, mais parce qu'il a aussi des propriétés anticoagulantes, ne le prenez ni avec de l'aspirine ni avec un médicament anticoagulant, quel qu'il soit.

Votre programme de prévention

Alimentation ■ **Mangez bien.** Adoptez un régime équilibré fait de légumes, de fruits et d'hydrates de carbone complexes (pain de blé entier, céréales, pâtes et riz). Les hydrates de carbone complexes stimulent les niveaux de sérotonine. Mangez des protéines sous forme de produits laitiers, de viandes maigres et de poisson. Les protéines sont essentielles à la formation des neurotransmetteurs.

■ **Du poisson pour souper.** Ceux qui mangent du poisson moins d'une fois la semaine courent beaucoup plus de risques de souffrir de dépression que les autres. Les acides gras oméga-3 essentiels contenus dans le poisson en seraient responsables.

Exercice ■ **Faites de l'exercice.** L'exercice aérobique peut vous aider parce qu'il favorise la libération des endorphines, qui induisent le bien-être et réduisent le stress. Pour soulager les symptômes de la dépression mineure, les exercices aérobiques réguliers produisent le même effet que les antidépresseurs. Cinq fois par semaine, faites des séances de 45 minutes à une heure. Faites de la marche rapide, nagez, courez, dansez, faites de la bicyclette. Vous en bénéficierez encore plus si vos muscles travaillent suffisamment fort pour vous mettre hors d'haleine.

Suppléments ■ **Vitamine B$_{12}$.** Les femmes âgées qui présentent une déficience en vitamine B$_{12}$ courent plus de risques de faire une dépression majeure. Consommez donc beaucoup de lait, d'œufs, de poisson et de viande. Si la chose vous est impossible, prenez un supplément de 5 mcg par jour.

Médecines douces ■ **Restez centré.** Yoga, taï chi et méditation peuvent vous aider à vous détendre, à diriger vos pensées, à régulariser votre respiration et à améliorer votre flexibilité.

Au quotidien ■ **Dormez bien.** Chaque soir, allez vous coucher à la même heure ; dormez suffisamment longtemps ; levez-vous chaque matin à la même heure et évitez les siestes.

■ **Tendez la main.** Quand vous socialisez, vous tenez la dépression à distance.

■ **Adoptez un animal.** Vous vous trouverez un compagnon de vie et penserez à autre chose.

Désordres thyroïdiens

◀ **L'hypothyroïdisme :** manque d'énergie, fatigue, gain de poids, intolérance au froid, dépression, réflexion ralentie, maux de tête, rétention des fluides, peau rugueuse, ongles cassants, constipation, goitre (glande thyroïde hypertrophiée), règles irrégulières.

◀ **L'hyperthyroïdisme :** accélération du pouls, perte de poids malgré un grand appétit, intolérance à la chaleur, tremblements, irritabilité, insomnie, suées, goitre, diarrhées, menstruations peu abondantes, yeux exorbités, confusion et apathie (surtout chez les personnes âgées).

◀ **Nodules thyroïdiens :** souvent pas de symptômes ou une petite boule sur la glande thyroïde.

En bref

L'étude de 25 000 patients adultes en Oregon a permis de découvrir 10 % d'hypothyroïdisme ou d'hyperthyroïdisme non diagnostiqués.

Qu'est-ce que c'est ?

La thyroïde, une glande, produit et libère des hormones qui règlent votre métabolisme en exerçant une action sur votre résistance, rythme cardiaque, fonctions intestinales, assimilation des graisses, pilosité, niveau d'énergie et humeur.

L'hypothyroïdisme se traduit par un sentiment de fatigue, parce que votre métabolisme ralentit lorsqu'il ne reçoit pas suffisamment d'hormones thyroïdiennes. De faibles niveaux d'hormones thyroïdiennes entraînent également l'hypercholestérolémie. L'hypothyroïdisme affecte quatre fois plus de femmes (surtout après 50 ans) que d'hommes. La thyroïdite auto-immune de Hashimoto, destruction des cellules par le système immunitaire défaillant, est souvent responsable de l'hyperthyroïdisme.

L'hyperthyroïdisme déclenche une sensation de nervosité à cause de l'accélération de votre métabolisme due à la libération d'un surplus d'hormones thyroïdiennes. L'hyperthyroïdisme affecte plus fréquemment les femmes entre 30 et 40 ans. Souvent la surproduction d'hormones thyroïdiennes est due à la maladie auto-immune de Graves ou à la croissance de nodules sur la thyroïde.

Un goitre est une hypertrophie de la glande thyroïde. Il peut apparaître avec l'hypo ou l'hyperthyroïdisme. Il arrive que les goitres interfèrent avec la déglutition ou la respiration lorsqu'ils sont trop importants, mais la plupart ne posent pas de problèmes et beaucoup disparaissent tout seuls. Les goitres sont parfois le résultat d'une carence en iode. (La glande thyroïde absorbe l'iode, qu'elle utilise pour fabriquer des hormones thyroïdiennes.) La plupart des sels aujourd'hui sont enrichis en iode pour éviter l'apparition du goitre. Trop d'iode cependant peut aussi entraîner une dysfonction thyroïdienne, surtout lorsque la glande est déjà attaquée par le système immunitaire. Dans ce cas, l'iode supplémentaire entraîne une élévation des niveaux d'hormones thyroïdiennes dans le sang.

Des examens peuvent aider à diagnostiquer des problèmes thyroïdiens :

● **Des analyses de sang.** Pour mesurer le niveau de HST dans votre sang.

● **Les examens d'absorption de l'iode radioactive.** Vous absorbez de l'iode radioactive sous forme liquide ou en pilules, que la thyroïde assimile comme de l'iode. Au bout de 24 heures, on mesure la radioactivité pour évaluer la quantité d'iode que la glande a absorbée. Une absorption élevée peut indiquer la maladie de Graves.

● **La biopsie.** Votre médecin fait un prélèvement de cellules à l'aide d'une fine aiguille. Les cellules sont envoyées au laboratoire pour éliminer la présence de cancer.

● **L'échographie.** Indique si un nodule est constitué de fluide ou s'il est solide.

Comment les soigne-t-on ?

MÉDICAMENTS

En cas d'hypothyroïdisme, votre médecin vous prescrira une hormonothérapie substitutive d'hormone thyroïdienne de synthèse au dosage qui vous convient. Pour l'hyperthyroïdisme, votre médecin vous recommandera peut-être un médicament antithyroïdien à prendre chaque jour pour endiguer la production d'hormone par la glande. Une autre méthode consiste à absorber une dose unique d'iode radioactive, qui détruit les cellules thyroïdiennes responsables de la surproduction d'hormones. La substance n'est absorbée que par la thyroïde et n'inflige pas de lésions à d'autres tissus. Généralement, la radioactivité entraîne de l'hypothyroïdisme et vous devez prendre des hormones thyroïdiennes de substitution.

CHIRURGIE

Pour l'hyperthyroïdisme qui résiste aux médicaments, on peut envisager l'ablation d'une portion de la glande pour limiter la production d'hormones. Dans la plupart des cas, il faut prendre des médicaments à vie après la chirurgie. En cas de nodules thyroïdiens, votre médecin peut évacuer les fluides à l'aide d'une aiguille. En cas de nodules cancéreux, on procède à l'ablation de la glande thyroïde.

ATTENTION

Demandez conseil à votre médecin avant d'utiliser des suppléments d'algue ou de varech. Ils contiennent de l'iode, ce qui peut aggraver une affection thyroïdienne.

Votre programme de prévention

Alimentation ■ **Surveillez votre alimentation.** En cas d'hypothyroïdisme, absorbez suffisamment d'iode (dans les fruits de mer et le sel) et limitez votre consommation de gras qui peut entraîner une augmentation de vos niveaux de cholestérol. En cas d'hyperthyroïdisme, évitez les aliments riches en iode et préférez les aliments riches en calcium, car un excès d'hormones thyroïdiennes nuit à votre densité osseuse (les crucifères, comme le brocoli, ralentissent la production thyroïdienne).

■ **Mangez des épinards.** Beaucoup d'experts pensent que le fer est nécessaire à la production d'hormones thyroïdiennes. Demandez conseil à votre médecin avant de prendre un supplément de fer, car ce dernier interfère avec l'assimilation de certains médicaments thyroïdiens.

Exercice ■ **Bougez.** L'exercice aide à contrôler le niveau de cholestérol que l'hypothyroïdisme a tendance à faire augmenter. Essayez de faire chaque jour une marche énergique d'une demi-heure pour que votre niveau reste normal.

Suppléments ■ **Prenez vos vitamines.** Quel que soit le problème thyroïdien, assurez-vous que vos multivitamines quotidiennes contiennent les vitamines B et C nécessaires au renforcement de votre système immunitaire et de vos fonctions thyroïdiennes. Si vous souffrez d'hyperthyroïdisme, ajoutez 1000 mg de calcium en plusieurs doses, chaque jour.

Diabète

◆ **SYMPTÔMES** ◆

◀ Il peut n'y avoir aucun symptôme avant que ne se produise une complication comme une crise cardiaque, un ACV, une infection rénale, neurologique ou oculaire.

◀ Les sujets de plainte les plus fréquents incluent : besoin fréquent d'uriner, soif ou faim inhabituelle, infections fréquentes (surtout de la peau, des gencives ou de la vessie), coupures et contusions lentes à guérir, irritabilité, perte de poids inhabituelle, fatigabilité extrême, vision brouillée, four-millements et engour-dissements dans les mains et les pieds.

Qu'est-ce que c'est ?

Près de deux millions de Canadiens souffrent du diabète, un ensemble de maladies qui se caractérise par des niveaux de sucre élevés dans le sang. Quand vous mangez, votre organisme transforme les hydrates de carbone en glucose que l'insuline, une hormone produite par le pancréas, évacue du sang pour le porter aux cellules corporelles. Lors d'un trouble de l'insuline, le glucose reste dans le sang et se trouve empêché de nourrir les activités des cellules. C'est ce qui cause l'élévation des taux de sucre dans le sang.

La forme la plus fréquente de diabète, celle des adultes ou de type 2, était autrefois appelée « diabète non insulinodépendant ». La résistance à l'insuline en serait responsable. Les cellules de votre organisme ne réagi-raient plus à l'insuline produite par le pancréas. Il serait aussi possible que le pancréas ne produise pas assez d'insuline (mais il en produirait tout de même, contrairement à ce qui se passe dans le diabète de type 1, diabète juvénile ou insulinodépendant).

Le diabète peut entraîner des complications comme la cécité, les troubles rénaux, les cardiopathies. Les diabétiques ont de deux à quatre fois plus de risques de souffrir de cardiopathies. Des lésions neurologiques peuvent nécessiter l'amputation de la jambe ou du pied.

Comment le soigne-t-on ?

Il est possible d'éviter les complications graves si le traitement suivi main-tient à la normale – ou à peu près – les niveaux de sucre dans le sang. Le traitement du diabète exige une alimentation saine et de l'exercice régulier. Votre traitement peut s'y résumer, surtout si vous avez un poids idéal. Il

AUTO ÉVALUATION

Diabète : évaluez vos risques

Un Nord-Américain atteint de diabète sur trois l'ignore. Mais les taux de sucre élevés dans le sang peuvent endommager les organes du corps à l'insu du diabétique. Vos risques de diabète augmentent si vous :

◀ avez plus de 45 ans ;

◀ avez un excès de poids, porté surtout autour de l'abdomen ;

◀ faites peu ou pas d'exercice ;

◀ avez un niveau de sucre dans le sang plus élevé que la normale ;

◀ avez des parents immédiats (parents, frères et sœurs) atteints ;

◀ êtes d'ascendance aborigène, africaine, latino-américaine ou asiatique ;

◀ êtes une femme qui a donné naissance à un

enfant de plus de 4 kg ou qui a fait un diabète au cours d'une ou plu-sieurs grossesses ;

◀ avez un taux de HDL (le bon cholestérol) bas et celui des trigly-cérides, élevé ;

◀ souffrez de cardiopa-thie ou d'hypertension.

est possible que vous ayez à prendre des médicaments pour aider votre organisme à métaboliser plus efficacement le sucre.

Si les médicaments ne suffisent pas, votre médecin prescrira des injections d'insuline. Si tel est le cas, ne craignez rien : les nouvelles aiguilles superfines les rendent presque indolores. Ainsi, que ce soit le seul traitement ou qu'il soit associé avec des comprimés, on peut contrôler le diabète au moyen d'une injection d'insuline – ou plus – par jour. Il est également possible que l'on prescrive des médicaments pour contrôler la tension artérielle, les taux de cholestérol et de triglycérides et, au besoin, pour traiter toute complication des nerfs, des reins ou des yeux.

MÉDICAMENTS

Il existe quatre types de comprimés ; ceux que vous prendrez dépendront de la gravité de votre diabète, de votre style de vie et des autres problèmes qui affectent votre santé. Les sulfonylurées – entre autres tolbutamide (Orinase), chlorpropamide (Diabinese), gliclazide (Diamicron) et glyburide (Diabeta) – et la repaglinide (GlucoNorm) aident l'organisme à secréter plus d'insuline. Ce sont les médicaments les plus fréquemment prescrits dans les cas de diabète de type 2.

La metformine (Glucophage) diminue la production de glucose du foie ; l'acarbose (Prandase) bloque les enzymes qui transforment les aliments en sucres simples. Pris avant les repas, ils retardent l'absorption des hydrates de carbone, émoussant les pointes de glucose d'après les repas (mais ils peuvent causer des flatulences, des gonflements et de la diarrhée). Les glitazones, dont la rosiglitazone (Avandia) et la pioglitazone (Actos), affaiblissent la résistance à l'insuline.

Si vous prenez des comprimés ou si vous vous faites des injections, soyez vigilant. Si la dose n'est pas suffisante, vous pouvez perdre conscience. L'hypoglycémie (bas niveau de sucre dans le sang) survient quand vous prenez trop d'insuline, que vous ne mangez pas assez, sautez un repas, buvez de l'alcool l'estomac vide, ou faites trop d'exercice. Vous tremblez, vous vous sentez fatigué, affamé, confus ou nerveux. Mangez alors quelque chose : une demi-tasse de jus de fruits ou quelques cuillerées de sucre.

Si vous faites du diabète, rappelez-vous que les médicaments ne remplacent pas l'alimentation saine et l'exercice. Ils ne servent que lorsque les mesures quotidiennes ne peuvent ramener votre taux de glucose à la normale.

VIVRE AVEC LE DIABÈTE

Les mesures quotidiennes qui suivent peuvent aider à contrôler le diabète et améliorer la qualité de vie des diabétiques.

- **Apprenez à prendre soin de vous.** Vous avez un certain contrôle sur votre santé. Demandez à votre médecin ou à votre diététiste de vous enseigner comment bien prendre soin de vous.
- **Faites vos propres analyses.** Testez chaque jour votre niveau de sucre sanguin au moyen des bandelettes réactives et d'un appareil de lecture de la glycémie. Selon la gravité de vos symptômes et selon que vous prenez ou non de l'insuline, vous devrez faire un ou plusieurs tests par

En bref

Vous avez besoin de motivation pour contrôler votre taux de sucre ? Dans tout votre organisme, l'hyperglycémie peut causer des lésions tant aux nerfs qu'aux vaisseaux sanguins, provoquant de l'impuissance chez les hommes et affectant l'orgasme chez les femmes.

ATTENTION

On a récemment découvert que les gens qui prennent des bêtabloquants pour contrer l'hypertension artérielle couraient 28 % plus de risques de souffrir du diabète que ceux qui ne prennent pas d'antihypertenseurs. L'étude, publiée dans le New England Journal of Medicine, *portait sur 12 000 personnes âgées de 45 à 64 ans.*

jour. Pour garder un niveau de glucose près de la normale, adaptez alimentation, exercices et médicaments quotidiens à votre glycémie.

● **Buvez de l'eau, beaucoup d'eau.** Comme le diabète fait uriner à l'excès, il peut vous déshydrater. Buvez au moins huit verres d'eau par jour – plus quand vous êtes malade ou que votre glycémie est élevée.

● **Surveillez votre sucre.** Les médecins ont longtemps cru que les diabétiques devraient éviter les hydrates de carbone simples (les sucres) pour les remplacer par des hydrates de carbone complexes, comme des légumes, du pain, des céréales et des pâtes. On a découvert que les diabétiques *peuvent* manger du sucre. Quand la valeur en hydrates de carbone est identique, les pommes de terre produisent le même effet sur la glycémie que les biscuits. Pour cette raison, il importe de calculer la somme des hydrates de carbone ingérés, pas seulement leur origine.

● **Explorez l'index glycémique.** Les débats se poursuivent toujours quant à l'utilisation de l'index glycémique, une échelle évaluant la rapidité avec laquelle les aliments se transforment en glucose. Les hydrates de carbone farineux comme les pommes de terre, et les fruits tropicaux comme les bananes, se transforment plus rapidement en glucose que les pommes, les poires, les pains faits de grains entiers et le son. Certains (dont l'Organisation mondiale de la santé) allèguent que les aliments dont l'index glycémique est bas peuvent prévenir le diabète de type 2. D'autres soutiennent que l'index glycémique complique à l'excès la planification des repas, surtout que les aliments changent d'index en les associant avec d'autres aliments. Si vous vous sentez d'attaque, demandez des informations à votre médecin ou à votre diététiste.

● **Voyez un diététiste.** Il peut vous être utile de préparer un programme alimentaire pour faire face à vos autres problèmes de santé, comme celui de votre taux de cholestérol. Consultez un diététiste qui en mettra un sur pied pour vous, pour répondre à vos besoins spécifiques.

● **Soignez vos pieds.** Chez le diabétique, comme les vaisseaux sanguins de la jambe sont rétrécis, les blessures et les infections au pied peuvent occasionner des ulcères graves qui, à leur tour, mèneront à la gangrène. Si vous êtes diabétique, lavez, essuyez et poudrez vos pieds très soigneusement chaque soir. Portez des chaussures bien ajustées pour prévenir les ampoules, les cors, les ongles incarnés et autres problèmes.

● **Faites examiner vos yeux tous les ans.** Chaque année, demandez à votre médecin d'examiner vos yeux. Il pourra détecter toute rétinopathie diabétique (l'atteinte ou la destruction des petits vaisseaux sanguins de la rétine). Un traitement rapide prévient la cécité.

● **Faites des exercices en douceur.** Si vous êtes diabétique, discutez avec votre médecin des précautions qu'il vous faut prendre quand vous faites de l'exercice. Vous pourriez devoir éviter tout à fait certains types d'exercices. Ainsi, ceux qui souffrent de rétinopathie devraient éviter les activités qui demandent des sauts (jogging, tennis, ballon volant) et la musculation. Ceux dont le taux de glucose sanguin « joue du yoyo » devraient manger juste avant leur séance d'exercice et faire une lecture de glucose de temps à autre pendant le conditionnement.

Votre programme de prévention

Alimentation

■ **Surveillez votre alimentation.** Pour la plupart des gens, les hydrates de carbone (surtout les complexes, riches en fibres) devraient composer l'essentiel de l'alimentation. On devrait réserver aux protéines (viande, soya et produits laitiers) de 10 à 20 % des calories quotidiennes. Optez pour les protéines faibles en gras saturés : poisson, volaille, fèves, produits laitiers faibles en matières grasses.

■ **Fixez-vous un horaire.** Évitez de reporter un repas, de le sauter ou de vous laisser aller à des fringales, ce qui peut être désastreux pour vous.

■ **Perdez quelques kilos.** Au moins 80 % des diabétiques de type 2 sont trop gras. Perdez du poids : vous pourrez peut-être échapper à la maladie. Si vous n'arrivez pas à atteindre votre poids idéal, même une perte de 4 kg peut faire baisser votre taux de sucre. (Voir le chapitre 2 pour des trucs de diète.)

Exercice

■ **Bougez.** L'exercice améliore la sensibilité de votre organisme à l'insuline ; il aide le contrôle du glucose et peut vous aider à perdre du poids. Une heure par jour de marche rapide peut diminuer de moitié votre risque de faire du diabète.

Solutions médicales

■ **Passez un test de diabète.** Une simple prise de sang appelée test de glucose plasmatique pourrait faire partie de votre bilan de santé régulier. L'examen peut même être fait peu après le repas. Si le résultat est de 11,1 mmol/l ou plus, il est possible que vous fassiez du diabète et votre médecin demandera des examens supplémentaires. Si votre glucose n'est pas assez élevé pour faire de vous un diabétique, vous devriez tout de même prendre certaines précautions si votre glucose est supérieur à la normale. Vous devriez passer un test de glycémie à jeun quand, après un jeûne de huit heures, les résultats de votre prise de sang se situent entre 6,1 et 6,9 mmol/l ou un test d'intolérance au glucose quand les résultats d'une hyperglycémie provoquée par voie orale administrée deux heures plus tôt dépassent 7,0 mmol/l. Soit votre organisme n'utilise pas bien l'insuline ; soit il ne la sécrète pas correctement, ce qui accroît votre risque de diabète ou de cardiopathie. Peu importe la situation, suivez les recommandations faites aux diabétiques.

Médecines douces

■ **Protégez-vous avec la vitamine E.** Les personnes dont les niveaux de vitamine E dans l'organisme sont le plus bas courent, dit-on, quatre fois plus de risques de faire du diabète que les autres, dont le niveau est plus élevé. On recommande de prendre une dose quotidienne de 200 à 400 mg.

Au quotidien

■ **Diminuez votre niveau de stress.** Le stress excessif, allié à une capacité médiocre de faire face aux difficultés, peut augmenter votre glycémie. Voyez les pages 202-203.

Astuce santé

Demandez à votre médecin ce qu'il pense des suppléments de chrome, un métal que l'on trouve sous forme de trace et qui jouerait, paraît-il, un rôle prépondérant dans la sensibilité à l'insuline des cellules de l'organisme.

Diarrhée

SYMPTÔMES

◄ Matières fécales liquides ou peu solides évacuées plus de trois fois par jour.

◄ Crampes d'estomac ou douleur, ballonnement, nausée ou fièvre.

◄ Matières fécales sanglantes, signalant possiblement une infection grave.

Qu'est-ce que c'est ?

D'habitude, c'est une infection virale ou bactérienne de l'intestin grêle qui est à l'origine de la diarrhée. L'empoisonnement alimentaire, certaines maladies et certains médicaments peuvent aussi en être responsables.

L'empoisonnement alimentaire survient quand vous mangez des aliments contaminés avec des bactéries (souvent celle de la salmonellose) ou des parasites. Les aliments insuffisamment cuits et ceux qui sont restés à la température de la pièce sont les responsables les plus fréquents. Vous connaissez sans doute quelqu'un qui a eu la *turista* après avoir mangé des aliments contaminés à l'extérieur du pays ; sachez que les empoisonnements alimentaires sont tout aussi fréquents ici.

La diarrhée vient aussi de l'intolérance au blé, au lactose (le sucre du lait) ou au fructose (le sucre des fruits). Elle accompagne parfois les affections intestinales inflammatoires et le syndrome du côlon irritable.

Elle dure habituellement un jour ou deux et prend fin d'elle-même. Voyez votre médecin si vous faites 38,8 °C de fièvre ou plus, si vos selles sont sanguinolentes ou anormalement foncées, ou si votre diarrhée dure plus de quatre jours. Consultez-le si vous vous sentez étourdi, faible, sans énergie, si vous avez mal à l'estomac ou au rectum, si vous présentez des symptômes de déshydratation (soif intense, bouche sèche, peau sèche, urine rare).

Parce que les causes de la diarrhée sont si diverses, votre médecin vous posera beaucoup de questions : ce que vous avez mangé et bu, si vous avez voyagé récemment, quels sont les médicaments que vous prenez. Il vous conseillera peut-être d'éviter certains aliments pendant une semaine ou de suivre un régime sans irritants pour voir si le problème disparaît. Si vous avez la diarrhée depuis plus de trois semaines, il voudra peut-être faire analyser vos selles pour s'assurer qu'elles ne contiennent pas de parasites.

Comment la soigne-t-on ?

Quand vous avez la diarrhée, il importe avant tout de remplacer les liquides perdus. Buvez beaucoup d'eau, du jus de pomme, des colas, des boissons de remplacement électrolytique comme Gatorade, du bouillon de poulet ou de bœuf. Évitez le lait, les jus de fruits acides et les aliments difficiles à digérer. Quand votre diarrhée diminuera, suivez le régime BRATT : bananes, riz, compote de pommes, thé et toasts.

MÉDICAMENTS

Les médicaments sous ordonnance ou en vente libre aident parfois, mais on ne les recommande pas pour les diarrhées causées par une bactérie ou des parasites. En effet, les médicaments antidiarrhéiques empêchent aussi les

En bref

N'abusez pas : plus de 1000 mg de vitamine C par jour peut causer la diarrhée.

intestins d'évacuer les organismes qui en sont responsables, ce qui fait durer le problème. Dans ces cas, les antibiotiques peuvent aider. Lorsque la diarrhée provient d'un virus, on la laisse souvent suivre son cours. Vous voudrez peut-être essayer l'un des médicaments suivants.

- **Lopéramide (Imodium)** ralentit le mouvement des matières fécales dans l'intestin.
- **Attapulgite (Kaopectate)** absorbe les irritants responsables de la diarrhée dans le tractus digestif.
- **Sous-salicylate de bismuth (Pepto-Bismol)** enrobe la paroi intestinale pour la protéger des irritants et réduit l'accumulation de liquides qui peut contribuer à la diarrhée.

REMÈDES NATURELS

Les tisanes astringentes comme celles de feuilles de framboisiers et de mûres peuvent réduire l'inflammation intestinale. En prenant trois fois par jour pendant plusieurs jours 5000 mcg d'acide folique, il est possible de réduire de moitié les accès de diarrhée infectieuse. La graine de psyllium, vendue dans les magasins d'aliments naturels, ajoute du volume aux selles.

Votre programme de prévention

Alimentation ■ **Rincez.** Pour enlever les bactéries, lavez tous les fruits et légumes avant de les manger.

■ **Cuisez.** La viande saignante peut causer un empoisonnement alimentaire. Pour plus de sécurité, utilisez toujours un thermomètre à viande.

■ **Attention dans la cuisine.** Gardez chauds les aliments qui doivent l'être, et froids, ceux qui le doivent. Jetez les œufs craqués, les boîtes de conserves déformées sur le bord. Décongelez les aliments au réfrigérateur, pas sur le comptoir. Que ce soit au réfrigérateur ou sur la planche à découper, assurez-vous que le sang de la viande n'entre pas en contact avec d'autres aliments.

■ **Testez l'eau.** Si vous avez une diarrhée chronique, faites tester l'eau pour savoir si elle contient des bactéries ou installez un filtre de purification.

■ **Dites «oui» au yogourt.** Il contient des cultures bactériennes qui restaurent la flore intestinale et empêchent les «mauvaises» bactéries de proliférer.

Suppléments ■ **Cherchez la lactase.** Si vous êtes allergique au lactose, coupez la route aux problèmes digestifs potentiels en prenant de la lactase (Lactaid) avant de consommer des produits laitiers.

■ **Pensez à l'acidophilus.** En prenant des antibiotiques pour combattre une infection bactérienne, avalez un supplément d'acidophilus pour ramener les «bonnes» bactéries dans votre tube digestif.

Au quotidien ■ **L'hygiène aide.** Lavez-vous les mains avant de préparer les aliments ou de manger, entre la manipulation d'aliments cuits et d'aliments crus, surtout des viandes; après avoir été aux toilettes.

■ **Voyagez prudemment.** Prévenez la diarrhée du voyageur. Ne buvez pas l'eau du robinet — ne vous en servez même pas pour vous brosser les dents —, évitez les glaçons. Refusez les fruits et les légumes crus, à moins que l'aliment ne puisse être pelé, ce que vous ferez vous-même. Fuyez le lait ou les produits laitiers pasteurisés et ne mangez ni viande ni poisson qui ne soit parfaitement cuit.

■ **Mettez le stress au repos.** Le stress intense peut troubler le système digestif et causer la diarrhée. Voyez le chapitre 7, *Évacuer le stress*, pour les manières de le contrôler.

Diverticulite

◀ Diverticulose : crampes légères, ballonnement, constipation et douleur dans le bas de l'abdomen, mais souvent sans symptômes.

◀ Diverticulite : fièvre, nausée, vomissements, frissons, douleur importante dans le bas de l'abdomen, à gauche, constipation, saignement rectal.

Fiche nutrition

On recommandait autrefois aux gens souffrant de diverticulite d'éviter les aliments riches en fibres. On croyait que celles-ci pouvaient aggraver la maladie. Aujourd'hui, on sait qu'une alimentation riche en fibres peut prévenir la diverticulite et aider à son traitement. Durant une crise toutefois, évitez les fruits à pépins et à graines comme les baies.

Qu'est-ce que c'est ?

La maladie diverticulaire peut prendre deux formes : la diverticulose et la diverticulite. Dans la diverticulose, les petites poches en grappes, appelées diverticules, traversent en certains endroits plus faibles la paroi du gros intestin (le côlon). Environ la moitié des Nord-Américains entre 60 et 80 ans ont des diverticules, résultat d'une alimentation faible en fibres. On trouve rarement la diverticulose en Asie et en Afrique, où les gens mangent peu de viande et beaucoup d'aliments riches en fibres. Les fibres rendent les matières fécales plus molles, plus faciles à évacuer, ce qui réduit la pression dans le côlon. La constipation, croit-on, favorise la diverticulose.

On dit qu'il y a diverticulite quand les poches s'infectent, peut-être parce que les matières fécales ou les aliments s'y trouvent coincés. De 10 à 25 % des personnes souffrant de diverticulose font une diverticulite, qui peut conduire à la déchirure, au blocage ou au saignement du côlon. Quand un abcès se forme, il peut occasionner de l'enflure, des lésions et la dissémination de l'infection aux autres parties de l'organisme. Il arrive que le pus sorte du côlon pour se loger dans la cavité abdominale, ce qui entraîne une péritonite, une situation d'urgence exigeant une chirurgie pour nettoyer et désinfecter la cavité et enlever les portions atteintes du côlon.

La plupart du temps, les gens qui souffrent de diverticulose n'ont pas de symptômes. On diagnostique souvent la maladie au cours de tests effectués pour une tout autre raison – parfois au cours d'un lavement baryté. Si votre médecin soupçonne une diverticulose, il pourra demander une analyse des matières fécales pour savoir s'il s'y trouve du sang.

Partant de vos symptômes, votre médecin pourra peut-être diagnostiquer la diverticulite. Il examinera votre abdomen et prescrira des tests sanguins. Un endoscope (un tube flexible, lumineux, pourvu d'une minuscule caméra à son extrémité) peut servir à voir l'intérieur du côlon.

Comment la soigne-t-on ?

La plupart des gens peuvent contrôler la diverticulite en suivant les recommandations de *Votre programme de prévention* (page 341). Lorsque la diverticulite est plus grave, il faut traiter l'infection, réduire l'inflammation, laisser reposer le côlon et prévenir les complications comme le saignement et la perforation. Il faut parfois recourir à la chirurgie.

MÉDICAMENTS

Tout anti-inflammatoire (comme l'ibuprofène) peut faire diminuer les crampes, le ballonnement et la constipation. Pour permettre au côlon de se reposer, le médecin prescrira peut-être une diète liquide et du bromure de propanthéline (Probanthine), qui aide à contrôler les spasmes intestinaux. Si vous avez eu des saignements, on peut injecter dans la région affectée un médicament contractant les artères, comme la vasopressine, pour stopper le saignement et amoindrir les symptômes. L'abcès demande un antibiotique. Si ce dernier ne produit pas d'effet, il faudra peut-être drainer l'abcès.

CHIRURGIE

Dans le cas d'une diverticulite grave, le médecin prescrira peut-être la chirurgie pour enlever la partie problématique du côlon. Les parties saines seront ensuite raccordées.

MÉDECINES DOUCES

Rendez-vous à votre magasin d'aliments naturels et demandez de la racine de guimauve officinale, de l'écorce d'orme rouge, de la racine de réglisse ou du jus d'aloe vera, qui peuvent tous protéger les intestins infectés. La camomille, l'hydraste du Canada, le trèfle des prés et l'achillée millefeuille peuvent aussi vous aider. Les suppléments de fibres, comme le psyllium et la graine de lin, peuvent aussi aider lors d'inflammations.

En bref

Le New England Journal of Medicine *rapporte qu'un nouveau traitement est susceptible de réduire la nécessité de recourir à la chirurgie dans le cas de diverticulite. Dans les cas de diverticules saignantes*, on *dirige un endoscope dans le gros intestin et on s'en sert pour administrer des médicaments et effectuer de petites réparations.*

Votre programme de prévention

 Alimentation ■ **Cherchez le volume.** En augmentant la quantité de fibres dans votre alimentation, vous pouvez réduire les symptômes de diverticulose et prévenir la diverticulite. Assurez-vous de consommer chaque jour au moins 30 g de fibres – mais augmentez votre apport lentement. Les sources de fibres sont: fruits et légumes, fèves et légumineuses, pains et céréales de grains entiers. Si vous n'arrivez pas à prendre de la sorte suffisamment de fibres, votre médecin pourra prescrire du Citrucel ou du Métamucil. Mélangés à l'eau, ces produits donnent de 4 à 6 g de fibres pour une tasse d'eau.

■ **Buvez de l'eau.** Chaque jour, assurez-vous de boire au moins huit verres d'eau de 250 ml. Vous pourrez prévenir la constipation qui peut survenir quand vous augmentez votre apport de fibres.

■ **Mangez du yogourt.** Les bactéries qui nous sont bénéfiques logent dans le côlon où elles combattent les bactéries responsables des maladies. Si vous prenez des antibiotiques, mangez du yogourt contenant des cultures actives pour ramener la flore intestinale, détruite par les antibiotiques.

■ **L'ail à la rescousse.** En cuisinant, utilisez beaucoup d'ail pour combattre les mauvaises bactéries.

 Exercice ■ **Déplacez de l'air.** L'exercice aide à prévenir la constipation en faisant déplacer les matières fécales dans le système digestif. Chaque jour, faites 30 minutes d'exercice modéré: marche rapide, jogging, natation ou bicyclette.

 Suppléments ■ **Bienvenue aux «bonnes» bactéries.** Pour ramener les bonnes bactéries dans votre côlon – surtout si vous prenez des antibiotiques –, prenez un supplément d'acidophilus.

■ **Prenez vos vitamines.** Gardez votre système immunitaire en pleine forme et combattez l'infection en prenant chaque jour un supplément de multivitamine et de minéraux contenant des vitamines E et C et du zinc.

■ **Essayez la griffe-de-chat.** Cette écorce possède beaucoup de propriétés médicinales; entre autres, elle stimule le système immunitaire et réduit l'inflammation.

Emphysème

Qu'est-ce que c'est ?

Maladie incurable, l'emphysème détruit la paroi entre les alvéoles des poumons (des sacs d'air minuscules). Ces alvéoles s'unissent avec les sacs d'air voisins, laissant moins de place aux sacs d'air plus grands, ce qui entrave leur capacité d'échanger le gaz carbonique pour de l'oxygène. En outre, les sacs perdent en élasticité, alors ils ne parviennent pas à se dégonfler tout à fait pour expulser le gaz carbonique hors des poumons. En conséquence, la respiration – surtout l'expiration – se fait laborieuse.

Le tabagisme de longue date est, de loin, la cause la plus fréquente de l'emphysème. Mais la pollution de l'air, les émanations et la poussière des lieux de travail peuvent aussi y contribuer. Le risque croît avec les antécédents familiaux d'obstruction chronique des poumons, c'est-à-dire l'emphysème qui fait suite à la bronchite chronique. Chez deux individus sur 1000, la carence en protéine alpha1-antitrypsine (AAT) cause la maladie. Même si l'emphysème apparaît en général après l'âge de 50 ans, la forme héréditaire fait son apparition quelque 20 ans plus tôt.

L'emphysème touche 22 % plus d'hommes que de femmes, mais cette proportion est appelée à changer parce que de plus en plus de femmes fument. Si vous souffrez d'emphysème, vous courez plus de risques de connaître d'autres problèmes : infections pulmonaires à répétition, hypertension pulmonaire et insuffisance cardiaque.

Pour diagnostiquer l'emphysème, le médecin vous auscultera et tapotera votre poitrine en divers endroits. Un son creux indiquera l'emphysème. Il pourra aussi demander une radiographie des poumons. Lors d'un test appelé spirométrie, on mesurera la quantité d'air expiré. On pourra aussi analyser votre sang pour voir quelle quantité d'oxygène il contient. Ce test permettra à votre médecin de connaître la quantité d'oxygène absorbée par vos poumons endommagés.

Comment le soigne-t-on ?

L'emphysème est incurable. Si vous fumez, comme le font la plupart des gens atteints d'emphysème, il importe avant tout d'arrêter. Pour des conseils à ce propos, voyez le chapitre 6, *Éviter les pièges pour votre santé*. Votre médecin pourra aussi vous suggérer l'un ou l'autre des traitements suivants.

OXYGÈNE

Quand vous inhalez plus d'oxygène, votre respiration s'en trouve facilitée et votre cœur travaille mieux. L'oxygène se présente en réservoirs portatifs; vous l'inspirez au moyen d'un tube de plastique muni d'ouvertures insérées dans vos narines. Même si certaines personnes n'utilisent l'oxygène que pendant la nuit, il est plus efficace de le faire 24 heures par jour, ce qui limite considérablement votre mobilité. Ne fumez jamais lorsque vous vous servez d'oxygène et gardez le réservoir loin de la flamme.

MÉDICAMENTS

Les corticostéroïdes inhalés comme le budésonide (Pulmicort) aident à guérir la paroi des voies respiratoires. Les gens qui souffrent d'emphysème héréditaire peuvent bénéficier d'une injection intraveineuse par semaine d'inhibiteur d'alpha1-protéinase (Prolastin) qui élève le niveau sanguin d'AAT. On traite aux antibiotiques les infections chroniques comme la bronchite ou la pneumonie. Les bronchodilatateurs comme le salbutamol (Ventolin) détendent les muscles des voies respiratoires pour les ouvrir en quelques minutes.

CHIRURGIE

L'intervention chirurgicale de réduction du volume pulmonaire (ICRVP) est toujours expérimentale au Canada (en Ontario, 24 patients ont vu leur déficience réduite pendant une année à la suite de cette intervention). On enlève les parties malades du poumon pour faire plus de place aux parties saines.

ATTENTION

Pensez-y deux fois avant de prendre de l'ephedra sinica (ma huang), une plante chinoise dont on se sert parfois pour traiter les problèmes des voies respiratoires supérieures. L'un de ses ingrédients ressemble à l'amphétamine et peut élever votre pression artérielle et accélérer votre pouls. Mal utilisé, il peut causer des attaques, de la psychose, et même la mort.

Votre programme de prévention

Alimentation ■ **Prenez des antioxydants.** Les gens qui prennent beaucoup d'antioxydants ont une meilleure fonction pulmonaire que ceux qui en consomment peu. Mangez beaucoup d'aliments riches en vitamines A, C et E, en sélénium et en bêta-carotène. Les bonnes sources d'antioxydants sont : légumes et fruits de couleur foncée, grains entiers et noix, germe de blé et huiles végétales.

Exercice ■ **Secouez-vous.** Les exercices aérobiques réguliers comme la marche aident à libérer les poumons du mucus et améliorent la capacité pulmonaire, tout en accroissant votre endurance et en donnant meilleur souffle. Visez 20 minutes d'exercice par jour.

Solutions médicales ■ **Bâtissez vos défenses.** Pensez aux injections contre la grippe et la pneumonie.

Suppléments ■ **Pensez N-acétyl-cystéine (NAC).** Cet antioxydant éclaircit le mucus et protège le tissu pulmonaire.

Prenez 200 mg deux fois par jour – mais prévenez-en votre médecin.

■ **Donnez-vous un C.** La vitamine C éclaircit le mucus et peut prévenir la bronchite, accroître la quantité d'air que vous expirez. Demandez à votre médecin quelle dose vous convient.

Au quotidien ■ **Arrêtez de fumer.** Pour traiter l'emphysème et l'empêcher de s'aggraver, il importe d'abord d'arrêter de fumer. Avec votre médecin, discutez de remplacement nicotinique et de thérapie de groupe. Le médicament bupropion (Zyban) coupe l'envie de cigarettes et, sous le nom de Wellbutrin, devient un antidépresseur. Nombre de CLSC offrent des groupes de soutien à leurs usagers. L'acupuncture peut aussi aider.

■ **L'air que vous respirez.** Évitez la fumée secondaire, le smog, les émanations des voitures, la poussière et les irritants chimiques ; de préférence, sortez tôt ou en soirée. Aérez bien votre maison ; servez-vous d'un humidificateur quand l'air est trop sec et débarrassez-vous des moisissures.

Fatigue

◀ Fatigue persistante.

◀ Énergie diminuée.

◀ Sentiment
d'indifférence.

◀ Concentration difficile.

ATTENTION

Si vous vous levez épuisé et que vous ronflez, il est possible que vous souffriez d'apnée du sommeil, un trouble respiratoire qui interrompt votre sommeil jusqu'à 100 fois l'heure. Pour en savoir plus, consultez la page 265.

Qu'est-ce que c'est ?

La fatigue de courte durée, celle que l'on ressent après une journée stressante ou un long voyage, est parfaitement normale. Celle qui ne l'est pas est constante ; elle vous habite chaque jour, peu importe ce que vous faites.

La fatigue est l'un des sujets de plainte les plus fréquents au bureau du médecin. Elle peut faire partie des effets secondaires de médicaments. Elle peut provenir de la dépression, du diabète, de la sclérose en plaques, d'ulcères, du reflux gastro-œsophagien, de l'apnée du sommeil (un trouble respiratoire qui occasionne des réveils fréquents). Les troubles thyroïdiens qui affectent plus de 15 % des adultes causent aussi la fatigue. De 10 à 15 % des Nord-Américaines souffrent d'une anémie ferriprive responsable de fatigue. Les causes de ce type d'anémie incluent le flux menstruel abondant et les ulcères saignants. Certains adultes âgés perdent la capacité d'absorber la vitamine B_{12} provenant des aliments, ce qui peut occasionner l'anémie (on traite cette déficience au moyen d'injections ou de comprimés à forte dose). Un simple test sanguin peut aider votre médecin à établir un diagnostic.

La plupart du temps cependant, notre style de vie est responsable de la fatigue : alcool, tabac, nourriture médiocre, trop abondante, manque d'exercice et de sommeil. La fatigue accompagne parfois l'ennui et la solitude.

Comment la soigne-t-on ?

S'il vous arrive souvent d'être fatigué pour des raisons que vous ne pouvez expliquer, prenez rendez-vous avec votre médecin. Il pourrait trouver une cause médicale et recommander le traitement approprié. Si votre fatigue ne relève pas d'une maladie, vous trouverez avantage à apporter certains changements à votre façon de vivre, à votre alimentation et à vos habitudes d'exercice. Consultez *Votre programme de prévention* (page 345).

Reconnaître le syndrome de fatigue chronique (SFC)

Dans le syndrome de fatigue chronique (SFC), la fatigue est intense et ses symptômes ressemblent à ceux de la grippe. On parle de SFC lorsque la fatigue dure au moins six mois et s'accompagne de certains des symptômes suivants : fatigue intense sans rapport avec une pathologie, perte de concentration et de mémoire à court terme, maux de gorge, glandes lymphatiques sensibles, fièvre, douleurs musculaires, douleurs articulaires sans enflure ni rougeur, maux de tête violents, troubles du sommeil. Si le SFC n'a pas de cure, ses symptômes peuvent être atténués.

Votre programme de prévention

 Alimentation ■ **Mangez des complexes.** Les hydrates de carbone complexes que l'on trouve entre autres dans les aliments faits de grains entiers, les fruits et les légumes donnent une énergie durable parce que vous mettez du temps à les digérer.

■ **Plusieurs petits repas.** En mangeant plusieurs petits repas tout au long de la journée, vous stabilisez votre taux de sucre dans le sang et vous empêchez les baisses qui peuvent causer la fatigue.

■ **Sautez le sucré.** Le sucre procure un regain d'énergie de courte durée ; celui-ci est généralement suivi par une baisse qui vous laisse encore plus fatigué que vous ne l'étiez auparavant.

■ **Coupez la caféine.** Il faut consommer toujours plus de caféine pour obtenir son effet stimulant. En coupant votre consommation, vous réduisez votre tolérance. En outre, quand vous en prendrez une tasse, vous retrouverez votre énergie. Comme les effets de la caféine peuvent mettre 10 heures à disparaître, arrêtez d'en prendre à midi.

■ **Prenez du magnésium.** Le magnésium est nécessaire à la production de l'énergie. On le trouve dans les grains entiers, les légumes verts, les avocats, les bananes et les noix.

 Exercice ■ **Prenez-en l'habitude.** Quand vous faites de l'exercice, votre organisme libère des endorphines. L'exercice accroît aussi la quantité de sang riche en oxygène qui se rend au cerveau et aux muscles et le nombre de cellules sanguines dans l'organisme. Vous dormez mieux. Et puis, si vous êtes en forme, les activités quotidiennes vous fatiguent moins.

■ **Donnez-vous de l'énergie.** Pour vous donner de l'énergie, essayez le yoga, la méditation ou le qigong (un programme d'exercices et de méditation).

 Solutions médicales ■ **Vérifiez.** Certains médicaments, bêta-bloquants, antidépresseurs (Paxil et Zoloft, entre autres) et anxiolytiques (Xanax, entre autres), comptent la fatigue parmi leurs effets secondaires. Certains médicaments en vente libre peuvent troubler votre sommeil parce qu'ils contiennent de la caféine – plus que vous n'en trouvez dans une tasse de café. Pour savoir s'ils contribuent à votre fatigue, revoyez avec votre médecin les médicaments que vous prenez.

■ **Changez de médicament antiallergie.** Tous les antihistaminiques en vente libre peuvent causer de la fatigue. Demandez plutôt à votre médecin de vous prescrire des antiallergènes moins sédatifs.

 Suppléments ■ **Faites-le chaque jour.** Chaque jour, prenez suffisamment de vitamine B qui aide au métabolisme des hydrates de carbone et des protéines et à la formation des cellules sanguines. Prenez aussi du magnésium, qui aide à donner de l'énergie.

■ **L'énergie du ginseng.** Deux fois par jour, pensez à prendre du ginseng Panax (de 100 à 250 mg) ou du ginseng sibérien (de 100 à 300 mg). Le ginseng aide à combattre la fatigue.

 Médecines douces ■ **Stimulez vos sens.** L'odeur des huiles essentielles du bois de santal et du citron donne de l'énergie. Mettez-en dans un diffuseur (comme une lampe Berger) ou placez quelques gouttes sur un mouchoir. Le soir, mettez quelques gouttes d'huile de lavande dans l'eau de votre bain.

 Au quotidien ■ **Reposez-vous.** Seulement 35 % des gens dorment les huit heures de sommeil recommandées durant la semaine. Faites du sommeil une priorité. Rappelez-vous : durant la fin de semaine, vous ne pouvez pas reprendre les heures de sommeil perdues ; elles sont bel et bien perdues. Pour des trucs et conseils, voyez le chapitre 11, *Dormir suffisamment*.

■ **Restez branché.** Fuyez l'isolement qui peut mener à l'ennui et à la dépression, deux causes de fatigue. Joignez-vous à un club ou à une association communautaire ; faites du bénévolat.

■ **Évitez la nicotine.** Comme la caféine, la nicotine est un stimulant ; on la croirait capable de donner plus d'énergie. Mais le tabagisme abaisse les niveaux d'oxygène dans le sang. Comme les muscles et les tissus ont besoin d'oxygène pour donner de l'énergie, le tabagisme entraîne la fatigue.

Fibromyalgie

◄ Sensibilité et douleur à au moins 11 des 18 points sensibles des muscles et autres tissus mous du cou, des épaules, du dos, des hanches, des cuisses et des bras.

◄ Fatigue allant de modérée à intense fréquente, tout comme un sommeil improductif, qui laisse fatigué et apathique durant la journée.

◄ Maux de tête, anxiété forte, concentration difficile, symptômes du côlon irritable comme douleur abdominale, ballonnements et alternance de constipation et de diarrhée.

Qu'est-ce que c'est ?

La fibromyalgie, affection rhumatismale douloureuse des muscles, des tendons et des ligaments (mais pas des articulations), touche près de 900 000 Canadiens. Passager ou chronique, l'inconfort, qui va des sensibilités de type grippal jusqu'à la douleur intense, varie au fil des heures de la journée ou fait suite au stress, au manque de sommeil ou au niveau d'activité. Plus fréquente chez les femmes, elle survient seule ou se manifeste à la suite d'une autre affection comme l'arthrite rhumatoïde, l'ostéoarthrite.

Comment la soigne-t-on ?

Aucun test médical ne peut confirmer la fibromyalgie ; les tests servent à écarter les autres maladies qui occasionnent des symptômes similaires. Même s'il n'existe toujours pas de traitement satisfaisant, on arrive tout de même à alléger les symptômes. Les meilleurs soins viennent d'une combinaison d'exercices et de thérapie psychologique comme l'entraînement à la relaxation, l'hypnothérapie, le biofeedback et la thérapie cognitive.

La plupart des médicaments traditionnels – aspirine, anti-inflammatoires non stéroïdiens, narcotiques – n'aident en rien les fibromyalgiques. Les injections de lidocaïne dans les points sensibles apportent un soulagement temporaire. On prescrit parfois des antidépresseurs pour leur capacité de favoriser le sommeil et d'altérer la perception de la douleur. Les antidépresseurs tricycliques comme l'amitriptyline (Élavil) ou l'imipramine (Tofranil) peuvent apporter un certain soulagement. Quand les effets secondaires se font trop sentir – somnolence diurne, constipation, sécheresse buccale, appétit accru –, on fait parfois l'essai d'un autre type d'antidépresseurs comme les inhibiteurs spécifiques du recaptage de la sérotonine (ISRS), dont la paroxétine (Paxil), la sertraline (Zoloft) ou la fluoxétine (Prozac). Comme les fibromyalgiques présentent des niveaux de sérotonine plus bas que la moyenne des gens, les ISRS peuvent donner des résultats. Par contre, ils peuvent affecter la vie sexuelle.

AU NATUREL

Le qigong, un ancien programme chinois fait de méditation, d'exercices de respiration et de mouvements lents et gracieux, pourrait bénéficier aux fibromyalgiques. Les participants à une étude ont rapporté y avoir trouvé le soulagement de la dépression et de la douleur, la capacité accrue de mener à bien les tâches quotidiennes et celle de faire face aux symptômes.

Votre programme de prévention

Exercice ■ **Faites travailler votre mal.** L'exercice régulier peut apporter un soulagement remarquable. En moyenne, on a vu une réduction de la sensibilité de l'ordre de 30 % et de la douleur aux points sensibles de l'ordre de 40 % après six semaines d'exercices, au rythme de trois fois la semaine. Essayez la marche, la natation, la bicyclette et les exercices aérobiques sans grand impact. L'exercice aide à tonifier les muscles de sorte que les tâches quotidiennes demandent moins d'énergie. Il améliore aussi la circulation sanguine et déclenche la libération des endorphines (les hormones du bien-être). Tenez bon : pendant les trois premières semaines, vous aurez mal, mais vous en profiterez ensuite.

Suppléments ■ **Pensez magnésium et acide malique.** Certains médecins croient que le déficit en magnésium, nécessaire au métabolisme musculaire, contribuerait à la fibromyalgie. D'autres chercheurs croient qu'il vaudrait mieux augmenter l'apport en acide malique. Lors d'une étude, les participants ont pris chaque jour de 300 à 600 mg de magnésium et de 1800 à 2400 mg d'acide malique. Après quelques mois, on a noté une amélioration. Demandez l'avis de votre médecin et ne prenez pas de supplément de magnésium si vous souffrez de problèmes rénaux ou si vous prenez des antihypertenseurs. Arrêtez si vous souffrez de diarrhée.

■ **Dormez mieux.** Même si les études ont produit des résultats mitigés, 2 mg de mélatonine au coucher pourraient vous aider à mieux dormir. N'en prenez pas si vous souffrez d'une maladie comme l'arthrite rhumatoïde.

Médecines douces ■ **Faites-vous masser.** À raison de deux fois la semaine, les massages suédois apporteraient plus de soulagement que le TENS (un appareil antidouleur). Non seulement ceux qui se font masser sont-ils plus heureux et plus détendus, encore présentent-ils moins de douleurs, de raideurs, de dépression, d'insomnie après cinq semaines. Le massage aide à élever les niveaux de sérotonine, l'antidouleur naturel de l'organisme.

■ **Essayez l'acupuncture.** En six semaines, les traitements hebdomadaires d'acupuncture réduiraient de moitié la douleur et du tiers les points sensibles.

■ **De la chaleur.** Les compresses, douches et bains chauds peuvent détendre les muscles endoloris.

■ **De la tisane.** Avant le coucher, la tisane de camomille ou de valériane peut vous aider à vous détendre et à dormir mieux.

Au quotidien ■ **Apprenez à vous détendre.** Prenez un cours de relaxation pour vous aider à diminuer votre anxiété. D'autres approches aussi peuvent vous aider : l'hypnothérapie, le biofeedback, le behaviorisme, la prière et la méditation.

■ **Parlez-vous.** Rassurez-vous : la fibromyalgie est une maladie bénigne qui ne vous rendra ni difforme ni infirme. La santé de la plupart des fibromyalgiques s'améliore avec le temps. On l'a prouvé : si vous êtes persuadé que vous irez mieux, vous avez de bonnes chances d'aller réellement mieux.

ATTENTION

Ne croyez pas les rumeurs qui se sont répandues dans Internet à propos de la guaifénésine (un ingrédient que l'on trouve souvent dans les médicaments contre la toux). Lors d'une étude menée pendant une année aux États-Unis, on a découvert qu'elle ne valait pas mieux qu'un placebo pour traiter les symptômes.

Glaucome

◀ D'habitude, le glaucome ne donne pas de signes précurseurs.

◀ Dans le *glaucome à angle ouvert (glaucome simple chronique)*, la vision périphérique (le champ externe) diminue graduellement et de minuscules taches aveugles s'agrandissent lentement. La conduite nocturne et le passage de la lumière vive à la lumière faible devient difficile. La vision centrale finit par disparaître.

◀ Dans le *glaucome à angle fermé (glaucome aigu)*, qui demande une intervention médicale immédiate, la douleur oculaire, accompagnée de nausées et de vomissements, survient brusquement.

En bref

Environ trois millions – dont une bonne moitié sans le savoir – de Nord-Américains souffrent de glaucome à angle ouvert.

Qu'est-ce que c'est ?

Au Canada, le glaucome est la principale cause d'une cécité que l'on peut prévenir. Il se produit quand une pression intraoculaire élevée coupe la circulation sanguine vers le nerf optique, occasionnant sa dégénérescence. Taches aveugles, vision brouillée, mauvaise vision périphérique et, parfois, maux de tête surviennent à mesure que la maladie progresse.

L'œil possède deux chambres remplies de liquide. Le nerf optique se situe dans la rétine, derrière la chambre postérieure, remplie d'un liquide gélatineux qu'on appelle corps vitré ou humeur vitrée. La chambre antérieure, elle, est remplie d'un liquide qui prend le nom d'humeur aqueuse. D'habitude, l'œil sécrète continuellement de l'humeur aqueuse et la draine au moyen d'un canal, l'angle de drainage, situé entre l'iris et la cornée. Dans le glaucome, l'humeur aqueuse s'accumule dans la chambre antérieure, ce qui met sous pression la chambre postérieure et le nerf optique. L'accumulation de liquide provient soit d'un surplus de production d'humeur aqueuse, soit d'un drainage inadéquat.

Avec l'âge, deux types de glaucome surtout peuvent nous affecter :

● **Le glaucome à angle ouvert,** dont relèvent 90 % de tous les cas, se produit quand l'angle de drainage reste ouvert, mais que la sécrétion excessive d'humeur aqueuse cause une augmentation de pression. Il passe fréquemment inaperçu parce que ses dommages surviennent lentement.

● **Le glaucome à angle fermé** survient lorsque l'angle de drainage bloque, empêchant l'écoulement de l'humeur aqueuse. Il peut être graduel ou soudain et entraîne douleur et perte de vision. Il signale toujours une urgence médicale visant à relâcher la pression pour prévenir la cécité.

L'ophtalmologiste mesurera la pression intraoculaire à l'aide d'un tonomètre, un petit appareil qui envoie dans l'œil un petit jet d'air comprimé.

AUTO ÉVALUATION

Glaucome : évaluez vos risques

Les médecins ignorent les causes du glaucome, mais plusieurs facteurs en accroissent les risques. Vous êtes plus à

risques si vous :
◀ avez plus de 40 ans ;
◀ êtes d'ascendance africaine ;
◀ souffrez du diabète ;
◀ vivez du stress ;

◀ prenez des cortico-stéroïdes ;
◀ avez des antécédents familiaux ;
◀ avez des troubles circulatoires.

Sans douleur, cet examen dure quelques secondes à peine. On dit qu'il y a glaucome quand la pression intraoculaire est supérieure à 21 mmHg. Le spécialiste examinera aussi la rétine, le nerf optique et le champ visuel (visions périphérique et centrale).

Comment le soigne-t-on ?

On ne peut pas guérir du glaucome, mais les traitements peuvent abaisser la pression intraoculaire pour prévenir les dommages au nerf optique. On prescrit en général des gouttes qui diminuent soit la sécrétion d'humeur aqueuse, soit son évacuation. Les médicaments les plus fréquemment utilisés sont les bêta-bloquants lévobunolol (Betagan) et timolol (Timoptic). On prescrit aussi parfois le dipivéfrine (Propine) ou le pilocarpine (Isopto Carpine). Mettez ces gouttes chaque jour et instillez-les comme il se doit. Tout d'abord, lavez-vous les mains. Inclinez la tête vers l'arrière et abaissez la paupière inférieure. Laissez tomber une goutte de médicament dans l'œil. Lâchez la paupière et fermez l'œil. Du bout du doigt, exercez une légère pression sur le coin de l'œil pour garder fermé le conduit lacrymal et empêcher les effets secondaires qui surviennent quand la circulation absorbe les gouttes trop rapidement.

Lorsque les médicaments ne font pas effet, on recourt à la chirurgie. On pratique alors un petit trou dans l'iris pour drainer l'humeur aqueuse (iridectomie). On peut aussi utiliser un laser pour faire de petits trous dans le réseau trabéculaire, le système de drain près de l'angle de drainage (trabéculoplastie au laser). En présence de glaucome à angle fermé, on réduit la pression intraoculaire au moyen soit de médicaments, soit d'une iridectomie.

ATTENTION

Le glaucome peut mener à des accidents de circulation. La vision périphérique limitée vous empêche en effet de voir les véhicules qui arrivent de côté. En outre, la diminution de la vision nocturne affecte votre capacité d'ajuster votre vision lorsque vous croisez des véhicules aux phares allumés.

Votre programme de prévention

Alimentation ■ **Coupez la caféine.** Elle peut contribuer à l'excès de pression de l'humeur aqueuse. Évitez de boire plus de 2 tasses de café, 4 tasses de thé ou de sodas contenant de la caféine par jour.

Exercice ■ **Fatiguez-vous.** Les exercices aérobiques et la musculation peuvent aider à réduire la pression intraoculaire. Les gens qui font du glaucome et qui s'entraînent trois fois par semaine ou plus pourraient abaisser ce type de pression de 20 %. Vous devrez tout de même prendre vos médicaments contre le glaucome. Demandez à votre médecin de vous recommander un programme d'exercices.

Solutions médicales ■ **Prenez rendez-vous.** Non traité, le glaucome conduit à la cécité. Comme il se passe des années avant que cela ne se produise, un diagnostic et un traitement établis tôt peuvent sauver votre vue. Dès 40 ans, faites examiner votre vue tous les ans. Après 45 ans, passez une tonométrie tous les 2 ans. Si les risques sont élevés pour vous, passez un examen de la vue tous les ans après 35 ans, et une tonométrie tous les ans passé 45 ans.

Au quotidien ■ **Éteignez.** La nicotine contracte les vaisseaux sanguins et accroît la pression intraoculaire. Voir les pages 166-173 pour cesser de fumer.

Goutte

◆ **SYMPTÔMES**

◀ Douleur intense, souvent insoutenable, et sensibilité qui surviennent dans une ou deux articulations enflées, rouges et chaudes. La douleur survient soudainement, surtout la nuit, et s'aggrave pendant plusieurs jours.

◀ Chez 75 % des patients, le gros orteil est le site de prédilection. Mais le talon, la cheville, le cou-de-pied, le genou, les doigts et les jointures peuvent aussi être affectés.

◀ Les symptômes de la « pseudogoutte » peuvent être moins violents ou ressembler à ceux de l'arthrite rhumatoïde ou de l'ostéoarthrite. Ils se manifestent d'ordinaire dans le genou ou le poignet.

En bref

La goutte survient surtout au printemps et en été parce que les effets déshydratants du temps chaud peuvent favoriser l'accumulation d'acide urique. Alors, buvez !

Qu'est-ce que c'est ?

L'une des plus douloureuses formes d'arthrite, la goutte, survient d'ordinaire dans les articulations déjà touchées par l'ostéoarthrite. Elle provient d'une maladie héréditaire qui ralentit la capacité qu'ont les reins d'évacuer l'acide urique ou incite l'organisme à trop en sécréter. L'excès s'accumule sous forme de cristaux qui se logent dans une articulation – ou dans plusieurs – et finit par occasionner une inflammation grave. On la diagnostique à la radiographie ou en extrayant du liquide de l'articulation affectée.

Ce trouble est plus fréquent chez les hommes que chez les femmes ; on l'observe surtout chez les gros buveurs de plus de 45 ans.

La goutte peut prendre trois formes :

● La goutte aiguë survient quand les cristaux d'acide urique se forment dans le liquide articulaire. Non traitées, les crises peuvent durer des jours, des semaines et se faire de plus en plus fréquentes et douloureuses.

● La goutte chronique produit des dépôts grumeleux d'acide urique, appelés tophus, à proximité des articulations touchées, aux coudes et même sous la peau des oreilles. Certains ne connaissent jamais d'attaque aiguë, mais en viennent à souffrir de calculs et d'autres problèmes rénaux.

● La « pseudogoutte » occasionne aussi des dépôts de cristaux dans les articulations et autour d'elles, mais ces cristaux sont faits de pyrophosphate de calcium.

Comment la soigne-t-on ?

On ne peut pas guérir de la goutte, mais les médicaments y apportent du soulagement. La pseudogoutte reste cependant difficile à traiter parce que aucun médicament ne peut prévenir l'accumulation des cristaux de calcium.

En moins de 12 heures, la colchicine peut faire cesser une crise de goutte aiguë, même si la dose nécessaire occasionne souvent nausées et diarrhées. Les anti-inflammatoires non stéroïdiens (AINS), comme l'aspirine, l'ibuprofène ou le naproxène, peuvent soulager la douleur. Pour prévenir les attaques récurrentes, on prescrira peut-être de la colchicine ou, si les effets secondaires vous incommodent trop, un médicament pour abaisser le taux d'acide urique soit en empêchant sa sécrétion, soit en favorisant son élimination. Certains doivent prendre les deux types de médicaments. Quant à la pseudogoutte, on la traite à la colchicine, qui a une certaine efficacité. Les AINS et les injections de cortisone dans l'articulation affectée soulagent souvent la douleur.

Il importe avant tout de faire de bons choix alimentaires, surtout si vous souffrez aussi d'autres pathologies (cardiopathies, diabète ou hypertension) qui affectent la planification des repas. Consultez un diététiste.

Votre programme de prévention

Alimentation ■ **Maigrissez.** Environ la moitié des personnes qui souffrent de la goutte font de l'embonpoint. En perdant les kilos en trop, vous régulariserez peut-être votre taux d'acide urique. Allez-y en douceur ; sans sauter de repas et sans entreprendre de régime draconien. Une perte de poids brusque peut déclencher une crise.

■ **À l'affût des purines.** Les aliments riches en purines peuvent favoriser la goutte parce que la purine se transforme en acide urique. Si vous avez la goutte et que vous ne prenez pas de médicament pour abaisser le taux d'acide urique, ne prenez qu'un seul de ces aliments par jour. Parmi ceux-ci, on trouve : viande et volaille, viande fumée et poisson, fruits de mer (surtout pétoncles, sardines, anchois, hareng et maquereau), chocolat, asperges, choux-fleurs, épinards, champignons, pois et haricots secs, céréales sèches et aliments contenant du bicarbonate de soude.

Solutions médicales ■ **Consultez.** Le test de sang pour connaître le taux d'acide urique devrait faire partie de votre bilan périodique. Un taux élevé ne signifie pas nécessairement que vous souffrirez de goutte, mais il peut signaler des problèmes. Il arrive que des médicaments compromettent la capacité des reins d'excréter l'acide urique. Il vous faudra peut-être en changer.

■ **Sucre sanguin et santé cardiaque.** Diabète, taux élevé de triglycérides et athérosclérose des vaisseaux sanguins irriguant le cœur et le cerveau surviennent fréquemment chez les gens qui souffrent de la goutte.

Suppléments ■ **Tenez-les loin.** Évitez les suppléments qui contiennent de la niacine et de la nicotinamide. Des doses élevées peuvent hausser votre taux d'acide urique.

Médecines douces ■ **Baies, bonnes baies.** Cerises, aubépines, bleuets et autres baies rouge-bleu contiennent des substances qui aident à réduire l'acide urique. Si vous ne trouvez pas de cerises, prenez des comprimés d'extrait de cerises, que vous trouverez dans les magasins d'aliments naturels.

Au quotidien ■ **Mollo sur l'alcool.** Le vin, la bière et les boissons fortes consommés en grande quantité réduisent la capacité des reins d'éliminer l'acide urique, susceptible de déclencher une crise de goutte. Le vin et la bière contiennent aussi beaucoup de purines. Si vous souffrez de la goutte, buvez modérément, surtout si vous ne prenez pas de médicaments qui abaissent l'acide urique.

■ **Buvez beaucoup d'eau.** Deux à trois litres d'eau par jour peuvent vous aider à éliminer l'acide urique et diluent vos urines, sans compter que cela peut prévenir la formation de calculs rénaux.

ATTENTION

Si vous avez la goutte, faites examiner votre glande thyroïde. L'hypothyroïdisme survient plus souvent chez les gens qui souffrent de la goutte. Cette pathologie peut ralentir l'excrétion d'acide urique. La médication pourrait résoudre le problème.

Hépatite

◀ Souvent sans symptômes.

◀ Parfois des symptômes grippaux, comme perte d'appétit, nausée, vomissements, diarrhée, maux de tête, fièvre, fatigue, faiblesse et douleurs musculaires ou articulaires.

◀ Dans les cas graves, jaunisse (coloration jaune de la peau et du blanc des yeux), urines brun foncé, selles couleur d'argile, démangeaisons et douleur dans la partie supérieure droite de l'abdomen (là où se trouve le foie).

Qu'est-ce que c'est ?

L'hépatite est une inflammation du foie, un organe aux nombreuses fonctions vitales. Non seulement produit-il la bile pour digérer les matières grasses, mais encore emmagasine-t-il les nutriments et filtre-t-il les substances toxiques (comme l'alcool, les médicaments et les sous-produits de la digestion) pour les faire sortir de votre sang.

L'hépatite endommage les cellules du foie. Pour cette raison, le foie n'arrive plus à filtrer adéquatement, ce qui provoque une accumulation de toxines.

La maladie peut survenir brusquement et disparaître quelques semaines plus tard (hépatite aiguë) ou durer plusieurs mois – et même des années – (hépatite chronique). Vous pouvez ignorer que vous en souffrez parce que les symptômes peuvent mettre des années à faire leur apparition.

SOURCES VIRALES

L'hépatite est causée par un virus. Il en existe cinq différents, mais les plus fréquents sont ceux de l'hépatite A, B et C.

Hépatite A (la plus fréquente) : peut se propager en buvant ou en mangeant des aliments contaminés par des matières fécales. C'est ce qui peut se produire quand la personne qui prépare à manger ne se lave pas les mains après avoir utilisé les toilettes et avant de toucher à la nourriture. Les fruits de mer crus ou insuffisamment cuits, les fruits et légumes, l'eau et les cubes de glace contaminés peuvent aussi mener à l'infection.

AUTO ÉVALUATION

Hépatite : évaluez vos risques

Vous êtes plus à risques si vous :
◀ avez reçu une transfusion avant 1990 ;
◀ avez eu des relations sexuelles non protégées avec une personne infectée ;
◀ vous injectez des drogues ;
◀ avez un tatouage ou du *body piercing* ;

◀ partagez un rasoir ou une brosse à dents avec une personne atteinte ;
◀ abusez de l'alcool ;
◀ avez un proche atteint d'une maladie du foie ;
◀ prenez trop d'acétaminophène (Tylénol) ;

◀ voyagez dans des régions du globe à risques élevés comme le Mexique, l'Amérique centrale, l'Amérique du Sud, les Caraïbes, l'Asie (sauf le Japon), l'Afrique, le sud ou l'est de l'Europe ou les îles du Pacifique.

Alcool et insuffisance hépatique

L'alcool est une toxine du foie connue. Certaines personnes peuvent consommer de l'alcool sans dommage apparent, tandis que d'autres, surtout des femmes, peuvent subir des dommages permanents, même en buvant modérément. L'hérédité semble y avoir un rôle à jouer. Si, dans votre famille, quelqu'un souffre de maladie du foie (avec ou sans rapport avec l'alcool), vous êtes plus susceptible de souffrir d'une insuffisance hépatique.

Une fois que vous avez l'hépatite A, vous pouvez la transmettre aux autres pendant une période qui va d'un à quelques mois. Si vous avez été infecté, il importe d'être très rigoureux du point de vue de l'hygiène, parce que vous pouvez transmettre la maladie aux autres. Les Nord-Américains l'attrapent en général quand ils voyagent à l'étranger, mais on estime que 50 % ont déjà eu le virus, ce qui les a immunisés. Le rétablissement est d'habitude rapide – la plupart des gens sont sur pied en une semaine et ne présentent aucun dommage permanent au foie.

Hépatite B : se transmet par le sang et les autres fluides organiques infectés, dont le sperme. On peut l'attraper lors de pratiques sexuelles non protégées, en utilisant des aiguilles infectées ou lors de transfusions sanguines. Contrairement à celui de l'hépatite A, ce virus peut donner lieu à une infection chronique chez 10 % des gens, entraînant des maladies du foie et le cancer.

Hépatite C : provient du sang infecté, soit lors de transfusions reçues avant 1990, soit lors de l'utilisation d'aiguilles infectées. On ignore encore si le virus peut se transmettre lors de relations sexuelles. Pour l'instant, il est beaucoup plus sécuritaire d'utiliser un condom. Ce virus affecte les gens de diverses manières : certains souffrent d'hépatite aiguë mais se rétablissent en plusieurs mois sans insuffisance hépatique ; d'autres (60 % des cas) souffrent d'hépatite chronique ; d'autres encore sont atteints de cancer du foie. Chaque année, l'hépatite C tue 10 000 personnes en Amérique du Nord.

CAUSES NON VIRALES

L'hépatite peut aussi provenir de causes non virales comme la consommation excessive d'alcool, la prise de certains médicaments, les toxines (arsenic ou champignons vénéneux) et certaines plantes médicinales (grande consoude et feuille de chaparral).

L'alcool empoisonne le foie ; avec le temps, il peut causer la cirrhose, qui est incurable. Parmi les médicaments qui peuvent induire l'insuffisance hépatique, on trouve l'antibiotique triméthoprime/sulfaméthoxazole (Septra), l'anti-arythmique amiodarone (Cordarone), le médicament pour combattre la tuberculose isoniazide (INH) et les stéroïdes anabolisants (en surdosage). Consultez votre médecin avant d'arrêter de prendre tout médicament.

En surdosage ou pris avec de l'alcool, l'acétaminophène (Tylénol) peut causer une hépatite subite très grave.

Si vous présentez des symptômes d'hépatite, le médecin demandera à connaître vos antécédents médicaux et fera un examen physique (sensibilité dans la région autour du foie et coloration de la peau). Il demandera aussi de subir l'un des tests suivants pour confirmer son diagnostic.

- **Les tests sanguins** montrent des marqueurs particuliers qui peuvent révéler si vous avez déjà eu la maladie et si vous êtes encore infecté.
- **Les tests de fonction hépatique (TFH)** aident le médecin à évaluer le fonctionnement de votre foie. Ils peuvent confirmer la présence de jaunisse et peuvent servir à mesurer votre état. On ne procède pas aux TFH de façon routinière. Si vous présentez des facteurs de risque, discutez avec votre médecin de la pertinence de ces tests.
- **Le CT scan ou TDM** de la région abdominale montre l'image de votre foie.
- **La biopsie du foie** est une intervention au cours de laquelle on prélève un minuscule échantillon du foie pour l'étudier au microscope. On gèle la peau au moyen d'un anesthésiant et on introduit une aiguille dans le foie afin d'en prélever un échantillon.

Comment la soigne-t-on ?

Il n'y a pas de médicaments pour traiter l'hépatite virale; le système immunitaire doit livrer ses propres combats. Si l'hépatite a une autre cause que le virus, le médecin vous recommandera de cesser l'utilisation de la substance en cause pour accélérer le rétablissement. On hospitalise rarement pour une hépatite. Toutefois, pendant plusieurs mois après le diagnostic, on procédera à des analyses de sang pour mesurer votre fonction hépatique. Le médecin vous conseillera peut-être les traitements suivants.

CHANGEMENTS AU QUOTIDIEN

Buvez des liquides en quantité, reposez-vous beaucoup et restreignez vos activités. Ne prenez ni alcool ni acétaminophène jusqu'à ce que vous soyez tout à fait guéri. Pour éviter la propagation de la maladie, ayez une hygiène rigoureuse et servez-vous d'un condom lors de vos relations sexuelles.

MÉDICAMENTS

De fortes doses d'interféron et de ribavirine (Virazole) ont aidé certaines personnes atteintes d'hépatite C. Parlez-en à votre médecin.

La banque de sang du Canada

Les Services canadiens du sang disposent de 14 centres de sang et de 2 centres de plasma. Les SCS, dont Héma-Québec, ont organisé un système de dépistage rigoureux. Le donneur potentiel doit répondre à des questions relatives à ses activités à risques élevés, ses voyages et ses activités sexuelles, pour déterminer s'il peut ou non donner du sang.

Votre programme de prévention

Alimentation

■ **Cuisez.** Pour tuer le virus de l'hépatite C, cuisez bien tous les aliments, particulièrement les fruits de mer.

■ **Pelez, s'il vous plaît.** Pelez tous les fruits et légumes provenant des autres pays. Il ne suffit pas de laver fruits et légumes pour éliminer le virus de l'hépatite A.

■ **Attention à l'eau.** Lorsque vous voyagez, achetez de l'eau en bouteille ou assurez-vous que l'eau du robinet a été bouillie avant de la boire ou de vous en servir pour vous brosser les dents. Demandez des boissons sans glace.

Solutions médicales

■ **Faites-vous vacciner.** Il existe des vaccins contre l'hépatite A et contre l'hépatite B. Trois doses procurent une protection entière et durable. Si vous voyagez dans des régions à risques, faites-vous donner la première dose de vaccin contre l'hépatite A au moins un mois avant le départ. Faites-vous donner le vaccin contre l'hépatite B, si vous croyez être exposé à du sang contaminé, à des fluides organiques ou si vous êtes à risques (travailleur de la santé, acupuncteur, tatoueurs et personnes qui changent fréquemment de partenaires sexuels).

■ **Stimulez votre système immunitaire.** Si vous croyez avoir mangé des aliments contaminés, si un membre de votre maisonnée souffre d'hépatite, faites-vous donner une injection d'immunoglobuline.

Suppléments

■ **Plante utile.** Même s'il ne fait pas disparaître les dommages existants, le chardon-Marie (*Silybum marianum*) améliore la fonction hépatique chez les personnes atteintes d'hépatite. On peut se le procurer en capsules ou faire infuser les graines broyées en tisane. Deux ou trois fois par jour, prenez-en 200 mg.

Au quotidien

■ **Limitez l'alcool.** Consommez toujours l'alcool avec modération. Il vaut mieux l'éviter tout à fait si un membre de votre famille a déjà souffert de maladie du foie.

■ **En toute sécurité.** Lors de vos activités sexuelles, utilisez toujours un condom. Soyez particulièrement prudent si votre partenaire a la maladie.

■ **Lavez vos mains.** Pour prévenir la propagation de l'infection, lavez-vous les mains au savon et à l'eau chaude avant de préparer les repas, après avoir utilisé les toilettes et après avoir changé la couche de bébé.

■ **Pas d'aiguilles.** Les aiguilles contaminées peuvent propager l'hépatite A et l'hépatite B. Évitez les tatouages, le *piercing* et les drogues illégales.

■ **Ne partagez pas.** Ne partagez ni votre rasoir ni votre brosse à dents avec une personne souffrant d'hépatite B ou C, parce que le virus se propage par le sang et les fluides organiques.

ATTENTION

Si vous prenez 12 comprimés de 500 mg d'acétaminophène (Tylénol) par jour, vous augmentez vos risques de dommages au foie. Consommer de l'alcool en prenant ne serait-ce que 4 comprimés de ce médicament peut s'avérer toxique.

Hypertension

◄ Aucun. Contrairement à la croyance populaire, l'hypertension ne cause habituellement pas d'étourdissements, de maux de tête, de fatigue, de rougeurs ni de saignements de nez.

Qu'est-ce que c'est ?

La tension artérielle est la force que le sang exerce sur les parois artérielles quand le cœur se contracte (pression systolique) et se dilate en s'emplissant de sang (pression diastolique). On la mesure en millimètres (mm) de mercure (Hg). La tension artérielle optimale est de 120/80 mmHg. Avec le temps, une tension supérieure continue peut endommager les vaisseaux sanguins du corps et occasionner une cascade de complications : crise cardiaque, ACV, insuffisance rénale. Près de 90 % des hypertendus souffrent d'hypertension primaire ou essentielle dont la cause est inconnue ; les autres souffrent d'hypertension secondaire, causée par une pathologie sous-jacente comme une maladie du rein.

Comment la soigne-t-on ?

On traite d'abord l'hypertension au moyen de divers changements apportés au style de vie (réduction de la quantité de sel et de gras dans l'alimentation, exercice régulier, régime amaigrissant). Quand ces mesures n'ont pas donné lieu à une amélioration notable après six mois, on prescrit des antihypertenseurs. Le choix des médicaments varie avec l'âge, la race, les antécédents médicaux. Voici les principaux types d'antihypertenseurs.

● **Les inhibiteurs de l'enzyme de conversion de l'angiotensine (ECA)** agissent sur l'angiotensine I, une enzyme qui élève indirectement la tension artérielle. Un catalyseur appelé enzyme de conversion de l'angiotensine transforme l'angiotensine I en angiotensine II, une enzyme apparentée qui agit directement sur les vaisseaux sanguins pour en favoriser la constriction et la raideur, ce qui élève la tension artérielle. L'angiotensine II augmente la rétention de sel et d'eau dans l'organisme. Les quatre

AUTO ÉVALUATION

Hypertension : évaluez vos risques

La tension artérielle augmente souvent avec l'âge.
La pression diastolique s'élève jusqu'à environ 60 ans, tandis que la pression systolique continue à augmenter jusqu'à 80 ans. On ignore la cause de

l'hypertension, mais vous êtes plus à risques si vous :
◄ avez des antécédents familiaux de la maladie ;
◄ êtes diabétique ;
◄ êtes un stressé chronique ;

◄ êtes sédentaire ou obèse ;
◄ consommez toujours des aliments salés ;
◄ buvez plus de deux verres d'alcool par jour ;
◄ fumez.

Votre tension est-elle trop élevée ?

Il ne suffit pas d'une seule occurrence de tension artérielle élevée pour diagnostiquer l'hypertension. Il faut au moins deux mesures prises à des jours différents. Vous devrez peut-être même prendre des mesures à la maison pour éliminer «l'hypertension de la blouse blanche» reliée à la visite du médecin.

Classification	Systolique (mmHg)	Diastolique (mmHg)
Optimale	120 ou moins	80 ou moins
Normale	jusqu'à 130	jusqu'à 85
Normale – élevée	130 à 139	85 à 89
Stade 1 hypertension (bénigne)	140 à 159	90 à 99
Stade 2 hypertension (modérée)	160 à 179	100 à 109
Stade 3 hypertension (grave)	180 ou plus	110 ou plus

Astuce santé

Si vous prenez un inhibiteur de l'ECA et que vous vous mettez à tousser (l'effet secondaire le plus fréquent), portez attention aux autres médicaments que vous prenez. Utilisez-vous un onguent anti-arthritique contenant de la capsicine ? Si vous cessez l'application de l'onguent, la toux pourrait disparaître.

inhibiteurs de l'ECA les plus utilisés sont le ramipril (Altace), l'énalapril (Vasotec), le lisinopril (Prinivil ou Zestril) et le captopril (ApoCapto). Bien des médecins commencent par prescrire l'un de ces médicaments. Le ramipril, par exemple, réduirait de 22 % le risque de décès cardiovasculaire, de crise cardiaque et d'ACV.

● **Les inhibiteurs des récepteurs de l'angiotensine II** ressemblent aux inhibiteurs de l'ECA, mais ils ne produisent pas la toux, effet secondaire occasionnel de ces médicaments. Même si les inhibiteurs des récepteurs de l'angiotensine II diminuent la tension artérielle, on ignore encore s'ils protègent bien le cœur et les reins comme le font les inhibiteurs de l'ECA. Ils incluent le losartan potassique (Cozaar) et le valsartan (Diovan).

● **Les diurétiques** débarrassent l'organisme de l'excès de sel et d'eau, réduisant ainsi le volume sanguin total. De la sorte, les artères subissent moins de pression. Les thiazides, comme l'hydrochlorothiazide, accroissent la quantité du potassium excrété par l'organisme ; il faut donc leur ajouter un supplément de potassium même si les hyperlaliémiants, dont le spironolactone (Aldactone) et le triamtérène (Dyrenium), sont disponibles. Les diurétiques de l'anse comme le furosémide (Lasix) sont les médicaments les plus puissants de cette catégorie. On les prescrit souvent aux hypertendus qui font de la rétention d'eau en raison d'insuffisance cardiaque ou de maladie des reins. Les diurétiques sont les médicaments de prédilection dans le cas d'hypertension de stade I.

● **Les bêta-bloquants** ralentissent le cœur et diminuent sa force et son travail. Ils incluent le propranolol (Indéral), le timolol (Blocadren), le métoprolol (Lopresor) et l'aténolol (Tenormin).

● **Les inhibiteurs calciques** empêchent le calcium, qui occasionne la constriction des vaisseaux sanguins, de pénétrer dans les muscles autour

Fiche nutrition

Un régime qui fonctionne, le régime DASH, peut abaisser la pression systolique de 11,4 points et la pression diastolique de 5,5 points. Ce régime est faible en gras saturés et riche en fruits, légumes, grains entiers et produits laitiers à teneur réduite en matières grasses. Consultez le *Guide des ressources* pour en savoir plus (pages 400 à 403).

des artères. Ils comprennent, entre autres, le diltiazem (Tiazac) et le vérapamil (Chronovera). On les utilise rarement en premier lieu.

- **Les alpha-bloquants** agissent sur le système nerveux central pour détendre les vaisseaux sanguins. *Pulsus*, le journal canadien de cardiologie, recommande toutefois à ses membres de ne plus prescrire les alpha-bloquants et les bêta-bloquants ; aux États-Unis, ils ont fait l'objet de la même recommandation.
- **Les vasodilatateurs** détendent le muscle dans la paroi artérielle. Parmi eux, on trouve l'hydralazine (Aprésoline) et le minoxidil (Loniten).
- **Les sympatholytiques,** qui travaillent dans le système nerveux central même, affectent la circulation de manière indirecte. On prescrit, entre autres, les agonistes alpha-adrénergiques comme la clonidine (Catapres) et le méthyldopa (Aldomet). Dans certains cas, on peut prescrire ces médicaments en combinaison avec un diurétique thiazidique.

Votre programme de prévention

Alimentation ■ **Si vous avez des kilos en trop, maigrissez.** L'obésité fait travailler le cœur, ce qui élève la tension artérielle. En vous approchant de votre poids santé – sans même apporter d'autres changements, vous pourrez voir votre tension revenir à la normale. Même une légère perte de poids aide. Sur une période de 40 ans, les gens d'âge moyen qui perdent un demi-kilo par année (sans le reprendre) réduisent de 25 % leurs risques de souffrir d'hypertension.

■ **Oubliez le sel.** En ramenant votre consommation de sel à une cuillerée à thé par jour (la moitié de la consommation moyenne en Amérique du Nord), vous réduisez les risques d'hypertension. Le régime DASH (voir la *Fiche nutrition*, à gauche) ou un régime à teneur réduite en sel abaisse la tension artérielle. La combinaison du régime DASH et du régime hyposodique produit des résultats encore plus étonnants sur l'hypertension.

■ **Mettez-vous au frais.** Les fruits et légumes frais ne contiennent pas de sel, mais contiennent des éléments nutritifs, appelés phytochimiques, qui améliorent la santé. Préférez les produits congelés aux produits en conserve quand l'approvisionnement en fruits et légumes frais vous est impossible. Ils contiennent moins de sel et de sucre.

■ **Coupez le gras.** Les régimes à teneur réduite en matières grasses et riches en gras saturés peuvent aider à réduire la tension artérielle. L'huile d'olive peut vous aider à abaisser la tension systolique.

■ **Ail, oignon et céleri.** Ils aident tous à réduire la tension artérielle.

■ **Du poisson d'eau froide.** Les acides gras oméga-3 du saumon, du maquereau, des sardines et du thon peuvent aider à baisser la tension artérielle.

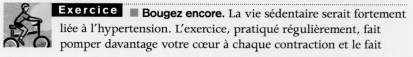

Exercice ■ **Bougez encore.** La vie sédentaire serait fortement liée à l'hypertension. L'exercice, pratiqué régulièrement, fait pomper davantage votre cœur à chaque contraction et le fait travailler plus efficacement, ce qui abaisse la tension artérielle. Trois fois par semaine, faites de la marche rapide, de la course, de la natation, du tennis ou de la bicyclette.

Solutions médicales

■ **Faites-vous mesurer.** Connaissez votre tension artérielle normale et faites-la mesurer chaque année.

■ **Contrôlez votre diabète.** Avec le temps, un taux de sucre trop élevé peut endommager les vaisseaux sanguins et augmenter le risque de problèmes coronariens.

■ **Attention aux autres médicaments.** Les décongestionnants contre le rhume et les allergies et les corticostéroïdes, souvent prescrits dans les cas d'arthrite, d'asthme et autres problèmes inflammatoires, peuvent faire augmenter votre tension artérielle. Consultez votre médecin avant d'en prendre.

Suppléments

■ **Cherchez le C.** Pris chaque jour, 500 mg de vitamine C abaisseraient la tension artérielle de près de 10 % chez les patients souffrant d'hypertension. Cela semble prometteur, même si aucune étude clinique en ce sens n'a encore été entreprise.

■ **Pensez calcium.** Certaines personnes souffrant d'hypertension présentent un déficit en calcium. Si vous n'avez pas l'habitude de consommer de deux à quatre portions de produits laitiers à teneur réduite en matières grasses chaque jour, pensez à prendre des suppléments de calcium.

■ **Prenez des informations sur le potassium.** C'est un électrolyte qui aide à maintenir l'équilibre entre le sel et les liquides; il agit sur la tension artérielle. Mangez une banane par jour si l'alimentation ne vous en fournit pas assez.

Au quotidien

■ **Arrêtez de fumer.** La nicotine contracte les vaisseaux sanguins, ce qui élève la tension artérielle. En arrêtant, vous pourriez abaisser la tension diastolique de 10 points.

■ **Du calme!** Le stress mène à une élévation temporaire de la pression sanguine; le stress chronique peut contribuer à l'hypertension. Votre réaction au stress peut s'avérer très importante. Si vous vous promenez l'air furieux, votre tension artérielle peut s'élever, même en l'absence de stress. Apprenez à vous détendre. Essayez la méditation, le yoga ou les exercices respiratoires.

■ **Ne perdez pas espoir.** Les gens d'âge moyen sans espoir pour l'avenir courent trois fois plus de risques de faire de l'hypertension que ceux qui éprouvent rarement ce sentiment. Si vous avez peu d'espoir, allez consulter pour vous aider à élaborer un sentiment de contrôle et d'estime de soi.

■ **Évitez les excès d'alcool.** La consommation excessive d'alcool peut élever la tension artérielle. En ramenant votre consommation à un seul verre par jour, vous pourrez ramener votre pression diastolique d'environ 10 points.

■ **Adoptez un ami à poils.** Sans doute parce que les animaux nous aident à nous détendre, les gens qui ont des animaux de compagnie présentent une tension artérielle plus basse que les autres. On a découvert qu'en période de stress, les gens souffrant d'hypertension qui prenaient des antihypertenseurs et avaient un animal de compagnie connaissaient des hausses brusques de pression beaucoup moins fortes que les autres hypertendus.

Astuce santé

Les nouveaux appareils électroniques facilitent la mesure à domicile de la tension artérielle. Apprenez à connaître vos propres variations normales de tension. La pression sanguine se situe normalement à son point le plus élevé le matin, diminue en après-midi pour atteindre son point le plus bas durant le sommeil. Le fait de manger, de boire et de faire de l'exercice abaisse la pression diastolique et élève la systolique. Prenez la mesure de votre tension deux fois par jour pour en connaître les tendances.

Incontinence

SYMPTÔMES

◄ Fuites incontrôlables d'urine.

◄ Impression d'avoir constamment envie d'uriner, même la vessie vide.

Qu'est-ce que c'est ?

L'incontinence urinaire, ou incapacité à contrôler la miction, affecte au moins une personne sur dix passé 65 ans. Mais, traitée rapidement, elle peut être guérie dans plus de 90 % des cas. Elle peut se produire soudainement, trahissant une affection aiguë, infection de la vessie ou inflammation de la prostate, de l'urètre ou du vagin, ou elle peut s'installer progressivement. Deux types plus fréquents : l'incontinence d'effort et l'incontinence d'urgence.

L'incontinence d'effort se produit lorsque la pression augmente brusquement sur la vessie. Cela peut être dû à une toux, à un éternuement, à un effort pour soulever un objet lourd ou pendant un exercice. Chez les femmes, elle résulte généralement de l'affaiblissement des muscles du plancher pelvien qui soutiennent la vessie et l'urètre. Une grossesse, un accouchement ou une carence en œstrogène à la postménopause sont parfois responsables du relâchement des muscles. Chez les hommes, elle résulte généralement d'une lésion de la vessie ou de l'urètre après une chirurgie de la prostate.

L'incontinence d'urgence, parfois appelée hyperactivité de la vessie, se produit lorsque vous ressentez un besoin impérieux d'uriner suivi immédiatement d'une fuite. Elle est généralement associée à une infection des voies urinaires, au diabète, à un accident cérébrovasculaire, à la démence, à la maladie de Parkinson, à la sclérose en plaques ou à l'hypertrophie de la prostate.

Les autres types d'incontinence sont la miction par engorgement (lorsque la vessie fuit parce qu'elle est pleine), l'incontinence impérieuse (lorsqu'une maladie vous empêche d'atteindre les toilettes à temps) et l'incontinence neurogène (résultat de lésions neurologiques). Vos symptômes déterminent le type d'incontinence dont vous souffrez.

Comment la soigne-t-on ?

Le traitement peut aller d'une simple modification des comportements à la chirurgie.

MODIFICATION DES COMPORTEMENTS
Pour les femmes, les exercices de Kegel peuvent renforcer les muscles du plancher pelvien qui soutiennent l'utérus et la vessie. Vous pouvez pratiquer les exercices de Kegel pendant la miction : resserrez lentement vos muscles pelviens jusqu'à l'arrêt du débit d'urine, gardez les muscles contractés pendant 10 secondes puis relâchez-les. Répétez trois ou quatre fois. L'entraînement de la vessie qui consiste à uriner à heure fixe fonctionne bien dans les cas d'incontinence impérieuse. Vous pouvez prévoir d'uriner de

20 à 30 minutes après vos repas et au moins deux fois entre les repas (au besoin, réglez votre montre ou votre réveil).

Urinez aussi juste avant d'aller vous coucher. Les résultats devraient se faire sentir en quelques semaines. Le biofeedback a la capacité de vous former à un développement du contrôle et de la maîtrise de vos fonctions.

MÉDICAMENTS

En cas d'infection, des antibiotiques sont prescrits pour traiter l'incontinence. La toltérodine (Detrusitol) est efficace dans le traitement de l'incontinence d'urgence. L'oxybutynine (Ditropan) détend les muscles de votre vessie et fait cesser les contractions de l'incontinence impérieuse. L'imipramine (Tofranil) est un antidépresseur tricyclique antispasmodique qui augmente la résistance de l'urètre aux fuites. On prescrit aux femmes de l'œstrogène pour renforcer le plancher pelvien.

PROTHÈSES MÉDICALES

Pour contrôler l'incontinence d'effort, on fixe un pessaire, sorte d'anneau qui soutient les muscles pelviens. On peut également utiliser une sonde à demeure pour transférer l'urine de la vessie à un récipient externe.

CHIRURGIE

La chirurgie peut être envisagée en cas de ptôse ou de rétrécissement de la vessie, ou pour extraire une prostate hypertrophiée. Dans les cas d'incontinence inguérissables, il existe des culottes absorbantes spéciales.

Votre programme de prévention

Alimentation ■ Buvez beaucoup.
Réduire votre absorption de liquide pour uriner moins ne peut qu'empirer les choses. L'urine devient plus acide lorsqu'elle n'est pas évacuée et l'acidité déclenche des spasmes et des fuites encore plus importants. Buvez plus que d'ordinaire, surtout de l'eau. Évitez alcool, caféine, boissons gazeuses et jus de fruits acides, qui irritent tous la vessie.

■ **Évitez les aliments épicés.** En irritant votre vessie, ils risquent d'aggraver les fuites.

■ **Délestez-vous de quelques kilos.** L'incontinence d'effort peut être due à la pression de quelques kilos en trop.

■ **Mangez des fibres.** Les efforts de la constipation peuvent affaiblir les muscles de la vessie. Pour aller à la selle régulièrement, mangez beaucoup de fruits, de légumes et des céréales complètes.

Exercice ■ Pratiquez Kegel.
Pensez à faire vos exercices de Kegel à n'importe quel moment : pendant une conférence, dans une file d'attente ou pendant votre lecture au lit.

Solutions médicales ■ Lisez les étiquettes des médicaments.
L'incontinence peut être un effet secondaire de certains médicaments utilisés pour le traitement des cardiopathies, de l'hypertension, de la dépression et de l'insomnie. Le problème peut être résolu en changeant de médicament.

Au quotidien ■ Cessez de fumer.
La toux du fumeur appuie sur la vessie et peut entraîner des fuites. La nicotine a d'autres effets nocifs sur la vessie : jusqu'à 40 % des décès par cancer de la vessie sont liés au tabac.

Infection des voies urinaires

◀ Sensation de brûlure en urinant.

◀ Besoin d'uriner fréquemment.

◀ Urine trouble ou teintée.

◀ Chez les femmes, peut s'accompagner d'une décharge ou d'une odeur vaginale inhabituelle.

◀ En plus des symptômes ci-dessus, douleurs dans le dos ou le bas de la poitrine, frissons, fièvre, nausées ou vomissements peuvent être le signal d'une infection ; consultez votre médecin.

ATTENTION

Une infection urinaire mal soignée peut conduire à une infection rénale dangereuse. Même si vous en avez déjà souffert et que vous pensez savoir comment vous soigner, consultez votre médecin. Il vous faut probablement des antibiotiques pour enrayer l'infection.

Qu'est-ce que c'est ?

Une infection des voies urinaires est la conséquence de la colonisation de la vessie et de l'urètre par des bactéries provenant de l'intestin grêle. Lorsque l'infection atteint les reins, on l'appelle pyélonéphrite ; elle nécessite une intervention médicale urgente.

Les médecins soignent plus de 50 millions d'infections des voies urinaires chaque année en Amérique du Nord. L'infection est 20 fois plus fréquente chez les femmes : leur urètre plus court (environ 5 cm comparé à 25 chez les hommes) permet plus facilement l'accès aux bactéries. Les femmes en postménopause et les jeunes femmes sexuellement actives sont les groupes les plus sensibles. Mais l'infection touche surtout les personnes âgées : un tiers d'entre elles souffrent d'infection des voies urinaires.

Lorsqu'une bactérie, généralement de souche E. coli, pénètre dans l'urètre, elle remonte parfois les voies urinaires jusqu'à la vessie, répandant ainsi l'infection. La bactérie peut avoir été transférée par vos mains, provenir de votre région anale après l'évacuation des selles ou de la peau de vos organes génitaux. Chez les femmes, la bactérie qui vit dans et autour du vagin peut être entraînée vers l'urètre pendant l'activité sexuelle. Les risques sont légèrement plus élevés chez les femmes qui utilisent un diaphragme.

Ils sont aussi plus élevés chez les personnes souffrant de calculs ou d'une hypertrophie de la prostate. Un antécédent d'infection des voies urinaires peut favoriser sa récurrence.

Les symptômes suffisent généralement au médecin pour établir le diagnostic d'une infection des voies urinaires. Un échantillon d'urine permet de déterminer quel antibiotique sera le plus efficace pour l'enrayer.

Comment la soigne-t-on ?

Certains changements dans votre style de vie peuvent souvent éviter l'apparition d'une infection des voies urinaires. Un analgésique peut soulager la douleur, mais seuls les antibiotiques peuvent détruire la bactérie responsable de l'infection.

MÉDICAMENTS

Si vous souffrez d'une cystite sans complications, votre médecin vous prescrira probablement les antibiotiques sulfaméthoxazole et triméthoprime pendant trois jours. Pour éliminer la bactérie complètement, vous devez prendre la totalité de la dose prescrite, même si vous ressentez une amélioration. Autrefois, on prescrivait surtout l'antibiotique ampicilline. Le résultat est que plus d'un tiers des bactéries de souche E. coli responsables des infections urinaires résistent à ce médicament de nos jours.

Si vous êtes une femme sexuellement active et que vous souffrez d'infections des voies urinaires fréquentes, demandez à votre médecin si vous pouvez prendre une dose d'antibiotique après chaque rapport pour éliminer les bactéries susceptibles d'avoir pénétré vos voies urinaires.

Votre programme de prévention

Alimentation ■ **Rincez-vous à l'eau.** Buvez au moins deux litres d'eau par jour, même lorsque vous ne souffrez pas d'une infection urinaire.

■ **Sirotez la canneberge.** Si vous souffrez d'infections répétées, vous pouvez boire jusqu'à un litre de jus de canneberge non sucré par jour.

■ **Évitez les produits alcalins.** Alcool, épices, café, jus d'agrumes, boissons gazeuses et produits laitiers rendent l'urine alcaline.

Suppléments ■ **Augmentez l'acidité.** Prenez 1000 mg de vitamine C par jour. Cela rendra votre urine acide et éloignera les bactéries (peut aussi renforcer votre système immunitaire et prévenir d'autres infections).

Médecines douces ■ **L'heure du thé.** Prenez du thé d'ortie, un diurétique naturel, pour favoriser l'évacuation de la bactérie. Utilisez une cuillerée à thé d'herbe par tasse d'eau chaude et buvez-en une tasse par jour.

■ **Les potions préventives aux herbes.** L'échinacée, favorable au système immunitaire, peut aider à éviter la récurrence des infections des voies urinaires. Prenez-en jusqu'à huit semaines puis faites une pose de deux semaines. L'hydraste est efficace pour combattre une infection déjà installée. Buvez plusieurs tasses de tisane d'hydraste par jour aux premiers symptômes d'infection urinaire.

■ **L'aromathérapie.** Mélangez des huiles essentielles de bergamote et de lavande ou de camomille à une huile porteuse, huile de carthame par exemple, et faites-vous des massage du bas de l'abdomen pour soulager le malaise.

Au quotidien ■ **L'hygiène d'abord.** Veillez à la propreté de vos parties génitales et essuyez vous toujours de l'avant vers l'arrière. Cela évite la contamination du vagin et de l'urètre.

■ **Videz-vous.** Videz votre vessie complètement chaque fois que vous urinez pour que la bactérie ne puisse pas se multiplier dans l'urine stagnante.

■ **Préférez le coton.** Portez des culottes en coton. Elles «respirent» et constituent un environnement moins favorable au développement des bactéries.

■ **Pas de douches vaginales.** N'utilisez pas de vaporisateurs ni de douche vaginale. Ces produits d'hygiène féminine modifient l'équilibre du pH du vagin et créent un environnement favorable aux bactéries.

■ **En parlant de sexe.** Buvez un grand verre d'eau et urinez aussitôt après l'acte sexuel : cela permettra d'évacuer les bactéries susceptibles d'avoir pénétré votre urètre afin qu'elles n'y créent pas d'infections.

Insuffisance cardiaque

◀ Gain de poids rapide.

◀ Enflure des pieds, des chevilles, des jambes ou de l'abdomen.

◀ Fatigue.

◀ Souffle court, surtout en position couchée ou lorsque vous essayez de vous endormir.

◀ Peau moite et pâle virant peut-être au bleu.

◀ Perte musculaire.

◀ Respiration sifflante ou toux sèche (qui peut produire une écume rosée) commençant quand vous vous allongez, mais qui cesse aussitôt que vous vous assoyez.

➤ Qu'est-ce que c'est ?

L'insuffisance cardiaque globale ou congestive est une maladie chronique dans laquelle le cœur perd sa capacité de pomper efficacement. Elle se manifeste quand une maladie affaiblit le muscle cardiaque ou quand les valves contrôlant le débit sanguin sont défectueuses. Parce que chaque battement pompe moins de sang hors du cœur, le sang privé d'oxygène qui retourne au cœur s'accumule dans les veines, puis dans les poumons pour fuir ensuite dans les tissus. Nombre de symptômes de l'insuffisance cardiaque proviennent de cette accumulation. La cause, cependant, en est la cardiopathie, l'hypertension, le diabète ou le rythme cardiaque anormal. Non traitée, l'insuffisance mène à l'arrêt des systèmes de l'organisme.

L'insuffisance cardiaque est plus fréquente du côté gauche du cœur qui reçoit des poumons le sang fraîchement oxygéné et effectue la plus grande partie du travail de pompe. Elle se produit aussi du côté droit, qui reçoit le sang privé d'oxygène pour le retourner aux poumons afin qu'il refasse le plein d'oxygène. Parce que les deux côtés sont interdépendants, l'insuffisance d'un côté mène souvent à l'insuffisance de l'autre.

Pour diagnostiquer l'insuffisance cardiaque, la médecine utilise la radiographie des poumons, l'échocardiographie (une échographie du cœur) et l'examen physique.

➤ Comment la soigne-t-on ?

On peut parfois soigner l'insuffisance cardiaque en traitant la maladie sous-jacente. Les médicaments peuvent ralentir la progression de la maladie.

MÉDICAMENTS

Les médicaments peuvent aider votre cœur à pomper plus efficacement et à empêcher des lésions supplémentaires. On utilise quatre types de

AUTO ÉVALUATION

Insuffisance cardiaque : évaluez vos risques

Vous êtes plus à risque si vous :

◀ avez plus de 70 ans. Passé cet âge, les gens présentent un risque de 10 % de souffrir d'insuffisance ;

◀ êtes de descendance africaine. Le risque est de 25 % plus élevé que chez les Caucasiens ;

◀ souffrez d'hypertension, ce qui double votre risque ;

◀ avez fait un arrêt cardiaque, ce qui multiplie votre risque par cinq ;

◀ avez des membres de

votre famille immédiate affectés de cardiopathies ;

◀ fumez ;

◀ bougez peu ;

◀ buvez trop d'alcool.

médicaments. Les *vasodilatateurs* dilatent les vaisseaux sanguins, permettant au sang de sortir plus facilement du cœur. Les plus fréquemment utilisés sont les inhibiteurs de l'ECA (l'enzyme de conversion de l'angiotensine), comme le quinapril (Accupril), qui occasionnent chez certains une toux irritante, mais qui ont été les premiers à prolonger la vie et à réduire le temps d'hospitalisation des gens atteints d'insuffisance cardiaque. Les *diurétiques*, comme le furosémide (Lasix), vous font uriner davantage, ce qui empêche les liquides de s'accumuler dans les poumons et vous permettent de respirer plus facilement. La *digoxine* (Lanoxin), un dérivé de la digitale, augmente la force de contraction du cœur. Les *bêta-bloquants*, comme le propranolol (Indéral), améliorent le flux sanguin et préviennent certains problèmes de rythme cardiaque.

CHIRURGIE

Si vous avez moins de 65 ans et que les médicaments ne vous aident pas, votre médecin pourrait recommander une transplantation cardiaque. Le taux de survie et la qualité de vie après cette opération sont excellents, mais il manque de donneurs. Pour aider le cœur à pomper mieux, il arrive que l'on implante dans la poitrine une minuscule pompe appelée appareil d'assistance circulatoire par ventricule pulsatile.

ATTENTION

Les études montrent que les médecins ne prescrivent pas aussi souvent qu'ils le devraient les inhibiteurs de l'ECA. Les femmes et les minorités visibles n'en bénéficient pas aussi souvent que les hommes blancs. Demandez à votre médecin si ces médicaments peuvent vous aider.

Votre programme de prévention

Que vous souffriez d'insuffisance cardiaque ou que vous y soyez prédisposé, suivez aussi les recommandations de *Votre programme de prévention* dans la rubrique *Maladies du cœur*, pages 376-379, pour ce qui est de l'exercice, de l'alimentation, du contrôle du poids, de l'hypertension, du diabète, du tabagisme.

Alimentation ■ **Coupez le sel.** Limitez votre consommation de sel qui favorise la rétention d'eau.

■ **Limitez l'alcool.** Ne buvez pas plus d'un verre d'alcool par jour; la consommation excessive peut réduire la capacité de pomper de votre cœur.

Exercice ■ **Allez-y.** L'exercice aide à prévenir l'insuffisance cardiaque. Même s'il était autrefois interdit à ceux qui souffrent d'insuffisance cardiaque, l'exercice modéré renforce le cœur. Parlez-en à votre médecin.

Médecines douces ■ **Détendez-vous.** En diminuant le stress, vous pouvez abaisser le taux de certaines hormones qui peuvent affecter votre système immunitaire et votre cœur. Faites du yoga, du taï chi, de la visualisation guidée ou de la méditation.

Au quotidien ■ **Grimpez sur le pèse-personne.** Si vous prenez des médicaments pour l'insuffisance cardiaque, pesez-vous chaque jour avant le déjeuner (après avoir uriné). Si vous prenez subitement plus d'un kilo, appelez votre médecin.

■ **Demandez de l'aide.** Si vous vivez seul ou que vous manquez d'aide à la maison, vous risquez davantage de vous retrouver à l'hôpital. Plusieurs centres hospitaliers offrent des programmes de suivi pour vous aider à apporter des changements dans votre vie et à prendre vos médicaments.

Mal de dos

◀ Douleurs ou raideurs dans le bas du dos.

◀ Flexibilité réduite de la colonne vertébrale.

◀ La douleur peut se prolonger depuis le bas du dos jusqu'à la jambe en passant par le fessier. Si vous ressentez un engourdissement, des picotements ou une faiblesse musculaire dans une ou les deux jambes, appelez votre médecin.

◀ Consultez votre médecin immédiatement si la douleur s'accompagne d'incontinence urinaire ou fécale.

▶ Qu'est-ce que c'est ?

Le mal de dos est, après le rhume, le deuxième motif de visite chez le médecin au Canada. Rien d'étonnant si l'on considère la structure complexe de la colonne vertébrale, des vertèbres, des disques, des nerfs et d'un grand nombre de muscles et ligaments. La douleur peut s'installer à n'importe quel endroit de la colonne vertébrale, en général sur le bas du dos. Le mal de dos peut avoir diverses causes :

- Les muscles, ligaments et tendons du dos sont faibles, contractés ou tendus, ce qui cause des dommages ou des lésions. Soutenir une bedaine alanguie peut même entraîner des spasmes musculaires.
- Les petits disques qui servent d'amortisseurs entre les vertèbres de la colonne sont peut-être endommagés. Une hernie discale se produit lorsque le centre caoutchouteux reste coincé à un endroit affaibli de l'enveloppe dure extérieure. La saillie qui en résulte, en appuyant sur les nerfs environnants, cause des douleurs sévères. Des excroissances osseuses sur les articulations usées des vertèbres viennent parfois ajouter à la douleur.
- Le vieillissement normal s'accompagne d'un assèchement des fluides des disques vertébraux qui rétrécissent et s'affaiblissent.
- L'arthrite, l'ostéoporose ou toute autre condition qui affecte les nerfs ou les vertèbres de la colonne.

Environ 10 % des personnes qui ont mal au dos souffrent de sciatique, douleur intense le long du nerf sciatique de la hanche au talon. On peut ressentir des picotements, un engourdissement ou une faiblesse musculaire dans la jambe atteinte. Tousser, éternuer ou toute autre activité qui exerce une pression sur la colonne vertébrale peut aggraver la douleur.

Votre médecin vous demandera si la douleur est apparue tout d'un coup ou progressivement, si elle est plus forte durant certaines activités, ce qui la soulage et ce qui l'aggrave, et depuis combien de temps elle est installée. Il s'informera de vos autres symptômes : engourdissements ou picotements, irritation de la jambe, fièvre, fatigue ou incontinence d'urine. Il examinera les muscles du bas de votre dos et votre colonne vertébrale et testera votre force musculaire ainsi que les réflexes de vos bras et jambes.

Une douleur sévère dans le bas du dos trahit généralement une tension ou une déchirure mineure des muscles et des ligaments qui soutiennent le bas du dos. Elles sont indécelables à la radiographie ou à l'image par résonance magnétique (IRM). Cependant, des tests peuvent être nécessaires si la douleur du dos résulte d'un accident antérieur ou est accompagnée de fièvre, d'une perte de poids subite ou d'une faiblesse des jambes aiguë ou progressive, et si cette douleur ne s'estompe pas avec du repos, des calmants

En bref

Le mal de dos touche 80 % d'entre nous à un moment ou à un autre de notre vie.

et des exercices que peut vous prescrire votre médecin pour renforcer vos muscles dorsaux. On vous recommandera de passer une radiographie s'il y a des risques de fractures, de tumeur osseuse, d'infection ou d'arthrite. Pour déceler l'arthrite ou la sténose du canal rachidien, on utilise une tomographie qui produit une radiographie numérisée détaillée de votre colonne vertébrale. Une IRM produit une image similaire à l'aide d'ondes sonores ; elle est très utile pour examiner les disques et les nerfs. L'électromyographie mesure l'activité électrique de vos muscles pour déterminer l'état de vos fonctions neuro- musculaires. Votre médecin vous soumettra peut-être à une analyse de sang pour rechercher la présence de phospholipase A.

Comment le soigne-t-on ?

ATTENTION

Reprendre une activité trop tôt peut aggraver et même endommager de manière permanente votre dos. Vous n'êtes pas guéri tant que vous ne pratiquez pas vos exercices de réhabilitation sans douleur. Vous devez avoir recouvré toutes les capacités motrices de votre dos et ne plus sentir de douleurs dans les jambes ou les bras. Vous devez aussi pouvoir courir, sauter, et votre taille doit être flexible.

Généralement, la douleur disparaît au bout d'une semaine dans les cas de luxation, de sciatique ou d'endommagement mineur des disques, avec l'aide de médicaments analgésiques, de glace, de chaleur et d'un peu d'exercice. Le repos est conseillé, mais sans abus. Plus de deux jours risquent d'affaiblir les muscles et exacerbe le problème. Si vous souffrez d'une hernie discale, essayez de dormir plusieurs nuits sur le dos (placez un oreiller sous vos genoux) à même le sol ou sur un matelas extra-ferme (mettez une planche sous le matelas).

Selon l'intensité de la douleur, on peut la soulager à l'aide de décontractants, d'anti-inflammatoires ou d'analgésiques comme l'aspirine (avec ou sans codéine). La stimulation électrique apporte un soulagement de courte durée. Elle consiste à insérer des aiguilles dans les tissus mous du bas du dos. Une autre méthode, la stimulation électrique transcutanée, consiste à placer des électrodes sur la peau et à envoyer des impulsions électriques légères aux nerfs. Une injection de stéroïdes dans l'interstice d'un disque avec hernie peut soulager la douleur et l'inflammation. Il est rarement nécessaire de procéder à une chirurgie, sauf en dernier recours. À la maison, appliquez une poche glacée plusieurs fois au cours du premier ou du deuxième jour pour soulager la douleur et diminuer le gonflement. Appliquez ensuite une chaleur douce (à l'aide d'une compresse humide et chaude, d'une couverture chauffante réglée au minimum, ou encore en relaxant dans un spa) pour accélérer la circulation sanguine vers la région de la lésion. Les bains salés peuvent aider ainsi que, pour certaines personnes, les crèmes chauffantes, mais elles ne doivent pas être utilisées en même temps qu'un traitement par compresses chaudes.

Il existe peu d'études scientifiques rigoureuses, mais les patients atteints de lombalgies sont généralement satisfaits des résultats de certaines manipulations ostéopathiques ou chiropratiques et de massages approfondis. Dans une étude, 155 patients atteints de lombalgies chroniques traités par ostéopathie avaient moins besoin d'analgésiques et de physiothérapie que des patients soumis à un traitement conventionnel.

Lorsque votre douleur diminuera, votre médecin vous conseillera peut-être un programme de physiothérapie et d'exercices pour allonger et renforcer les muscles du bas de votre dos et tenter d'éviter de nouveaux problèmes.

En bref

Même si vous souffrez de lombalgie chronique, essayez d'abord un programme d'exercices à long terme avant d'envisager une chirurgie. Parmi des candidats à la chirurgie soumis à un programme de renforcement du dos de 10 semaines, 80% avaient réussi à éviter la chirurgie 16 mois plus tard.

Votre programme de prévention

 Alimentation ■ **Allégez-vous.** Un excès de poids, surtout à la taille, tire sur les muscles du dos et les disques, et se traduit par des tensions, scolioses et douleurs. (Voir chapitre 2, Surveiller votre poids, pour des astuces régime.)

■ **Le pouvoir des légumes.** Des études ont montré que les populations dont l'alimentation est principalement végétarienne ont des taux de lombalgies très inférieurs. Pourquoi ? Les légumes contiennent des vitamines (C, E et B complexe), des minéraux (calcium et magnésium), des fibres, de l'eau, des hydrates de carbone et des protéines, éléments essentiels à la santé des muscles et à la solidité des os.

 Exercice ■ **Suivez un programme.** Une étude citée dans le *British Medical Journal* indique que des personnes de 18 à 60 ans ayant souffert de lombalgie durant des périodes allant de quatre semaines à six mois ont ressenti un soulagement supérieur à celles qui n'ont pas suivi un programme d'exercices dirigé par un physiothérapeute.

■ **Estomaquez-vous.** Des abdominaux forts peuvent stabiliser votre colonne vertébrale et la protéger des lésions. Entretenez vos abdominaux avec un rouleau abdominal ou par des exercices réguliers. (Voir chapitre 4, page 133.)

■ **Étirez vos limites.** Améliorez la flexibilité de votre colonne vertébrale en faisant des exercices d'élongation, comme l'étirement du chat, décrit à la page 137.

■ **Faites des longueurs.** La marche et la natation peuvent aider à renforcer et à protéger votre colonne vertébrale sans exercer de pression sur vos vertèbres.

 Solutions médicales ■ **Pensez au physiothérapeute.** Les physiothérapeutes ont une approche active du traitement de la maladie de leurs patients, auxquels ils enseignent comment gérer leur douleur en faisant des exercices, des tractions passives et par la manipulation. La plupart des lombalgies sont soulagées par l'approche active ; aussi, n'hésitez pas à investir dans une physiothérapie à court terme.

■ **Voyez un ostéopathe.** Les ostéopathes manipulent les tissus mous le long de la colonne vertébrale pour améliorer la circulation sanguine et entretenir ou restaurer la santé. Une étude montre que l'état des patients atteints de lombalgie traités par manipulation ostéopathique s'améliorait autant que celui de patients recevant un traitement conventionnel.

■ **Pensez au chiropraticien.** Un chiropraticien applique une pression douce à divers endroits de la colonne vertébrale pour ajuster et aligner les vertèbres. Selon une agence américaine, la manipulation de la colonne vertébrale est indiquée pour les lombalgies à court terme sans facteur aggravant. Cette même agence recommande la prudence aux personnes atteintes de sciatiques ou de hernies discales chez lesquelles une manipulation risque d'aggraver les lésions.

Médecines douces

■ **Faites-vous des massages.** Soyez votre propre masseur. Étirez les bras derrière vous, appuyez fermement avec les doigts des deux mains sur vos muscles du bas du dos à environ 2,5 cm de votre colonne vertébrale. Massez en cercle en profondeur en remontant le long de la colonne vertébrale le plus haut possible.

■ **Frottez-vous.** Il existe des baumes qui soulagent les muscles fatigués en créant une sensation de chaleur qui dilate les vaisseaux sanguins et améliore la circulation. Cherchez les marques qui contiennent du capsicum et du menthol.

■ **Essayez l'acupuncture.** En 1998, un institut américain a confirmé que l'acupuncture aide à soulager les douleurs chroniques des lombalgies. Cependant, si vous ne ressentez aucune amélioration au bout de six à huit séances, cette thérapie n'est probablement pas adaptée à votre cas.

■ **Intéressez-vous aux suppléments.** La broméline, une enzyme présente dans l'ananas, est maintenant utilisée dans certains hôpitaux pour diminuer l'inflammation et réduire la douleur dans les cas de traumatismes, de blessures sportives et d'arthrite. Un onguent à l'arnica appliqué localement peut réduire l'inflammation et la douleur, favorisant la guérison.

Au quotidien

■ **Tenez-vous droit.** Baissez les épaules et rentrez l'abdomen. Lorsque vous restez debout longtemps, bougez et portez alternativement votre poids d'une jambe sur l'autre. Lorsque vous restez longtemps à la même place, par exemple quand vous faites la vaisselle, posez un pied sur une petite marche pour soulager votre dos.

■ **Asseyez-vous bien.** Choisissez une chaise avec un bon support vertical et ferme. Les accoudoirs aident aussi. Placez un oreiller, un rouleau lombaire ou une serviette roulée dans le creux de votre dos. Si vous restez assis longtemps, levez-vous toutes les 20 minutes pour vous étirer.

■ **Levez les poids comme un pro.** Lorsque vous soulevez un objet, ne vous penchez pas à partir de la taille. Fléchissez les jambes ou accroupissez-vous à côté de l'objet, puis aidez-vous des muscles de vos cuisses pour le soulever. Contractez bien les abdominaux. Une fois que vous avez soulevé l'objet, ne vous tordez pas pour le poser, tournez plutôt tout votre corps.

■ **Dormez bien.** Dormez sur un matelas ferme ou placez une planche sous le matelas. Dormez sur le côté, jamais sur le ventre, les jambes pliées, un petit oreiller entre les genoux. Ou bien, dormez sur le dos avec un gros oreiller sous les genoux.

■ **Restez calme.** Un bouleversement émotionnel peut avoir des conséquences physiques et même entraîner des spasmes musculaires du dos. Incluez les techniques de réduction du stress (comme le yoga, les exercices respiratoires et la méditation) à votre programme de santé personnel.

Maladie d'Alzheimer

◀ Symptômes précoces : pertes de mémoire, confusion, désorientation, difficulté à accomplir des tâches de routine, sautes d'humeur, retrait du monde, jugement affaibli et difficulté à prendre des décisions.

◀ Les symptômes s'aggravent avec le temps : anxiété ou colère en réaction à un changement ou à un stress, difficulté à remplir les activités quotidiennes comme s'habiller ou manger, radotage, errance, délire, difficulté à trouver le mot exact, à lire, à écrire, à reconnaître les personnes de l'entourage et à dormir.

◀ À un stade avancé, la maladie entraîne une perte de poids, l'incontinence et une dépendance totale.

Qu'est-ce que c'est ?

La maladie d'Alzheimer est une dégénérescence du cerveau qui affecte la mémoire, la pensée, le langage et le raisonnement. Les déficiences s'aggravent au fur et à mesure que les cellules du cerveau sont détruites et le malade finit par ne plus être capable de penser ou de s'exprimer d'une manière cohérente. Des plaques et des nœuds anormaux se forment dans le cerveau. Les plaques sont des agglomérats d'une protéine collante appelée bêta-amyloïde sur les neurones (cellules nerveuses). Les chercheurs pensent que la bêta-amyloïde libère les radicaux libres qui attaquent les neurones. Les nœuds se forment lorsque les filaments protéiques, qui soutiennent normalement les neurones, s'enchevêtrent et endommagent ces derniers.

La maladie d'Alzheimer est une maladie irréversible et incurable. En 2001, on évalue à 238 000 le nombre de Canadiens de plus de 65 ans qui en souffrent. Les experts estiment que le nombre de cas de maladie d'Alzheimer triplera dans les 30 prochaines années.

L'âge et l'hérédité ne sont pas les seuls facteurs de risque. Le risque est plus élevé pour les personnes de plus de 65 ans et augmente à chaque décennie. Si l'un de vos proches est atteint de la maladie d'Alzheimer, vos risques sont plus élevés. La maladie touche un plus grand nombre de femmes que d'hommes, mais c'est peut-être simplement parce que les femmes vivent plus longtemps. Une étude récente indique que les personnes provenant de familles nombreuses (5 enfants ou plus) sont plus exposées. On soupçonne aussi un lien entre le risque de maladie et une blessure grave à la tête ayant entraîné une perte de conscience.

Il est difficile d'établir le diagnostic de la maladie d'Alzheimer, car ses symptômes peuvent être associés à d'autres pathologies. Votre médecin doit

AUTO ÉVALUATION

Est-ce la maladie d'Alzheimer ?

L'Association d'Alzheimer recommande d'aller voir le médecin si un proche ou vous souffrez de trois ou plus des symptômes suivants. Soyez attentif aux changements de comportement :

◀ pertes de mémoire affectant les aptitudes professionnelles ;

◀ difficultés à accomplir des tâches familiales ;

◀ problèmes de langage, difficulté à trouver le mot juste ;

◀ perte des notions de temps et d'espace ;

◀ faiblesse de raisonnement ;

◀ difficultés avec la pensée abstraite ;

◀ tendance à égarer des objets ;

◀ sautes d'humeur, modification du comportement et de la personnalité ;

◀ absence d'initiative.

Causes de la maladie d'Alzheimer

Les recherches se poursuivent pour déterminer les facteurs qui font que la maladie d'Alzheimer affecte certaines personnes et épargne les autres.

- **L'hérédité:** dans environ 15 % des cas de maladie d'Alzheimer, on détecte un lien génétique. Le risque est multiplié par trois lorsqu'un de vos parents souffre de la maladie; par cinq si les deux en sont atteints. On a associé à la maladie d'Alzheimer la présence d'un gène baptisé Apo E 4. On a remarqué chez les personnes qui possèdent ce gène des dépôts plus importants de la protéine bêta-amyloïde et constaté que leur risque d'être infecté par la maladie est deux fois plus élevé. L'Apo E 4 n'est toutefois pas un indice absolu. Beaucoup possèdent ce gène sans souffrir de la maladie d'Alzheimer et d'autres qui ont la maladie ne sont pas porteurs du gène. Les chercheurs s'accordent à penser que si les gènes ont un rôle dans la maladie d'Alzheimer, le profil médical est aussi un facteur non négligeable.

- **L'environnement:** des chercheurs pensaient que l'aluminium, minéral présent dans les additifs alimentaires, les antisudorifiques ou certains désacidifiants et les produits ménagers, comme les casseroles et le papier d'aluminium, pouvait déclencher la maladie d'Alzheimer, mais de récentes études n'ont pas permis de confirmer cette hypothèse. Des savants pensent que trop de zinc peut favoriser le dépôt de plaques, mais la théorie n'a pas été vérifiée.

- **Le virus:** certains désordres cérébraux sont causés par des virus et la recherche s'est orientée dans cette direction pour la maladie d'Alzheimer. En théorie, le virus infectieux peut prendre plusieurs décennies à incuber dans le corps avant que n'apparaissent des symptômes. À ce jour, toutefois, aucune preuve ne vient étayer cette théorie.

s'enquérir de votre histoire médicale, vous faire subir un examen médical, des tests de mémoire, d'attention et de raisonnement. Des analyses de sang et d'urine, ainsi qu'une encéphalographie sont aussi nécessaires. Bien que le diagnostic soit exact à 90 %, on ne peut confirmer la présence de la maladie qu'à l'autopsie.

Comment la soigne-t-on ?

Plusieurs médicaments sont actuellement à l'étude, mais deux seulement sont disponibles: rivastigmine (Exelon) et donépézil (Aricept). Ils ralentissent la décomposition de l'acétylcholine, substance chimique du cerveau qui aide à la transmission des impulsions nerveuses, et peuvent, de ce fait, améliorer légèrement la mémoire et l'élocution des personnes souffrant de forme légère ou modérée de la maladie d'Alzheimer. Ils ne sont toutefois pas efficaces pour tout le monde. Les effets secondaires les plus courants de ces médicaments sont: nausées, vomissements, diarrhées, perte d'appétit et fatigue.

Il existe d'autres traitements permettant d'alléger les symptômes du comportement liés à la maladie d'Alzheimer. En voici quelques-uns:

En bref

À moins qu'on ne découvre un remède, le nombre de personnes atteintes de la maladie d'Alzheimer ne va cesser de croître, car la population âgée augmente rapidement. On estime qu'elles seront 600000 en 2030.

En bref

Bien qu'ils soient porteurs des mêmes gènes, seulement 50% des jumeaux identiques sont atteints ensemble de la maladie d'Alzheimer.

- Les anxiolytiques clonazepam (Rivotril), diazepam (Valium), lorazepam (Activan) ou oxazepam (Serax) ou des sédatifs comme l'hydrate de chloral peuvent soulager l'anxiété et l'agitation.
- Les inhibiteurs sélectifs du recaptage de la sérotonine dont la fluoxétine (Prozac), la fluvoxamine (Luvox), la paroxetine (Praxil) et la sertraline (Zoloft) sont utilisés pour traiter la dépression.
- On traite généralement les insomnies avec l'hormone mélatonine.

Parmi les traitements non médicamenteux, citons : le massage, l'aromathérapie (utilisation d'huiles essentielles pour l'humeur), la musicothérapie et la présence d'animaux domestiques.

Quelques conseils pour les proches

Les progrès de la maladie d'Alzheimer sont lents ; les personnes qui en souffrent peuvent continuer à vivre chez elles avec l'aide de leur famille.

- **Accepter la réalité telle que la personne l'appréhende.** Une personne atteinte de la maladie d'Alzheimer angoisse et se démoralise quand on corrige continuellement ses erreurs. Elle risque de se replier sur elle-même. Renforcez-la dans son estime d'elle-même en pénétrant dans son monde intérieur et en acceptant sa version de la réalité. La personne malade peut prendre plaisir à bercer une poupée ou à jouer à des jeux d'enfants. N'oubliez pas que les modifications de sa personnalité sont le résultat d'un endommagement du cerveau ; vous comprendrez que ces comportements sont une manière créative de faire face à la maladie.
- **Évoquez des souvenirs.** La défaillance de la mémoire à court terme n'entraîne pas celle de la mémoire à long terme, et cette dernière peut être source de consolation. Prenez le temps de regarder des albums de photos ou des vidéos familiales, de relire des vieux cahiers et de fouiller dans les coffrets de souvenirs. Aidez la personne à assembler des collages photographiques de proches et d'événements de sa vie. Ces activités soulagent son anxiété et sa frustration en soulignant les événements gratifiants de sa vie et en lui rappelant qui elle est.
- **Emmenez-la se promener.** L'errance, un symptôme fréquent de la maladie d'Alzheimer, peut être un comportement résultant d'une tentative d'échapper à une réalité étrangère. Encouragez la personne atteinte d'Alzheimer à faire de l'exercice et accompagnez-la dans ses promenades.
- **Créez une ambiance apaisante.** La musicothérapie, l'aromathérapie, le massage peuvent améliorer le comportement et le sommeil d'une personne atteinte de la maladie d'Alzheimer.
- **Soyez à l'écoute.** Une personne qui souffre de la maladie d'Alzheimer a du mal à se faire comprendre. Regardez-la dans les yeux et montrez-lui que vous êtes à l'écoute. Ne précipitez pas la conversation, ne l'interrompez pas et ne la critiquez pas. Parlez avec douceur, lentement et clairement.

MÉDICAMENT

Des recherches récentes sur les animaux laissent entrevoir la possibilité d'un vaccin contre la maladie d'Alzheimer. Les chercheurs ont stimulé chez des souris la production de bêta-amyloïde, la protéine responsable des plaques qui se forment dans le cerveau. Ils leur ont ensuite injecté un vaccin expérimental. Le vaccin a non seulement endigué la formation de plaques chez les jeunes souris, mais il les a également fait diminuer chez les souris plus âgées.

Votre programme de prévention

 Alimentation ■ **Donnez la préférence aux aliments riches en éléments nutritifs.** Pour combattre les radicaux libres, consommez beaucoup d'aliments riches en antioxydants C, E, A et en sélénium : pruneaux, raisins, bleuets, mûres, fraises, framboises, épinards, choux frisés et de Bruxelles.

■ **Éliminez les gras.** Réduisez votre consommation de graisse animale pour diminuer vos risques de maladie d'Alzheimer. La fréquence de la maladie est moindre dans les pays où le régime alimentaire contient peu de gras.

■ **Mangez du poisson.** Augmentez votre consommation de poisson pour profiter des acides gras oméga-3. Leurs propriétés anti-inflammatoires pourraient inhiber la formation des plaques et des nœuds dans le cerveau. Consommez de 80 à 150 g de thon, flétan, sardine ou maquereau par semaine.

 Exercice ■ **Bougez.** Une étude récente montre que la pratique régulière d'un exercice peut diminuer le risque de maladie. Les chercheurs ont analysé les habitudes de 373 personnes dont 126 souffraient de la maladie d'Alzheimer. Les autres étaient en bonne santé. L'analyse a révélé que les personnes qui avaient pratiqué régulièrement des exercices physiques tout au long de leur vie avaient moins de risques d'être atteintes par la maladie.

Solutions médicales

■ **Protégez-vous avec des médicaments anti-inflammatoires non stéroïdiens.** La recherche semble indiquer qu'une dose thérapeutique de médicaments anti-inflammatoire non stéroïdiens (AINS) comme l'ibuprofène (Motrin IB, Advil) peut aider à endiguer l'évolution de la maladie d'Alzheimer. Au cours d'une expérience, on a réduit de 30 à 60 % les risques de maladie en faisant absorber ces médicaments aux patients à raison de 400 mg 3 fois par jour pendant deux ans. Les personnes souffrant d'arthrite sévère qui prenaient des AINS régulièrement avaient aussi moins de risques de maladie. Parmi les AINS, mentionnons également : aspirine, naproxène

(Naprosyn), indométhacine (Indocid). L'acétaminophène (Tylenol) n'a aucun effet sur la maladie. Attention, l'usage d'AINS à long terme peut entraîner des saignements gastro-intestinaux et des problèmes rénaux ; consultez votre médecin.

 Suppléments ■ **Essayez la vitamine E.** Une étude rapporte que l'absorption de doses élevées de vitamine E ralentissait d'environ 7 mois l'évolution de la maladie d'Alzheimer. Demandez à votre médecin.

 Médecines douces ■ **Prenez du ginkgo.** Selon certaines études européennes, le ginkgo peut aider à préserver la mémoire des personnes âgées. Une expérience allemande de 1996 indique une amélioration significative des fonctions mentales de 154 personnes atteintes de la maladie d'Alzheimer ou d'une autre forme de démence au bout de 24 semaines de phytothérapie. Selon une des études, la posologie conseillée est de 120 mg quotidiennement pendant un an. Demandez conseil à votre médecin avant de prendre du ginkgo pour éviter une interaction médicamenteuse.

■ **Renseignez-vous sur les autres plantes.** La mousse de Chine contient de l'huperzine, une substance qui ralentit la décomposition de l'acétylcholine, élément chimique essentiel pour entretenir la mémoire. On en trouve dans les magasins diététiques, parfois en combinaison avec du ginkgo et de la vitamine E. Le romarin contient aussi des éléments qui peuvent ralentir la décomposition de l'acétylcholine (on le trouve sous forme de thé).

 Au quotidien ■ **Faites travailler vos méninges.** En gardant l'esprit vif, vous pouvez éloigner la maladie d'Alzheimer. Plusieurs études indiquent que l'activité intellectuelle peut diminuer le risque de déclin cérébral. L'étude, la stimulation par les voyages, la lecture, l'apprentissage, les jeux d'esprit, les cours pour adultes, les passe-temps ou même la simple modification de vos habitudes peuvent favoriser la création de réseaux neuronaux dans le cerveau.

Maladie de Parkinson

- ◀ Tremblement des mains, des bras, des jambes ou de la voix, surtout en état de stress.
- ◀ Rigidité des muscles, raideur des bras et des jambes et ralentissement des mouvements.
- ◀ Perte de coordination et d'équilibre.
- ◀ Marche traînante à petits pas.
- ◀ Anxiété, dépression, pertes de mémoire et, au stade avancé, démence.
- ◀ Constipation et incontinence.
- ◀ Au stade avancé, expression faciale figée sans battement des paupières, bouche bée.

En bref

Les risques de maladie de Parkinson sont moins élevés chez les fumeurs parce que la nicotine stimule la production de dopamine. Mais ne commencez pas à fumer. Les chercheurs mettent au point un médicament qui stimulera les effets positifs de la nicotine chez les parkinsoniens.

Qu'est-ce que c'est ?

La maladie de Parkinson est une pathologie dégénérative du système nerveux central causée par la diminution de la production de dopamine par le cerveau. La dopamine est un élément chimique essentiel qui transmet les signaux d'une cellule cérébrale à une autre pour assurer la coordination des mouvements musculaires. Les cellules productrices de dopamine situées dans une petite région du cerveau qui les produit (locus niger) commencent à mourir. Au stade précoce, les symptômes sont légers et on les confond souvent avec un vieillissement normal. Lorsque le diagnostic est affirmé, les patients ont déjà perdu plus de la moitié de leurs cellules productrices de dopamine et leurs symptômes sont devenus plus évidents. La maladie de Parkinson s'aggrave avec le temps et elle survient souvent après 55 ans.

Les chercheurs ne savent pas ce qui cause le ralentissement de la production de dopamine par les cellules cérébrales ni pourquoi elles meurent, mais ils soupçonnent l'environnement et certaines prédispositions génétiques. La maladie de Parkinson ne se guérit pas et on ne peut établir un diagnostic précoce tant que les symptômes ne se manifestent pas.

Si des symptômes se sont manifestés, consultez votre médecin. Il vous conseillera peut-être une tomographie axiale ou une IRM pour éliminer d'autres possibilités, comme une tumeur cérébrale, qui auraient des symptômes similaires. Il vérifiera également les médicaments que vous prenez pour s'assurer que vos symptômes ne sont pas des effets secondaires. Les tremblements peuvent également être déclenchés par un état sans gravité appelé « tremblement bénin essentiel », sans lien avec la maladie de Parkinson.

Comment la soigne-t-on ?

Certaines modifications de votre style de vie (voir *Votre programme de prévention* ci-contre) sont indispensables pour contrôler les symptômes de la maladie de Parkinson. Mais plus la maladie progresse, plus les médicaments deviennent nécessaires et certains choisissent la chirurgie.

MÉDICAMENTS

Dans le passé, la maladie de Parkinson était traitée principalement à la levodopa (L-dopa), un médicament qui aide les cellules cérébrales à fabriquer de la dopamine. La L-dopa réduit les symptômes chez 75 % des utilisateurs, mais elle entraîne des effets secondaires sévères : nausées, vomissements, hypotension et agitation. Avec le temps, le corps s'habitue à la L-dopa, dont les effets bénéfiques s'estompent. De nos jours, la L-dopa est généralement prescrite avec des inhibiteurs de la décarboxylase :

le benzidine (Prolopa) ou la carbidopa (Sinemet CR), substances qui exhaussent les effets de la L-dopa sur le cerveau et permettent de diminuer la posologie de cette dernière. Parmi les autres médicaments utilisés pour le traitement du Parkinson, on trouve : la bromocriptine (Parlodel) et le pergolide (Permax), qui reproduit le rôle de la dopamine dans le cerveau, et la sélégiline (Eldepryl), qui aide à protéger les neurones producteurs de dopamine et repousse dans le temps la thérapie à la levodopa.

CHIRURGIE

Lorsque les médicaments ne font plus effet pour soulager les symptômes, beaucoup de gens envisagent la chirurgie. La pallidotomie détruit les cellules hyperactives malades à l'aide d'une sonde chauffante introduite dans le cerveau. Cela aide à réduire les tremblements et la rigidité. Des greffes de cellules dopaminergiques sur les cerveaux de personnes atteintes de la maladie de Parkinson sont actuellement à l'essai. Les cellules reprennent la production de dopamine : les résultats sont prometteurs.

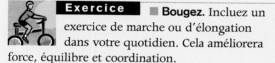

Votre programme de prévention

Alimentation ■ **Limitez les protéines.** Évitez les aliments à teneur protéinique élevée, comme la viande et le poisson, si vous suivez une thérapie à la L-dopa. Les protéines diminuent l'efficacité de la L-dopa.

■ **Augmentez les fibres.** La constipation liée à la maladie peut être soulagée en mangeant de 5 à 10 portions de fruits et de légumes chaque jour.

■ **Adoucissez votre vie.** Dans les derniers stades de la maladie de Parkinson, la difficulté à mâcher rend les repas plus frustrants qu'agréables. Choisissez des aliments mous comme les pâtes, le yogourt ou la compote.

Exercice ■ **Bougez.** Incluez un exercice de marche ou d'élongation dans votre quotidien. Cela améliorera force, équilibre et coordination.

■ **Les thérapies de soutien.** Un physiothérapeute peut vous enseigner à vous mouvoir de manière à réduire vos risques de chute.

Suppléments ■ **La nutrition est la clé.** Les chercheurs soupçonnent la vitamine E (400 UI par jour) de ralentir la progression de la maladie de Parkinson. Le calcium (1500 mg par jour) favorise la transmission des impulsions nerveuses. La vitamine B_6 (25 mg trois fois par jour) accélère la transmission des

messages entre les cellules cérébrales : les acides gras oméga-3 présents dans l'huile de graines de lin pourraient réduire les tremblements (demandez à votre médecin la dose qui vous convient).

Médecines douces ■ **Les remèdes aux herbes.** Du safran tibétain et de la pivoine arbustive peuvent réduire les tremblements. La polygale peut améliorer votre humeur.

Au quotidien ■ **Essayez les thérapies alternatives.** L'acupuncture a été utilisée pour réduire les tremblements, améliorer la flexibilité et soigner la dépression.

■ **Portez des vêtements adaptés.** Choisissez des vêtements faciles à mettre et à enlever.

■ **Mieux vaut prévenir.** Installez des rampes dans votre maison, surtout dans la douche et près des toilettes. Éliminez les carpettes et prenez garde aux fils qui font trébucher. Une moquette fixe peut amortir les chutes.

■ **Acceptez de l'aide.** La maladie de Parkinson peut être lourde à supporter émotionnellement. Vos symptômes peuvent vous paraître honteux et vous déprimer. Un groupe de soutien peut vous aider sur le plan émotionnel. Partager vos soucis avec d'autres personnes dans la même situation peut vous aider à mieux vivre la maladie.

Maladies du cœur

SYMPTÔMES

◄ **Angine :** pression ou douleur dans la poitrine en activité ou au repos.

◄ **Crise cardiaque :** douleur et serrement à la poitrine ; pression qui va et vient dans la poitrine ; douleur constante dans la poitrine qui peut s'étendre à la mâchoire, au cou, à l'épaule ou au bras gauche ; anxiété avec une impression de fatalité.

◄ **Souffle court,** pouls rapide, transpiration abondante, nausées, étourdissements.

➤ Qu'est-ce que c'est ?

Les maladies du cœur, appelées aussi maladies des artères coronaires ou cardiopathies, provoquent plus de 50 000 morts au Canada chaque année. C'est la première cause de décès au pays.

Fondamentalement, la cardiopathie est l'accumulation d'une plaque de cholestérol dans les artères coronaires, les vaisseaux sanguins qui apportent au cœur le sang riche en oxygène. La plaque rétrécit le conduit interne des vaisseaux et les rend moins flexibles. Ce processus s'appelle athérosclérose, ou durcissement des artères.

Lorsque la circulation du sang qui mène au cœur est diminuée, vous pouvez sentir des douleurs à la poitrine. Si un caillot se forme ou se loge dans une artère rétrécie, il peut couper la circulation sanguine et occasionner une crise cardiaque. Jusqu'à ce moment-là, la cardiopathie est souvent « silencieuse » (sans symptômes).

Plus de 85 % des gens qui meurent d'une crise cardiaque ont plus de 65 ans. Le risque de crise cardiaque est plus élevé chez certains groupes ethniques ; cependant, d'autres facteurs entrent aussi en jeu. Le diagnostic de la cardiopathie se fonde d'ordinaire sur vos symptômes, sur votre historique médical et sur la présence de facteurs de risque. Votre médecin pourra aussi vous faire subir certains tests.

AUTO ÉVALUATION

Maladies du cœur : évaluez vos risques

Vos antécédents et votre façon de vivre peuvent contribuer aux maladies du cœur. Pour évaluer les risques, comptez un point pour chacun des facteurs suivants :

Ce que vous ne contrôlez pas :

◄ **Âge.** Plus de 45 ans (hommes) et plus de 55 ans (femmes).

◄ **Sexe.** Les hommes sont plus à risques que les femmes.

◄ **Postménopause.** Risques plus élevés après la ménopause.

◄ **Antécédents familiaux** de cardiopathie.

◄ **Antécédents personnels** de crise cardiaque.

◄ **Origine ethnique :** africaine, latino-américaine, asiatique.

Ce que vous contrôlez :

◄ **Tabagisme** ou exposition régulière à la fumée secondaire.

◄ **LDL** (« mauvais » cholestérol) supérieur à 4,2 mmol/l.

◄ **HDL** inférieur à 0,9 mmol/l.

◄ **Diabète.**

◄ **Hypertension** supérieure à 140/90 mmHg.

◄ **Triglycérides** supérieures à 5,2 mmol/l

◄ **Stress ou dépression chronique.**

◄ **Inactivité.**

◄ **Obésité.**

◄ **Beaucoup de matières grasses.**

◄ **Peu d'aliments bons pour le cœur** (voir *Votre programme de prévention*, page 378).

Enlevez 1 point pour le HDL supérieur à 0,9 mmol/l ; ajoutez ensuite le total de vos points. **Entre 0 et 2 points,** les risques sont faibles. Voir en page 378 des conseils pour garder les risques à leur niveau actuel. **À plus de 3 points,** les risques sont élevés. Voyez votre médecin pour une évaluation. Commencez à apporter des changements dans votre façon de vivre.

- **L'électrocardiogramme (ÉCG)** enregistre l'activité électrique du cœur et détecte des anomalies, comme un trouble dans le pouls ou le rythme cardiaque. Il aide aussi à savoir si votre cœur reçoit suffisamment de sang et d'oxygène et si le tissu musculaire du cœur est mince ou absent, signes qu'une crise cardiaque a pu survenir.
- **Le test de tolérance à l'effort** (*stress test*) enregistre la fonction cardiaque pendant que vous marchez sur un tapis roulant pour détecter tout changement anormal pendant une activité intense du cœur.
- **L'angiographie coronaire** sert à détecter tout rétrécissement ou blocage des artères coronaires. Pour ce faire, on injecte dans le circuit sanguin une teinture visible à la radiographie, d'ordinaire au moyen d'un fin tube qui parcourt l'artère par le bras ou l'aine. S'il y a blocage ou rétrécissement, il apparaîtra à la radiographie prise après l'injection.

Comment les soigne-t-on ?

Nombre de personnes peuvent contrôler les premiers stades de la cardiopathie en apportant des changements à leur façon de vivre (voir les conseils de prévention en page 378) et en prenant certains médicaments. Parfois, la chirurgie s'avère nécessaire.

MÉDICAMENTS

Pour abaisser le taux de cholestérol, les statines peuvent aider. Elles peuvent réduire de 60 points le taux de cholestérol dans le sang, et réduire du tiers le risque de crise cardiaque. Les statines bloquent une enzyme dont l'organisme a besoin pour fabriquer le cholestérol. On prescrit le plus souvent simvastatine (Zocor), atorvastatine calcique (Lipitor) et lovastatine (Mevacor).

Pour les symptômes de l'angine, trois sortes de médicaments sous ordonnance peuvent alléger la douleur. On peut les prendre seuls ou en combinaison avec d'autres. Ce sont des bêta-bloquants comme l'aténolol (Tenormin) et le métoprolol (Lopresor), qui abaissent votre pouls et votre tension artérielle pour réduire le travail du cœur. Les nitrates comme la nitroglycérine dilatent les vaisseaux sanguins, ce qui augmente le flux sanguin au cœur. Les inhibiteurs calciques comme le diltiazem (Tiazac) et le vérapamil (Chronovera) dilatent les vaisseaux sanguins et abaissent la tension artérielle.

Après une crise cardiaque, on vous prescrira des anticoagulants ou on vous enverra tout de suite en chirurgie.

CHIRURGIE

Lors du pontage coronarien, on prélève un vaisseau sanguin sain – d'ordinaire dans la jambe – pour le replacer ailleurs en évitant l'artère ou les artères malades.

Lors d'une angioplastie coronarienne, on insère un cathéter (un fin tube flexible) muni d'un ballon à son extrémité dans l'artère malade et on le dirige vers le blocage de l'artère, à proximité du cœur. On gonfle ensuite le ballon pour étirer le vaisseau, et puis on retire le ballon. Dans certaines formes d'angioplastie, un extenseur est laissé dans l'artère pour la garder ouverte.

ATTENTION

Si vous présentez des symptômes de crise cardiaque, faites le 911 immédiatement. Mâchez une aspirine (pour autant que vous n'y êtes pas allergique), dont les propriétés anticoagulantes pourraient vous sauver la vie, et buvez un verre d'eau en attendant l'aide – mais ne mangez pas et ne buvez pas autre chose.

Votre programme de prévention

 Alimentation ■ **Pensez mondialisation.** Les adeptes de la cuisine méditerranéenne ou asiatique semblent souffrir moins du cœur que ceux qui mangent des plats typiquement canadiens. Incorporez-en des éléments à votre programme de nutrition.

■ **Mangez des aliments bons pour le cœur.** Choisissez de préférence des aliments susceptibles de réduire le cholestérol et de favoriser la santé du cœur, comme les fruits (pommes, avocats, pamplemousses, oranges, fraises, fruits séchés), les légumes (brocoli, carottes, maïs, fèves de Lima, oignons), les fruits de mer (palourdes, moules, huîtres), les poissons contenant des acides gras oméga-3 (saumon et goberge), le soya, noix, pain et céréales de grains entiers.

■ **Coupez le gras.** Pour garder votre taux de cholestérol au minimum, limitez la quantité de matières grasses que vous consommez, particulièrement les gras saturés. Votre apport en matières grasses ne devrait pas dépasser 30 % des calories que vous consommez chaque jour. Aux viandes rouges préférez le poisson ou la volaille sans peau. En mangeant du poisson plusieurs fois par semaine, vous pouvez réduire de moitié les risques de crise cardiaque. Réduisez les matières grasses des produits laitiers en optant pour des produits écrémés ou à teneur réduite en gras. Passez au lait de soya dont la protéine peut abaisser le cholestérol.

■ **Assaisonnez.** Si vous faites de l'hypertension, coupez le sel. Les chercheurs croient désormais que même les gens dont la pression sanguine est normale devraient couper le sel. Évitez les aliments en conserve qui contiennent beaucoup de sel et rangez la salière aux repas. Ajoutez plutôt des saveurs avec de la salsa, du cari, des poivrons et des piments, de l'ail. On a d'ailleurs découvert que le fait de manger de une à trois gousses d'ail par jour pouvait réduire l'hypertension et abaisser le taux de cholestérol.

■ **Ajoutez des fibres.** Les fibres solubles, nombreuses dans les fruits et légumes, les grains entiers, préviennent l'accumulation de plaque dans les artères. En mangeant trois portions de fruits et légumes et plus chaque jour, vous pouvez réduire du quart le risque de crise cardiaque. Les haricots secs et les grains entiers abaisseraient le cholestérol et le risque de crise cardiaque.

■ **Voyez rouge.** Consommé avec modération, l'alcool élève le niveau de bon cholestérol et éclaircirait le sang, réduisant ainsi le risque de formation de caillots responsables de cardiopathies. Le vin rouge présente des avantages supplémentaires : ses pigments foncés ont une teneur élevée en bioflavonoïdes qui empêchent l'oxydation du LDL, le « mauvais » cholestérol. Ce dernier adhérerait ainsi moins aux parois des artères. Les gens qui boivent deux verres de vin rouge par jour présenteraient 40 % moins de risques de faire une crise cardiaque que ceux qui ne boivent pas d'alcool. N'exagérez pas : l'alcool augmente aussi le taux de triglycérides. Si vous avez un problème d'alcool, les inconvénients surpassent les avantages : prenez plutôt thé noir, oignons, chou frisé et pommes.

Exercice ■ **Faites travailler votre cœur.** L'exercice aérobique est la meilleure des médecines préventives pour votre cœur. Il réduit l'hypertension artérielle et l'athérosclérose en dilatant les vaisseaux sanguins. En outre, il élève le taux de « bon » cholestérol. Optez pour une activité qui fait travailler les grands muscles des jambes et des fesses (comme la marche rapide ou la bicyclette) et efforcez-vous d'atteindre votre pouls cible (voir page 118) pendant des périodes de 15 à 20 minutes, trois ou quatre fois par semaine.

■ **Une idée enlevante.** Chez certaines personnes, le lever de poids, pratiqué quelques fois par semaine, pourrait améliorer la santé cardiaque. C'est parce que des muscles forts peuvent abaisser le pouls et la tension artérielle. Quand vous avez plus de tissu musculaire, vous élevez votre métabolisme, ce qui aide au contrôle du poids. Pour des exercices de musculation, voir pages 128 à 133. N'oubliez pas la marche rapide. En plus des exercices aérobiques, on recommande de faire de l'haltérophilie.

■ **Soyez flexible.** Les exercices de flexibilité comme le yoga aident vos articulations à se détendre tout en réduisant la production d'hormones du stress.

Solutions médicales

■ **Rendez-vous pour un bilan de santé.** Jusqu'à 65 ans, vous devriez faire vérifier votre tension artérielle tous les deux ans; passé cet âge, tous les ans. On recommande aussi de faire vérifier chaque année le taux de cholestérol si vous présentez des facteurs de risque, soit pour l'hypercholestérolémie, soit pour les maladies du cœur. Votre médecin pourrait également recommander un électrocardiogramme (ÉCG) pour évaluer votre santé cardiaque. Il existe un test sanguin tout simple pour dépister la protéine C réactive qui aiderait à déterminer la prévisibilité d'une crise cardiaque mieux que le taux de cholestérol.

■ **Une aspirine par jour?** Les gens qui présentent des cardiopathies pourraient tirer avantage de la thérapie à faible dose d'aspirine, susceptible de prévenir les crises cardiaques. La dose va d'une portion de comprimé (80 mg) jusqu'à un comprimé complet (325 mg) chaque jour.

■ **Combattez l'hypertension.** Si l'alimentation et l'exercice n'arrivent pas à la contrôler, les médicaments le peuvent.

■ **Traitez votre diabète.** Les diabétiques, pour la plupart des adultes atteints du type 2, présentent de deux à quatre fois plus de risques de cardiopathies. Pour contrôler la maladie, il suffit souvent de perdre les kilos superflus, de faire de l'exercice régulièrement et de bien manger.

■ **Tenez compte de la dépression.** Les dépressifs courraient 1,7 fois plus de risques de souffrir d'une cardiopathie. Les hommes dépressifs, pour leur part, verraient se multiplier par trois le risque d'en mourir. Consultez votre médecin.

Suppléments

■ **Pensez acide folique et vitamine B_6.** Ces vitamines abaissent les niveaux élevés d'homocystéine, un acide aminé du sang susceptible d'accroître le risque de cardiopathie. Prenez chaque jour 400 mcg d'acide folique et 3 mg de B_6.

■ **Du poisson.** Les capsules d'huile de poisson contiennent des acides gras oméga-3, une sorte d'agent anticoagulant. Discutez-en avec votre médecin avant de les prendre.

■ **Ail, ail, ail.** En doses quotidiennes de 400 à 600 mg, les capsules d'ail contenant 4000 mcg d'allicine offrent les avantages de l'ail sans l'inconvénient des odeurs.

Médecines douces

■ **Temps d'arrêt.** Réduisez le stress au minimum; c'est l'un des facteurs de risque des cardiopathies. Méditez, faites de la visualisation ou du yoga (voir pages 201-202), priez. Faites de la marche rapide avec un ami.

Au quotidien

■ **Retenez votre rage.** Ne vous mettez pas en colère: c'est mauvais pour le cœur. Les gens prompts à se mettre en colère courent trois fois plus de risques de faire une crise cardiaque que leurs contreparties plus calmes.

■ **Restez mince.** Même à peine au-dessus de votre poids santé, votre tension artérielle peut augmenter et accroître les risques pour vous. Suivez un régime sain et faites de l'exercice.

■ **Pas de *si*, de *et*, de *mais*.** Selon la Fondation des maladies du cœur du Canada, le tabagisme est la cause de cardiopathie la plus facile à prévenir. Chaque année, 30 % des décès dus aux maladies du cœur viennent du tabagisme. Cinq ans après avoir cessé de fumer, vos risques équivalent à ceux des non-fumeurs.

■ **Évadez-vous: c'est bon pour le cœur.** Entre 35 et 57 ans, les hommes qui partent en vacances une fois l'an réduisent du tiers leurs risques de souffrir d'une cardiopathie.

Maladies des gencives

◀ Gingivite : gencives rouges, sensibles, enflées, qui saignent facilement ; mauvaise haleine.

◀ Parodontite : gencives douloureuses qui s'écartent des dents, infection dans les poches qui s'y forment ; mauvaise haleine ; mastication difficile.

Qu'est-ce que c'est ?

Les maladies des gencives, que l'on appelle aussi maladie parodontale, survient quand la plaque – une substance collante faite de bactéries et d'autres matières – s'accumule dans les espaces entre dents et gencives.

La gingivite, une maladie des gencives sans gravité, cause de l'enflure aux gencives, à la ligne des dents. Elle peut survenir à tout âge et mener à la parodontite (une maladie plus grave des gencives). La parodontite survient quand la plaque accumulée crée des poches au bord des gencives, ce qui déchausse les dents. La plaque finit par détruire l'os de la gencive et dénuder la racine des dents.

À un stade avancé, les maladies des gencives sont les principales causes de perte de dents chez les gens âgés. Avec l'âge, le risque s'accroît parce que même les gencives saines finissent par déchausser les dents et laisser leurs racines exposées. Sans protection, ces dernières subissent plus facilement les assauts de la plaque. Les personnes âgées prennent souvent des médicaments (diurétiques et antihypertenseurs, par exemple) qui réduisent la production de salive. Pour protéger les dents, celle-ci joue pourtant un rôle clé : elle évacue la nourriture et neutralise les acides contenus dans la plaque.

Certaines pathologies peuvent aussi agir sur la santé dentaire. L'arthrite peut vous empêcher de brosser vos dents et de passer la soie dentaire correctement. Le diabète peut retarder la guérison des lésions et mener à l'infection. Bien des personnes âgées ne mangent pas de façon équilibrée, ce qui empêche l'organisme de combattre efficacement l'infection.

Les bactéries, qui passent des poches infectées dans la salive, pourraient, croit-on, passer d'une personne à l'autre par contact direct.

Comment les soigne-t-on ?

On peut éliminer la gingivite en se brossant scrupuleusement les dents, en passant la soie dentaire et en rendant régulièrement visite au dentiste. Si vous êtes malade, si vous souffrez facilement de maladie des gencives, suivez les recommandations de *Votre programme de prévention* (page 381). Demandez à votre dentiste de vous donner des traitements de protection au fluor – ils ne conviennent pas qu'aux enfants. Contrairement à la gingivite, la parodontite exige médicaments et chirurgie.

MÉDICAMENTS

Il existe plusieurs médicaments à prendre oralement ou en application topique. Votre parodontiste pourra les prescrire. Pendant sept jours, on applique Atridox, un gel à libération contrôlée de doxycycline. Ce gel devient solide quand on l'applique dans la poche parodontale.

ATTENTION

On relie désormais maladies des gencives et risques de cardiopathies. Une fois que la bactérie de la gencive pénètre dans la circulation sanguine, elle force les anticorps à libérer des agents coagulants contribuant aux ACV et aux crises cardiaques.

CHIRURGIE

Le détartrage et le surfaçage radiculaire enlèvent la plaque et lissent la surface de la racine affectée pour que les gencives puissent se rattacher aux dents. Si les poches sont profondes, on utilise la chirurgie à lambeau. On coupe alors la gencive jusqu'à l'os pour gratter et resurfacer la racine tout entière avant de recoudre. Si la maladie parodontale s'est étendue à l'os de la mâchoire, la régénérescence tissulaire ou la greffe d'os peuvent sauver les dents.

En bref

Aux gens qui en sont affectés, la parodontite fait courir 2 fois plus de risques de faire une crise cardiaque fatale et 4,5 fois plus, une maladie pulmonaire chronique.

Votre programme de prévention

 Alimentation ■ **Abandonnez le sucre.** Il favorise les bactéries. Si vous cédez à la tentation, brossez-vous les dents après avoir mangé ou rincez-vous la bouche à l'eau ou au gargarisme.

■ **Des fruits et des légumes.** Ils contiennent des antioxydants qui aident à restaurer les tissus. En les mangeant crus, vous nettoyez aussi vos dents.

 Solutions médicales ■ **Voyez votre dentiste.** Faites nettoyer et examiner vos dents aux 6 mois – tous les 3 mois, si vous avez des problèmes de gencives.

 Suppléments ■ **C bon pour vos dents.** En prenant chaque jour jusqu'à 1000 mg de vitamine C, vous aidez vos gencives en soutenant votre système immunitaire. Vous les rendez plus résistantes aux bactéries. La vitamine C renforce aussi les gencives.

■ **Renforcez vos os.** Le calcium stimule la formation des os et des dents. On recommande d'en prendre chaque jour 1300 mg (l'équivalent de 4 tasses de lait) pour les préadolescents et les adolescents, 1000 mg pour les hommes et les femmes de 19 à 50 ans, et 1200 mg pour les hommes et les femmes de 51 ans et plus.

■ **Pensez coenzyme Q10.** Présente dans toutes les cellules humaines, cette substance accroît l'oxygénation des tissus. En prenant chaque jour de 60 à 100 mg sous forme de gélule, vous verrez peut-être diminuer saignements et inflammation.

■ **Choix multiples.** Prenez une multivitamine contenant de la vitamine C et du calcium – et peut-être aussi un comprimé de calcium.

 Médecines douces ■ **Une dentisterie différente.** Les dentistes qui ont adopté une approche holistique ont la même formation que les autres, mais ils utilisent l'acupuncture pour soulager la douleur et recommandent volontiers des suppléments et des techniques pour réduire le stress (qui affecte le système immunitaire).

 Au quotidien ■ **Arrêtez de fumer.** Le tabagisme multiplie par quatre les risques de maladie parodontale, sans compter qu'après une chirurgie gingivale les fumeurs guérissent moins vite que les autres.

■ **Brossez dents et langue.** Au moins deux fois par jour, brossez vos dents et votre langue avec une brosse aux soies souples pendant deux à trois minutes. Il importe de respecter cette durée qui excède les 45 à 60 secondes de temps de brossage moyen.

■ **N'oubliez pas la soie.** Utilisez chaque jour la soie dentaire. Insérez soigneusement la soie entre les dents en formant un C autour de chaque dent. Déplacez doucement la soie de bas en haut.

Ostéoporose

SYMPTÔMES

◀ Aucun symptôme ne permet de déceler l'ostéoporose à un stade précoce.

◀ Des fragments d'os fracturés peuvent causer des douleurs légères ou aiguës et une difformité de la colonne vertébrale ou scoliose.

◀ Un effort ou un choc peuvent entraîner des fractures du dos, de la hanche, des côtes ou du poignet.

En bref

Le choix d'une thérapie médicamenteuse pour combattre l'ostéoporose dépend de votre profil médical et du rapport risques-bénéfices. N'oubliez pas que pour les femmes, le risque de fracture de la hanche est aussi élevé que les risques combinés de cancer du sein, de l'utérus ou de cancer ovarien. Selon la Société de l'ostéoporose du Canada : 1 femme sur 4 et 1 homme sur 8 de plus de 50 ans souffrent d'ostéoporose.

Qu'est-ce que c'est ?

L'ostéoporose est une maladie dégénérative qui diminue la densité minérale osseuse. La fragilité de la structure des os les rend cassants, surtout dans le dos et aux hanches. Les cellules osseuses meurent constamment et de nouvelles se forment par une opération appelée remodelage. Mais lorsque vous perdez plus d'os que vous n'en fabriquez, ce qui se produit avec l'âge, vos os se fragilisent. Après 50 ans, les os fragiles sont une vraie menace, surtout pour les femmes postménopausées.

Comment la soigne-t-on ?

Le traitement commence par un style de vie approprié qui inclut des suppléments de calcium et de vitamine D. Une thérapie substitutive à l'œstrogène est la première thérapie destinée aux femmes postménopausées. Un ou deux autres médicaments, moins efficaces que l'œstrogène, peuvent être pris en association avec lui ou en remplacement pour aider à ralentir la perte osseuse. Il n'existe pas encore de médicament capable de reconstruire l'os mais plusieurs sont à l'étude. L'un d'entre eux, une hormone parathyroïdienne, est à l'étude sur les humains.

MÉDICAMENTS

● **L'œstrogène.** Le rythme de la perte osseuse est le plus rapide chez les femmes dans les 5 à 10 années qui suivent la ménopause, et peut aller jusqu'à 50 % de perte osseuse. L'hormonothérapie de substitution à l'œstrogène, qui ralentit la désagrégation osseuse, est la meilleure thérapie pour endiguer cette perte. Elle est contre-indiquée chez les femmes qui ont des antécédents familiaux ou personnels de cancer du sein ou de l'endomètre, de tumeur fibroïde, d'endométriose, de désordres thrombo-emboliques ou hépathiques, ou des problèmes de vésicule biliaire ou des migraines aiguës. Pour celles qui préfèrent l'œstrogène végétal, certaines études semblent créditer le Cenestin (non offert au Canada), à base de soya, d'un effet positif.

● **La progestérone.** À moins que vous n'ayez subi une hystérectomie, n'oubliez pas d'ajouter un progestatif de synthèse (comme le Provera) à votre HTS pour éviter le risque de cancer de l'utérus. Cependant, les progestatifs ont été associés à une augmentation du risque de cancer du sein lorsqu'ils sont pris avec l'œstrogène. Pour les femmes sensibles aux effets secondaires désagréables tels que les symptômes similaires aux syndrome prémenstruel que causent les médicaments de synthèse, il existe une progestérone naturelle (Prometrium). Les associations d'œstrogène et de progestatif (Premplus ou FemHRT) sont également populaires.

- **Les modulateurs sélectifs des récepteurs œstrogéniques (MSRE).** Le raloxifène (Evista) peut augmenter la densité générale osseuse de la colonne vertébrale et de la hanche et diminuer les risques de fractures des vertèbres. Un autre MSRE, le tamoxifène (Nolvadex), a aussi un effet protecteur sur les os, mais il n'est agréé que dans le traitement des cancers du sein.
- **La testostérone.** Chez les hommes qui ne produisent pas suffisamment de testostérone, une thérapie substitutive peut aider le traitement de l'ostéoporose. Parmi les produits à la testostérone, on trouve : l'Andriol (gélules, prise orale), l'Androderm (timbre transcutané) et le Delatestryl (injection).
- **Les bisphosphonates.** Ce sont des traitements alternatifs sans hormone de l'ostéoporose chez les hommes et les femmes. Les plus fréquemment prescrits sont : l'alendronate (Fosamax) et l'association etidronate-carbonate de calcium (Didrocal). Le risedronate (Actonel), utilisé dans le traitement de la maladie de Paget, pourrait présenter un intérêt dans le traitement de l'ostéoporose. Tous ces médicaments peuvent avoir des effets secondaires sur le système gastro-intestinal.
- **La calcitonine.** Cette hormone de synthèse inhibe la perte de calcium des os en contrôlant le métabolisme du calcium. C'est le médicament contre l'ostéoporose qui a le moins d'effets secondaires désagréables (possibilité d'irritation nasale), mais c'est aussi le moins puissant. On le trouve sous forme d'atomiseur nasal (Miacalcin) ou d'injection. Un petit plus : il peut aider à soulager la douleur des os.

NOUVELLE TECHNIQUE

On traite l'ostéoporose rachidienne de manière expérimentale avec un nouveau procédé appelé la vertébroplastie, qui consiste à injecter du ciment dans le corps vertébral fracturé pour l'aider à cicatriser. On ne connaît toujours pas les effets à long terme de ce procédé.

> **Astuce santé**
>
> Une ossature fine augmente les risques d'ostéoporose. Voici une astuce pour mesurer la vôtre : faites le tour de votre poignet avec le pouce et l'annulaire de l'autre main. Si vos doigts se superposent, vous êtes doté d'une ossature fine.

AUTO ÉVALUATION

Ostéoporose : évaluez vos risques

Vos risques sont plus grands si vous :
- avez des antécédents familiaux de la maladie ;
- êtes mince ou d'ossature fine ;
- avez plus de 50 ans ;
- avez une alimentation pauvre en calcium ;
- êtes sédentaire ;
- fumez ;
- buvez trop d'alcool ;
- assimilez mal le calcium (par maladie, insuffisance rénale ou cancer) ;
- prenez des médicaments qui affaiblissent les os : corticostéroïdes, anticonvulsifs, héparine, suppléments thyroïdiens et certains médicaments anticancer ou immunosuppresseurs ;
- êtes caucasien ou asiatique.

Pour les femmes, si vous :
- avez subi une ablation des ovaires ;
- êtes ménopausée ;
- avez eu de longues périodes d'aménorrhées dues à divers facteurs : efforts extrêmes, boulimie, anorexie ou autre.

Pour les hommes, si vos :
- niveaux de testostérone sont bas.

MÉDICAMENT

Les statines, des hypo-cholestérolémiants, ont un avantage supplé-mentaire : elles pour-raient faire augmenter la densité osseuse.

Votre programme de prévention

Alimentation

■ **Buvez votre lait.** Vous trouverez le calcium dont vous avez besoin pour fortifier vos os dans le lait écrémé et allégé, dans le yogourt et les fromages allégés (sauf le cottage). Les produits laitiers enrichis vous apporteront la vitamine D nécessaire à la fixation du calcium.

■ **Pensez au poisson.** Les sardines en boîte et le saumon, avec les arêtes, sont aussi riches en calcium. Le maquereau et les autres poissons gras sont riches en vitamine D.

■ **Mettez-vous au vert.** Les légumes feuilles contiennent beaucoup de calcium, du potassium et de la vitamine K qui vous aident à ralentir la perte osseuse. Faites le plein de brocolis, de pak-choï, de chou frisé, de bettes et de fanes de navet. Les bananes sont une bonne source de potassium.

■ **Servez-vous du soya.** Le soya ne contient pas seulement du calcium mais aussi des œstrogènes végétaux et semble aider à entretenir la densité osseuse. Remplacez la farine de vos recettes par de la farine de soya pour vos crêpes ou vos petits gâteaux. Grignotez plutôt des fèves de soya grillées à la place des arachides habituelles. Pensez aux céréales et au fromage de soya. Faites-vous des frappés au lait de soya (voir recettes pages 39 et 53).

■ **N'abusez pas des protéines.** Un surplus de protéines risque de stimuler votre excrétion de calcium. Certains experts recommandent de ne pas dépasser 50 g par jour pour les femmes, 63 g pour les hommes. Nous en mangeons souvent le double.

■ **Limitez la caféine.** Limitez votre absorption de caféine à l'équivalent de trois tasses de café par jour, car la caféine stimule l'excrétion de calcium par le corps.

■ **Mangez vos oignons.** Des rats mâles nourris d'un gramme d'oignon séché par jour indiquaient une réduction de 20 % de la perte osseuse qui peut conduire à l'ostéoporose, légèrement plus qu'avec la calcitonine.

Exercice

■ **Lancez-vous dans un programme.** Un programme régulier d'exercices de lever de poids aide à réduire la perte osseuse et pourrait être une des seules manières d'aider à sa reconstruction, même à un certain âge. En améliorant votre posture, votre équilibre et votre souplesse, ils réduisent aussi vos risques de chutes suivies de fractures. Faites des exercices 30 minutes au moins 3 fois par semaine : marche, course, lever de poids, montée d'escalier, tennis ou ballon panier. La natation ne compte pas, vos os et vos muscles ont besoin de se mesurer à la gravité pour stimuler les fonctions de fabrication d'os.

Solutions médicales

■ **Testez vos os.** L'ostéodensitomé-trie est la seule manière de prévoir vos risques de fractures et de mettre un point final à un diagnostic d'ostéoporose. Toutes les femmes de plus de 65 ans devraient passer un test, ainsi que les femmes plus jeunes postménopausées qui ont un ou plusieurs facteurs de risque d'ostéoporose. Certains médecins recommandent que toutes les femmes passent un test de référence à la ménopause. Répétés à intervalles réguliers, ces tests peuvent déterminer la rapidité de la perte osseuse et aider à choisir les traitements et mesures préventives appropriés. La plupart des experts recommandent une absorptiométrie bi-photonique (DEXA). Pour plus de renseignements sur les tests de densité osseuse, voir page 160.

■ **Faites-vous mesurer.** Demandez à votre médecin de mesurer votre hauteur. Une perte de deux à cinq centimètres est un signe précoce de fracture des vertèbres non décelée ou d'ostéoporose.

■ **Faites-vous soigner.** Demandez conseil à votre médecin pour savoir quels états de santé sont liés à la perte de densité osseuse et quelles mesures peuvent être prises. Parmi les états sensibles, on trouve : l'hyperparathyroïdisme, l'hyperthyroïdisme, l'hypogonadisme, certains désordres intestinaux ou rénaux et certains cancers.

Suppléments ■ **Choisissez le calcium.** L'apport nutritionnel de référence en calcium est de 1300 mg pour les adolescents de 9 à 18 ans (environ 4 tasses de lait), 1000 mg pour les hommes et les femmes entre 19 et 50 ans, 1200 mg pour les hommes et les femmes de 51 ans et plus. La plupart des gens ne consomment pas assez de calcium avec leurs aliments et ont besoin de suppléments. Le corps ne peut absorber qu'une quantité limitée de calcium à la fois ; aussi, prenez vos suppléments en deux ou trois doses pendant la journée, de préférence avec vos repas. Assurez-vous que vos suppléments contiennent de la vitamine D qui facilite la fixation du calcium. Voir page 94 pour le choix des suppléments de calcium.

Au quotidien ■ **Cessez de fumer.** Chez les personnes de 80 ans, la densité osseuse des fumeurs est réduite de 10 %, ce qui se traduit par un risque de fracture rachidienne et une augmentation de 50 % des risques de fracture de la hanche. Chez les femmes, une fracture de la hanche sur huit est liée à la cigarette. De plus, les fractures cicatrisent moins bien chez les fumeurs et plus lentement.

■ **N'abusez pas de l'alcool.** Trop d'alcool empêche le corps de fixer le calcium correctement. Restreignez-vous à un verre par jour pour les femmes et deux verres pour les hommes.

■ **Ne laissez pas traîner une dépression.** La dépression entraîne la production de cortisols dans le corps, une hormone de stress qui détruit les minéraux dans les os. Une étude a montré que les femmes souffrant de dépression clinique ont des densités osseuses réduites dans les hanches et la colonne vertébrale. Prenez rendez-vous avec un médecin ou un thérapeute pour envisager un traitement.

ATTENTION

L'ostéoporose n'est pas une forme d'arthrite ; mais si vous souffrez d'arthrite inflammatoire (arthrite rhumatoïde ou lupus), vos risques d'ostéoporose sont plus élevés, même à un jeune âge. Voici pourquoi :

● *Vous prenez peut-être des médicaments corticostéroïdes qui augmentent la perte osseuse. Faites une densitométrie de référence avant de commencer un traitement à long terme avec ces médicaments. Prenez la posologie la plus faible possible pendant la période la plus courte possible et faites une vérification osseuse tous les 6 à 12 mois.*

● *La douleur et l'invalidité peuvent vous enlever le goût des exercices physiques. Mais ceux-ci aident à soulager l'arthrite et à endiguer la perte osseuse. Demandez à votre médecin ou à un physiothérapeute un programme d'exercices adapté à votre état.*

Perte auditive

◀ Incapacité d'entendre ou de comprendre des sons.

◀ Sensibilité aux bruits forts.

◀ Sifflements ou bourdonnements dans les oreilles.

◀ Difficulté à suivre des conversations parce que les mots semblent mal articulés ou marmottés, surtout quand il y a des bruits de fond.

➤ Qu'est-ce que c'est ?

La perte auditive propre au vieillissement, la presbyacousie, touche un tiers des Nord-Américains entre 65 et 74 ans et la moitié des plus de 85 ans. Ce trouble progressif commence en fait autour de 20 ans et augmente passé 50 ans. Au début, vous avez du mal à entendre les sons aigus et puis les sons plus graves. La perte auditive survient parce que les minuscules poils auditifs, nos récepteurs de sons, subissent une destruction graduelle. Les facteurs qui lui sont associés incluent l'exposition répétée aux bruits forts, l'hérédité et les changements dans l'approvisionnement sanguin à l'oreille en raison de cardiopathies ou d'autres troubles de la circulation. La presbyacousie affecte les deux oreilles mais ne conduit pas à la surdité totale.

Signe de perte auditive, l'acouphène se caractérise par un bourdonnement ou un sifflement dans l'oreille. Il peut être constant, fréquent ou occasionnel. Si cela vous arrive, voyez votre médecin.

Si votre perte auditive s'accompagne de douleur ou d'écoulement, consultez votre médecin : il pourrait s'agir d'une infection.

➤ Comment la soigne-t-on ?

Le médecin vous prescrira une prothèse auditive ou recommandera des aides de suppléance à l'audition. La prothèse se compose d'un microphone, qui transforme les ondes sonores en signaux électriques ; d'un amplificateur, qui rend les signaux plus forts ; d'un récepteur, qui retransforme les

Guide des prothèses auditives

Voici ce qu'il vous faut savoir à propos des types les plus fréquents d'appareils auditifs.

● **Contour d'oreille.** Dans cet appareil, le microphone est situé à l'entrée de l'oreille, tandis que la pile, l'amplificateur et le récepteur sont placés dans un boîtier, derrière l'oreille. Cet appareil convient à toutes les pertes d'audition. Si votre appareil n'est pas bien ajusté ou s'il est endommagé, il émet un son strident.

● **Intra-auriculaire.** Fait de plastique dur, cet appareil entre tout à fait dans l'oreille externe. Son intérêt vient du fait qu'il est caché et que sa réception imite les sons naturels. Par contre, le cérumen peut le boucher, et le volume est plus difficile à ajuster.

● **Intracanal.** Semblable à l'intra-auriculaire, cet appareil est si petit qu'il se cache dans le conduit de l'oreille. Il sert dans les cas de pertes légères. Il demande des réparations plus souvent que les autres appareils en raison de l'endroit où il se loge. Son utilisation exige une certaine dextérité.

● **Portatif.** Porté sur le corps et relié à un appareil dans l'oreille, il amplifie beaucoup les sons. Ses boutons de contrôle sont faciles à utiliser. Parce que le microphone n'est pas dans l'oreille, les sons ne semblent pas aussi naturels. Parce qu'on le porte sous les vêtements, le microphone capte également les froissements de tissus chaque fois que vous bougez.

signaux électriques en ondes sonores et les envoie dans votre oreille ; et d'une pile. Ayez des attentes raisonnables : l'appareil auditif ne peut pas ramener votre audition, il peut tout au plus l'améliorer. Ne vous découragez pas : prenez régulièrement rendez-vous avec votre audioprothésiste jusqu'à ce que votre appareil soit ajusté à votre audition.

Votre audioprothésiste dispose aussi d'autres appareils susceptibles de vous aider.

- **Appareils d'amplification :** servent à écouter la télévision, la radio ou converser au téléphone. L'amplificateur transmet le son aux écouteurs que vous portez. Vous pouvez ajuster le son sans déranger les autres personnes qui écoutent la télé ou la radio en même temps que vous.

- **Appareils de signal :** utilisent des sons forts, des clignotements lumineux ou des vibrations pour vous prévenir de certains bruits. On peut s'en servir pour la sonnerie du téléphone ou de la porte, le réveille-matin, le détecteur de fumée, par exemple. Vous pouvez les installer sur un meuble ou un appareil. Certains sont même portatifs.

- **Appareils de décodage :** comme les décodeurs que l'on installe sur les téléviseurs et les appareils de télécommunication pour sourds (ATS), convertissent les signaux sonores en textes qui apparaissent à l'écran, soit de la télévision, soit d'un appareil posé à côté du téléphone.

ATTENTION

À dose élevée, certains médicaments – aspirine, quinine, antibiotiques et diurétiques – peuvent entraîner une perte auditive temporaire ou conduire à la surdité.

Votre programme de prévention

Alimentation ■ **Coupez le sel.** En réduisant le sel, vous pourriez peut-être améliorer votre audition. Le sel cause la rétention d'eau, ce qui peut faire enfler les organes de l'oreille. Les aliments en conserve en contiennent beaucoup ; lisez les étiquettes.

Solutions médicales ■ **Écoutez bien ceci.** Si vous croyez que votre audition baisse, si on vous l'a fait remarquer, prenez rendez-vous avec un oto-rhino-laryngologiste, un spécialiste des oreilles, du nez et de la gorge. Si vous avez plus de 65 ans, passez un test d'audition tous les trois ans – ou tous les 6 à 12 mois si vous avez des antécédents familiaux de perte d'audition.

Médecines douces ■ **Allô ginkgo.** En améliorant la circulation sanguine au cerveau et aux oreilles, cette plante peut aider à éliminer les bourdonnements dans les oreilles (acouphènes), même si les effets appréciables peuvent mettre des mois à apparaître. Le ginkgo aiderait à traiter certains types de perte auditive. Après avoir consulté votre médecin à ce propos, prenez jusqu'à 240 mg par jour.

Au quotidien ■ **Baissez le volume.** Autant que possible, évitez le bruit fort. Si la chose est impossible, portez des protecteurs ou des protège-tympans, quand vous vous servez de la tondeuse, du tracteur à gazon ou d'outils électriques.

Reflux gastro-œsophagien

SYMPTÔMES

◀ Brûlures d'estomac, une impression de feu dans la poitrine ou dans le haut de l'abdomen qui survient après le repas ou lorsque vous êtes couché.

◀ Douleur à la poitrine si forte que vous pourriez penser faire une crise cardiaque.

◀ Gorge en feu, serrée, douloureuse ou enrouée (surtout au réveil).

Qu'est-ce que c'est ?

Le reflux gastro-œsophagien (RGO) survient quand l'acidité de l'estomac (et parfois les aliments et les boissons) revient dans l'œsophage, le tube musculaire qui relie la gorge et l'estomac. D'habitude, le sphincter inférieur œsophagien (SIO), une valve musculaire en forme d'anneau située au bas de l'œsophage, maintient l'acidité et les autres substances dans l'estomac. Le sphincter ne se relâche que pour permettre aux aliments et aux liquides de passer dans l'estomac.

Lorsque survient le RGO, le sphincter fonctionne mal, se relâchant alors qu'il ne le devrait pas et permettant à l'acide gastrique de refluer dans l'œsophage. Comme la paroi délicate de l'œsophage se défend mal de l'acidité gastrique, vous souffrez de brûlures d'estomac ou d'indigestion. L'ulcère de Barrett, une pathologie précancéreuse, vient parfois compliquer le RGO. Le tissu œsophagien, normalement gris-rosé, devient saumon comme la paroi stomacale sous l'effet de l'inflammation. En persistant, le RGO peut produire des cicatrices sur l'œsophage. Pneumonies et bronchites peuvent aussi survenir lorsque l'acide gastrique reflue et pénètre dans les poumons par la trachée. Le RGO détruit également l'émail des dents lorsque l'acide gastrique revient dans la bouche.

Certaines personnes souffrent de RGO en raison d'une hernie hiatale. La partie supérieure de l'estomac monte dans la poitrine par une ouverture du diaphragme, la bande musculaire qui sépare la poitrine et l'estomac. La hernie hiatale affecte le fonctionnement du SIO et permet à l'acide et aux autres contenus de l'estomac de remonter dans l'œsophage, occasionnant ainsi des symptômes de reflux gastro-œsophagien.

TESTS DE DIAGNOSTIC

Les symptômes permettent de diagnostiquer le RGO, mais certains tests viennent cependant confirmer le diagnostic et rechercher les complications éventuelles.

- **La déglutition barytée ou la radiographie** permet à votre médecin de voir la partie supérieure de l'appareil digestif. Avant cet examen, vous devrez boire une solution de baryum, un liquide crayeux visible à la radiographie.
- **L'endoscopie** fait passer un petit tube flexible et lumineux de votre bouche à votre œsophage et à votre estomac pour que le médecin puisse y rechercher toute anomalie.
- **La mamométrie œsophagienne** évalue la pression de l'œsophage et du SIO, tandis que le **pH œsophagien** vient confirmer ou infirmer la présence de reflux acide. Pour ces deux tests, on insère dans le nez un petit tube flexible et on le fait glisser jusque dans l'œsophage.

En bref

On a constaté que la moitié des asthmatiques souffrent aussi de RGO, mais on ignore ce qui relie ces deux pathologies.

Comment le soigne-t-on ?

La plupart des gens parviennent à contrôler le RGO modéré en évitant les aliments qui le déclenchent, en apportant certains changements à leur quotidien (voir *Votre programme de prévention*, page 390) et en prenant des médicaments en vente libre. Si ces mesures ne suffisent pas, votre médecin prescrira peut-être un médicament sous ordonnance ou une chirurgie.

MÉDICAMENTS

On traite habituellement le RGO autant avec des médicaments en vente libre qu'avec des médicaments sous ordonnance. Les antiacides en vente libre neutralisent l'acide gastrique et amoindrissent une crise déjà commencée. Ce sont, entre autres : Maalox, Mylanta, Rolaids et Tums. Les antagonistes des récepteurs H2 bloquent l'action de l'histamine, une substance qui favorise la production d'acide gastrique. Ils peuvent aider à prévenir une crise si vous les prenez avant de manger. Ils incluent la cimétidine (Tagamet), la famotidine (Pepcid) et la ranitidine (Zantac). Si vous avez souvent besoin de prendre ces médicaments, voyez votre médecin.

Il existe aussi des médicaments sous ordonnance appelés inhibiteurs de la pompe à proton (IPP), comme le lansoprazole (Prevacid), l'oméprazole (Losec) et le pantoprazole (Pantoloc). Ils désactivent les pompes cellulaires qui amènent l'acide dans l'estomac. Il est un autre médicament sous ordonnance, le métoclopramide (Reglan), qui augmente la pression sur le SIO pour diminuer le reflux acide et accélérer la sortie des aliments de l'estomac.

CHIRURGIE

Par le passé, quand les changements au quotidien et le traitement médicamenteux s'avéraient inefficaces, on pratiquait une chirurgie appelée fundoplicature pour resserrer le SIO entre l'estomac et l'œsophage. Au cours de l'intervention, le chirurgien pliait et fixait une partie de l'estomac pour faire un sphincter plus serré. Au cours d'une fundoplicature moins agressive, le chirurgien utilise des instruments miniatures et une caméra insérés dans les petites incisions abdominales.

Aux États-Unis, on a récemment approuvé deux nouvelles méthodes pour traiter le RGO. Dans les deux cas, on fait passer un endoscope (tube flexible, fin, muni d'une lumière) depuis la gorge jusque dans l'œsophage pour réparer le sphincter défectueux.

Pour la première méthode, les électrodes au bout de l'endoscope brûlent le muscle qui ouvre et ferme le SIO, créant ainsi un tissu cicatriciel. On ignore encore comment la méthode fonctionne : soit que le tissu cicatriciel apaise les nerfs qui font mal fonctionner le sphincter, soit qu'il resserre le sphincter lui-même. Pour la seconde méthode, on utilise un minuscule appareil à coudre pour resserrer la valve défectueuse.

Ces interventions, pratiquées en externe, ne durent environ qu'une heure et les effets secondaires sont mineurs. Après la chirurgie, vous pourriez sentir pendant quelques heures un peu de douleur à l'estomac ou à la poitrine. Demandez à votre médecin si l'une ou l'autre pourrait vous convenir.

MÉDIC AMENT

Quel médicament donne le plus de résultats ? Les inhibiteurs de la pompe à proton soulagent et guérissent tout à fait l'œsophagite caustique – une forme grave de RGO – plus vite que les antagonistes des récepteurs H2.

ATTENTION

Si vous prenez encore du cisapride (Prepulsid), contactez votre médecin. Ce médicament a été retiré du marché en raison de ses effets secondaires dangereux pour le cœur.

Astuce santé

Pour prévenir le reflux gastro-œsophagien pendant votre sommeil, placez des blocs de bois sous la tête de votre lit pour l'élever de 15 cm. N'ajoutez pas d'oreillers : vous ne feriez qu'incliner la tête ou la taille, augmenter la pression exercée sur la poitrine et l'abdomen et accroître le risque de reflux.

Votre programme de prévention

Alimentation ■ **Évitez les aliments déclencheurs.** Certains breuvages et certains aliments peuvent déclencher un RGO, soit en favorisant la sécrétion d'acide gastrique, soit en détendant le SIO. Évitez le chocolat, les agrumes et leurs jus, les aliments gras frits (pommes de terre frites, hamburgers, œufs, lait entier, beignes), menthe poivrée et menthe verte, les mets épicés, l'ail, les oignons, les poivrons, les tomates et les aliments à base de tomates (jus, ketchup, sauce à spaghetti, chili et pizza), les sodas, la caféine, l'alcool.

■ **Pensez minceur.** Les kilos superflus peuvent empêcher le SIO de se refermer, favorisant ainsi le reflux acide. Entreprenez un régime sensé et un programme d'exercices pour vous débarrasser des kilos en trop.

■ **Mangez peu.** Mangez des petits repas plus souvent – peut-être cinq par jour – et faites-le lentement pour éviter les ballonnements et la pression. Assoyez-vous et détendez-vous à chaque repas.

■ **Chaque chose en son temps.** Mangez et buvez au moins trois heures avant de vous mettre au lit et ne prenez pas de collation juste avant.

■ **Coupez l'alcool.** Il aggrave les symptômes du RGO. La bière peut causer des ballonnements et entraîner l'acide gastrique dans l'œsophage.

■ **Restez debout.** Vous risquez davantage le RGO lorsque vous vous étendez sur le dos après un repas.

■ **Du liquide.** Buvez beaucoup d'eau – huit verres de 250 ml par jour – pour diluer l'acide gastrique dans l'estomac – là où il doit être.

Exercice ■ **Faites bouger les choses.** L'exercice aide le système digestif à fonctionner normalement. En faisant de l'exercice régulièrement, vous réduisez votre stress. Évitez les exercices qui vous demandent de vous pencher : ils accroissent les brûlures d'estomac.

Solutions médicales ■ **Évitez certains médicaments.** Des médicaments en vente libre – dont l'ibuprofène et l'aspirine – peuvent entraîner la brûlure du RGO, ainsi que les médicaments sous ordonnance comme les antidépresseurs tricycliques, les inhibiteurs calciques et certains bronchodilatateurs. Demandez à votre médecin si les médicaments que vous prenez peuvent favoriser votre RGO.

Médecines douces ■ **Buvez de la tisane.** Entre les repas, la tisane de camomille pourrait soulager les muqueuses irritées ou inflammées de votre appareil digestif et favoriser une digestion normale. La tisane de gingembre procure aussi du soulagement. Faites bouillir 1½ cuillerée à thé de gingembre frais (ou ½ cuillerée à thé en poudre) dans une tasse d'eau pendant environ 10 minutes avant de boire.

■ **Mangez de la réglisse.** Elle protège l'œsophage en stimulant la production de mucine, une substance qui forme une barrière protectrice contre l'acide gastrique. Avant les repas, mâchez de la racine de réglisse déglycyrrhizinée (qui n'augmente ni la pression sanguine ni la rétention d'eau).

■ Un soulagement par les plantes. Pour adoucir les membranes qui tapissent l'appareil digestif, mélangez ¹/₂ cuillerée à thé d'extrait d'hydraste du Canada avec 3 cuillerées à soupe d'eau et buvez ce mélange au premier signe de brûlure. Essayez aussi de boire ¹/₂ tasse de jus d'aloe vera trois fois par jour, entre les repas. Si vous souffrez surtout d'indigestion, plusieurs plantes peuvent vous aider : fenouil, achillée millefeuille et épine-vinette.

■ Buvez du jus de chou. Au magasin d'aliments naturels, vous trouverez du jus de chou, dont la glutamine peut apaiser la brûlure du RGO.

■ Buvez un cocktail de «soda». Le bicarbonate de soude peut vous aider à neutraliser l'acide gastrique. Mélangez-en une cuillerée à thé dans un verre d'eau à la température ambiante. Buvez-en au premier signe de brûlure. Si vous avez un régime hyposodique, consultez votre médecin avant.

■ Mâchez. Chez plusieurs personnes, le fait de mâcher un bâtonnet de gomme aiderait à soulager les brûlures d'estomac. Cela favorise la production de salive, ce qui aiderait à diluer l'acide gastrique.

 Au quotidien **■ Rien de serré.** Portez des vêtements lâches ; les ceintures, collants et pantalons ajustés exercent une pression sur l'estomac et peuvent faire remonter l'acide gastrique.

■ Éteignez la flamme. Ne fumez pas. La nicotine favorise la production d'acide gastrique et détend le muscle entre l'œsophage et l'estomac, ce qui permet à l'acide gastrique de refluer.

■ Dites non au stress. En réduisant leur stress, certaines personnes, affectées par le RGO, trouvent du soulagement. Faites de la méditation, du yoga, des respirations profondes, des exercices réguliers.

ATTENTION

Les brûlures d'estomac et les indigestions fréquentes peuvent signaler une pathologie plus grave, comme un ulcère ou un saignement de l'œsophage, qui peut s'aggraver si elle n'est pas diagnostiquée ni traitée tôt. Si vous prenez des médicaments en vente libre plus de deux fois par semaine pour apaiser vos symptômes, prenez rendez-vous avec votre médecin.

Syndrome du côlon irritable

Qu'est-ce que c'est ?

Le syndrome du côlon irritable ou côlon spastique est une condition qui secoue de spasmes les intestins à cause d'habitudes irrégulières. Entre 10 et 20 % des adultes éprouvent des symptômes qui peuvent durer des jours sinon des mois ; d'autres souffrent de crises récurrentes toute leur vie. Les femmes, trois fois plus concernées que les hommes, voient généralement leurs symptômes s'aggraver avant ou pendant leurs menstruations. Si le syndrome du côlon irritable est inconfortable et imprévisible, il n'entraîne pas de lésions permanentes des intestins ni ne déclenche des états plus graves : hémorragies ou cancers.

Le stress, des aliments, médicaments ou modifications hormonales augmentent le rythme des contractions digestives, mais aucun de ces facteurs n'a pu être désigné comme la cause du syndrome du côlon irritable. Certains médecins pensent qu'il s'agit d'un désordre du système nerveux qui commande les contractions des intestins, opinion confirmée par des recherches récentes sur le rôle des agents chimiques appelés neurotransmetteurs, la sérotonine en particulier, dans le fonctionnement digestif.

Il n'existe pas d'examen diagnostique du syndrome du côlon irritable. Votre médecin peut vous conseiller une analyse de sang, des selles (recherche de parasites), des radiographies, une sigmoïdoscopie ou une manométrie anorectale (pour vérifier le fonctionnement de votre sphincter anal).

Comment le soigne-t-on ?

Les symptômes varient et le traitement peut être multiple.

CHANGEMENT DE RÉGIME ALIMENTAIRE

La constipation et la diarrhée peuvent être soulagées par un apport d'aliments riches en fibres à votre régime pour régulariser vos fonctions intestinales. N'en abusez pas, surtout si votre symptôme principal est la diarrhée. Augmentez graduellement votre apport en fibres jusqu'à 30 g par jour. Les pains et céréales complets ainsi que beaucoup de fruits et de légumes en sont une bonne source. Buvez de 8 à 10 verres d'eau par jour, évitez d'avaler de gros repas, d'en sauter ou de manger trop vite.

CHANGEMENT DE STYLE DE VIE

Les techniques de relaxation et de réduction du stress peuvent être utiles puisque le côlon est partiellement contrôlé par le système nerveux. Évitez aussi de prendre des médicaments qui ont des effets secondaires sur le système digestif : des antibiotiques peuvent déclencher des diarrhées ; des antihistaminiques et des antiacides avec sels d'aluminium, de la constipation.

Astuce santé

Voulez-vous éviter les gaz dus à des aliments comme les haricots, les brocolis et le chou ? Le Beano est un médicament en vente libre qui aide à décomposer les sucres complexes de ces aliments en sucres simples plus digestibles.

MÉDICAMENTS

- **Les antispasmodiques** permettent de traiter les spasmes intestinaux, les crampes, la constipation et les diarrhées. Le bromure de propanthéline (Pro-banthine), la dicyclomine (Bentylol) et le glycopyrrolate (Robinul).
- **Les antidiarrhéiques ou les laxatifs** peuvent être utilisés occasionnellement contre les diarrhées ou les constipations aiguës.
- **Les antidépresseurs** peuvent être utiles chez les patients généralement dérangés par les contractions digestives normales. Votre médecin peut prescrire de faibles doses d'antidépresseurs tricycliques comme l'amitriptyline (Elavil), la désipramine (Norpramin), l'imipramine (Tofranil) ou des inhibiteurs du recaptage de la sérotonine comme la fluoxétine (Prozac), la paroxétine (Paxil) ou la sertraline (Zoloft).

Un nouveau médicament semble aider les femmes qui souffrent de diarrhées. Au cours d'une étude de 12 semaines, 41 % des femmes qui prenaient 1 mg d'alosétron (Lotronex) deux fois par jour ont ressenti un soulagement des symptômes et de la douleur contre 29 % de celles qui prenaient un placebo. L'effet secondaire le plus courant était la constipation. Le médicament est maintenant à l'essai pour les hommes.

Deux médicaments contre la constipation semblent prometteurs : tegaserod (Zelmac) et prucalopride (Resolor). L'action de ces médicaments consiste à bloquer les capteurs des cellules intestinales pour la sérotonine.

ATTENTION

La fièvre, du sang dans les selles ou une perte de poids sont des symptômes non exclusifs du syndrome du côlon irritable et peuvent signaler un problème plus grave : colites ulcéreuses, maladie de Crohn ou cancer. Si l'un de ces symptômes surgit, consultez votre médecin.

Votre programme de prévention

Alimentation ■ **Évitez-les.** Évitez certains aliments susceptibles de déclencher des crises : alcool, caféine, boissons gazeuses (sauf peut-être le soda au gingembre), produits laitiers, aliments donnant des gaz, aliments à haute teneur en gras, épices, lactose et fructose (lait et fruits) et édulcorants artificiels (sorbitol et aspartame).

Exercice ■ **Évacuez votre stress.** En déclenchant la production d'endorphines par le cerveau, l'exercice aide à entretenir la santé de votre système digestif. Les endorphines amortissent les effets du stress sur le corps ce qui, en retour, peut aider à réduire les symptômes du syndrome du côlon irritable. Essayez de pratiquer la marche, la natation, une activité aérobique ou de faire de la bicyclette, au moins 3 à 5 sessions de 30 minutes par semaine.

Suppléments ■ **Ajoutez des fibres.** Si vous ne parvenez pas à consommer suffisamment de fibres dans vos repas, pensez aux suppléments tels que le psyllium ou la méthylcellulose : ces deux substances ramollissent les selles et nettoient les intestins.

Médecines douces ■ **« Mentholez-vous ».** Une étude a montré que l'absorption de capsules d'huile de menthe soulage les symptômes du syndrome du côlon irritable dans quatre cas sur cinq. Gingembre, camomille, valériane, romarin et écorce de viorne peuvent aussi aider à réduire les spasmes ou à décontracter les muscles du système digestif. Prenez-les en infusion.

■ **Apprenez à vous détendre.** Essayez le massage, la méditation, le yoga ou le taï chi. Le biofeedback et l'hypnose peuvent aussi aider.

Ulcères

SYMPTÔMES

◀ Douleurs sévères et persistantes, avec une sensation de brûlure, dans le haut de l'abdomen ou la partie inférieure de la poitrine, souvent entre les repas et pendant le sommeil, généralement soulagées en mangeant ou en prenant des médicaments antiacides.

◀ Anémie et fatigue.

◀ Nausées, parfois accompagnées du vomissement d'une substance qui ressemble à du marc de café.

◀ Selles noires, goudronneuses.

En bref

Plus de 20 millions de Nord-Américains souffriront d'un ulcère au cours de leur vie. L'ulcère duodénal est deux fois plus courant chez les hommes, souvent entre 30 et 50 ans. L'ulcère de l'estomac s'observe plus souvent chez les femmes après 60 ans.

Qu'est-ce que c'est ?

Un ulcère est une rupture de la muqueuse des parois de l'œsophage, de l'estomac ou du duodénum. Les ulcères à l'estomac et au duodénum sont appelés ulcères peptiques. Les muqueuses en contact avec les acides digestifs sont généralement résistantes aux lésions. Parfois, un trou se forme dans la membrane qui peut entraîner des douleurs extrêmes et même des hémorragies graves.

Environ 90 % des ulcères sont dus à une infection par la bactérie *Helicobacter pylori* (H. pylori). Cette bactérie se rencontre cependant aussi dans les estomacs de personnes qui ne souffrent pas d'ulcère ; aussi pense-t-on que H. pylori n'entraîne la formation d'un ulcère que chez les personnes génétiquement prédisposées.

Une autre cause d'ulcère est l'usage d'aspirine ou de médicaments appelés anti-inflammatoires non stéroïdiens (AINS), comme le naproxène ou l'ibuprofène. Ces médicaments peuvent fragiliser les muqueuses de l'estomac et entraîner l'apparition d'un ulcère et d'hémorragies intestinales.

Les experts pensaient autrefois que les ulcères étaient dus au stress. Les médecins rejettent désormais cette théorie. La conclusion ? Le stress ne forme pas l'ulcère, mais l'acidité qu'il déclenche peut aggraver un ulcère.

Pour aider à soulager la douleur, votre médecin peut vous recommander un médicament inhibiteur d'acidité (voir ci-dessous) à prendre pendant deux semaines. S'il n'y a pas de soulagement, il pourra vous conseiller l'un de ces examens :

- **L'examen des voies gastriques supérieures,** qui consiste à absorber une préparation au baryum qui révèle la présence d'un ulcère au cours de la radioscopie.
- **L'endoscopie,** qui permet d'examiner et de prélever des échantillons de tissus dans l'estomac et dans l'œsophage à l'aide de l'insertion d'un tube flexible muni d'une caméra miniature. Cet examen se pratique sous anesthésie légère.
- **L'analyse de sang** ou **l'analyse d'haleine,** qui détermine la présence de H. pylori.
- **L'échantillon fécal,** pour détecter la présence de sang dans les selles.

Comment les soigne-t-on ?

Votre médecin vous prescrira peut-être une stratégie médicamenteuse en trois parties. L'acidité peut être contrôlée par des médicaments en vente libre tels que Mylanta et Tums ou des bloqueurs du H2 comme la cimétidine (Tagamet), la ranitidine (Zentac) et la famotidine (Pepcid). On peut aussi prendre un médicament sur ordonnance comme l'oméprazole (Losec) qui bloque la production de tous les acides. Les antibiotiques prescrits contre l'infection peuvent guérir de 80 à 90 % des ulcères. Le bismuth salicylate basique (Pepto-Bismol) peut être prescrit comme emplâtre protecteur.

MÉDICAMENT

Les antiacides sont plus efficaces sur un estomac plein et en doses fractionnées plutôt qu'en une seule prise. Les antiacides liquides agissent plus rapidement.

Votre programme de prévention

Alimentation ■ **Broutez comme un mouton.** Prenez six petits repas au lieu de vos trois repas habituels, à environ deux heures d'intervalle afin de toujours avoir l'estomac plein.

■ **Reconnaissez vos ennemis.** On pense que la cicatrisation d'un ulcère ne dépend pas tellement de l'alimentation. Évitez les aliments qui aggravent vos symptômes : peut inclure lait de vache, sel, chocolat ou menthe.

■ **Bannissez les acides.** Limitez votre consommation d'alcool, de café, de thé caféiné et de sodas caféinés qui peuvent irriter la muqueuse gastrique.

■ **Essayez la cure de chou.** Le jus de chou peut jouer un rôle dans la protection des muqueuses gastro-intestinales contre les acides gastriques et accélérer la guérison d'un ulcère. Faites vos propres jus.

■ **Prenez des bananes.** Les bananes aident à renforcer la barrière de protection entre la muqueuse gastrique et les acides corrosifs. Des analyses de laboratoire ont prouvé qu'elles protégeaient des cobayes des ulcères.

Solutions médicales ■ **Évitez les AINS.** Pour éviter les ulcères dus aux anti-inflammatoires non stéroïdiens (AINS) comme l'aspirine et l'ibuprofène, on peut remplacer ces derniers par l'acétaminophène ou des inhibiteurs de la COX-2 comme Vioxx. Quatre grammes par jour d'acétaminophène sont comparables à la posologie analgésique de l'ibuprofène sans les effets secondaires gastro-intestinaux.

Suppléments ■ **De A à zinc.** La vitamine A et le zinc semblent favoriser la guérison des ulcères, bien que cela ne soit pas définitivement prouvé. Prenez une multivitamine qui en contient.

Médecines douces ■ **Gouttez la réglisse.** Demandez à votre médecin s'il y a une contre-indication à ce que vous mâchiez 380 mg de réglisse déglycyrrhizinée 20 minutes avant vos repas (4 fois par jour) pour calmer et cicatriser les muqueuses abîmées.

■ **L'heure du thé.** Des thés de racines de guimauve ou d'écorce d'orme fuyant plusieurs fois par jour peuvent aider à former une membrane protectrice sur l'ulcère.

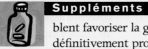 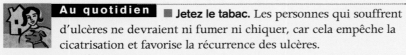

Au quotidien ■ **Jetez le tabac.** Les personnes qui souffrent d'ulcères ne devraient ni fumer ni chiquer, car cela empêche la cicatrisation et favorise la récurrence des ulcères.

■ **Soulagez-vous du stress.** Le stress affaiblit vos défenses immunitaires, ce qui peut vous rendre réceptif aux ulcères qu'il exacerbe par ailleurs. Pratiquez les techniques de réduction du stress comme la respiration, la méditation et le yoga. Les exercices physiques aident aussi à réduire le stress.

Varices

◄ Veines gonflées d'un bleu mauve générale-ment sur vos jambes.

◄ Douleurs, élancements, crampes, lourdeurs ou gonflements de vos jambes ou de vos chevilles, surtout en fin de journée.

◄ Irritation et démangeai-son de la peau de vos jambes.

Qu'est-ce que c'est ?

Les varices sont des veines enflées et sinueuses qui apparaissent le plus souvent sur les jambes. Elles apparaissent lorsque les valves qui permet-tent au sang de circuler des veines des jambes vers le cœur ne se referment pas complètement. Le sang qui s'accumule dans les veines des jambes les fait gonfler.

Elles sont plus fréquentes chez les femmes que chez les hommes. Plus de la moitié des personnes de plus de 50 ans en ont : la peau qui soutient les veines et les veines elles-mêmes perdent leur élasticité, ce qui contribue à l'apparition de varices.

Pour la plupart des gens, les varices sont un problème plus cosmétique que médical. Mais chez d'autres, la fragilité des parois des vaisseaux san-guins, en plus des valves défectueuses, entraîne un écoulement de sang dans les tissus environnants. Si la peau autour d'une varice se décolore ou si une lésion ne cicatrise pas près d'une varice, voyez votre médecin.

Plusieurs autres états qui augmentent la pression dans les veines des jambes peuvent contribuer à l'apparition de varices : l'obésité, la constipa-tion (à cause des efforts), la grossesse ou la station debout prolongée. Les médecins n'ont pas déterminé avec exactitude les causes de varices mais ils pensent qu'il existe généralement un terrain génétique favorable. Un anté-cédent de thrombose des veines internes peut aussi entraîner l'apparition de varices sévères.

Comment les soigne-t-on ?

Beaucoup de gens adaptent leur style de vie pour trouver un soulagement à leur problème de varices (voir *Votre programme de prévention* ci-contre).

CHIRURGIE

Il existe plusieurs méthodes de traitement chirurgical des varices. Après l'intervention, le sang circule mieux dans des veines en meilleur état. La sclérothérapie en externe (pour les veines en réseaux et les petites varices) : le médecin injecte une solution saumâtre dans la veine, qui rétrécit et finit par être absorbée par le corps. Pour les veines plus endommagées, un chirurgien effectue soit une ligature, soit une extraction. Ces interventions nécessitent une hospitalisation.

AVERTISSEMENT

Consultez votre médecin si vous avez des problèmes veineux. À un stade avancé, les varices peuvent causer des cancers cutanés, des inflammations graves des veines et des caillots.

Astuce santé

Si vous passez beau-coup de temps assis au travail dans la journée, essayez cet exercice sous votre bureau plusieurs fois par jour :
1. Asseyez-vous au fond de la chaise, les talons tou-chant le sol, les orteils pointant vers le haut ;
2. Levez les jambes au niveau des genoux (aussi haut que vous le pouvez) ;
3. Pointez les orteils vers l'extérieur puis vers le haut ;
4. Reposez vos jambes.

En bref

Les hémorroïdes sont les varices de l'anus.

Votre programme de prévention

Alimentation
■ **Évitez le sel.** Le sel entraîne une rétention de l'eau par le corps qui peut faire enfler les jambes.

■ **Mangez des fibres.** Mangez chaque jour des aliments riches en fibres, comme les pains complets, les fruits et les légumes, pour réduire vos risques de constipation qui peut contribuer à l'apparition de varices.

■ **Gardez la ligne.** L'obésité augmente la pression sur les veines des jambes et ralentit la circulation du sang des jambes vers le cœur.

Exercice
■ **Marchez, nagez.** Trente minutes de ces exercices plusieurs fois par semaine augmentent la force des jambes et des veines. Ils entretiennent aussi la circulation du sang vers le cœur.

■ **Levez-vous et bougez.** Si vous restez assis durant de longues périodes, levez-vous toutes les 45 minutes pour faire une marche rapide de 5 minutes.

Suppléments
■ **La force des vitamines.** Les vitamines E et C favorisent la circulation du sang et renforcent les parois des vaisseaux. Prenez 500 mg de vitamine C et 400 UI de vitamine E chaque jour.

Médecines douces
■ **L'hamamélis (en huile essentielle ou en crème)** peut soulager les douleurs des varices. Gardez-en au réfrigérateur pour vous rafraîchir.

■ **Les herbes à la rescousse.** Rendez-vous dans un magasin diététique pour vous procurer un supplément à la myrtille et au gotu kola. Ces herbes favorisent la circulation du sang et améliorent la flexibilité des veines. Vous pouvez choisir aussi le marron d'Inde en suppléments, que certains chercheurs estiment tout aussi efficace contre les écoulements et les accumulations de fluides que des bas de maintien.

■ **Le massage.** Un massage des jambes peut soulager les désagréments des veines enflées.

Au quotidien
■ **L'hydrothérapie.** Essayez l'alternance de frictions chaudes et froides à l'éponge. Remplissez deux bassines d'eau, une chaude et une autre froide. Plongez d'abord vos pieds dans l'eau chaude pendant une minute, en passant l'éponge sur vos jambes. Passez ensuite à l'eau froide en trempant vos pieds pendant 30 secondes et en épongeant de nouveau vos jambes. Repassez dans l'eau chaude pendant une à deux minutes. Répétez l'opération cinq fois.

■ **Un bon soutien.** Portez des bas de maintien en permanence, même sous vos jeans. Ils soutiennent les jambes et empêchent les veines de gonfler. Évitez les mi-bas qui coupent la circulation sous le genou.

■ **Levez pour soulager.** Levez les jambes aussi souvent que possible pour soulager la pression sur les veines. Lever les jambes réduit les efforts de pompage des veines.

■ **Les chevilles, pas les genoux.** Croiser les jambes arrête la circulation du sang dans vos veines. Croisez-les au niveau des chevilles, pas des genoux.

Zona

◀ Sensation de brûlure, douleurs, démangeaisons, picotements ou engourdissement d'un côté de votre corps.

◀ Dans les jours suivants, une partie de la peau rougit (généralement sur votre torse).

◀ Fatigue, maux de tête, fièvre, frissons et douleurs d'estomac.

◀ Enfin, une plaque de cloques bien délimitée apparaît.

◀ La douleur peut durer pendant plusieurs semaines, mais chez certaines personnes, le zona apparaît et disparaît pendant des années.

MÉDICAMENT

Les chercheurs de l'université du Texas ont découvert que le médicament antiviral famciclovir est aussi efficace dans la prévention et le traitement des zonas que l'acyclovir et d'usage plus facile, puisque la posologie est de trois doses quotidiennes au lieu de cinq.

Qu'est-ce que c'est ?

Le zona est une infection opportuniste, souvenir de la varicelle que vous avez eue enfant. C'est le même varicella zoster virus (VZV) qui cause cet état neurologique très douloureux.

Si vous avez déjà eu la varicelle, le varicella zoster virus hiberne probablement encore dans vos cellules nerveuses. Bien qu'il soit inactif chez la plupart des gens, le zona apparaît lorsque le virus est réactivé sur le parcours neurologique. Il est plus fréquent chez les personnes de plus de 50 ans, mais il peut apparaître à un plus jeune âge aussi. Parmi les causes possibles, on note le vieillissement, une faiblesse du système immunitaire, les effets de certains médicaments (cortisone ou immunosuppresseurs en particulier), le stress émotionnel ou les suites d'une intervention chirurgicale. Le zona apparaît également chez les personnes atteintes du cancer ou du sida. Les lésions de la peau et les coups de soleil peuvent également déclencher une crise.

Chez certaines personnes qui ont souffert d'un zona, l'irruption cutanée disparaît, mais l'engourdissement, les picotements ou les douleurs continuent d'être ressentis par les circuits neurologiques affectés. Cette condition est appelée névralgie post-herpétique (névralgie signifie « douleur dans le nerf »). La névralgie post-herpétique s'observe le plus souvent chez les personnes de plus de 50 ans qui ont eu une attaque de zona. Cet état douloureux peut durer des mois, voire des années. Une analyse d'un échantillon des suppurations de vos cloques peut confirmer le diagnostic.

Comment le soigne-t-on ?

Comme la plupart des virus, le zona doit vivre sa vie. L'objectif est d'endiguer la formation de cloques, de précipiter la fin de la crise de zona, de soulager votre douleur et d'éviter qu'elle devienne chronique. Quelques modifications de votre style de vie peuvent vous aider à guérir plus vite. Mais la plupart des gens doivent aussi prendre une médication adaptée au zona.

MÉDICAMENTS

Pour soulager les douleurs du zona, on peut prendre des analgésiques en vente libre (aspirine ou acétaminophène). Pour des douleurs intenses, votre médecin peut vous prescrire des antalgiques plus puissants. Demandez-lui aussi des crèmes antivirales ou des onguents pour contrôler l'infection dermique due à la suppuration des cloques.

On prescrit parfois aux personnes de plus de 50 ans des médicaments corticostéroïdes anti-inflammatoires (prednisone, méthylprednisolone). Des études montrent que la prise d'un médicament antiviral comme l'acyclo-vir (Zovirax) dans les 72 heures qui suivent l'apparition de l'éruption cutanée réduit de presque 50 % les risques d'apparition dans les 6 mois suivant la crise initiale d'une névralgie post-herpétique. Le famciclovir, un nouveau médicament antiviral, peut également réduire la durée de vos symptômes et diminuer vos risques de névralgie post-herpétique.

Votre programme de prévention

 Alimentation ■ **Mangez correcte-ment.** Une carence en vitamines, en minéraux ou antioxydants peut affaiblir votre système immunitaire et vous rendre vulnérable aux infections. Ayez une alimentation pauvre en graisses et riche en fruits, légumes et céréales complètes.

 Exercice ■ **Évacuez votre stress.** Le stress peut être à l'origine d'un zona et les exercices physiques peuvent aider à diminuer le stress. Essayez de faire une marche énergique de 30 minutes chaque jour, de nager, de faire de la bicyclette ou du yoga.

 Solutions médicales ■ **Évitez la varicelle.** Le meilleur moyen de ne pas attraper de zona est de ne pas attraper la varicelle. Il existe maintenant un vaccin contre la varicelle (varivax); en vous faisant vacciner, vous pourrez peut-être éviter le zona.

 Suppléments ■ **Prenez de la B$_{12}$.** Pour soulager la douleur des névralgies post-herpétiques, demandez à votre médecin des injections de vitamine B$_{12}$ qui peuvent renforcer les tissus qui recouvrent les nerfs.

 Médecines douces ■ **Faites-vous la peau.** Beaucoup de patients se trouvent soulagés au bout de deux semaines d'utilisation d'une crème à la capsicine trois ou quatre fois par jour contre la douleur.

■ **Frottez.** L'efficacité des gels au glycyrrhizine, un ingrédient actif de la réglisse, pour bloquer le virus du zona a été démontrée par les résultats d'une application locale trois à quatre fois par jour.

■ **Dormez maintenant.** Changez votre literie fréquemment, car les suppurations des cloques sont contagieuses pour ceux qui n'ont pas eu la varicelle.

■ **Adoucissez votre peau.** Pour accélérer la cicatrisation (et vous détendre), ajoutez quelques gouttes d'huile de rose, de lavande, de bergamote ou de palmier nain à votre bain chaud; mélangez-les d'abord à une huile végétale.

■ **Apaisez la douleur.** Les onguents et lotions au calendula, appliqués sur les cloques plusieurs fois par jour, soulagent la douleur. Vous pouvez appliquer un mélange en pâte fait de deux aspirines écrasées et deux cuillerées à table d'alcool à massage trois fois par jour pour soulager les terminaisons nerveuses excitées.

■ **Contre les démangeaisons.** Demandez à votre pharmacien de vous préparer un mélange de 75 % de calamine, 20 % d'alcool à massage, 1 % de phénol et 1 % de menthol. Appliquez ce mélange sur vos cloques jusqu'à la guérison complète. L'huile de vitamine E ou le gel d'aloès sont deux autres remèdes contre les démangeaisons.

■ **De la glace !** Appliquez des compresses glacées pendant 10 minutes sur la région infectée. Faites une pause de 5 minutes entre les applications.

■ **Mettez-en.** On peut se procurer des compresses en vente libre contenant une solution d'acétate d'aluminium pour soulager les démangeaisons.

■ **Saupoudrez-vous.** Pour diminuer le frottement des vêtements contre les cloques, saupoudrez-vous de poudre d'avoine colloïdale.

 Au quotidien ■ **Des épingles et des aiguilles.** L'acupuncture a été utilisée avec succès contre le zona. Elle est particulièrement efficace pour soulager les douleurs de la névralgie post-herpétique.

■ **Les antistress.** Pour réduire le stress et gérer votre douleur, essayez le taï chi, la méditation et l'autohypnose. Même après la disparition des symptômes.

Guide des ressources

Information générale

■ **Association des CLSC et des CHSLD du Québec**
1801, boul. de Maisonneuve O., bur. 600
Montréal (Québec) H3H 1J9
(514) 931-1448
www.clsc-chsld.qc.ca

■ **Fédération de l'âge d'or du Québec (FADOQ)**
4545, av. Pierre-de-Coubertin
C. P. 1000, succ. M
Montréal (Québec) H1V 3R2
www.fadoq.ca

■ **Regroupement des aidants naturels**
7501, rue François-Perreault
Montréal (Québec) H2A 1M1
(514) 374-1056
www.cam.org/~raanm

■ **Réseau d'information des aînés du Québec (RIAQ)**
Centre commercial Wilderton
2615, av. Van Horne, bur. 217
Montréal (Québec) H3S 1P6
(514) 270-8464
www.riaq.uqam.ca

■ **Réseau Santé Protéus**
Portail santé de médecine intégrée
www.reseauproteus.net

■ **Santé Canada en direct**
www.hc-sc.gc.ca/francais

Aide, prévention, recherche

Alzheimer

■ **Société d'Alzheimer du Canada**
20, av. Eglinton O., bur. 1200
Toronto (Ontario) M4R 1K8
800 616-8816
www-alzheimer.ca

Arthrite

■ **Société d'arthrite**
393, av. University, bur. 1700
Toronto (Ontario) M5G 1E6
800 321-1433
www.arthritis.ca

Asthme

■ **Réseau québécois pour l'enseignement sur l'asthme**
www.rqea.com

Audition

■ **Académie canadienne d'audiologie**
250, Consumers Rd., bur. 301
Willodawle (Ontario) M2J 4V6
800 264-5106
www.canadianaudiology.ca

■ **Centre de communication adaptée**
www.surdite.org

Cancer

■ **Alliance canadienne du cancer de la prostate**
www. prostatealliance.org

■ **Fondation québécoise du cancer**
www.fqc.qc.ca

■ **Réseau québécois pour la santé du sein**
www.simbolique.ca

Société canadienne du cancer
5151, boul. de l'Assomption
Montréal (Québec) H1T 4A9
(514) 255-5151
www.quebec.cancer.ca

Chirurgie plastique
Association canadienne de chirurgie au laser
www.class.ca

Association des spécialistes en chirurgie
www.asceq.ca

Cœur et poumons
Association pulmonaire du Québec
800, boul. de Maisonneuve E., bur. 800
Montréal (Québec) H2L 4L8
800 295-8111 ou (514) 287-7400
www.pq.lung.ca

Fondation des maladies du cœur du Québec
465, boul. René-Lévesque O., 3e étage
Montréal (Québec) H2Z 1A8
800 567-8563 ou (514) 871-1551
www.fmcoeur.ca

Dentition
Association canadienne des orthodontistes
www.cao-aco.org

Association dentaire canadienne
1815, Alta Vista
Ottawa (Ontario) K1G 3Y6
(613) 523-1770
www.cda-adc.ca

Diabète
Association canadienne du diabète
www.diabetes.ca

Association Diabète Québec
5635, rue Sherbrooke E.
Montréal (Québec) H1N 1A2
800 361-3504 ou (514) 259-3422
www.diabete.qc.ca

Douleur
**Association internationale ensemble
contre la douleur**
www.sans-douleur.ch

**Association nord-américaine de la douleur
chronique du Canada**
150, Central Park Drive, bur. 105
Brampton (Ontario) L6T 2T9
800 616-7246
www.chronicpaincanada.org

État physique
Guide d'activité physique canadien
www.paguide.com

**Institut canadien de la recherche sur
la condition physique et le mode de vie**
185, rue Somerset O., bur. 201
Ottawa (Ontario) K2P 0J2
(613) 233-5528
www.cflri.ca/icrcp/icrcp.html

Kino-Québec
santepub-mtl.qc.ca/kino/aines/clienteleaines.htm

Participaction
www.participaction.com

Hypertension artérielle
Société québécoise d'hypertension artérielle
www.hypertension.qc.ca

Intestin
**Fondation canadienne des maladies
inflammatoires de l'intestin**
6767, ch. Côte-des-Neiges, bur. 200
Montréal (Québec) H3S 2T6
800 461-4683 ou (514) 342-0666
www.ccfc.ca

Migraine et céphalée
**Fondation québécoise de la migraine
et des céphalées**
1575, boul. Henri-Bourassa O., bur. 240
Montréal (Québec) H3M 3A9
800 463-tete ou (514) 331-8207
www.fqmc.qc.ca

Nutrition
Association des diététistes au Québec
544, rue de l'Inspecteur, bur. 210
Montréal (Québec) H3C 2K9
(514) 954-0047
www.adaqnet.org

Diététistes du Canada
480, av. University, bur. 604
Toronto (Ontario) M5G 1V2
(416) 596-0857
www.dietitians.ca

Institut national de la nutrition
302-265, av. Carling
Ottawa (Ontario) K1S 2E1
(613) 235-3355
www.nin.ca

Ordre professionnel des diététistes du Québec
1425, boul. René-Lévesque O., bur. 703
Montréal (Québec) H3G 1T7
888 393-8528 ou (514) 393-3733
www.opdq.org

Ostéoporose

Ostéoporose Québec
877 369-7845 ou (514) 369-7845
www.osteoporose.qc.ca

Société de l'ostéoporose du Canada
Bureau national
33, Laird Dr.
Toronto (Ontario) M4G 3S9
800 977-1778
www.osteoporosis.ca

Parkinson

Société Parkinson Canada
4211, rue Yonge, bur. 316
Toronto (Ontario) M2P 2A9
800 565-3000
www.parkinson.ca

Rosacée

Programme de sensibilisation à la rosacée
368, rue Notre-Dame O., bur. 402
Montréal (Québec) H2Y 1T9
888 767-2232
www.rosaceainfo.com

Santé des femmes

Bureau pour la santé des femmes
Immeuble Jeanne-Mance, 3e étage
Pré Tunney, Indice de l'adresse 1903C
Ottawa (Ontario) K1A 0K9
888 767-2232
www.hc-sc.gc.ca/femmes/francais

Réseau canadien pour la santé des femmes
419, av. Graham, bur. 203
Winnipeg (Manitoba) R3C 0M3
888 818-9172
www.cwhn.ca

Réseau québécois d'action pour la santé des femmes
4273, rue Drolet, bur. 406
Montréal (Québec) H2W 2L7
(514) 877-3189
www.cam.org/~rqasf

Santé mentale

Association canadienne pour la santé mentale
www.cam.org/acsm/ (pour le Québec)
www.cmha.ca

Association des dépressifs et des maniaco-dépressifs
www.admd.org

Ordre des psychologues du Québec
1100, av. Beaumont, bur. 510
Mont-Royal (Québec) H3P 3H5
800 363-2644 ou (514) 738-1881
www.ordrepsy.qc.ca

Société canadienne de psychologie
151, rue Slater, bur. 205
Ottawa (Ontario) K1P 5H3
888 472-0657
www.cpa.ca

Sommeil

Neurobiologie psychiatrique et troubles du sommeil
Centre d'étude du sommeil
de l'Hôpital du Sacré-Cœur de Montréal
www.crhsc.umontreal.ca/sommeil.html

Thyroïde

Fondation canadienne de la thyroïde
B. P. 1919, succ. Principale
Kingston (Ontario) K7L 5J7
800 267-8822
www.thyroid.ca

Toxicomanie

Association des intervenants en toxicomanie du Québec
505, rue Sainte-Hélène, 2e étage
Longueuil (Québec) J4K 3R5
(450) 646-3271
www.aitq.com

Centre canadien de lutte contre l'alcoolisme et les toxicomanies
75, rue Albert, bur. 300
Ottawa (Ontario) K1P 5E7
(613) 235-4048
www.ccsa.ca

Éducalcool
606, rue Cathcart, bur. 700
Montréal (Québec) H3B 1K9
888 ALCOOL1 ou (514) 875-7454
www.educalcool.qc.ca

Fédération des organismes communautaires et bénévoles d'aide et de soutien des toxicomanes du Québec
ww.cam.org/fobast/

Bénévolat

Carrefour canadien international
2000, boul. Saint-Joseph E.
Montréal (Québec) H2H 1E4
(514) 528-5363
www.crossroads-carrefour.ca/welcome_f.html

Centraide Canada
www.unitedway.ca

Regroupement québécois des coopérateurs du travail (RQCCT)
1710, rue Beaudry, bur. 2.7
Montréal (Québec) H2L 3E7
(514) 526-6267
www.cex.gouv.qc.ca/saic/francophonie/parten/2164.html

Regroupement québécois du parrainage civique (RQPC)
465, rue Saint-Jean, bur. 502
Montréal (Québec) H2Y 2R6
877 PARRAIN
www.cam.org/rqpc/

Médecines douces

Association d'acupuncture du Québec
441, rue Sainte-Hélène, bur. 1
Longueuil (Québec) J4K 3R3
800 363-6567 ou (514) 982-6567
www.acupuncture-quebec.com

Association québécoise des phytothérapeutes
305, rue Bélair
Montréal (Québec) H2A 2C1
(514) 722-8888

Corporation des massothérapeutes et autres praticiens en approches corporelles (CMAPPAC)
109, boul. de Bromont
Bromont (Québec) J2L 2K7
866 211-1161 ou (450) 534-1161
www.cmappac.com

Guilde des herboristes du Québec
C. P. 47555, succ. Plateau-Mont-Royal
Montréal (Québec) H2H 2S8
(514) 990-7168

Ordre des naturopathes du Québec
319, rue Saint-Zotique E.
Montréal (Québec) H2S 1L5
800 363-6641 ou (514) 279-6641
www.onaq.net

Moteurs et outils de recherche

Google
www.google.com

Toile du Québec
www.toile.qc.ca et
www.toile.qc.ca/quebec/societe/aines

Yahoo
www.yahoo.ca

Voyages et loisirs

Association des professionnels de l'information
www.adbs.fr

Club de marche
www.cegeptr.qc.ca/cordelle

Conventum
www.typhlophile.com

Elderhostel Canada
4, rue Cataraqui
Kingston (Ontario) K7K 1Z7
(613) 530-2222
www.elderhostel.org

Les retraités flyés
www.riaq.uqam.ca/lesretraitesflyes

Crédits

Illustrations

Calef Brown 11, 20, 22, 24, 25, 58, 85, 146, 150, 151, 166, 183, 191, 218, 231, 243, 261, 266
John Edwards & Associates 124, 125
Joel and Sharon Harris 18, 19, 159, 162, 272
Becky Heavner 1, 4, 13, 21, 26, 28, 34, 37, 40, 48, 52, 73, 74, 83, 88, 101, 110, 147, 155, 163, 167, 171, 178, 179, 181, 182, 185, 189, 196, 203, 209, 215, 223, 227, 229, 232, 249, 255, 262, 274, 279, 287, 288, 298, 299, 400, 416

Photographies

Couverture *Avant, de haut en bas* Comstock ; Augustus Butera ; PhotoDisc (4) ; Augustus Butera. *Épine* Comstock ; *Arrière* PhotoDisc. **2** *Dans le sens des aiguilles d'une montre, depuis le coin supérieur gauche* Augustus Butera ; Mark Thomas ; PhotoDisc ; Jon Feingersh/The Stock Market. **8-9** Zefa Visual Media. **13** Peter Griffith/Masterfile. **14** *Arrière-plan* PhotoDisc ; *Haut* PhotoDisc ; *Bas* Michael A. Keller/The Stock Market. **15** *Haut* Reader's Digest Assoc. GID#2849 ; *Milieu* Charles Thatcher/Tony Stone Images ; *Bas* PhotoDisc. **16** *top* C/B Productions/The Stock Market ; *Milieu* PhotoDisc ; *Bas* PhotoDisc. **17** ROB & SAS/The Stock Market. **23** *Arrière-plan* Gary Irving/PhotoDisc ; *Avant-plan* Beth Bischoff. **30-31** Mark Thomas. **34** PhotoDisc. **35** *Toutes* PhotoDisc. **38-43** Mark Thomas. **46** Steven Needham/Envision. **47-55** Mark Thomas. **56** Susan Goldman. **57** Mark Thomas. **60** Digital Vision. **61** Mark Thomas. **62** *Haut* PhotoDisc ; *Haut, droite* PhotoDisc ; *Bas, gauche* Digital Stock. **63** *Haut* PhotoDisc ; *Milieu* Digital Stock ; *En bas, à gauche* PhotoDisc ; *Bas, centre* PhotoDisc. **64** *Toutes* PhotoDisc. **65** *Haut* PhotoDisc ; *Milieu* PhotoDisc ; *Bas* Digital Stock. **66-67** Beth Bischoff. **68** PhotoDisc. **71** PhotoDisc. **75-81** Mark Thomas. **82** Stefan May/Tony Stone Images. **84** Mark Thomas. **86-87** Susan Goldman. **90** Lisa Koenig. **92** Susan Goldman. **94** Lisa Koenig. **95** Susan Goldman. **96** *Haut* Lisa Koenig ; *Bas* Susan Goldman. **97** *Haut* Lisa Koenig ; *Milieu* Lisa Koenig ; *Bas* Susan Goldman. **98** *Haut et bas* Lisa Koenig. **99** *Haut* Lisa Koenig. **100** Susan Goldman. **103** Susan Goldman. **105** Lisa Koenig. **106** Susan Goldman. **108-109** PhotoDisc. **111** PhotoDisc. **112** PhotoDisc. **113** Jack Star/PhotoLink/PhotoDisc. **114** Beth Bischoff. **117** Jon Feingersh/The Stock Market. **119** *Haut* Jon Feingersh/The Stock Market ; *Bas* Richard Dunoff Stock. **120** Tom & Dee Anne McCarthy/The Stock Market. **121** Beth Bischoff. **126** Beth Bischoff. **128-140** Beth Bischoff. **141** *Haut, gauche* Beth Bischoff ;

Haut, droite Beth Bischoff ; *Milieu, gauche* Beth Bischoff ; *Milieu, droite* Beth Bischoff ; *Bas* Jack Gescheidt/Index Stock Imagery. **144-145** PhotoDisc. **152** Simon Metz. **153** ATC Productions/The Stock Market. **158** Howard Socherek/The Stock Market. **160** *Haut* SPL/ Photo Researchers, Inc. ; *Bas* Catherine Ursillo/Photo Researchers, Inc. **161** *Haut* Yoav Levy/Photo Take ; *Bas* Photo Researchers, Inc. **164-165** *Haut, gauche* PhotoDisc ; *Haut, droite* Comstock ; *Bas, gauche* PhotoDisc ; *bas, droite* Comstock. **168** Bruce Ayers/Tony Stone Images. **171** Richard Dunoff. **173** David Madison/Tony Stone Images. **174** Larry Williams/Masterfile. **180** Photo Link/Photo Disc. **184-185** Richard Dunoff. **186-187** PhotoDisc. **188** Claudia Kunin/Tony Stone Images. **193** PhotoDisc. **194** Dynamic Graphics. **197** Rob Lewine/The Stock Market. **198** *Haut* S. Pearce/PhotoLink/PhotoDisc ; *Milieu* John Dowland/PhotoAlto ; *Bas* Richard Dunoff. **199** *Haut* PhotoDisc ; *Bas, gauche* Richard Dunoff ; *Bas, droite* Barbara Penoyar/PhotoDisc. **200** Beth Bischoff. **201** Maximilian Stock Ltd./SPL Photo Researchers, Inc. **203** *Haut* Aneal Vohra/Index Stock Imagery ; *Bas* Richard Dunoff. **204** Ted Wood/Tony Stone Images. **207** Lori Adamski Peek/Tony Stone Images. **208** *Haut* Michelangelo Gratton/Tony Stone Images ; *Bas* Digital Vision. **210** Pierre Dufour. **212** François Gohier/Photo Researchers, Inc. **214** Robert Maass/Corbis. **216** Josh Pulman/Tony Stone Images. **217** PhotoDisc. **220-221** Masterfile. **222** Leo de Wys/Leo de Wys Stock Photo Agency/Germany IT International Ltd. **224** Michael A. Keller/The Stock Market. **225** Susan Goldman. **226** Christopher Bissell/Tony Stone Images. **235** *Haut* Susan Goldman ; *Milieu* Lisa Koenig ; *Bas* Jack Star/Photo Link/PhotoDisc. **236** PhotoDisc. **237** Bill Aron/PhotoEdit. **238** C. Bronico. **239** Lisa Koenig. **240-241** R. B. Studio/The Stock Market. **242** Dave Bartruff/Index Stock Imagery. **244** Lazlo Kubinyi. **246** David Young-Wolff/Tony Stone Images. **251** Lori Adamski Peek/Tony Stone Images. **252** Lonnie Duka/Index Stock Imagery. **254** NIH/Science Source/Photo Researchers, Inc. **256** PhotoDisc. **258-259** Ariel Skelley/Stock Market. **263** PhotoDisc. **265** Susan Goldman. **269** John Dowland/PhotoAlto. **270-271** *Haut, gauche* Romilly Lockver/Image Bank ; *Haut, droite* Photo Disc ; *Bas, gauche* Benelux Press/Index Stock Imagery ; *Bas droite* Zefa Visual Media/Index Stock Imagery. **273** James Darell/Tony Stone Images. **276** Nicholas Eveleigh. **277** Susan Goldman. **278** Will & Demi McIntyre/Photo Researchers. **282** LWA-Dan Tardif/The Stock Market. **283** Susan Goldman. **284-285** American Academy of Cosmetic Dentistry. **286** Christian Peacock/Index Stock Imagery.

Index

A

abducteurs, 128, 134
acarbose, 325
accident ischémique
transitoire (AIT), 292
accidents cérébrovascu-
laires (ACV), 14, 101,
292-95
accroupissements, 129
acétaminophène, 179,
184, 353, 355
acétylcholine, 255-56, 373
acyclovir, 398
acide ellagique, 51
acide folique, 17, 35, 89,
92, 311
acide gamma-linoléique
(AGL), 300
acide linoléique. *Voir*
acides gras omega-3
acide malique, 347
acide rétinoïque. *Voir*
trétinoïne
acide urique, 307, 350-51
acides alpha hydroxylés
(AHA), 276-77
acides alpha linoléiques.
Voir acides gras
omega-3
acides aminés, 96
acides glycoliques, 128,
134, 276
acides gras, 97, 274, 302,
309, 373
acides gras omega-3, 40
aliments enrichis de, 59
dans les noix, 57
dans le poisson, 52-53
et ACV, 294
et cancer, 309
et maladie d'Alzheimer,
373
suppléments, 96-97
acides gras omega-6, 97,
302

acides gras trans, 40, 56,
62
acidophile, 339-41
actée à grappes noires,
107, 235
activateur tissulaire du
plasminogène (tPA),
294
activité physique. *Voir*
exercice
acupuncture
et arthrite, 303
et asthme, 299
et douleurs dorsales,
369
et symptômes de la
ménopause, 235
ACV. *Voir* accident
cérébrovasculaire
adducteurs, 128
ADN, 18-19, 21, 51, 273
AGL. *Voir* acide gamma-
linoléique
agrumes, 51
AHA. *Voir* acides alpha
hydroxylés
ail, 52, 54, 62, 104
AINS. *Voir* anti-
inflammatoires non
stéroïdiens
AIT. *Voir* accident
ischémique
transitoire
alcool, 174-79
auto-évaluation, 177
consommations limitées,
15, 39, 175, 355
définition d'un verre
d', 176
et ACV, 294
et cancer, 309
et cœur, 365, 378
et foie, 353, 355
et goutte, 351
et hypertension, 359
et médicaments, 178-79
et nutriments, 90
et ostéoporose, 385

et peau, 273
et poids, 84
et sommeil, 176, 262-63
et vieillissement, 174-75
paradoxe français, 178
algues, 333
alimentation
à base de plantes, 33-34,
51
allergies, 297-98
collations, 64, 76, 83,
195
journal, 75
interactions médica-
ments-aliments, 181
« nutriceutique », 58-59
pour l'énergie, 42-45
pour la bonne santé
cardiaque, 378
vedette, 50, 57
Voir aussi régime ;
nutrition ; *aliments
spécifiques*
allergies, 296-99
prévention des, 298-99
risques d', 296
injections, 298
symptômes, 296
tests, 299
traitement, 297-98
types, 296-97
allopurinol, 307
alpha-bloquants, 358
alprazolam, 195
alprostadil, 225, 237-38
amitié. *Voir* contacts
sociaux
anémie, 90
angine, 376-77
angiographie
coronaire, 377
fluorescéinique, 372
animaux, 197, 215, 359
antagoniste des récepteurs
H2, 389
anthocyanine, 51, 97
antiacides, 90, 184, 394-
95

anticoagulants, 90
anticonvulsivants, 90
antidépresseurs, 233, 256,
329-30
inhibiteurs du recaptage
de la sérotonine
(SSRI), 329-30
tricycliques, 330, 393
antihistaminiques
et alcool, 179
pour les allergies,
297-98
antihypertensifs, 90
anti-inflammatoires non
stéroïdiens (AINS)
et maladie d'Alzheimer,
255, 373
et ulcères, 394-95
mauvaise utilisation
des, 184
pour l'arthrite, 300-1
antioxydants, 14, 46, 106,
295, 309, 323, 343
antipsychotiques, 256
antirhumatismal modifiant
la maladie (DMARD),
301
antispasmodiques, 393
antiviraux, 256
anxiété, 217-18
anxiolitiques, 179, 195
apnée du sommeil, 266-67
apomorphine, 237
appareil Bionicare 1000,
302
appareil orthodontique,
285
apports nutritionnels de
référence, 91, 93
apprendre, 212-13,
242-43
APS. *Voir* dosage de
l'antigène prostatique
spécifique
aquarétiques, 307
arginine, 96
Aricept. *Voir* donépézil
aromathérapie, 342, 363

arômes, 201
arthrite, 300-3
    et ostéoporose, 385
    prévention, 302-3
arthrite rhumatoïde,
    300-3
arthrose, 300-3
aspirine, 100
    avantages de l', 101
    et ACV, 295
    et alcool, 179
    et cancer ovarien, 313
    et cancer du poumon,
    315
    et ulcères, 394
    et vitamine E, 92
    mauvaise utilisation,
    184
    pour le cœur, 377, 379
Association canadienne
    des optométristes,
    151
Association canadienne
    du diabète, 162
Association dentaire
    canadienne, 150
asthme
    allergique, 296-98
    et huiles essentielles,
    201
    et réduction du stress,
    299
    et reflux gastro-
    œsophagien, 388
astragale, 103
aubépine, 104
AUDIT. Voir Test de
    dépendance à l'alcool
audition
    aides à l', 386-87
    et vieillissement, 22
    perte d', 386-87
    test d', 151
autocuiseur, 78
autogreffe des chondro-
    cytes, 301
avocat, 48

bactérie E. coli, 362
baie de sabal. Voir palmier
    nain
baies, 46, 51, 57, 65, 347
bain, 227, 269
banane, 395
bas, 397
Beano, 392
bénévolat, 214-15
benzodiazépines, 265
bêta-amyloïdes, 370, 372
bêta-bloquants, 336, 357,
    365
bêta-carotène, 14, 35, 90,
    92, 274, 315
bêta-glucane, 59
beurre d'arachide, 56
Bible, 215
biceps, 131, 135
bicyclette, 119, 124
    stationnaire, 115, 119
bile, 304
bisphosphonate, 383
blanchiment des dents,
    284-85
    à la maison, 284
blé bulgour, 43
bleuet, 46-47, 57
boire. Voir alcool
boissons gazeuses, 34, 45,
    84, 175
boswellia (arbre à encens),
    102
bouffées de chaleur,
    228-34
brocoli, 46, 51, 54-55, 80,
    323
broméline, 369
bronchodilatateur, 298
brûlures d'estomac. Voir
    reflux gastro-
    œsophagien
budésonide, 343
bupropion, 171, 343
buspirone, 195
busserole, 107

café, 34, 248
caféine
    dans le thé, 56-57
    et fatigue, 345
    et glaucome, 349
    et mémoire, 248
    et ostéoporose, 384
    et pression sanguine,
    123
    et sommeil, 262-63, 268
caillots de sang, 232, 234
calcitonine, 375
calcium, 25, 95
    aliments enrichis de, 59
    et arthrite, 302
    et cancer colorectal, 311
    et dents, 381
    et hypertension, 359
    et ostéoporose, 14, 228,
    384-85
    et vieillissement, 35
    sources de, 34
    suppléments de, 32, 94
calculs biliaires, 304-5
calculs rénaux, 34, 306-7
Calment, Jeanne, 20
calories
    dans le sucre, 45
    du sucre et des matières
    grasses, 33-34
    et exercice, 37
    et métabolisme, 25
    et poids, 37, 68, 70, 79
    ingérées quand on a
    faim, 76
calvitie, 288-89
camomille, 102
cancer
    définition du, 308
    et alcool, 176
    et alimentation, 14,
    46-47, 53-54
    et exercice, 112
    prévention du, 309
    tests de dépistage,
    154-59
    traitement du, 310
cancer colorectal, 44, 146,
    157-59, 163, 310-11

cancer de l'endomètre,
    232, 234
cancer de la prostate, 146,
    316-17
cancer des testicules, 156
cancer du col de l'utérus,
    146, 154-56
cancer du poumon, 166,
    314-15
cancer du sein, 146-47,
    318-19
    et alcool, 176
    et œstrogènes, 232, 234,
    382
    auto-examen, 149, 155,
    319
    chez les hommes, 155
    prévention du, 319
    risques, 318
    Voir aussi mammo-
    graphie
cancer ovarien, 312-13
canneberge, 65, 106, 363
capacité d'absorption des
    radicaux libres de
    l'oxygène (CARO), 46
capsicine, 102, 399
carbonate de calcium, 94
carcinome basocellulaire,
    320
cardiopathies, 376-79
    auto-évaluation, 376
    et acides gras omega-3,
    40
    et aliments de grains
    entiers, 42
    et diabète, 335
    et effets sur le régime
    alimentaire, 46
    et maladie des gencives,
    282
    et noix, 57
    et œstrogènes, 232-33
    et poisson, 52
    et régime asiatique, 34
    et somnolence diurne,
    264
    et stress, 190
    et vitamine E, 95
    prévention des, 378-79
carnitine, 96
caroténoïdes, 35, 97, 274
cataractes, 322-23

catéchines, 51, 97
cellules, 18-19
cellules CD4, 189
cellules CD8, 189
cellules nerveuses. *Voir* neurones
cellulite, 278-79
Cenestin, 382
centenaires 20-21
céréales, 17, 48, 59, 65, 323
cernitin, 107
cerveau
    cellules, 244-45
    et ménopause, 231
    et stress, 191
    exercices, 250-51
    jeux, 252-53
    nutriments pour le, 255
    pertes cognitives, 25, 242-43
    santé, 254-57
    Voir aussi mémoire
champignons, 80-81, 103
    reishi, 103
    shiitake, 103
chardon-Marie, 103, 305, 355
cheveux
    trucs, 286-87
    transplantation, 289
    Voir aussi calvitie
chiropratie, 368
chirurgie parodontale, 283
choc anaphylactique, 299
cholangio-pancréatographie rétrograde endoscopique (CPRE), 305
cholécystogramme, 304
cholestérol, 38
    dépistage, 149, 152-53
    dépistage à la maison, 161
    et ACV, 295
    et alcool, 39
    et cardiopathies, 378-79
    et régime, 59
    et exercices, 111
    et matières grasses, 40-41
    Voir aussi lipoprotéines de haute densité ; lipoprotéines de basse densité

chondroïtine, 96, 302
chou, 51, 54-55
chrome, 94, 337
chromosomes, 19
chutes, 16
cigares, 166
cigarettes. *Voir* tabagisme
cirrhose, 176, 353
cisapride, 389
cisplatine, 313
citrate de calcium, 94
coenzyme Q10, 97, 381
cœur
    électrocardiogramme, 153
    et exercice, 111, 116-25
    et vieillissement, 24-25
    insuffisance cardiaque œdémateuse, 364-65
    plantes médicinales pour le, 100-7
    pouls, 116, 117
    Voir aussi crise cardiaque ; cardiopathies
colère, 190, 218-19, 379
collagène, 272, 280, 303
collations, 64, 76, 83, 195
côlon spastique. *Voir* syndrome du côlon irritable
colonoscopie, 149, 158-59, 314
coloscopie virtuelle, 159
conditionneur, 287
conduite automobile, 16, 260, 345
consommation excessive d'alcool, 178
constipation, 324-25
contacts sociaux, 17, 60, 198, 210-11, 345
contrôle des portions, 74-76, 79
corticostéroïdes
    et cataractes, 322
    pour la dermatite de contact allergique, 298
cortisol, 191, 260
Coumadin. *Voir* warfarine
coup de soleil, 320-21
courge poivrée, 78

Courges au cidre farcies aux pommes, 78
course, 118, 124
Cox-2, 301
cresson, 55
crise cardiaque, 376
    et aspirine, 101
    et maladie des gencives, 150, 282, 380-81
    et poisson, 52-53
    et sexualité, 238
    prévention, 378-79
crise de la cinquantaine, 207-9
cuire au four à micro-ondes, 77
cuisine
    couper le gras en, 41
    méthodes minceur, 76-79
    repas légers en 20 minutes, 85
    trucs pour cuisine facile, 82-85
cuivre, 94, 303
curcuma, 102
cystite, 397

DAS. *Voir* désordre affectif saisonnier
décongestionnants, 293
décongestionnant nasal, 185
déficit cognitif léger (MCI), 254
dégénérescence maculaire, 56, 326-27
déjeuner, 65
deltoïdes, 131, 135
dendrites, 244, 245
dents, 282-85
    appareil orthodontique, 285
    blanchiment, 284-85
    brosser et passer la soie dentaire, 283, 381
    couronne, 285
    examen dentaire, 150
    imagerie, 284

jumelage, 285
    implants, 283-84
    réparation des, 283-84
    Voir aussi maladie des gencives
dépistage de sang occulte dans les selles, 149, 157-58
dépression, 216-17, 328-31
    chez les personnes âgées, 330
    et ACV, 295
    et cardiopathies, 379
    et exercice, 111, 331
    et fonction cognitive, 254
    et ostéoporose, 385
    et poissons et fruits de mer dans le régime alimentaire, 53
    et sommeil, 263
dermatite de contact, 296-97
derme, 272
désordre affectif saisonnier (DAS), 217, 331
désordres thyroïdiens, 332-33
deuil, 328
diabète, 334-37
    choix de médicaments, 335
    dépistage, 162
    et cardiopathies, 379
    et grains entiers, 42
    et poids, 68
    et sucre, 45
    prévention, 337
    risques, 334
diarrhée, 338-39
Diététistes du Canada, 83
digestion, 25, 102-3
digoxine, 365
DIN (Drug Identification Number), 91, 107
diurétiques, 90, 357, 365
diverticulite, 340-41
diverticulose, 340-41
DMARD. *Voir* antirhumatismal modifiant la maladie
dopamine, 237, 374

dosage de l'antigène prostatique spécifique
(APS), 146, 157, 163,
316
douleur
du zona, 398-99
et sommeil, 263
plantes médicinales
pour contrer la, 102
douleurs au dos, 366-67
prévention, 368-69
traitement, 367
doxycycline, 380
dysfonction érectile, 223,
236-39

eau
et cancer colorectal, 311
et diabète, 336
et mémoire, 248
et peau, 274
et perte de poids, 82
et santé, 32, 34
ECG. *Voir* électrocardiogramme
échelle de Borg, 115
échinacée, 102-3, 363
échographie, 304
écorce de saule, 100
écran solaire, 275-76,
320-21
élastine, 272
électrocardiogramme
(ECG), 149, 153,
293, 376-77, 379
électrochocs, 329
elliptique, appareil, 119
emphysème, 342-43
emploi. *Voir* travail *et*
milieu de travail
endorphines, 213, 222, 345
endoscopie, 341, 388-89
énergie, 42, 106
entraînement
combiné, 118
par intervalles, 118
éphédra, 104, 333
épiderme, 272
épinards, 46, 56, 323

épinéphrine, 299
épithélioma spino-
cellulaire, 320
équilibre, 138-41
érection, 224-25, 227,
236-38
escalateur, 119, 125
espérance de vie, 20-21
et alimentation, 19, 47
et exercice, 112
et genre, 21
estime de soi, 85, 206-7
estradiol, 229
étiquetage USP, 91
étiquettes, 90-91, 93, 181
Evista. *Voir* raloxifène
examen physique, 15,
148-49, 379
examens médicaux,
145-63
aide-mémoire, 149
auto-examen, 161
cancer, 154-59
cardiovasculaires,
152-53
prendre rendez-vous,
148
Voir aussi examens
spécifiques
exercice
avantages de l', 110-12
bases de l', 114-15
bâtir sa force
musculaire, 126-33
déguisé, 110, 113
échelle de Borg, 115
entraînement par
intervalles, 118
et ACV, 294
et allergies, 298-99
et arthrite, 302
et calories, 37
et cancer, 309
et cœur, 378
et dépression, 111, 331
et diabète, 336
et douleurs dorsales, 368
et emphysème, 343
et entraînement
combiné, 118
et fatigue, 345
et fibromyalgie, 347
et fonction mentale, 242

et glaucome, 349
et hypertension, 358-59
et maladie d'Alzheimer,
373
et orgasme, 223
et ostéoporose, 384
et peau, 273
et poids, 70-71
et santé cardio-
vasculaire, 116-25
et sommeil, 110, 268-69
et syndrome du côlon
irritable, 393
et tabagisme, 169, 173
et veines variqueuses,
397
et vieillissement, 13
étirements, 134-37
intensité, 118
moyens rapides de se
mettre en forme,
142-43
se remettre en forme,
113
pour contrer les
symptômes de la
ménopause, 235
pour soulager le stress,
196
réchauffement et
détente, 114
s'habiller pour faire de
l', 114-15
stretching, 134-37
vidéos, 142
Voir aussi yoga ;
exercices spécifiques
exercices aérobiques,
116-25
choix, 120
et capacité pulmonaire,
111
et stress, 196
et vieillissement, 13
sécuritaires, 124-25
exercices
de développé assis
(chest press), 130
de flexion inversée, 132
de Kegel, 223, 360-61
de relevé de buste
(crunch), 133
de torsion, 131

de torsion oblique, 132
de torsion latérale, 137
du cobra, 136
du dos de chat, 137
enchaînement bras/
haltère court, 130
étreinte des genoux, 136
extension des membres
inférieurs, 133
extension des membres
supérieurs, 133
fente, 129
lever jambe arrière, 138
lever jambe pliée, 138
lever latéral, 131
lever latéral de la
jambe, 139
pour le dos,132-33,
136-37
monter les escaliers,
113
extraction des calculs
rénaux par voie per-
cutanée (endoscopie),
306-7
extrait de pépins de
raisin, 98

faim, 77
faire bouillir, 78
faire braiser, 78
faire cuire à la vapeur, 78
faire cuire au barbecue,
79, 309
faire cuire au four, 41, 77
faire frire à la poêle, 79
faire griller, 77
faire pocher, 78
faire rôtir, 78
faire sauter à la poêle, 79
farce aux pommes, 78
fajitas, 61
fajitas au rôti de porc et
aux légumes, 61
famciclovir, 398-99
Famvir. *Voir* famciclovir
FANG. *Voir* angiographie
fluorescéinique
fatigue, 344-45

faux-buis, 107
femmes
  cancer ovarien, 312-13
  et alcool, 174-76
  et musculation, 127
  et sommeil, 263
  et tabagisme, 166
  longévité, 21
  ménopause, 15, 223, 225, 228-31
  plantes médicinales pour les, 106-7
  stress chez les, 190
fer, 91, 333
feu du rasoir, 279
fèves, 43, 63, 378
fibres
  aliments riches en, 325
  auto-évaluation, 44
  dans les hydrates de carbone, 42-43
  et cancer, 309, 311, 319
  et cardiopathies, 378
  et diverticulite, 340-41
  et maladie de Parkinson, 374
  et poids, 73-75
  pour la constipation, 324-25, 361
  pour le syndrome du côlon irritable, 392-93
  solubles, 44
  types de, 44
fibrillation auriculaire, 292
fibromyalgie, 346-47
finastéride, 107, 288
flavonoïdes, 97-98, 315
  du thé, 51
flexibilité, 137
fluides, 114-15, 307
  et incontinence, 361
  Voir aussi eau
fluorure, 282-83
fluoxétine, 329-30, 393
foie
  et alcool, 353
  transplantation, 354
  Voir aussi hépatite
folate, 379
fonction cognitive. *Voir* fonctions mentales

fonctions mentales
  et vieillissement, 12-13, 242-57, 260
  Voir aussi mémoire
forme cardiovasculaire, 116-25
  choix, 120
  équipement, 119
  intensité de l'entraînement, 118
  rythme de récupération, 117
fragon épineux. *Voir* marron d'Inde
friture, 79
fruits, 46-49, 62
  antioxydants contenus dans les, 46
  auto-évaluation, 49
  comme dessert, 65
  eau contenue dans les, 34
  et cancer de la prostate, 383
  façons d'en manger plus, 48-49
  guide alimentaire, 37
  laver les, 47, 355
  vitamine C contenue dans les, 48
  Voir aussi fruits spécifiques
fruits de mer, 53
fumée passive. *Voir fumée secondaire*
fumée secondaire, 15, 167, 343
fundoplicature, 389
furosémide, 357

gâteau express au chocolat avec framboises, 41
gattilier, 107, 235
gène de l'apo E 4, 371
genre. *Voir* hommes ; femmes
GERD. *Voir* RGO, reflux gastro-œsophagien

germe de blé, 42, 47
gingembre, 102-3
gingivite, 282, 380
ginkgo biloba
  et audition, 387
  et dysfonction érectile, 238-39
  et fonction cognitive, 256-57
  pour la maladie d'Alzheimer, 373
  pour les troubles circulatoires, 105
ginseng, 103, 106, 196, 345
glaucome, 348-49
glitazones, 335
glucocorticoïdes, 90, 191
glucosamine, 96, 302
glucose, 42, 149, 161-62, 192, 260, 337
glucosémie à jeun (FPG), 162
glycémie. *Voir* glucose
glycyrrhizine, 399
goître, 332
Gotu Kola, 105, 397
goutte, 350-51
grains, 37
grains de beauté, 159, 278, 321
graines de lin, 59, 235
grand dorsal, 130, 135
gras
  « bon », 40, 52
  dans le poisson, 52
  dans le régime méditerranéen, 34
  et cancer, 309, 319
  et cardiopathies, 378
  et maladie d'Alzheimer, 373
  guide alimentaire, 37
  « mauvais », 40
gras insaturés, 40, 57
gras monoinsaturés, 40, 309
gras polyinsaturés, 40, 309
gras saturés, 38, 40, 354
griffe-de-chat, 331
griffe-du-diable, 102
grille d'Amsler, 151
grossesse, 89

guaifénésine, 347
guérison des blessures, 103-4, 190-91
Guide alimentaire canadien, 32-33, 37
guide du dépistage colorectal, 157

handicap, 12
haricots de soya, 50
Hayflick, 19
HCH. *Voir* hormone de croissance humaine
HDL. *Voir* lipoprotéines de haute densité
Helicobacter pylori, 394
Héma-Québec, 354
hémorragie cérébrale, 101, 292
hémorroïdes, 397
hépatite, 352-55
hépatite A, 352-53, 355
hépatite B, 147, 163, 353, 355
hépatite C, 353-54
herbe à puce, 298-99
hernie hiatale, 388
herpès. *Voir* varicelle
HFS. *Voir* hormone foliculo-stimulante
hommes
  cancer du sein chez les, 155
  cinquantaine, 236-39
  dysfonction érectile, 223, 237-39
  espérance de vie, 21
  plantes médicinales pour, 107
  problèmes de peau, 279
  prostate, 222, 239, 316-17
hormone de croissance humaine (HCH), 99
hormone DHEA, 99
hormone foliculo-stimulante (HSF), 229
hormones du stress, 191, 260

hormones naturelles, 98-99

hormonothérapie, 225, 228-30, 232-34

HP. *Voir* hypertrophie de la prostate

HRT. *Voir* hormonothérapie

huile, 40, 62

huile de cuisson, 40

huile d'olive, 62, 178

huile d'origan, 103-4

huile malaleuca altemifolia, 103-4

huile végétale, 40

humeurs
canaliser ses, 216-19
et ménopause, 229, 232
plantes médicinales pour les, 105-6

humour, 213

huperzine, 373

hydraste du Canada, 102, 104, 363

hydratants, 275

hydrates de carbone 42-43

hypericum. *Voir* mille-pertuis

hypertension, 356-59, 379
et ACV, 295
et caféine, 123
et capacité mentale, 256
et dégénérescence maculaire, 327
et poids, 68
et sodium, 354
et vitamine C, 89
prévention, 358-59
risque, 356
traitement, 356-58
Voir aussi pression artérielle

hyperthyroïdie, 332-33

hypertrophie de la prostate, 107, 238, 239

hypoglycémie, 335

hypothyroïdie, 332-33, 351

ibuprofène, 179

ICA. *Voir* implantation de chondrocytes autologues

IMAO. *Voir* inhibiteurs de la monoamine oxydase

imagerie par résonance magnétique (IRM), 153, 201, 293

IMC. *Voir* indice de masse corporelle

imipramine, 361, 393

immunisation tétanos-diphtérie, 147

impuissance, 166, 237

implantation de chondro-cytes autologues (ICA), 301

incontinence, 229, 360-61
par effort, 360-61
par impériosité, 360

incontinence urinaire. *Voir* incontinence

indice de masse corporelle (IMC), 69, 72

indice glycémique, 336

indigestion, 391

infection, 103-7

infection des voies urinaires (UTI), 234, 307, 362-63

infections de la vessie, 106-7

influenza, 147-48, 163

inhalation d'oxygène, 342-43

inhibiteurs calciques, 357-58

inhibiteurs de l'ECA. *Voir* inhibiteurs de l'enzyme de conversion de l'angiotensine

inhibiteurs de l'enzyme de conversion de l'angiotensine (ECA), 356-57, 365

inhibiteurs de la monoamine oxidase (IMAO), 330

inhibiteurs de la pompe à protons, 389

inhibiteurs des récepteurs de l'angiotensine II, 357

injection de Botox, 280

injections (dermatologie), 280

inquiétudes, 217-18

insuffisance cardiaque œdémateuse, 364-65

insuffisance coronaire. *Voir* cardiopathies

insomnie, 262-65

insuline, 334-35, 337

Internet, 183, 211

intestin et stress, 192

iode, 332-33

ipriflavones, 97

iridectomie, 349

IRM. *Voir* imagerie par résonance magné-tique

isoflavones, 50-51, 98, 235, 319

isolement, 60, 210

isothiocyanates, 51, 54-55

jardinage, 112

Jeux olympiques senior, 12

jogging. *Voir* courir

journal, 75, 198

jumelage des dents, 285

jus d'orange, 59

jus de canneberge, 84

jus de chou, 391, 395

jus de pamplemousse, 181, 307

kava, 106, 181, 202

lactase, 339

lait, 63, 384

laminaire saccharine. *Voir* algues

laser
lissage cutané, 280
photocoagulation, 327
pour blanchir les dents, 284
pour les gencives, 283, 285
pour les varicosités, 278

lavement baryté, 158

lavement baryté à double contraste, 158

laxatifs, 90, 185, 325, 393

LDL. *Voir* lipoprotéines de basse densité

L-dopa. *Voir* lévodopa

légumes, 33, 46-49, 62
antioxydants dans les, 46
auto-évaluation, 49
congelés, 65
crucifères, 65, 309
économiser sur les, 89
eau contenue dans les, 34
et calculs rénaux, 307
et cancer, 65, 309
et cataractes, 323
et douleurs au dos, 368
façons d'en manger plus, 47-48
féculents, 42
guide alimentaire, 37
laver les, 47, 355
portions, 37
Voir aussi légumes spécifiques

lentilles, 43

leucémie, 100

lévodopa (L-dopa), 374

lèvres, 276

levure rouge du riz, 104-5

lignans, 51

limite de Hayflick, 19

lipoprotéines de basse densité (LDL), 39, 40, 111, 153, 175, 378

lipoprotéines de haute densité (HDL), 39, 111, 153, 175, 178, 378
liqueur. *Voir* alcool
lithotripsie, 306
lithotritie rénale extracorporelle par ondes de choc (ESWL), 305
lombalgie. *Voir* mal de dos
longévité. *Voir* espérance de vie
lorazépam, 195
lotion au calendula, 399
lutéine, 35, 51, 56, 96, 327
lycopène, 35, 51, 55-56, 96, 317
lymphocytes T, 260
lysine, 96

ma huang. *Voir* éphédra
mâcher, 247, 343, 381
magnésium, 94, 345, 347
mains, 276
maïs, 46, 48
mal de dos, 366-69
mal des transports, 102-3
maladie d'Alzheimer, 254-55, 370-73
causes, 371
et œstrogènes, 256
prendre soin d'une personne atteinte, 372
prévention de la, 373
symptômes, 370
traitement, 371-72
maladie de Parkinson, 374-75
maladies des gencives, 150, 282-83, 380-81
maladies du cœur, 376-79
maladies transmissibles sexuellement (MTS), 226
mammographie, 17, 149, 154, 163, 319
manger. *Voir* régime ; alimentation

manométrie œsophagienne, 388
mantra, 201
maquereau aux tomates à l'ail et aux fines herbes, 52
marche, 120-24
d'entraînement, 120-24
rapide, 123
margarine, 59
mariage, 60, 209, 226
marron d'Inde, 105
massage, 198, 347, 368-69
masturbation, 223, 226
MB. *Voir* métabolisme basal
médecine chinoise, 100, 107
Voir aussi acupuncture
médicaments, 180-85
allergies aux, 297-98
erreurs fréquentes, 184-85
et alcool, 178-79
et alimentation, 89-90
et fonction érectile, 238
et hypertension, 359
et mémoire, 256
et sommeil, 263-65
éviter les interactions, 180-81
« polypharmacie », 16
pour éclaircir le sang, 92
pour la toux, 184
pour le stress, 195
sur Internet, 183
utilisation sécuritaire des, 181-82
Voir aussi les noms et les produits spécifiques
médicaments régulateurs du métabolisme lipidique, 377
méditation, 201-2
transcendantale, 294
mélanome, 320
mélatonine, 98-99, 262, 264
mémoire, 191, 242-49
altération de la, 245, 254
améliorer sa, 246-49
définition de la, 246
entraînement, 243

et médicaments, 256
et œstrogènes, 231, 256
mythes, 243-45
plantes médicinales pour la, 105
trucs d'experts, 248-49
ménopause, 223, 225, 228-31
auto-évaluation, 230
et cerveau, 231
et ostéoporose, 15
hormonothérapie de substitution (HTS), 225, 228-30, 232-34
périménopause. *Voir* préménopause
préménopause, 228-29
plantes médicinales pour la, 106-7
postménopause, 230
précoce, 230
soulagement naturel, 235
menthe poivrée, 102, 339, 367
Méridia. *Voir* sibutramine
métabolisme
et calories, 25, 70
glucose, 260
métabolisme basal, taux de (TMB), 70
mets chinois, 34
microdermabrasion, 280
migraine, 263
milieu de travail
emploi de rêve, 215
et agilité mentale, 244
et stress, 193
Voir aussi retraite
millepertuis, 58, 105, 217, 235, 330-31
minéraux, 88-89
minoxidil, 288
miso, 50, 81
modulateurs des récepteurs œstrogéniques (MSRE). *Voir* raloxifène
MSRE. *Voir* raloxifène
MTS. *Voir* maladies transmissibles sexuellement

muffins au yogourt aux cerises, 47
multivitamines, 91-92
muscles, 71
abdominaux, 132-33
et arthrite, 302
fessiers, 128-29, 134
loge antérieure et postérieure de la jambe, 129, 134
membres inférieurs, 128-29
membres supérieurs, 130-31
musculation, 111, 126-33, 217, 235, 302, 378
résistance progressive, 126-27
torse, 132-33

N-acétylcystéine, 343
natation, 125
nettoyage facial, 275
neurobiques, 250-51
neurones, 24, 244-45
neurostimulation transcutanée (TENS), 367
névralgie, 398
névralgie post-herpétique, 398-99
nicotine. *Voir* tabagisme
nitrites, 309
noix, 51, 57, 63
Nolvadex. *Voir* tamoxifène
nutrition, 31-65
aliments vedettes, 50, 52-57
besoins nutritifs, 35
et maladie de Parkinson, 375
et santé cérébrale, 255
et vieillissement, 14-15, 35
Guide alimentaire canadien, 32-33
programme pour manger mieux en huit semaines, 62-65

suppléments
    alimentaires, 88-107
    Voir aussi alimentation

odorat, 24
œstrogène
    et cancer colorectal,
        311
    et cancer du sein, 232,
        234, 374
    et longévité chez la
        femme, 21
    et maladies du cœur,
        232-33
    et mémoire, 231, 256
    et ménopause, 225
    et ostéoporose, 382
    et rides, 277
    et sexualité, 222
    et thérapie hormonale
        de substitution, 225,
        228, 229-30, 232-34
oignon, 376
œufs, 59
onguent arnica, 307
optimisme, 21, 196-97,
    212-14
ORAC. *Voir* capacité
    d'absorption des
    radicaux libres de
    l'oxygène
organiser son temps,
    195-96
orgasme, 222-23, 225
Orlistat. *Voir* Xenical
ortie, 107
os, 25, 228
    et exercice, 112
    Voir aussi ostéoporose
ostéoarthrite. *Voir* arthrose
ostéodensitométrie, 160-61
ostéopathie, 368
ostéopénie, 160, 374
ostéoporose, 160, 228, 382
    et calcium, 14-15
    et ménopause, 15
    prévention de l', 384-85
    risque, 383
    traitement, 382-83

ovaires, 230
oxydation, 18-19
oxalates, 307
oxybutynine, 361

paclitaxel, 313
pallidotomie, 375
palmier nain, 107, 239
Pap test, 146, 149, 154,
    156, 163
parfait aux fruits à la
    crème au gingembre,
    81
passe-temps, 194-95
passion, 226-27
pâte dentifrice, 283, 285
pâtes aux légumes, 85
pâtes au brocoli et aux
    tomates séchées, 38
peau, 272-81
    acné rosacée, 279
    cancer, 159, 386-87
    cellulite, 278-79
    des hommes, 279
    et alimentation, 274
    et soleil, 273, 275-76
    et stress, 190
    et vieillissement, 22,
        272
    étiquettes, 279
    éviter les ravageurs,
        273-74
    régénérations rapides,
        280-81
    rides, 273, 276-77
    sèche, 273-74
    soin de la, 272-75
    tests, 149, 159
pectoraux, 130, 135
PENS. *Voir* neurostimula-
    tion percutanée
pensée positive, 213-14
périménopause. *Voir*
    préménopause
périodontie, 282-83,
    348-49
perte auditive, 386-87
pessaire, 365
pH œsophagien, 388

pharmacies
    sur Internet, 183
    vérifier le dosage des
        médicaments avec la,
        181-82
physiothérapie, 368
pieds, 336, 397
pierres. *Voir* calculs biliai-
    res ; calculs rénaux
pilule contraceptive, 229
pipe, 166
piqûres, 296-99
    d'insectes, 296-99
pissenlit, 305
pita au poulet, 85
pivoines arbustives, 375
plantes médicinales,
    100-7
    choix, 100-7
    et reflux gastro-
        œsophagien, 391
    mélanges traditionnels
        chinois, 107
    pour améliorer le
        système immunitaire,
        103
    pour l'énergie, 106
    pour les troubles de
        circulation, 105
    pour les troubles de
        digestion, 102-3
    pour une bonne santé
        cardiaque, 104-5
    pour l'humeur, 105-6
    pour la mémoire, 105
    pour le soulagement de
        la douleur, 102
    pour les blessures et les
        infections, 103-7
    pour les troubles
        féminins, 106-7
    pour les troubles
        masculins, 107
    sécurité, 101-2
    suppléments
        alimentaires, 58
    utilisation, 101
    *Voir aussi les plantes
        médicinales spéci-
        fiques*
plaque, 282, 380
pneumonie, 147, 163
poids, 67-85

chances de maintenir le
    poids perdu, 71-72
changer les habitudes
    pour perdre du,
    71-72
et ACV, 293
et arthrite, 301-2
et calories, 36-37
et cardiopathies, 379
et dysfonction érectile,
    239
et fruits et légumes
    dans l'alimentation,
    46
et goutte, 351
et hypertension, 358
et insuffisance
    cardiaque, 365
et stress, 192
et tabagisme, 173
déterminer l'indice de
    masse corporelle
    (IMC), 68-69
manger différemment
    pour perdre du,
    74-81
mener la guerre aux
    bourrelets, 68-69
régimes populaires, 73
trucs pour perdre du,
    70-72, 82, 84-85
poisson, 14, 50, 52-53, 63
    avantages du, 17
    bons gras dans le, 52
    et cancer, 309
    et cardiopathies, 379
    et dégénérescence
        maculaire, 327
    et dépression, 331
    et maladie d'Alzheimer,
        373
    et pression artérielle,
        358
    et ostéoporose, 384
poires, 55
pois, 43
polypes, 159, 310-11
polyphénols, 303
pomme de terre, 43, 85
pomme de terre farcie au
    four, 85
pontage coronarien, 377
porc, 61

postménopause, 230
posture, 369
potassium, 357-59
poulet sauté au brocoli et aux tomates, 80
pouls, 117
poumons, 24-25, 111, 332
Prandase. *Voir* acarbose
préménopause, 228-29
pression artérielle
　dépistage, 149, 152-53
　et stress, 190
　moniteurs domestiques, 161, 359
　Voir aussi hypertension
principe de surcharge, 126
produits laitiers, 89, 95
progestérone, 99, 263, 382-83
progestérone « naturelle ». *Voir* progestérone
progestine, 234
Prolastin, 333
Propecia, 288
Proscar. *Voir* finastéride
prostate, 222, 239
protéines, 45, 73, 84, 375, 382
Prozac. *Voir* fluoxétine
prucalopride, 393
prunier d'Afrique. *Voir* pygeum et yohimbé
pseudogoutte, 346
psyllium, 45, 59, 305, 393
purines, 351
pygeum, 107

qigong, 203, 346
quadriceps, 129, 134
quercétine, 51, 98
quesadilla épicée à la dinde, 85
quiche aux brocolis sans croûte, 54

radicaux libres, 18-19, 46, 311
radiographie de l'œsophage (repas baryté), 388
radon, 315
raisin d'ours. *Voir* uva-ursi
raloxifène, 234, 383
ramipril, 357
rameur, 119, 125
RAST. *Voir* test sanguin de radio-allergo-immunocaptation (RAST)
rayons ultra-violets, 320-21
réaction de lutte ou de fuite, 188-200
recettes et repas légers
　courges au cidre farcies aux pommes, 78
　fajitas au porc rôti et aux légumes, 61
　frappé tropical de soya, 53
　gâteau express au chocolat et aux framboises, 41
　maquereau aux tomates à l'ail et aux fines herbes, 52
　muffins cerises-bleuets au yogourt, 47
　parfait aux fruits à la crème et au gingembre, 81
　pâtes au brocoli et aux tomates séchées, 38
　pâtes aux légumes, 85
　pita au poulet, 85
　pomme de terre farcie, 85
　poulet sauté au brocoli et aux tomates, 80
　quesadilla épicée à la dinde, 85
　quiche aux brocolis sans croûte, 54

salade aux fèves blanches et noires, 77
salade d'épinards aux poires et aux noix, 55
salade niçoise, 85
sandwich aux légumes grillés et au fromage de chèvre, 85
saumon en papillote au citron et à l'aneth, 79
soupe chinoise au poulet, 75
taboulé aux fruits, 43
tofu doux-amer aux légumes, 39
tortilla méditerranéenne au poulet, 85
reflux gastro-œsophagien, 388-91
régime alimentaire, 31-65
　aliments énergétiques, 42-45
　aliments nutriceutiques, 58-59
　aliments vedettes, 50-57
　asiatique, 34, 37, 354
　auto-évaluation, 36-37
　et ACV, 294
　et allergies, 298
　et calculs biliaires, 304-5
　et cancer de la prostate, 316-17
　et cataractes, 323
　et dépression, 331
　et diabète, 337
　et hépatite, 355
　et longévité, 19
　et maladie d'Alzheimer, 373
　et ostéoporose, 384
　et peau, 274
　et poids, 46, 73, 82-85
　et reflux gastro-œsophagien, 390
　et syndrome du côlon irritable, 393
　et troubles thyroïdiens, 333
　et ulcères, 395
　et veines variqueuses, 397

et vieillissement, 14, 32
huit semaines pour manger mieux, 62-65
isoflavones pour combattre la maladie, 51
méditerranéen, 33-34
nouvelles directives, 37-39
pour l'hypertension, 358
santé, 32-39
régime DASH (Dietary Approaches to Stop Hypertension), 358
régime méditerranéen, 33-34, 354
réglisse, 102-3, 390, 395, 399
　déglycyrrhizinée, 102-3, 390, 395
reiki, 203
relations sexuelles, 13, 25, 226-27
relaxation, 85, 200-3, 218, 393
REM. *Voir* sommeil paradoxal
remise en forme. *Voir* exercice
remplacement nicotinique, 170-71
Renova, 276
repaglinide, 335
repas. *Voir* recettes et repas légers
reproduction, 25
Resolor. *Voir* prucalopride
résonance magnétique nucléaire (RMN). *Voir* imagerie par résonance magnétique
respiration
　du diaphragme, 202
　profonde, 202
restaurants, 82, 84
resvératrol, 98
Retin-A, 276-77
rétinol, 276
retraite, 13, 208-9, 215
RGO. *Voir* reflux gastro-œsophagien
rhinite allergique, 296-97

rides, 273, 276-77
rire, 199, 213
Rogaine, 288
ronflements, 265-67
rosacée, 278-79

S-adénosylméthionine.
    Voir SAMe
sabutamol, 343
safran tibétain, 375
salade d'épinards aux
    poires et aux noix, 55
salade de crabe au maïs et
    à l'avocat, 48
salade niçoise, 85
salade aux fèves blanches
    et noires, 77
salades, 48, 55, 57, 77, 85
salicine, 100
salsa, 84-85
SAMe (S-adénosyl-
    méthionine), 96, 303,
    331
sandwich aux légumes
    grillés et au fromage
    de chèvre, 85
santé
    et alimentation, 31-65
    et contacts sociaux, 210
    et plantes médicinales,
        100-7
    et sexualité, 224
    et stress, 188-92
    évaluation des risques
        pour la, 26-27
    examen physique, 15,
        148-49
    examens médicaux,
        145-63
    immunisation, 147
    Voir aussi médicaments;
        maladies spécifiques
santé émotionnelle, 206-9
saponine, 51
saumon, 52, 79
saumon en papillote au
    citron et à l'aneth, 79
saveur, 80-81
sciatique, 302

sclérothérapie, 278
sécurité. *Voir* accidents
sédatifs, 179, 256
sel, 39, 335, 358, 365, 387
sélénium, 94, 315, 317
sérotonine, 53, 188, 366
sexualité, 13, 25, 222-27
    dysfonction érectile,
        223, 237-39
    et crise cardiaque, 238
    garder le désir vivant,
        226-28
    séparer la réalité de la
        fiction, 223
SFC. *Voir* syndrome de
    fatigue chronique
shampoing, 287
sibutramine, 72
sieste, 262
sigmoïdoscopie flexible,
    149, 158, 310
silhouette, 69
silybum marianum.
    Voir chardon-Marie
SIO. *Voir* sphincter
    inférieur œsophagien
SIM. *Voir* syndrome des
    impatiences muscu-
    laires
sites Internet, 211
skieur, elliptique de type,
    119
Société canadienne du
    cancer, 146
Société canadienne du
    sang, 354
Société de l'ostéoporose
    du Canada, 160, 382
sodium, 35, 62, 378
    Voir aussi sel
soleil, 273, 275
sommeil, 260-69
    adjuvants, 185
    apnée du, 265-67
    avantages du, 17
    besoins, 260-61
    et alcool, 176,
        262-63
    et exercice, 110,
        268-69
    et fatigue, 345
    et mémoire, 247-48
    et peau, 274

insomnie, 262-65
    manque de, 260
    paradoxal (REM),
        260-61, 263
    phases, 261
    siestes, 262
    syndrome des impa-
        tiences musculaires,
        267
    trucs pour mieux
        dormir, 268-69
son d'avoine, 59
souliers, 115, 326
soupe au poulet, 75
soupe chinoise au poulet,
    75
soya
    ajouter au régime
        alimentaire, 64
    aliments enrichis de, 59
    et cancer, 309, 317, 319
    et densité osseuse, 384
    et ménopause, 235
    comme aliment vedette,
        50
    suppléments, 98
    tofu aigre-doux, 39
soya tropical onctueux, 53
sphincter inférieur
    œsophagien (SIO),
    388-89
spiritualité, 215
sports, 196
SSRI. *Voir* antidépresseurs
    inhibiteurs du recap-
    tage de la sérotonine
stanols, 59
Starnoc. *Voir* zaleplon
statines, 377
stérols, 51, 59
stress, 188-203
    causes les plus
        fréquentes du, 192
    auto-évaluation, 192
    bon et mauvais, 192-93
    chercher de l'aide, 197
    chronique, 188-93
    et ACV, 295
    et alimentation, 83
    et animaux de
        compagnie, 197
    et cardiopathies, 365,
        379

    et maladie, 188-92
    et mémoire, 248
    et peau, 274
    et reflux gastro-
        œsophagien, 391
    et sexe, 190
    et sommeil, 262
    et ulcères, 395
    éviter le, 16
    exercices pour soulager
        le, 196
    signes de, 191
    solutions pour combat-
        tre le, 198-99
    test, 377
    trucs pour diminuer le,
        194-203
stretching, 134-37
style de vie
    changement, 17
    et mémoire, 248
    rester actif, 16
substance libératrice de la
    corticotrophine, 190
sucre, 38, 45, 336, 381
sueur, 117
sulfites d'aillicine, 51
sulforaphane, 55
suppléments alimentaires,
    88-107
    Voir aussi suppléments
        spécifiques; vitamines
syndrome de fatigue
    chronique (SFC), 344
syndrome des impatiences
    musculaires (SIM),
    267
syndrome des ovaires
    polykystiques, 230
syndrome du côlon
    irritable, 392-93
système immunitaire, 25
    et activité aérobique,
        112
    et privation de
        sommeil, 260
    et stress, 189
    plantes médicinales
        pour le, 103
système nerveux, 255
synapses, 244
Synvisc, 300

tabac. *Voir* tabagisme
tabagisme, 15, 166-73
  avantages de cesser de
    fumer, 167
  calendrier de
    récupération, 169
  cesser de fumer à froid,
    170
  chances de réussir à
    cesser de fumer, 167
  et ACV, 295
  et bêta-carotène, 90
  et cancer, 309
  et cancer du poumon,
    314-15
  et cardiopathies, 379
  et dégénérescence
    maculaire, 327
  et douleurs dorsales, 369
  et dysfonction érectile,
    239
  et emphysème, 342-43
  et fatigue, 345
  et peau, 273
  et reflux gastro-
    œsophagien, 391
  et hypertension, 359
  et incontinence, 361
  et maladie de
    Parkinson, 374
  et maladies des
    gencives, 381
  et ostéoporose, 385
  et vitamine C, 89, 167
  fumée secondaire,
    15, 167, 343
  programme en six
    semaines pour réussir
    à cesser de fumer,
    172-73
  remplacement nico-
    tinique, 170-71
  se préparer à cesser de
    fumer, 168-70
taboulé, 43
taboulé aux fruits, 43
taches hépatiques, 277
taches de vieillissement.
    Voir taches hépatiques

taï chi, 203
tamoxifène, 100, 319, 383
tangerétine, 51
tapis roulant, 119
taurine, 96
Taxol. *Voir* paclitaxel
techniques de relaxation,
    203
tegaserod, 393
teinture, cheveux, 286-87
télomérase, 19
télomères, 19
tempeh, 50
TENS. *Voir* neurostimula-
    tion transcutanée
test d'endurance à
    l'exercice, 377
test de dépendance à
    l'alcool, 177
test de dépistage du virus
    du papillome
    humain, 156
test de glucose plasma-
    tique, 327
test de Papanicolaou. *Voir*
    PAP test
test sanguin de radio-
    allergo-immunocapta-
    tion (RAST), 299
tests de densité osseuse,
    149, 160-61, 163, 384
test d'hyperglycémie
    provoquée par voie
    orale (OGTT), 162
testostérone, 225, 226,
    236, 238, 383
thalamotomie. *Voir* palli-
    dotomie
thé, 56-57, 64, 97, 106,
    397
  avantages du, 64
  caféine dans le, 56-57
  camomille et menthe
    poivrée, 102
  et eau, 34
  pour le reflux gastro-
    œsophagien, 390
  plantes médicinales
    douces, 101
  vert, 51, 56-57, 64, 106,
    303, 309
thérapie photo-
    dynamique, 326-27

thiazides, 357
thiazolinédiones. *Voir*
    glitazones
thon, 52-53
thymus, 25
thyrotrophine (TSH) ou
    test de stimulation
    thyroïdienne, 149,
    161-62, 392
thyroïde
  troubles de la, 332-33
  test, 161-62
  hypothyroïdie, 70
tofu, 39, 50, 64
tofu doux-amer aux
    légumes, 39
tomate, 51-52, 55-56, 80,
    315, 317
tomodensitométrie, 159,
    358, 389
tortilla méditerranéenne
    au poulet, 85
TOTG. *Voir* hyper-
    glycémie provoquée
    par voie orale
toucher, 22
toucher rectal, 149, 157
tPA. *Voir* activateur
    tissulaire du
    plasminogène
traitement de choc. *Voir*
    électrochocs
traitement exfoliant, 280
transfusion sanguine,
    353-54
translocation maculaire,
    327
trapèze, 135
trétinoïne, 276-77
triceps, 130-31, 135
triglycérides, 153
TSH. *Voir* thyrotrophine
tyramine, 330

ubiquinone.
    Voir coenzyme Q10
ulcère de Barrett, 388
ulcère duodénal. *Voir* ul-
    cère gastro-duodénal

ulcère peptique, 394
ulcères, 394-95
urétrite, 363
UTI. *Voir* infection
    urinaire
uva-ursi. *Voir* faux-buis
    (busserole)

vaccination. *Voir* immuni-
    sation
vagin, 225, 232, 234
valériane, 106
varicelle, 147, 398-99
varices, 396-97
varicosités, 278
vasodilatateurs, 358, 364
végétarianisme, 89, 302
veines de la jambe, 396-97
veines variqueuses,
    396-97
verres fumés, 323, 326
vertébroplastie, 383
vêtements
  pour l'exercice, 114-15
  et reflux gastro-
    œsophagien, 391
  et maladie de
    Parkinson, 375
  pour se protéger du
    soleil, 321
Viagra, 237
viande, 33
vieillissement
  bien vieillir, 10-11
  et alcool, 174-75
  et fonctions mentales,
    12-13, 24-25, 242-57
  évaluer les risques pour
    la santé, 26-27
  nouvelles perspectives
    sur le, 10-17
  processus de, 18-25
  ralentir, 14-17
  redéfinir le, 12-13
  résoudre les mystères
    du, 18-19
vin, 15, 378
vinblastine, 100
vincristine, 100

vision, 22
visualisation, 202
vitamine A, 35, 90, 92, 323, 395
vitamine B, 274, 333, 345
vitamine B$_4$, 35
vitamine B$_6$, 92
vitamine B$_{12}$, 25, 32, 35, 89-90, 331, 399
vitamine C, 14, 25, 94-95
  dans le brocoli, 55
  dans les fruits, 48
  et allergies, 298-99
  et arthrite, 302
  et calculs biliaires, 305
  et cataractes, 323
  et gencives, 381
  et hypertension, 89
  et infection, 363
  et pression artérielle, 89
  et stress, 190
  et tabagisme, 89, 167
  et veines variqueuses, 397
  et vieillissement, 35
  sources de, 274
vitamine D, 32, 35, 59, 89, 92, 94, 95

vitamine E, 14, 95
  aliments enrichis de, 59
  et anticoagulants, 92
  et arthrite, 302
  et cancer du sein, 319
  et cataractes, 323
  et diabète, 337
  et maladie d'Alzheimer, 373
  et maladie du cœur, 95
  et ménopause, 235
  et peau, 274
  et veines variqueuses, 397
  et vieillissement, 35
vitamines, 88-95
  choisir une multivitamine, 91-92
  coût, 93
  et arthrite, 302
  et cataractes, 323
  étiquette, 93
  liposolubles, 89
  magasiner des, 90-91
  multivitamines spéciales pour hommes, femmes, et personnes du troisième âge, 92

terminologie, 91
vitex agnus castus. *Voir* gattilier
voyage, 212-13, 339

warfarine, 92, 105, 179, 181, 295
Wellbutrin, 171

Xenical. *Voir* Orlistat

yeux
  cataractes, 322-23
  dégénérescence maculaire, 56, 326-27
  et ACV, 295

  et diabète, 336
  et vieillissement, 22
  examen des, 150-51
  glaucome, 348-49
  grille d'Amsler, 151
yoga, 118, 140-41, 203
yogourt, 47-48, 298, 339, 341
yohimbé, 107

zaleplon, 265
zeaxanthine, 35, 51, 56, 327
zinc, 94, 239, 317, 327, 395
zona, 398-99
Zostrix. *Voir* capsicine